DON SEGUNDO SOMBRA

clásicos castalia

RICARDO GÜIRALDES

DON SEGUNDO SOMBRA

Edición,
introducción y notas
de

ÁNGELA B. DELLEPIANE

Madrid

Zurbano, 39 - 28010 Madrid - Tel. 319 58 57

Cubierta de Víctor Sanz

Impreso en España - Printed in Spain
Fernández Ciudad, S. L.
Catalina Suárez, 19. 28007 Madrid

I.S.B.N.: 84-7039-575-0
Depósito Legal: M. 34.140-1990

SUMARIO

INTRODUCCIÓN

BIOGRÁFICA Y CRÍTICA

BIOGRAFÍA *

Ricardo Güiraldes adoró siempre la estancia paterna, "La Porteña", [1] esa casona colonial en el medio de la pampa infinita. Admiró hasta la veneración a los recios habitantes de la llanura rioplatense, los *gauchos,* en quienes veía el compendio de la masculinidad y del ser argentino. Convivió con ellos aprendiendo sus tareas campesinas, sus bailes, sus cantos, emulándolos en su callado estoicismo, oyendo sus narraciones cuajadas de supersticiones y mitos telúricos. Supo tocar la guitarra y fue un delicado cantor de lo argentino. Despertó admiración y gustó, en Europa, no ya sólo por los cantos folklóricos de su patria, sino por el tango que bailaba con consumada destreza y que ayudó a imponer en la sociedad parisina. Muchos de los cuadros de vida campesina que sus obras contienen no son sino un rememorar aquellas cosas vistas, oídas y vividas en la infancia y adolescencia, en una actitud lírica que se levanta, siempre, sobre imágenes proporcionadas por la

* Cuando en el texto se citan libros y/o artículos que aparecen en la bibliografía, se consigna el autor, el título abreviado y la página.

[1] El bisabuelo de Güiraldes le puso este nombre que hace referencia a la locomotora traída de la guerra de Crimea para el primer ferrocarril argentino, el del oeste, hoy llamado Domingo Faustino Sarmiento. En la estancia habita hoy una sobrina del escritor.

memoria que las actualiza y anima. Lo extraordinario es que este amor por las cosas del campo argentino se haya dado en un hombre que parecía nacido bajo el signo del cosmopolitismo, de la vida brillante y fácil de los salones elegantes internacionales. Ricardo Guillermo Güiraldes nació, además, en pleno corazón de la ciudad de Buenos Aires, en la calle Corrientes, núm. 537, la casa de sus bisabuelos Guerrico, el 13 de febrero de 1886, en el seno de una pudiente y distinguida familia bonaerense. Por si todo esto fuera poco, como pasó sus primeros tres años de vida en París, aprendió el francés antes que el castellano. Hay que tener muy en cuenta esta circunstancia de su vida, ya que a la lengua francesa deberá Güiraldes hábitos de pensamiento y expresión y una gran devoción por la cultura de Francia. Mas sus raíces estaban en la patria argentina y en el idioma español. Lo francés será, pues, en él, medio para enriquecer la lengua española con audaces trasplantes y será también lo que le permitirá efectuar, en sí mismo, una profunda síntesis de lo europeo y lo argentino, lo intelectual y lo vital. Esa estrecha unión de lo más autóctono de la cultura argentina con lo más exquisito de la cultura europea conformarán así una personalidad en la que se darán todos los refinamientos de un perfecto europeo culto, junto a una gran destreza "gaucha" y a un profundo amor por lo netamente argentino, originados éstos en la vida libre de la estancia en la que la familia residía de setiembre a mayo, cada año.

Durante la infancia de Ricardo, esto es, entre 1890 y 1897, los Güiraldes pasaban el fin del otoño y todo el invierno en la quinta del abuelo paterno, en el porteño barrio de Caballito. El niño estudiaba allí guitarra con el maestro Sagreras y, a los seis años, tenía ya un repertorio de unas cincuenta composiciones. El aprendizaje escolar fue confiado primero a institutrices y, a partir de 1897, a un maestro mexicano, Lorenzo M. Ceballos, quien influyó grandemente en la vocación literaria de Güiraldes.[2]

[2] "Notas" a "Proyecto de carta, para Guillermo de Torre", *OC*, 33-34.

Pero el mundo fabuloso de la Pampa, de la Estancia (así, con mayúscula), era lo que atraía al futuro poeta.

Llegan luego los estudios secundarios, que cumplió —no de muy buena gana, pues la estancia y las tareas campestres le atraían más, así como sus fabulosas diabluras— en el Colegio Lacordaire, el Instituto Vértiz y el Instituto Libre de Segunda Enseñanza. Recuerdos de esos días escolares quedan consignados en *Raucho.* En 1904 era ya bachiller. Por esta época Ricardo dice haber comenzado su primera novela. Escribe setenta páginas de descripciones y "estados de espíritu cursis", pero no entra en materia y la abandona, aunque continúa pergeñando descripciones. Le confiesa a Guillermo de Torre que un párrafo de su novela subsiste en sus cuentos "La estancia vieja" y "San Antonio", ambos de *Cuentos de muerte y de sangre* ("Proyecto", *OC,* 26).

En esa misma carta, Güiraldes explica al crítico español cuáles fueron sus lecturas, desde los cinco años en adelante, así como también el hecho de que él comenzó su vida en Europa y hablando no sólo francés, sino alemán, antes que castellano. De sus lecturas dice: "Sabía de memoria *Max und Moritz.* Leía los cuentos de los Brüder Grimm, los *Andersen Märchen* (...), *Mali der Schangenbändegir, Duch Urwald und Wustensand, In Goldland Kalifornia...*" ("Proyecto", *OC,* 27). De estos autores, entre los doce y catorce años, salta a "Julio Verne, a *Los tres mosqueteros,* a todo Dumas y por allí a una desordenada voracidad libresca que convirtió mi cabeza en un cambalache de compra y venta. Había cambiado de idioma y ese cambio fue total. Por esa época también caí de cabeza en una extraña arca hispana: Campoamor, Espronceda, Núñez de Arce, Bécquer, Jorge Isaacs... No había tenido suerte y seguí con el francés" ("Proyecto", *OC,* 27).

Terminado el bachillerato, un joven de la posición social y económica de Güiraldes tenía necesariamente que seguir una carrera universitaria. Es así que él ingresa en la Facultad de Arquitectura de la Universidad de Buenos Aires, elección dictada más que por una genuina vocación, por su facilidad y atracción hacia el dibujo. Pero... no resiste la disciplina a la que es necesario someterse porque no está verdaderamente interesado. Prueba entonces suerte en la Facultad de Derecho, ya que la carrera de abogacía era de rigor entre las gentes de su clase. Al mismo tiempo comienza a desempeñar una serie de trabajos, el primero de los cuales es escribiente en una secretaría de juzgado. Mas por tres años —1906 a 1909—

> [e]n los exámenes me dieron una de ceros... Mi padre, con sobrada razón, se opuso a que siguiera atorrante so pretexto de estudios. Fui sucesivamente ayudante de pagador en un banco, corrector de avisos notables en una casa de remates, empleado de caja de una casa de consignación. No pensaba sino en escribir, leer, irme a Europa y *correr tras las mujeres.* Los cambios de empleo se debían en gran parte a que, llegada la primavera, me entraba una especie de furor por salir al campo. Esto costaba mi trabajo y volvía a dejarme en posición de candidato cada año ("Proyecto", *OC,* 35).

Empujado por su padre —por entonces intendente de la ciudad de Buenos Aires—, Ricardo entra a trabajar en el Congreso, puesto que conserva hasta 1910.

No obstante, el muchacho alocado, mujeriego, enamorado de la pampa y sus gentes, no ha descuidado su intelecto. Entre los dieciocho y diecinueve años de su edad lee a Renan, Zola, Anatole France, Hugo, Balzac y, por sobre todos, se siente atraído por el Flaubert de *Las tentaciones, Salambó* y *Sant Julien.* Releía casi a diario *La Biblia, Zarathustra, La educación intelectual, moral y física* de Spencer y la *Vida de Jesús* ("Proyecto", OC, 28). A los veinte años se apasiona —a través de Lecomte de Lisle— por los Parnasianos, Villiers, Baudelaire, Bertrand, Rousseau y Mallarmé. En Poe descubre un "mundo de conquistas sensitivas y exaltadas" ("Proyecto", *OC,* 28-29). Oscar Wilde y los rusos también le cautivan.

De esta época data uno de los axiomas que regirán sus creaciones literarias y cuya vigencia delatan, por ejemplo, las correcciones practicadas en el original de *Don Segundo*

Sombra. Dice Güiraldes: "*Quisiera que mis cuentos fueran extractados, breves, concisos. Lo que más me gusta de la mano es el puño*" ("Proyecto", *OC,* 29. El subrayado es del autor).

Es, pues, evidente, que las lecturas de Güiraldes fueron copiosas y diversas y revelan un espíritu abierto a todo lo bello e inteligente que, instintivamente, escoge lo mejor y que lo lleva a ser ecléctico y tolerante. Es muy interesante observar que los grandes clásicos españoles del Renacimiento y del Barroco, así como los de la generación del 98, parecen no haber sido frecuentados por Güiraldes de joven, aunque en la lista confeccionada por el doctor Alberto G. Lecot de los ejemplares que formaron parte de la biblioteca del escritor ellos aparecen. Los franceses son, sin duda, sus maestros. Y aunque lo deslumbra Renan y admira a Balzac, el Flaubert de *Salambó* y los decadentistas son sus predilectos, con lo que se explicitan bien sus preferencias estetizantes. Ausentes también están los grandes nombres de la literatura italiana y, particularmente, las obras de Dante y Petrarca. De igual modo, no se mencionan autores argentinos e hispanoamericanos a excepción de Darío y Lugones.[3] Debe puntualizarse, no obstante, que esa proclividad estetizante fue cediendo paso, a partir de 1920, a preocupaciones de índole ética, metafísica y religiosa, tal como lo evidencian claramente algunos de sus *Poemas solitarios,* de sus *Poemas místicos* y las notas de *El sendero.*

Pero lo que él mismo llama su "período consciente" ("Proyecto", *OC,* 29) data de su estadía de dos años en Europa. En 1910, cuando la Argentina y, en particular Buenos Aires, se aprestan a celebrar su primer centenario de nación independiente y la infanta Isabel de España venía al Plata para dar realce a las celebraciones, Güiraldes vuelve la espalda a toda esa bambolla de nación todavía colonial y se marcha a su otro polo de gravitación, París, con su amigo Roberto Levillier. En el hotel Alham-

[3] Cf. "Del epistolario", *OC,* 750.

bra, de Granada, en viaje hacia Francia, empieza a borronear los primeros capítulos de *Raucho.* Pero en París su encuentro con otro entrañable amigo —Adán Diehl— lo arranca de la capital francesa y lo sumerge en una larga gira que llevará a los dos amigos a Italia, Grecia, Turquía, Egipto, la India, Ceylán, China, Japón y, por Vladivostock, hasta Moscú, Petrogrado y Berlín, para regresar a París. Hay en este viaje un momento que es de singular relieve y que Güiraldes ha relatado en carta a su entrañable amigo, el poeta francés Valery Larbaud. Estando en Ceylán, en la ciudad de Kandy, su amigo lo lleva a un fumadero de "haschich" y, cuando, después de tres pipas, está en posesión de un "bienestar lúcido", siente que

> todo en [la Argentina] era imitación y aprendizaje y sometimiento, y carecía de personalidad, salvo en el gaucho que, ya bien de pie, decía su palabra nueva.
>
> No era cuestión para mí, en ese momento, argüir nada. El hecho tenía carices de axioma y yo comprendía, no como quien razona, sino como quien constata una "evidencia"...
>
> No he tenido posteriormente razones sino para afirmarme en tal sensación. Para mí, en mi país, hay un inmenso desierto y en la pampa un hombre (*OC,* 774).

Así, casi inconscientemente, se gestará en el poeta el convencimiento de que ésa es la Argentina que hay que hacer vivir en las páginas literarias. Y ese pensamiento encontrará expresión, años más tarde, en estas palabras que dirige a Larbaud:

> Me parece que hay tanto por decir en este país, que me desespera no ser un hombre orquesta, capaz de desentrañar el aspecto poético, filosófico, musical y pictórico de una raza inexpresada. No pretendo por esto ser capaz de hacerlo; hablo sólo de una tentación.
>
> ... Aquí todo el secreto estaría en apartarse de normas ajenas y dejar que los sujetos mismos fueran creando en uno la forma adecuada de expresarlos. ¡Y pensar que en cada una de las formas del arte hay un alma que está esperando su palabra!

En los yaravíes y los estilos está la rudimentaria expresión de la montaña y de la pampa.

En tejidos, ponchos y huacos está el criterio interpretativo de la forma y el color.

En el lenguaje pulcro y malicioso del gaucho el embrión de una literatura viva y compleja. Todo estaría en ser capaz de llevar estas enseñanzas a una forma natural y noble *(OC,* 742-743).

Güiraldes permaneció en París hasta 1912, y fue entonces que, son sus palabras, tentó la aventura, esto es, escribió cuentos y poemas más el comienzo de la novela *Raucho.* "En París, pues, me decidí *une fois pour toutes,* diría Laforgue, a convertirme en escritor" ("Proyecto", *OC,* 30).

Regresa a Buenos Aires a fines de 1912, y es entonces cuando lee a Tristán Corbière y a Jules Laforgue, el triste poeta decadente que le hace exclamar:

> ¡Por fin me encontraba en la expresión de los más sutiles sentimientos y formas de mi predilección! Bajo la influencia de Laforgue, al que adoraba literalmente, escribí *Salomé* y *La hora del milagro* [poemas de *El cencerro de cristal].* Corbière era un gaucho de la pampa acuática, ebrio de temporal, que también me entraba en el alma ("Proyecto", *OC,* 30).

La alocada juventud había quedado atrás. Esa recién adquirida madurez se consolidará al casarse, en octubre de 1913, con su adorada Adelina del Carril, y el suyo será un matrimonio singularmente feliz, hecho de amor pero también de una profunda y afectuosa comprensión y respeto. Es de señalar que, al llegar el "patroncito Ricardo" a "La Porteña" el día de la boda para pasar allí su luna de miel, el coche que conduce a la pareja desde la estación va custodiado por un corpulento peón. Güiraldes indica a su mujer que ése es don Segundo Ramírez. Por primera vez, Adelina veía al ser real que, en la ficción, se transformaría en Don Segundo Sombra.

Adelina del Carril había nacido en el seno de una aristocrática familia con una larga prole: seis hijas y siete hijos. Todas las mujeres de la familia estaban no sólo bien dotadas físicamente sino que eran independientes, modernas hasta el punto de escandalizar por la camaradería con que se mezclaban con los amigos de sus hermanos. Eran, además, mujeres cultas que hablaban varios idiomas y tenían apetencias intelectuales. El de la casa de los Del Carril era un ambiente ecléctico en el que el tango y las canciones de moda eran gustados con el mismo fervor con que se gozaba, una vez por semana, de la mejor música de cámara en Buenos Aires. Frecuentes viajes a Europa con los padres y amistades intelectuales europeas harán que sea Adelina quien, años más tarde, presente a su marido en el salón de *madame* Bulteau, colaboradora de *Le Temps.* Desde el primer momento Adelina ayudará en toda forma a Ricardo —hasta en la tarea física de pasar a máquina sus originales— y será quien lo anime constantemente para que realice su obra literaria, de cuyo valor ella nunca tuvo dudas.[4]

Durante este año de 1913 los primeros cuentos de Güiraldes aparecen en el semanario *Caras y caretas.*[5] Al año siguiente, Ricardo y Adelina hacen un viaje al Brasil.

En 1915 Ricardo Güiraldes se entrevista con Leopoldo Lugones, a la sazón el poeta por excelencia de las letras argentinas, quien oye la lectura de algunos de los poemas de *El cencerro de cristal* y de los *Cuentos de muerte y sangre.* Y aunque Lugones no lo elogia excesivamente sino que le hace observaciones y, sobre todo, le recomienda que cuide su puntuación (con lo que generará una obsesión que ha de perseguir a Güiraldes, creo, hasta el fin de sus días), lo insta a que los imprima. Así alentado, Güiraldes lanza a la consideración pública, el 21 de setiem-

[4] Cf. los comentarios que acerca de A. del Carril hace Alberto Blasi en "Las cartas de Adelina del Carril" en W. W. Megenney, ed. *Four Essays,* 2-3.

[5] Cf. la Introducción de Sara Parkinson de Saz a su edición de *Don Segundo Sombra,* 2.ª ed. (Madrid, Cátedra, 1981), 15.

bre, el poemario *El cencerro de cristal* y los *Cuentos de muerte y de sangre.* Fue un fracaso "coherente y múltiple" ("Proyecto", *OC*, 32) que convirtió a Ricardo en blanco de tristes y dolorosas burlas.

Güiraldes corre a refugiarse de tanta incomprensión en la estancia y hace arrojar los ejemplares de *El cencerro* al pozo de "La Porteña", del que, subrepticiamente, Adelina consigue rescatar unos pocos. Sigue, no obstante, trabajando. Sus dos próximas creaciones muestran, por lo pronto, una suerte de alejamiento de sus preocupaciones formales, alejamiento que quizá no hubiese advenido sin el estruendoso fiasco de *El cencerro.* Escribe un capricho teatral —*El reloj*—, inédito hasta hoy y cuyo manuscrito se conserva en el Museo Güiraldes de San Antonio de Areco,[6] habiendo sido representado en aquella ciudad hace unos pocos años. Se trata de una pieza de crítica social aunque envuelta en una poética fantasía. También por esa época investiga en el Museo Etnográfico de Buenos Aires la leyenda india del urutaú, pájaro de la región guaraní, y con su amigo Alfredo González Garaño crea los bocetos y diseños de escenografía y vestuario y escribe el poema escénico titulado *Caaporá.* Primero se piensa en Pascual de Rogatis para la música, pero cuando Nijinsky se interesa en el proyecto, se decide que la partitura musical se dejará en manos de Stravinsky. El gran bailarín ruso

[6] El Parque y Museo criollo "Ricardo Güiraldes" está ubicado en el pueblo de San Antonio de Areco, en la provincia de Buenos Aires, a poco menos de dos horas de viaje desde la capital. Fue creado por decreto provincial de 1937. Además del edificio del museo se encuentran la ermita de San Antonio, un santuario del siglo XVII, la pulpería "La Blanqueada", un palomar, un curioso pozo calzado con huesos de caracú, una antigua tahona junto a la cual hay un galpón y un cuarto de sogas (dependencias propias de las antiguas estancias), un *mangrullo* o atalaya semejante a la que se erigía en los fortines para avizorar la presencia de los indios y un corral de palo a pique. La casona reproduce la población de una estancia del siglo XVIII. El Museo contiene documentos, prendas personales de Güiraldes, así como también cuadros, armas y utensilios gauchos. Hay una sala dedicada al gaucho y otra a Alberto A. Güiraldes, primo hermano de Ricardo e ilustrador de su obra.

cae enfermo y el proyecto se archiva sin más trámite. Aún inédito, está conservado en el Museo Güiraldes.[7]

En 1916 los González Garaño proponen a sus amigos un viaje a los trópicos, y los dos matrimonios parten festivamente desde Chile en un vapor en el que recalan en diversos puertos de los países andinos, cruzan el canal de Panamá y llegan a Cuba, Jamaica y Haití. Es en las tarjetas que infaltablemente llevaba Ricardo en sus bolsillos, en las que borroneará las primeras impresiones del viaje, notas que constituirán luego uno de los libros menos conocidos y apreciados de Güiraldes —*Xamaica*—, el verdadero nombre arahuaco de la isla caribeña.

Quizá porque *Xamaica* nada tenía que ver con su país es por lo que, a su regreso, Güiraldes sigue trabajando *Raucho*, su "autobiografía de un yo disminuido", que publica en 1917 y que es recibida sin pena ni gloria.

La guerra europea lo había "desorbitado" y "fue ése un período de vida pesimista y triste aunque no cediera a los malos consejos de mi desánimo" ("Proyecto", *OC*, 32). La experiencia de la primera guerra mundial fue uno de los factores que determinaron el repliegue espiritualista de Güiraldes sobre sí mismo. Ante el espectáculo de la muerte de millones de seres y de la crueldad humana, el escritor comienza a formularse las preguntas existenciales por excelencia. Con varios amigos funda el Comité Nacional de la Juventud, que propicia la ruptura de relaciones con Alemania. Obtiene apoyo del Congreso, pero el presidente Yrigoyen veta el proyecto. Evidentemente, la política también le daba la espalda.[8]

Para "descansar de las frases prietas y los argumentos si no brutales, tensos en anhelos o en risa" ("Proyecto", *OC*, 32), escribe *Rosaura*, una novelita rosa, que envía a Horacio Quiroga, director de la revista semanal *El cuen-*

[7] Cf. Alberto G. Lecot, "*Caaporá*, el ballet que soñaron Alfredo González Garaño y Ricardo Güiraldes", *La Prensa*, 24 de marzo de 1974. Sección ilustrada, y en *En "La Porteña" y con sus recuerdos*, 179-190.

[8] El "Discurso" que en pro de este Comité escribió Güiraldes, aparece en *Guerra, violencia y dignidad*, 67-71.

to ilustrado, quien se la publica con el título *Un idilio de estación.* Estamos en mayo de 1918.

Terminada la primera guerra, Güiraldes vuelve a su entrañable París (agosto de 1919). Poco antes su amigo —y después cuñado— Adán Diehl le había dado un ejemplar de *Barnabooth,* de Valery Larbaud. El libro lo impresiona vivamente,[9] y ya en París, traba relación con su autor. Se inicia así una de las amistades literarias y humanas más totales e importantes de la vida de Ricardo y Adelina.[10] Éste fue un viaje en el que Güiraldes, a más de frecuentar museos, galerías de arte, conciertos y teatros, tomó lecciones de español con Miguel de Toro y Gisbert y leyó vorazmente. Pero lo que le proporcionó mayor placer fue entrar a formar parte, en el salón de *madame* Bulteau, del grupo de escritores franceses que él tanto admiraba: Fargue, Miomandre, Romains, St. John Perse, y trabar relación con Adrienne Monnier, dueña de la librería *La Maison des Amies des Livres,* en que se daban cita todos los poetas nuevos, mujer protectora de revistas de vanguardia y directora de *Le Navire d'Argent* y de la *Gazette des Amies des Livres.*[11] En esos poetas sintió Güiraldes una comprensión simpática que superaba nacionalismos estrechos. Por primera vez, otros creadores lo escuchaban, comprendían y alentaban. Y esta comprensión lo lleva no a imitar a quienes admira sino a encontrar *su* propio estilo, su personal e íntima manera de decir. Finaliza entonces *Xamaica,* su tercera novela, cuya publicación, sin embargo, se dilatará hasta 1923.

El invierno se hace sentir, y los Güiraldes se marchan a España. Pasan por Toulouse, Perpignan y se detienen en Barcelona, pero el pintor Anglada Camarassa los compele a llegarse hasta Mallorca, en donde deciden quedarse y pasar el próximo verano y parte del otoño en la grata

9 Véase el artículo sobre *Barnabooth* —"Un libro"— en "Estudios y comentarios", *OC,* 609-612.

10 El primer encuentro de Güiraldes con Larbaud se halla relatado en "Un hombre", "Estudios y comentarios", *OC,* 615-616.

11 Cf. "Una librería", en "Estudios y comentarios", *OC,* 616-617.

compañía de los González Garaño y unos amigos pintores. En *Notas para un libro mallorquín* Güiraldes consignó sus impresiones de esa larga estadía *(OC,* 701-715).

En el otoño europeo de 1920 Ricardo y Adelina están de regreso en París y Ricardo escribe entonces los diez primeros capítulos de *Don Segundo Sombra,* en una evocación tenaz de esa Pampa por la que empieza a sentir una aguda necesidad.

A principios de 1921 [12] los Güiraldes regresan a la Argentina, ya que Ricardo sentía la necesidad de ponerse en contacto "con las cosas que pueden servir de base a mi obra literaria" ("Del epistolario", *OC,* 742). Viajan al norte del país, ese norte ajeno e insospechado para los bonaerenses. Visitan Salta, Tucumán y Jujuy. Y en este viaje nace también otra amistad entrañable: la de Juan Carlos Dávalos, el poeta de las leyendas del ángulo noroeste de la vasta Argentina. La paz que lo rodea es quizá la que lo mueve a oír sus voces interiores, a sentirse solo y a escribir sus *Poemas solitarios* (en un lapso de poco menos de tres años, entre 1921 y 1924), que se publicarán póstumamente con excepción de los tres primeros, que aparecieron en la revista *Proa.* Ese mismo año ve publicaciones de Güiraldes en *La Nación* y en la revista *Plus Ultra.*

En marzo del año siguiente, 1922, el matrimonio viaja otra vez a Europa: París y nuevo verano en Mallorca con los mismos amigos del viaje anterior. La relativamente breve estadía en París es, sin embargo, sumamente satisfactoria para Güiraldes pues lo rodea la comprensión, el respeto y la admiración del grupo de poetas franceses amigos. Es un lapso en que Güiraldes se expresa a sí mismo y se siente realizado.

Al regreso a Buenos Aires, ya casi a fines de año, Güiraldes hace una tirada limitada de su novelita rosa, ahora

[12] Alberto Blasi ha aducido un fragmento del artículo de Güiraldes sobre Saint-Léger Léger ("Un canto". *Proa,* 9-IV-1925) en el que el escritor menciona expresamente el 1.º de enero de 1921 como el día de su partida de regreso. Cf. Blasi. *Güiraldes y Larbaud,* 59.

bajo el título que inicialmente le había dado —*Rosaura*—, que también pasa mayormente inadvertida.

En 1923 se decide a imprimir *Xamaica,* terminada en París en 1919. "La prensa me trató blandamente bien y liquidé en el año noventa ejemplares" ("Proyecto", *OC,* 33).

> Poco tiempo después, Oliverio [Girondo], oponiéndose a mi soledad, me puso en contacto con los jóvenes: Borges, Brandán, Vignale, Cané, Ledesma, Palacio... Fue en los días de la aparición de *Martín Fierro*...
>
> Creo que estaría de más hablarle de mi alegría: algo muy profundo. El hecho de que los muchachos tuvieran muchas ideas afines de las mías me llenaba de goce y era una confirmación en el tiempo de mis solitarios anhelos. Mejor aún era pensar que esas ideas no se debían en modo alguno a influencia ejercida por mí (como lo sospechaba Larbaud en cuanto a Borges, tan distinto), sino que habían fructificado solas, como una necesidad del momento ("Proyecto", *OC,* 33).

De esa relación con los jóvenes nacerán sus colaboraciones en la nueva *Martín Fierro* (desde mayo) y, poco después (en agosto), su fundación de la revista *Proa* (que poseerá también un sello editorial) y que dirigió junto con Borges, Brandán Caraffa y Pablo Rojas Paz. El papel jugado por Güiraldes fue fundamental para la vida de la revista, ya que él le señaló rumbos e indicó direcciones. A pesar de ello, nunca fue sentido por los jóvenes como un maestro que debía imitarse.

Entre 1922 y 1924, Güiraldes experimenta un gran cambio espiritual que Adelina refiere, en estos términos, en carta al investigador Giovanni Previtali:

> Hasta entonces sólo había vivido para su arte. Pero entonces se encuentra con la filosofía Vedanta que colma sus anhelos espirituales, todavía ocultos en él pero que siempre estuvieron latentes. Al descubrirla se descubre a sí mismo y se le abren nuevos horizontes. Se puede decir que ya no le interesa sino su reino interior... Ésta es una era dolorosa de gestación y descubrimiento. Su sinceridad lo hace ir al fondo de sí mismo y de las cosas todas

y ni ceja, ni descansa hasta hallar "por qué" y "para qué" de cuanto investiga.[13]

Los *Poemas solitarios* y, particularmente, *El sendero* reflejan esta introspección *(OC,* 517, 519, 520).

Ese viraje espiritual obedecía a un claro propósito que Güiraldes enunció de este modo en 1924: "Me propongo adueñarme de mí mismo y entrar en el callejón que me conduzca a la meta de un YO mejor" ("El sendero", *OC,* 521). Y a fines de julio de 1927, esto es, a poco más de dos meses de su muerte, reafirmaba en *El sendero* su necesidad de autoconocimiento: "Sería esencial aclarar en lo posible qué pienso. Leo mucho, sobre todo libros teosóficos, que son los que más pueden acercarme a Oriente, que es, a su vez, lo que más puede, según creo, acercarme a mi más hondo modo de pensar" *(OC,* 534-535).

Se encierra entonces (1925) en la estancia y se desentiende de toda vida social. Y es allí, en su Pampa, con sus gauchos, que Güiraldes se siente en armonía con el universo, en paz consigo mismo y que una aguda necesidad de darse a los otros, de crear para los otros se le impone. Entrevé su camino y, en él, *Don Segundo Sombra* es lo más importante.

No obstante, durante 1925 colabora infatigablemente en *Proa,* aunque se retira de su dirección después del número 12 ya que desea terminar *Don Segundo,* al que ha abandonado por largas temporadas.[14] También *Martín Fie-*

[13] Giovanni Previtali. *Ricardo Güiraldes,* n. 1, 68. Sin embargo, en carta a Larbaud de enero de 1926, Adelina parece resentir esa inclinación al escribir estas palabras: "En el espíritu de Ricardo se han producido cambios tan fundamentales que mucho me temo se vaya desinteresando de la literatura. Me gusta tanto su obra y la quiero tanto que no me conformaría con su silencio. Ahora está 'agarrado' por la filosofía oriental y la India es su chifladura. Esto me parece muy bien pero siempre que siga escribiendo" (Apud Alberto Blasi, "Las cartas...", 16).

[14] Según testimonios que se recogen en su epistolario, se puede establecer que *Don Segundo* fue comenzada en París en 1920 y que quedó detenida en sus nueve a doce primeros capítulos. Ya enfermo, Güiraldes reanudó su redacción en los varios lugares en que

rro recibe sus trabajos. Mas *Proa* muere, con el número 15, en setiembre de ese año. No obstante la pérdida, Adelina puede escribir con razón a Adrienne Monnier:

> Hemos reunido lo que había de mejor en Latinoamérica, España y Francia; hemos establecido vínculos duraderos; hemos difundido la obra y el nombre de poetas que sólo eran conocidos por *élites* muy reducidas. En cuanto a los jóvenes poetas de aquí, los hemos verdaderamente revelado, y ahora casi todos aquellos que valen la pena tienen más o menos donde publicar. [15]

Lo destacable es que, entre 1924 y 1926, en Buenos Aires, Güiraldes cuenta con el reconocimiento de los jóvenes y de buena parte de los intelectuales de avanzada. Por eso, aunque él se había retirado de la dirección de la revista, siguió al frente de la editorial y en estrecho contacto con sus jóvenes amigos, cuyo estímulo necesitaba para continuar escribiendo.

El año 1926 va a traer a Güiraldes dos profundas y trascendentales emociones contradictorias: la de la publicación y triunfo de su *Don Segundo* y la certeza de su muerte. El mal de Hodgkin terminó en ese año por devastar su hermoso y atlético cuerpo. [16] Cuando el primero de julio se lanzaron los 2.000 ejemplares de *Don Segundo Sombra* a la calle y se agotaron en tres semanas, cuando hubo que tirar 5.000 ejemplares más para la segunda edición y cuando aquellos críticos literarios que antes lo habían degradado vinieron a congratularlo, Güiraldes fue el primer sorprendido con el éxito inesperado. Leopoldo Lugones le da el espaldarazo decisivo con su encomiástica reseña de *La Nación* (del 12 de setiembre de 1926), y sus

---

situaba su domicilio: "La Porteña", el Hotel Majestic de Avenida de Mayo, en Buenos Aires, en la casa paterna de Paraguay y Florida y en un pequeño departamento de la sureña calle Solís.

15 Apud Ivonne Bordelois, *Genio y figura,* 134.

16 Güiraldes había sido campeón de salto en alto, había boxeado y corrido, amén de ser un consumado jinete capaz de domar, echar el lazo y arrojar las boleadoras. Junto a los peones de "La Porteña" había, asimismo, aprendido las tareas de la yerra y el arreo.

reseros amigos lo agasajan en una gran fiesta gaucha, lo que da a Güiraldes entrañable placer. [17]

El libro gana el Premio Nacional de Literatura, mas la enfermedad avanza y el reposo de varias horas diarias prescrito por el médico no es suficiente para traer la ansiada mejoría. Le hacen un tratamiento de rayos y los Güiraldes deciden, en marzo de 1927, embarcarse para Europa. Será la última navegación juntos. Los acompañan dos muchachos de Areco —Ramón Cisneros y Enrique Melo— y en París los frecuentan Larbaud, Monnier, Fargue y Miomandre, a más del doctor Abrami, que sabe que Güiraldes está aquejado de una forma incurable de cáncer. Por recomendación de Pío Baroja, a las pocas semanas de estar en París, Ricardo y Adelina parten, en mayo, para Arcachon, en los Pirineos, para retornar a París en setiembre, cuando ya era evidente que el fin se aproximaba. En los momentos en que los dolores le daban una pausa, Güiraldes redactaba *El libro bravo,* que quedó inconcluso, como así también algunas de las notas de *El sendero,* en el que, dos días antes de morir, escribió: "¿He tenido el más débil vislumbre de lo que se llamaría éxtasis? ¡Sí! " *(OC,* 544).

En París, en la casa de la *Rue* Edmond Valentin, número 7, que años más tarde ocupará James Joyce, sobrevino la muerte a las cuatro de la tarde del sábado 8 de octubre de 1927. Güiraldes murió estoica, serenamente, como él quería: "Necesito entrar sereno al infinito."

El 15 de noviembre de 1927 sus restos fueron recibidos en Buenos Aires por el presidente de la República, Marcelo T. de Alvear, por los familiares de Güiraldes y por sus amigos. Por expresa voluntad de Güiraldes, se lo enterró en el diminuto cementerio de San Antonio de Areco, y quienes lo condujeron a su descanso definitivo fueron centenares de paisanos a cuya cabeza marchaba don Segundo Ramírez. Se dice que al depositar el féretro en la muda tierra pampeana, ayudado por el padre de Güiraldes, Leopoldo Lugones y Ricardo Rojas, don Segundo mur-

[17] Véase Alberto Blasi, "Las cartas...", 23 y 24-25.

muró: "Aquí es no más, patroncito." En la simple lápida de la tumba se lee: "Aquí descansa Ricardo Güiraldes, crucificado de calma bajo su tierra de siempre", palabras que él mismo había escrito para el protagonista de *Raucho* y que Adelina escogió para su morada final.

Obra

Antes de entrar a comentar la obra de Ricardo Güiraldes, fuerza es situarlo en el contexto socio-cultural de su país y hacer algunas especificaciones en cuanto a sus relaciones con Valery Larbaud y los demás escritores franceses que Güiraldes trató durante sus estancias en la capital francesa.

Cuando el niño Ricardo Güiraldes, a los cuatro años de edad, regresa al país, en 1890, la Argentina está en plena crisis por la cuestión de la capital de la nación, que finalmente se resuelve con el triunfo de la ciudad de Buenos Aires. El país ha sufrido también, durante la década del 80, un quebranto comercial de proporciones pero ya lo ha superado. Al comienzo del siglo XX la Argentina está llena de confianza en sí misma y segura de su futuro de país rico y progresista. Sin embargo, ese mismo bienestar material es responsable por un cambio de fisonomía en la joven República: el enorme aluvión inmigratorio, mayormente recalado en la ciudad de Buenos Aires, es responsable por el crecimiento vertical de la ciudad, por la ampliación de las clases media y proletaria, y también por el desarrollo sindicalista, por el cuestionamiento y posterior desplazamiento de las oligarquías agrarias del control político del poder. Ya los hombres de la generación del 80 habían corrido a refugiarse en los orígenes del país —el campo, la estancia— horrorizados por el populismo que veían a su alrededor y por esos seres 'extraños' que se habían adueñado de su ciudad, esos recién llegados que estaban cambiando la fisonomía del castellano, que se enriquecían, se educaban y hasta deseaban gobernar el país. Nace así una paranoica percepción del inmigrante como amenaza para la identidad nacional argentina, y ella trae el rechazo del eurocentrismo de Sarmiento y Alberdi y el desarrollo de un idealismo criollista un poco artificial con que se busca contrarrestar el impacto europeo sobre la débil e informe identidad nacional. Había que acriollar a los nuevos ciudadanos, lo que lleva a un autoctismo bucólico que desembocará, por ejemplo, en las dos Argentinas de Mallea en 1930.

Que Güiraldes no fue totalmente ajeno a ese sentimiento negativo en contra del elemento 'invasor', lo prueban dos hechos: su rechazo de la ciudad de Buenos Aires en la que nunca se sintió a gusto, como sus obras lo dejan saber, y estas espontáneas observaciones que Adelina hizo a Larbaud en una carta desde Salta, en agosto de 1921: "para nosotros que sufrimos de la absorción y adulteración de nuestra raza en Buenos Aires, encontrarnos aquí es un consuelo". Y más adelante: "La gente conserva [aquí] el señorío que nosotros hemos perdido". [18] Refuerza esta suposición, además, el hecho de que Güiraldes estuviera en desacuerdo con las ideas de Sarmiento, tal como lo prueba la nota titulada "Nosotros", que trae estas palabras:

> Consideremos heroica la idea de Sarmiento [—la ciudad (civilización) debe prevalecer sobre el campo (barbarie)—] y enterrémosla con el respeto que se merece. Nuestro peligro actual está justamente en seguir aceptando la ley extraña (*Semblanza,* 55).

Subrayo todo esto porque, contrariamente a lo que cierta crítica ha visto en Güiraldes —cosmopolitismo europeizante—, se puede percibir en él una actitud profundamente nacionalista, pero no un nacionalismo estrecho sino más bien una suerte de amalgama de lo autóctono argentino con lo más valioso del aporte europeo, mas sin perder de vista las raíces nativas. Piénsese en la revelación que tuvo en Ceylán, en los términos en que la narró, y se ha-

[18] Apud A. Blasi, "Las cartas...", 4-5.

llará ya allí un primer asomo de ese nacionalismo que está en la base, por lo demás, de la mayor parte de su obra —*El cencerro,* los *Cuentos, Raucho, El libro bravo*— y que fundamenta *Don Segundo Sombra.*

Ese nacionalismo formaba parte del ambiente cultural de la época. Y téngase presente que, en carta a Larbaud, Güiraldes dice: "No creo mucho en las influencias. Y este temperamento se basa en que creo mucho más en un medio ambiente intelectual".[19] La adolescencia y la primera juventud de Güiraldes transcurrieron durante la vigencia de la llamada *generación del Centenario* o de la restauración nacionalista. En 1909 Ricardo Rojas había lanzado *La restauración nacionalista* y en 1910 Manuel Gálvez publicaba *El diario de Gabriel Quiroga,* libros que preconizaban un fuerte nacionalismo argentino. Antes, Emilio Bécher, en un artículo de *La Nación* de 1906, había incitado a defender "el grupo nacional contra las invasiones disolventes, afirmando nuestra improvisada sociedad sobre el cimiento de una sólida tradición".[20] Se atacaba el "cosmopolitismo", esto es, la utopía que en el siglo anterior había sostenido Alberdi. También en la otra margen del Río de la Plata, el uruguayo Rodó había alertado en *Ariel* contra la "afluencia inmigratoria, que se incorpora a un núcleo tan débil".[21]

Güiraldes, no sólo por su sensibilidad, por su atención a cuanto ocurría en el mundo, por su información y cultura no menos que por sus viajes, estaba bien consciente de la reducción de las distancias operada entre los continentes y entre las gentes. Era un hombre que sabía fraternizar puesto que se había sentido siempre atraído por viajar y exponerse a diferentes culturas, con una insaciable curiosidad intelectual. Su mismo trilingüismo, su doble amor por la Argentina y por Francia, por la Pampa y por París son otras tantas manifestaciones de un afán de uni-

19 Fragmento de la *Carta europea* a Valery Larbaud, en *OC,* 776.

20 Apud Hugo Rodríguez-Alcalá, "Güiraldes y el ambiente intelectual de su tiempo", en W. W. Megenny, ed. *Four Essays,* 109,

21 José E. Rodó, *Ariel,* 4.ª ed. (Madrid, Espasa-Calpe, 1971), 81.

versalismo conseguido en el ahondamiento del yo-en-su-circunstancia-nativa. Él mismo era la mejor muestra de lo que un argentino debía ser. Ésta era su manera de entender el problema:

> Inútil y de criterio muy limitado negar toda capacidad al exterior. Inútil y contrario a todo lo que hemos querido y queremos. El gringo es chapetón en las cosas nuestras, pero sabio en muchas que ignoramos.
>
> Pero, ¿es que en nombre de lo que ignoramos, debemos deshacernos de lo que sabemos?
>
> Martín Fierro cree inútil en la Pampa el saber de los "dotores" y "sabios"; error. Pero agrega "también el gaucho tiene su cencia"; verdad.
>
> No porque el extranjero tenga conocimientos, para nosotros necesarios, hemos de darle aquellas cosas frente a las cuales es chapetón. Tan malo es destruir lo uno como lo otro, cualquiera que sea el punto en que nos coloquemos *(Semblanza,* 56).

Cuando Oliverio Girondo lo lleva a *Martín Fierro,* Güiraldes se conmueve profundamente porque por fin ha superado su soledad y encontrado eco para sus ideas. Y no se trata sólo del ultraísmo de esos muchachos, es decir, de ideas estéticas revolucionarias. El grupo dirigente de *Martín Fierro* también miraba a su sociedad. Por ello, su combativo *Manifiesto,* afirmará que *Martín Fierro* cree

> en la importancia del aporte intelectual de América, previo tijeretazo a todo cordón umbilical...
>
> *Martín Fierro* tiene fe en nuestra fonética, en nuestra visión, en nuestros modales, en nuestro oído, en nuestra capacidad digestiva y de asimilación.[22]

Se trataba de dar forma a la "expresión argentina de la gran renovación artística y literaria que tenía lugar en ese instante en el mundo" (Ib.). Uno de los hombres que va a ayudar a encauzar los juveniles y alocados bríos de *Martín*

[22] Córdova Iturburu, *La revolución martinfierrista* (Bs. As., Ediciones Culturales Argentinas, 1962), 8-9.

Fierro, será precisamente Güiraldes que, junto con Macedonio Fernández "fueron los que trajeron la inquietud de la renovación literaria, hacer más sistemática la búsqueda. Seguimos produciendo epitafios [burlescos], epigramas y sonetos [satíricos], pero hacia direcciones más concretas".[23] En los 45 números que publica durante sus tres años de vida —1924-1927—, *Martín Fierro* mostró su eclecticismo al no adherir a ninguno de los -ismos en boga —futurismo, expresionismo, cubismo, dadaísmo, creacionismo, surrealismo, ultraísmo— sino al incorporar elementos de todos ellos pero utilizándolos en la expresión de los personales mensajes artísticos que cada uno de sus escritores produjo, mensajes que fueron, a la vez, 'modernos' pero esencialmente 'argentinos'. El gran modelo, aunque resistido y atacado, seguía siendo Leopoldo Lugones en el que no sólo admiraban las portentosas metáforas sino el extraordinario dominio de la lengua. El mismo Borges ha declarado que *Lunario sentimental* fue "el inconfesado arquetipo de toda la poesía profesionalmente *nueva* del continente"[24] y que inclusive *El cencerro de cristal* fue "la primera derivación importante" del *Lunario* (Ib.). Por su parte, Güiraldes "lo que defendía en Lugones era su empeño en encarecer lo argentino, la esencia de lo que debía al fin superar ese problema de los atuendos en que se resuelve cualquier retórica".[25]

Su mesura y espíritu lúcido son los que Güiraldes llevará a la revista *Proa.* Y allí también el mismo consejo:

> nos incitaba a indagar nuestra geografía lírica, a estudiar lo nuestro. Sostenía que por distintos que fuéramos, había en nosotros algo inconfundible, una especie de timidez unida al desenfado, rasgo típicamente argentino. En Europa —afirmaba— se nos reconoce hasta en el acto de sacarnos los zapatos.[26]

[23] Ernesto Palacio, *La opinión,* 10-II-1974.
[24] Jorge L. Borges, "Las nuevas generaciones literarias", *El hogar,* 26-II-1937.
[25] Pedro J. Vignale apud Bordelois, *Genio y figura,* 117.
[26] Raúl González Tuñón apud Bordelois, *Op. cit.,* 114.

Y otro de los muchachos de *Proa,* Pedro J. Vignale, dice: "Este empeño por descubrir nuestra intimidad y ponerla al desnudo lo acuciaba a Güiraldes constantemente." [27]

Güiraldes se entregó totalmente a los jóvenes de *Martín Fierro* y de *Proa* no sólo porque en ellos encontró inquietudes similares sino porque él fue un hombre 'sin generación', digamos. Por su fecha de nacimiento y por la cronología de sus obras —dice Emilio Carilla— quizá pudiera incluírselo en la generación de 1910, " [p]ero por el sentido de su arte y por lo que significó para los escritores de esta época (que es lo que tiene realmente peso) su lugar está aquí [en la generación de 1924] ". [28] Por su parte, Cedomil Goič lo hace integrar la generación de 1912 y lo considera una de las cumbres del *mundonovismo.* [29] No hay duda de que, cronológicamente, Güiraldes tenía que haber sido uno de los hombres del Centenario. Pero tampoco hay duda, leyendo *El cencerro de cristal,* de que su poemario nada tenía que ver con la poesía de Capdevila, Obligado, Bufano o la de Almafuerte. Fracasado ante la incomprensión del *establishment* literario aunque leído tardíamente por los vanguardistas, *El cencerro* es, hoy lo comprendemos, un libro desigual y bisoño, y por ello los jóvenes no vieron en él ni tampoco en los otros libros que siguieron —*Cuentos de muerte y de sangre, Raucho, Rosaura*— el producto de un maestro. Güiraldes, para ellos, valía más por sus ideas, por el conocimiento que tenía de los escritores franceses a los que ponía al alcance de los jóvenes con sus traducciones —orales o escritas—, por su comprensión y humanidad, [30] que por sus dotes de escritor

[27] Apud Bordelois, *Op. cit.,* 117.

[28] Emilio Carilla, *Literatura argentina 1800-1950 (Esquema generacional).* Tucumán: Universidad Nacional de Tucumán, Facultad de Filosofía y Letras, 1954, 61.

[29] Cedomil Goič, *Historia de la novela hispanoamericana,* Valparaíso, Ediciones Universitarias de Valparaíso, 1972, 168.

[30] "Era perfectamente bueno; perfectamente gran señor de su alma y de su vida... practicaba la bondad y los favores con una persistencia casi mística, y cuando se le preguntaba con asombro: —¿por qué era tan bueno?— se limitaba a sonreír y decía que

aunque lo sintieran como un poeta, esto es, un creador genuino.

Nélida Salvador considera que 1920 es el "límite divisorio de dos generaciones y punto de partida de las innumerables tendencias que responden a la designación 'escuelas de vanguardia'".[31] Considera, asimismo, que la rebeldía juvenil era "consecuencia indirecta de las transformaciones ideológicas y del desmoronamiento político-social que sobreviene en occidente al término de la primera guerra mundial" (27). Con Borges, proveniente de España, llega el *ultraísmo* a Buenos Aires como así también la primera revista de vanguardia —*Prisma* (diciembre de 1921 a marzo de 1922)—. *Nosotros* —la revista del *establishment* literario argentino por excelencia— se hace eco de esa presencia pero eso no es suficiente para las expectaciones de los jóvenes que entonces originan la primera *Proa* (3 números entre agosto de 1922 a julio de 1923) en donde se revela Macedonio Fernández. Hacia 1923 se comienza a hablar de una generación neo-sensible que publica algunas muestras en *Nosotros*. Surge una nueva revista —*Inicial*— como órgano de los neo-sensibles: 11 números entre octubre de 1923 a febrero de 1927. En febrero de 1924 aparece *Martín Fierro* que, por tres años, agitará inusitadamente el ambiente literario a la vez que lo despertará y enriquecerá. Sobrevienen, asimismo, los dos grupos en pugna —Florida y Boedo— cuyas diferencias resume de este modo uno de los 'boedistas', Mariani:

Florida	*Boedo*
Vanguardismo	Izquierdismo
Ultraísmo	Realismo
Martín Fierro — Proa	*Extrema Izquierda — Los pensadores — Claridad*

en el campo criollo que él conocía, todos los hombres tenían la puerta de su rancho abierta para el hermano hombre" (Roberto Arlt, "Ricardo Güiraldes en la intimidad", *Crítica*, 10-X-1927).

[31] Nélida Salvador, *Revistas argentinas de vanguardia. 1920-1930*, Bs. As., Universidad Nacional de Buenos Aires, Facultad de Filosofía y Letras, 1962, 25.

La greguería
La metáfora
Ramón Gómez de la Serna

El cuento y la novela
El asunto y la composición
Fedor Dostoievsky[32]

Proa surge en 1924 y, desde el comienzo, se percibe que es un intento más serio y coherente que el de *Martín Fierro*. Los amigos franceses de Güiraldes la considerarán la mejor revista literaria extranjera, sólo comparable a las más logradas de Estados Unidos. La crítica argentina más reciente considera *Proa,* en gran medida, a la par con lo que pocos años después significará culturalmente *Sur*. La profesora Salvador piensa que las contribuciones más importantes fueron las de sus dos propulsores —Güiraldes y Borges—: éste por sus teorizaciones poéticas, sus comentarios bibliográficos y sus traducciones. Aquél por la difusión de los poetas franceses contemporáneos —Romains, Larbaud, Fargue, Supervielle, Perse, Soupault, etc.— y por la publicación de algunos de sus poemas.

El saldo de toda esta efervescencia literaria es el ímpetu y la calidad de lo que se produce, ya que de esas revistas y de ese hervidero de ideas salen excelentes escritores argentinos —Marechal, Mallea, Molinari, Bernárdez, Martínez Estrada, Girondo, Borges—.

Proa absorbió gran parte de las enfermas energías de Güiraldes, en momentos en que él trataba de finalizar *Don Segundo,* en una carrera contra la muerte. Este náufrago de su generación —como lo ha llamado Ivonne Bordelois— tuvo, sin embargo, fuerzas suficientes para escuchar, orientar, estimular, descubrir, ayudar y señalar rumbos a ese grupo de jóvenes, uno de los más distinguidos que han dado las letras argentinas.

Teniendo en cuenta aquello del medio ambiente intelectual que cité antes, diré que él no se circunscribía —para Güiraldes— al de su patria de nacimiento, sino que abarcaba también el de su patria intelectual —Francia—. Luis Emilio Soto ha observado que Güiraldes no proponía como

[32] Roberto Mariani, prólogo de *Exposición de la actual poesía argentina,* Bs. As., 1927.

modelos, sin embargo, a los autores franceses a quienes admiraba ni tampoco se avenía a "el afán de someterse a los gustos de moda ni el prurito de acatar los boletines meteorológicos de los cenáculos parisienses de posguerra".[33] El factor más importante de su relación con la vanguardia francesa fue, sin duda, su amistad con Valery Larbaud. Blasi sostiene que Larbaud infundió en Güiraldes "un clima de severa presión cultural" y que es quien "le transfiere una metodología de lector".[34] "[É]l es quien lo incorpora al espíritu de un órgano [la *Nouvelle Revue Française*] dedicada a la transcripción callada y seria de los mejores frutos de la generación francesa más reciente... Llegado Güiraldes a jefe de fila de un movimiento análogo en su tierra, será fiel a ese espíritu de transcripción crítica y propondrá una revista suya en ese ánimo" (Ib.). En *Proa* ese clima mental de la *NRF* es "bien perceptible", afirma Blasi (20). Para este crítico "[l]a adscripción de Güiraldes a una nueva forma de literatura, liberada de pesos muertos tradicionales y enderezada a la búsqueda de un nuevo concepto de lo nacional sería la consecuencia del mesurado magisterio ejercido en él por Larbaud: una óptica de la pampa a través de ricas experiencias artísticas europeas pero nutrida de esencias éticas y lingüísticas inherentes a la tradición particular del patriciado argentino" (Ib.). Habría que agregar: y de la tradición gauchesca. Si como afirma Blasi Güiraldes al recibir el estímulo de Larbaud "llega a la necesidad de la obra maestra" (21), habría que reconocer una aceptación total y tutelar de las opiniones sustentadas por el francés y transmitidas a su amigo argentino en sus cartas y, a no dudar, en sus conversaciones. No estoy segura de que este tutelaje haya sido tan formidable, aunque sí me inquietan por veces algunas expresiones de una admiración un tanto meteca que Ricardo y Adelina dedicaron al ilustre amigo francés. Pero, sea lo que fuere, más pienso en parentesco —un concepto que

[33] Luis E. Soto, "Ricardo Güiraldes en el 20 aniversario de su muerte", *Davar,* 14 (nov. 1974), 48-54.
[34] Alberto Blasi, *Güiraldes y Larbaud,* 8.

placía mucho más a Güiraldes que el de influencia—, en una coincidencia, en que las palabras del francés vinieron a clarificar ideas acerca de las cuales Güiraldes no se sentía totalmente seguro o con cuya enunciación no había acertado.[35] Así como Güiraldes era el 'hermano mayor' de los muchachos de *Martín Fierro* y de *Proa,* así Valery Larbaud era *su* hermano mayor, más avezado, más experimentado y, por ello, más sabio. Ésta es la razón por la cual Larbaud, que advirtió el carácter *amateur* de Güiraldes —aunque justipreciándolo positivamente— en su primera *Lettre à deux amies (Commerce,* set.-dic. 1924),[36] traza una suerte de programa al saludar el advenimiento de *Proa.* Y ese programa consistía en mirar la realidad autóctona y en verterla en un lenguaje estilizado, en una recreación artística de la lengua cotidiana. Inclusive Larbaud aconseja un acercamiento a España, como fuente del idioma, y un redescubrimiento de los clásicos españoles. Larbaud cree que el camino que *Proa* ha emprendido, similar al de la *NRF,* es el más aconsejable: formar una *élite* de artistas latinoamericanos que "situará... al continente ante la audiencia europea del más alto nivel", y establecer contactos permanentes con los artistas del resto de Latinoamérica.

Larbaud publicó cinco artículos críticos sobre la obra de Güiraldes. El primero —"Poètes espagnoles et hispano-américains contemporains", *NRF,* 1-VII-1920— fue, de acuerdo con la "Bibliografía" de Becco en las *OC,* el pri-

[35] Sylvia Molloy considera que "[e]l sostén de Larbaud y el diálogo con los escritores encontrados en lo de Adrienne Monnier parecen haber afirmado, en Güiraldes, una vocación literaria hesitante" ("Ricardo Güiraldes", en *La diffusion,* 116) (La traducción me pertenece). Y, más adelante, en su capítulo sobre "Valery Larbaud", Molloy observa —y lo creo acertado— que las críticas de Larbaud a la obra de Güiraldes, aunque poco sólidas desde el punto de vista literario, sirvieron, paradójicamente, para estimular al argentino y afirmar su vocación de escritor (144).

[36] Traducida por Adelina apareció en el número 8 de *Proa.* La segunda *Lettre à deux amies* fue sólo publicada en 1962, en Buenos Aires, en una edición bilingüe, por el editor arequeño Francisco A. Colombo. Cf. Blasi, *Güiraldes y Larbaud,* 85 y ss.

mer artículo en Francia sobre Güiraldes y el segundo en el que se trataba seriamente esa obra. El prestigio de una crítica francesa hecha por un escritor de renombre, explica la importancia que Güiraldes le asignó y el reconocimiento casi infantil que sentirá siempre por Larbaud. Las siguientes líneas de una carta de Güiraldes a Larbaud del 4 de junio de 1920, son bien claras al respecto:

> Ante todo y sobre todo me honra el epíteto de 'grand poète' con que me agracia. Lo que sus palabras pueden darme de consideraciones exteriores y el bien material que ellas puedan hacer a mis escritos son cosas ciertamente importantes pero nulas ante la satisfacción de ser apreciadas por un hombre cuyo juicio me importa más que cualquier otra cosa...
>
> Gracias, pues, por todo y dígase, si alguna vez lee usted un libro mío que lo satisfaga, que hay en él mucho de usted. [37]

El segundo artículo de Larbaud es a propósito de *Xaimaca* —"L'oeuvre et la situation de Ricardo Güiraldes", *Revue européenne,* 1-III-1925—. Un tercero aparece en la *NRF,* 1-I-1928 y, simultáneamente, en *La Nación* de Buenos Aires. Güiraldes ha muerto y el artículo hace una revisión general de su obra. En el mismo año se suceden dos artículos más: uno en *La revue de Genève* que presenta al autor y la traducción de *Rosaura,* y el otro en *Chroniques,* también de índole general. Además de esta labor crítica, Larbaud tradujo poemas de los *Poemas solitarios* y los publicó en *Commerce,* y de los *Poemas místicos* en *Chroniques,* siempre durante 1928, a más de otros publicados en vida del poeta argentino.

A esta misma tarea de difusión de la obra de Güiraldes se entregan otros dos amigos franceses: Supervielle y Miomandre —traductor de algunos de los *Cuentos de muerte y de sangre* y de *Xaimaca*— [38] pero, en general, los artícu-

[37] Apud Molloy, *Op. cit.,* 114. La carta permanece inédita en los *Fonds Larbaud* de Vichy.

[38] Cf. Molloy (*Op. cit.,* 135-136) para lo relativo a la traducción de *Xaimaca* que nunca llegó a publicarse.

los de crítica acerca de Güiraldes no provinieron de sus amigos, como Sylvia Molloy ha documentado.

Por su parte, Güiraldes realizó una doble tarea: presentó en *Proa* a los escritores franceses por él admirados —Larbaud, Fargue, Perse, Corbière— y, como apunta Molloy, esas presentaciones más que críticas son "ejercicios de afinidad", el producto de la lectura de un lector inteligente que quiere compartir lo que ama. Pero también ayudó a ampliar el interés de Valery Larbaud por las letras y, en general, el arte de la América hispana. A Güiraldes debió Larbaud el ser, por tres años, colaborador del gran diario argentino *La Nación,* en el que publicó artículos sobre aspectos poco conocidos de la literatura francesa. Y a Güiraldes debió Larbaud el conocimiento de las *Inquisiciones* de Borges en quien el francés reconoció a un crítico de nuevo cuño, procediendo a escribir el primer artículo consagrado a Borges en Francia. Por intermedio de Güiraldes, Larbaud se interesará en otros escritores hispanoamericanos: Alfonso Reyes, Gálvez, Blanco Fombona, Torres Bodet, Ipuche, García Calderón, Bernárdez y el español Ramón Gómez de la Serna. Larbaud llegó a reconocer —el primero— el valor de la literatura hispanoamericana *vis-à-vis* la del resto del mundo occidental. Puede decirse, pues, con Molloy, que Güiraldes influyó en Valery Larbaud afinando sus conocimientos de literatura hispanoamericana al ponerlo en contacto con los *martinfierristas,* a la sazón el movimiento de vanguardia más interesante de las letras argentinas de la época. Su relación con *Proa,* asimismo, sirvió a Larbaud para profundizar y decantar su americanismo.

El conjunto de la obra de Güiraldes consta de un número limitado de obras. Seis de ellas las publicó en vida —*El cencerro de cristal* y los *Cuentos de muerte y de sangre* (1915), *Raucho* (1917), *Rosaura* (1922), *Xaimaca* (1923) y *Don Segundo Sombra* (1926)—; tres más aparecieron póstumamente —*Poemas solitarios* (1928), *Poemas místicos* (1928) y *El sendero* (1932)—. Se podrían agregar algunos títulos aparecidos en años más recientes, pero ellos son recopilaciones de artículos diversos rotulados por los compiladores, por lo que se apuntan en la bibliografía pero no se comentan.

La obra va desde la poesía a la narrativa —cuentos, novelas— y notas reflexivas, ocupando asimismo un lugar prominente el poema en prosa, lo que es dable comprobar no sólo en los poemarios sino en la novela *Xaimaca.*

En *El cencerro* reúne Güiraldes poemas que había venido escribiendo desde 1911 y quizá antes. Los escritos más tempranamente son los que más revelan las lecturas francesas.[39]

A primera vista *El cencerro* parece un libro heterogéneo tanto por los temas cuanto por su tratamiento. Pero, leído junto con otras obras de Güiraldes, se detectan las relaciones que los unen. Por de pronto, en este primer libro asoma uno de los temas fundamentales de Güiraldes: el deseo de realización y trascendencia. En "Camperas" el poeta se enfrenta a la pampa para posesionarse de ella y así penetrar su sentido y enfrentarse con su soledad. En uno de sus poemas —"Al hombre que pasó"— se anuncia el arquetipo humano que desplegará *Don Segundo Sombra.*[40] En las "Plegarias astrales" el poeta se acerca al infinito y vislumbra un amor omnipotente. En "Viaje" despliega su ansia de conocer no sólo tierras extrañas sino también nuevos horizontes poéticos; "Ciudadanas" muestran cuánto

[39] De particular interés es el artículo de Battistessa sobre Güiraldes y Laforgue, "Simpatía e influencia" en *El prosista en su prosa* (103-134). Pero es asimismo interesante oír lo que opina Valery Larbaud al respecto: "[*El cencerro de cristal* pertenece] a la tradición hispanoamericana vivificada por la influencia de Herrera y Reissig y enriquecida por el centelleo de Rubén. Pero en Güiraldes esta tradición aparece, valga la palabra, deseuropeizada" ("La literatura argentina en el extranjero: Ricardo Güiraldes", *La Nación,* 1-I-1928). Hacia el fin de su vida, Güiraldes aceptó que en *El cencerro* había "condescendencias y cadencias desgastadas por antecesores" ("El sendero", *OC,* 530).

[40] Juan C. Ghiano considera que este poema "es la primera intuición del desarrollo de *Don Segundo Sombra*" y que "marca el ángulo desde el cual Güiraldes interpretará los motivos de la literatura gauchesca" (*Ricardo Güiraldes,* 33).

despreciaba Güiraldes la vida en la ciudad, desprecio polarizado por su amor por la pampa y que es casi un adelanto de la disyuntiva que vivirá Raucho. En "Realidades de ultramundo" llegará a la verdad por la belleza y trascenderá su afán erótico en el vislumbre de la eternidad. Es, pues, evidente que, en el libro primerizo, ya aparece la exaltación de la pampa que se hallará en poemas más tardíos ("Pampa", por ejemplo, publicado póstumamente y escrito en 1922) *(OC,* 577) como, asimismo, la preocupación por alcanzar el sentido de la vida y del mundo sobre los que girarán los *Poemas solitarios* y los *Poemas místicos.*

En las cuarenta y seis composiciones de *El cencerro,* el versolibrismo, el poema en prosa y la alternancia de prosa y verso, una prosa además que es a la vez poemática y narrativa, constituyen una audaz novedad para aquel momento literario argentino. Hay en el libro gran diversidad formal: el tono lírico de algunos poemas en prosa está dado por el particular manejo de los elementos sintácticos, de las elipsis, por la acumulación de aposiciones enumerativas y metafóricas. Algunos poemas están dominados por una metaforización audaz y otros por parodias grotescas. El lunfardo porteño contribuye a lo caricaturesco como así también las exageraciones ortográficas, los neologismos, las palabras en francés o los desembozados galicismos, los paréntesis, recursos todos que potencian la expresión. En ciertas piezas la prosa está acotada rítmicamente por el verso. Hay también variedad en los metros, en las combinaciones estróficas y libertad en el emplazamiento de los acentos. Los mejores logros, sin embargo, se hallan en este libro en la prosa pues, como señala Ghiano, "no se advierte a Güiraldes posibilitado para el sentido rítmico profundo que se reconoce en grandes líricos que utilizan el versículo, o la prosa: Walt Whitman, Saint-John Perse, Paul Claudel, Juan Ramón Jiménez" *(Op. cit.,* 67-68).

Güiraldes mismo señaló las intenciones de *El cencerro* en páginas que indican lúcidamente casi todos los ángulos críticos y que ayudan a ubicar certeramente al libro en los -ismos de la época. Dice así, en parte, Güiraldes:

Cada composición de *El cencerro* obedece a lo que el sujeto dicta desde su significado interior. Tal es por lo menos la intención. No creo en formas prefijadas, llámeselas como se las llame. *El cencerro* es un libro que quiere respirar a su antojo y no puede aguantar fajaduras ni aparatos de ortopedia, por más perfeccionados que sean. *El cencerro* son muchas zapatetas al aire... ("Poesía", en "Estudios y comentarios", *OC,* 652-653).

Adelina recuerda que "Güiraldes decía que al fin y al cabo, él no había escrito sino un largo *Cencerro de cristal* y siguiendo esta idea había comenzado a catalogar un *Cencerro de cristal* extensamente ampliado con muchos poemas inéditos". [41]

Nélida Salvador evalúa muy certeramente la significación de *El cencerro* cuando afirma que, por un lado, *El cencerro de cristal,* "además de sus novedades expresivas y tipográficas, introduce en nuestra poética el tema un tanto soslayado del campo argentino". Por otro, su importancia "radica más que en sus valores intrínsecos, pues es una obra primeriza, con marcados resabios lugonianos y simbolistas —sobre todo de Laforgue—, en la proyección que alcanza ulteriormente sobre las nuevas generaciones las cuales consideran a Güiraldes su verdadero y único precursor, como lo ha manifestado más de una vez Jorge Luis Borges en sus evocaciones retrospectivas del ultraísmo" *(Op. cit.,* 22-23).

Poemas solitarios (escritos entre 1921 y 1924) es un breve libro de una total armonía en todos sus aspectos, y de una total interioridad, tal como sucede con los *Poemas místicos.* El librito canta en sus doce poemas un único tema: el de la soledad:

> He puesto mis labios en los de la vida:
> Náusea.
> He visto la muerte golpear en torno suyo con manoplas de idiota.
> Y el hombre es un espectáculo tan pequeñamente sórdido, que busco en mí la soledad.

41 Adelina del Carril, *Buenos Aires literaria,* 2 (nov. 1952), 1.

Y éste será el sendero por el que Güiraldes transitará ya siempre: el del volverse sobre sí mismo en un ansia de encontrar la relación de la vida individual con la eterna armonía del universo.

En los primeros *Poemas solitarios* hay asco por el mundo y un refugiarse en idealizados recuerdos por donde entra el campo en la poesía en distintos momentos: la madrugada, la tarde, la noche. Usa un lenguaje realista, enérgico. Pero en los restantes, todo el mundo exterior desaparece y sólo queda el 'reino interior' con su soledad en expectación del éxtasis final: "Pequeña antena de carne alucinada de imposible, espero, en la tensión de todos mis anhelos, que algo grande como un Dios me eleve a la armonía universal" ("Poema 6", *OC,* 506). En el poemario más tardío —*El sendero*— hay notas que deben leerse paralelamente con estos poemas para apreciarlos cabalmente. Estos *Poemas solitarios* son piezas de madurez, a nivel del hombre y de su *métier.* Frente a la diversidad de formas y de tonos de *El cencerro,* aquí hay unidad de tono y expresión. Borges los juzga certeramente así:

> El interlocutor humano de este discurso, quiso olvidar, como corresponde a tan alta conversación, las circunstancias y accidentes de su vivir y ampliarse en general voz humana. No lo realizó sin embargo, y esa no buscada entonación argentina de sus decires es un patetismo individual, puesto sobre el general de la obra y una venturosa novedad y enriquecimiento de nuestras posibilidades vernáculas. [42]

Los *Poemas místicos* son siete, dos escritos en "La Porteña" y fechados, el primero, en la Nochebuena de 1926, y el segundo en agosto de 1923. Se trata de prosa rítmica, por momentos semejante a versículos bíblicos y también con reminiscencias de las formas poéticas de Claudel y Péguy aunque Güiraldes es más íntimo y sobrio que los fran-

[42] Jorge L. Borges, "El lado de la muerte en Güiraldes", *Síntesis,* II, 13 (jun. 1928).

ceses.[43] La primera versión de los *Poemas místicos* fue la francesa publicada en *Chroniques,* en 1928, por Valery Larbaud con una elocuente nota previa a la traducción.

Los tres primeros poemas son un tríptico al nacimiento, pasión y muerte de Jesús. Los siguientes, hasta el último, son diálogos sostenidos con la divinidad un tanto a la manera de los místicos españoles.

"Los *Poemas místicos* constituyen una nota absolutamente nueva en la literatura argentina y significaron para el mismo Güiraldes, primero una experiencia personal y valiosa, y en segundo lugar un intento que se diferenciaba de todo lo anterior", dice Guillermo Ara *(Op. cit.,* 128). Y aunque hubo en Güiraldes preocupaciones religiosas desde el principio de su quehacer literario, quizá este libro deba ser percibido como el de ruptura hacia una palabra poética desnuda, silenciosa, primordialmente mística.

Estos dos poemarios no fueron publicados por Güiraldes ¿porque configuraban una inacabada ascesis?, ¿porque eran sus más íntimos desahogos?, o simplemente ¿porque estaban incompletos? Hoy que podemos leerlos a continuación de las "Plegarias australes" de *El cencerro,* acercarlos a ciertos pasajes de *Xaimaca* y hacerlos terminar con la última nota de *El sendero,* iluminan poderosamente la trayectoria espiritual de Güiraldes y adquieren plena significación. Muestran entonces una total depuración de la dicción, un despojarse de la metáfora para aterrizar en esa 'palabra prima' de que habla Octavio Paz, "fuerte" como la tilda Güiraldes.

En la producción cuentística de Ricardo Güiraldes cabe hacer algunas precisiones de publicación. Los *Cuentos de muerte y de sangre* contienen veintiséis relatos distribuidos en cuatro secciones: una primera sin título que se podría rotular "Camperas" ya que los diecisiete cuentos son relativos a gauchos, caudillos, figuras de la pampa; "Antítesis" con dos cuentos —"La estancia vieja" y "La estancia

[43] Cf. Guillermo Ara, *Ricardo Güiraldes* (Bs. As., La Mandrágora, 1961), 125.

nueva"— continúa la temática de la primera sección; "Aventuras grotescas" con cuatro cuentos, y "Trilogía cristiana" con tres. En 1929 se editaron *Seis relatos* que comprenden dos de los *Cuentos de muerte y de sangre* —"Al rescoldo" y "Trenzador"— más dos inéditos y dos aparecidos en revistas. En 1952, Editorial Losada, de Buenos Aires, edita *Rosaura* seguida de siete cuentos: aquéllos publicados en *Seis relatos* excepto que se descartan los dos ya aparecidos en *Cuentos de muerte y de sangre* y se insertan en cambio tres más: "Cuento al caso", "Fabián Tolosa" y "Colegio", quizá el primer cuento publicado de Güiraldes ya que apareció en *Caras y Caretas* en 1913 ó 1914. Todos estos cuentos figuran hoy recogidos en las *Obras completas*.

Güiraldes dice de sus *Cuentos de muerte y de sangre* en la "Advertencia" que "son en realidad anécdotas oídas y escritas por cariño a las cosas nuestras". Esto es en gran medida verdad para los que él mismo llamó alguna vez "cuentos de fogón", esto es, los cuentos oídos a la peonada y que constituyen las dos terceras partes de su producción. Hay en este volumen, asimismo, muestras de la original fantasía de Güiraldes, ya que los relatos son de diversa naturaleza. Mas —como la crítica lo ha reconocido— los mejores son aquellos que se desarrollan en ambiente campero y cuyos personajes son gauchos hasta el punto de que podrían ser considerados como la contraparte narrativa de las "Camperas" de *El cencerro.* Sin embargo, en las presentes narraciones lo que interesa es el ser y sus preocupaciones o creencias. En los cuentos que se localizan en la ciudad hay mayor matización sicológica en los personajes, y un humorismo caricaturesco que recuerda el de *El cencerro.* Hay, además, otras narraciones que despliegan más libremente la fantasía y que son distintas en tono y estilo, preocupadas como están en algún aspecto de la religiosidad, con lo que resultan un eslabón más en la cadena del pensamiento místico de Güiraldes que arranca desde su adolescencia y culminará poco antes de morir.

Todos los cuentos que hoy podemos leer parecen haber sido escritos entre 1913 y 1914 con uno —"Politiquería"— en 1916. Sin embargo de esta fecha temprana en la actividad literaria de Güiraldes, la mayor parte de ellos pueden considerarse obras maduras, bien pensadas, quizá algunas hasta excesivamente pensadas y exigidas. De allí uno de sus valores: su brevedad y concisión. Recuérdese que Güiraldes confiaba a Larbaud, *a posteriori:*

> En *Cuentos de muerte y de sangre* traté de plegar mi estilo a las virtudes del hablar gaucho que me parecían esenciales. Así traté de forzar la síntesis, hasta conseguir violencia. De haberme puesto entonces el título de un ismo me hubiese llamado esencialista ("Del epistolario", *OC,* 789).

Tanto se ha destilado la anécdota que hay críticos que los consideran más cuadros de folklore argentino que cuentos *strictu sensu* [44] porque perciben a Güiraldes interesado en el retrato de un tipo en extinción —el gaucho—, de sus rasgos y ambiente. Esto es verdad si se juzga a partir de una definición ortodoxa del cuento, pero si se leen estas piezas acercándolas a los cuentos fantásticos de un Darío, por ejemplo, a un cuento artístico por excelencia, se percibirá que la construcción es tan ceñida y acabada como el género lo demanda. Hay una tensión en estos relatos de la que carece una descripción costumbrista y que obedece a la concisión del lenguaje que traduce bien la fuerza, sobriedad y estoicismo de los hombres que lo hablan. Las descripciones son lacónicas pero convincentes. El uso de los modismos idiomáticos de los paisanos confiere a los cuentos un tono rústico peculiar argentino que es uno de los logros tempranos de Güiraldes. Y esto es así porque él prolonga, en sus personajes, rasgos de que el hombre de la pampa estaba dotado en la tradición oral y escrita, aunque también pone en ellos la lealtad, orgullo, valentía, superstición y malicia que conocía directamente en su trato diario con estos seres. Las imágenes que Güiraldes pone en boca de sus gauchos

[44] Giovanni Previtali, *Ricardo Güiraldes,* 95.

siempre emanan de la misma realidad en que ellos viven y que conocen bien. Ya es posible observar aquí esa preponderancia de la comparación que será uno de los rasgos caracterizadores de la prosa de *Don Segundo Sombra.* Esa misma imaginería tiñe las tiradas del narrador culto con lo que ellas quedan contagiadas del tono gauchesco. La prosa está estilizada por medio de metáforas (frecuentemente antropomórficas) y de la cualidad lírica que se desprende de la enunciación. Como se ve, ya en los cuentos se dan los rasgos caracterizadores que reaparecerán, más pulidos, más logrados en *Don Segundo.* En los *Cuentos* hay, asimismo, una "modulación conversada" del lenguaje en que se aúnan la sobriedad expresiva del paisano con las libertades propias de un lector culto del francés, según acertadamente observa Ghiano (*Op. cit.,* 69-70). Es un estilo de honda oralidad que, por lo tanto, resulta libre y natural y no obstaculiza el tono de narración oída y repetida con soltura y sencillez.

Dos de los cuentos son de particular interés porque en ellos aparece por primera vez Don Segundo. Son "Al rescoldo" y "Politiquería". Don Segundo está breve pero firmemente presentado allí. Sus rasgos más salientes —su corpulencia, su condición de narrador, su aplomo, el respeto de que goza, su malicia bonachona— ya están presentes en los dos cuentos. Puede, además, señalarse que algunos de los personajes de *Cuentos* —Facundo, Rosas, Urquiza, el capitán Funes, el Zurdo, el patrón de la estancia vieja— son antecedentes de la conducta de Don Segundo, heredero de estos personajes como son, asimismo, reencarnaciones de ellos esos estoicos reseros y domadores de *Raucho* y *Don Segundo.* El padrino será la representación simbólica de todos ellos.

Hay, no obstante, dos rasgos que no se darán más tarde o que, al reaparecer, lo hacen con tratamiento y significación diferentes. Me refiero a una suerte de regodeo en la violencia (ya anunciada en el título) que, en general, no ha sido suficientemente subrayado ni indagado por la crítica, y la presencia de lo sobrenatural como fuerza absurda que destruye al hombre.

Los *Cuentos* fueron ejercicios, cimientos singulares que permitirían la construcción definitiva. Infortunadamente para Güiraldes, los *Cuentos* aparecieron en la Argentina en un momento en que, a pesar de la existencia de la obra de Horacio Quiroga, todavía la crítica académica estaba anclada en el realismo decimonónico. "El cuento literario, como tal —dice Pupo Walker— era todavía un género incomprendido que a duras penas subsistía en la periferia de la actividad literaria".[45]

Raucho, la primera novela de Güiraldes, propone al lector el motivo del retorno, central en la temática de este autor.[46] Se trata del retorno de un hijo pródigo, Raucho, al seno de su hogar: la pampa, el suelo argentino. Raucho crece en la estancia de su padre, enamorado del paisaje y de los tipos humanos que lo pueblan, consustanciándose con uno y otros y odiando la ciudad y el colegio pero sucumbiendo a los placeres que esa ciudad le provee y enajenándose finalmente en el soñado viaje a París donde el sexo, el alcohol, el juego y las drogas lo destruyen física y espiritualmente. Un amigo cruza el océano para salvarlo y allí, en la pampa "de siempre", Raucho hallará la paz que necesita para recomenzar.

Raucho está estructurada en la oposición de dos mundos —la pampa, la ciudad— y en dos estilos —poético y realista—. Y esta oposición no es nueva en Güiraldes, pues ya hemos hallado esta dualidad en el poemario y los cuentos.

Raucho ha sido siempre visto como un libro autobiográfico. Y lo es en cierta medida: en lo que respecta a la infancia en la estancia y a la adolescencia en el colegio, pero no así a lo que hace a la vida en París, de la que Güiraldes dice a Guillermo de Torre que se proponía "apuntar un breve cuento de ambiente parisién. El interés era confrontar más tarde la realidad con lo que había

[45] Enrique Pupo-Walker, "Elaboración y teoría en los cuentos de Ricardo Güiraldes". En W. W. Megenny, ed. *Four Essays,* 96.
[46] Cf. Antonio Pagés Larraya, "*Don Segundo Sombra* y el retorno", *Buenos Aires Literaria,* I, 2 (nov. 1952), 23-32.

imaginado" ("Esquema de vida material", *OC,* 36). De donde se sigue que la vida experimentada por Raucho en París ha sido pergeñada por Güiraldes y no vivida por él. De ahí su falsedad. Por el contrario, todo lo relativo a la vida en la estancia y a sus hombres que incluso aparecen con sus nombres verdaderos, fue experiencia directa. Y de ello emana lo más logrado del libro. Las escenas y conflictos parisienses, de corte naturalista, resultan artificiales e insulsos porque parecen haber tenido dos modelos demasiado próximos: la *Naná* de Zola y *Sin rumbo* del argentino Cambacères. Y quizá por una necesidad de recargar las tintas para iluminar más positivamente la primera y última partes, las de la comunión con la tierra nativa.

Raucho es, a la vez, una novela de personaje y de espacio. La personalidad del protagonista es la dominante como lo son también sus dos *habitats* —la pampa y la ciudad, sea ésta Buenos Aires o París—. No hay una ubicación precisa de la estancia con lo que se amplía el significado argentino de la pampa, borrándose todo localismo estrecho. La casa de la estancia es descripción fiel de "La Porteña" y la morosidad con que el narrador (en tercera persona) se detiene en ella indica estabilidad, arraigo del hombre en la tierra.

Raucho está confrontado con el problema de toda una generación hispanoamericana: "Raucho piensa cómo quiso ser todo menos lo que era." Éste es un conflicto espiritual común en las letras del continente que, en la literatura argentina, había ya tratado Cambacères en *Sin rumbo.* Y al aprender, en el retorno, que su lugar está en su patria, en su tierra, la novela adquiere el carácter de un *bildungsroman,* de una novela de aprendizaje, aunque éste no es el único tema del libro ya que aparecen el de 'los trabajos y los días' en la estancia con las tareas ganaderas como centro, el del colegio, el del 'calavera' y la vida bohemia, el del amor como aventura galante y el de la amistad, instrumento del retorno y posterior salvación de Raucho. Todos estos temas convergen hacia el tema básico del retorno del hijo pródigo una vez realizado el aprendizaje.

Güiraldes ha dicho que, con *Raucho,* había intentado el poema en prosa y, aunque no totalmente logrado, el libro responde a ese propósito en cuanto a su composición. Centrada la novela en un personaje y su trayectoria cotidiana, se organiza la narración en ocho momentos (más un prólogo) de la vida de Raucho, desde su infancia hasta los veinticinco años de edad. El prólogo y los momentos titulados "Infancia", "Trabajo" y "Solución" transcurren en la estancia y el lector recibe las impresiones de la naturaleza que Raucho absorbe a través de efectos estéticos que subrayan la armonía y silencio de la naturaleza así como la impresión sensorial de las estaciones. Se poetiza la pampa en cinco descripciones en diferentes estaciones; cinco breves poemas en prosa. En contrapunto con ellos, las descripciones de las tareas camperas están realizadas con un estilo factual que acentúa el machismo y la vitalidad de los trabajos y los hombres. La naturaleza está siempre antropomorfizada, y las intangibles cualidades de un objeto o de la naturaleza se subrayan mediante imágenes abstractas. Los momentos de la vida de Raucho en ambas ciudades —"Colegio", "París", "Nina", "Abandono"— están trabajados con una técnica realista, hasta naturalista, de detalle descriptivo, en frases breves y concisas. Pero, fiel a los dictados de su imaginación, Güiraldes aligeró esta parte con la inclusión de un poema en prosa en forma de un sueño en que Raucho pasa revista a una galería de mujeres.

El consciente esfuerzo de Güiraldes por estructurar la narración sobre el contraste de pampa y ciudad con las consiguientes diferencias estilísticas, destruye el equilibrio rítmico del libro así como su equilibrio emocional. Igualmente, los cambios en la personalidad del protagonista resultan bruscos y artificiales. No se muestra el proceso desde dentro, sino que más parece resultado de un preterido determinismo ambiental. Otro defecto de *Raucho,* que *Don Segundo* superará, es la desarticulación del paisaje con respecto al protagonista. Es el recuerdo el que trasmite la naturaleza en *Raucho;* ella no brota de las vivencias del personaje.

La trascendencia de *Raucho* en la producción güiraldiana está dada por su relación con *Don Segundo:* ya encontramos en esta primera novela el tratamiento de la pampa, de sus hombres y sus tareas, que será central en la gran novela última. Ya están los personajes —Don Segundo, la chinita Aurora, Raucho, Don Leandro, los peones—; ya están algunas escenas como la del rodeo; ya está la fascinación de Güiraldes con el ritmo inalterable de las estaciones, de la naturaleza; ya está la pampa como la fuerza que permite al hombre encontrarse consigo mismo.

Rosaura es quizá la única obra de Güiraldes que parece escapar a la unidad fundamental que rige su producción. Sin embargo, no es enteramente así. Escrita a pedido de la familia, para que su hermana Lolita tuviera algo adecuado que leer, *Rosaura* es un "romance cursi", como la calificó Adelina del Carril. Es, en verdad, una pintura irónica, por ratos tierna, de una tonta muchacha romántica que languidece en el pueblo pampeano de Lobos.

La historia que *Rosaura* cuenta es la de una muchacha de pueblo enamorada de un forastero quien, después de unas pocas entrevistas, y con el pretexto de un viaje a Europa, la abandona, empujándola al suicidio. Se trata de una pasión elemental e ingenua alimentada por fantasías bovarianas, y narrada en un estilo que es, al mismo tiempo, romántico e irónico, en que la protagonista está vista, a la vez, compasiva y burlonamente como de igual manera se entrega al lector la vida pueblerina.

En sus breves 80 páginas y apretados 20 capítulos, *Rosaura* muestra una composición muy pensada y un total control de la materia narrativa en sus dos vertientes: la romántica y la satírica, la de participación sentimental del narrador en tercera persona y la de distanciamiento de ese narrador lo que permite la ironía burlona ejercida sobre la heroína, el ambiente y la novela rosa *per se.*

Si bien centrada en Rosaura, la novela se detiene prolijamente en la pintura de la vida pueblerina y en el significado que el tren posee para los habitantes de Lobos y, particularmente, para la protagonista: es el portador de sueños, de lo desconocido, de la vida ciudadana. Es la salida, el escape a un ambiente opresivo por monótono y rígido. Es la arteria que trae la vida.

La anécdota de *Rosaura* es minúscula e intencionalmente simple y parece haber sido ensayada en "Arrabalera" de *Cuentos de muerte y de sangre.* Pero lo que ya es más complejo es la caracterización de Rosaura quien es presentada, a través de sus emociones, gradualmente, de modo tal que su personalidad crece en el lector. Los sentimientos de la muchacha y el destino implacable están entregados simbólicamente. Así, los sentimientos de la chica evolucionan junto con las flores de su jardín desde la ebullente primavera —cuando el amor nace— a los grises días del otoño —cuando el amor muere—. Las imágenes, con sus variadas sugerencias, visualizan las cosas o evocan un clima emocional. Se refuerzan las impresiones mediante su reiteración, lo que ya se había ensayado en *El cencerro.* En todas estas técnicas ya Battistessa había observado la presencia de Laforgue.[47]

Pero si se observa la trama subterránea de la obra se verá que, otra vez aquí como en *Raucho,* la *nouvelle* se estructura sobre una oposición: pueblo-ciudad; muchacha de pueblo *versus* forastero de la ciudad; forma de vida pueblerina *versus* forma de vida ciudadana. El pueblo se llama Lobos —lo salvaje—; el tren es una máquina —progreso—; la muchachita pueblerina es espontánea, simple, soñadora; el forastero es hombre de ciudad, sofisticado, calculador, frío. Me parece que es lícita esta lectura[48] desde el momento en que el narrador apunta que la instalación de las vías ferroviarias fue la razón de la tragedia (*OC,* 244). El abandono de lo que es naturalmente de uno se paga con la vida, parece ser la moraleja aleccionadora de la corta novela, aunque no creo que Güiraldes

[47] Cf. Ángel J. Battistessa, "Simpatía e influencia", ya citado.
[48] Ivonne Bordelois y Juan C. Ghiano avanzan también esta idea.

haya pensado en un posible valor ejemplarizante de su librito. Por otra parte, el estilo sigue fiel al tipo de metaforización e imaginería que ya se señaló en obras anteriores. Todo lo cual permite seguir defendiendo la unidad básica de la obra güiraldiana.

Xaimaca es un libro complejo que sobreviene en un complejo momento del desarrollo espiritual de Güiraldes y de su quehacer literario. Es, además, un libro que no puede ser separado de la circunstancia biográfica de su autor y de los nuevos incentivos intelectuales que sus amigos franceses significaron. En particular, debe ser referido al *Barnabooth* de su entrañable Valery Larbaud.

Xaimaca es una novela narrada en forma de diario íntimo que abarca dos meses y medio (28 de diciembre de 1916 a 11 de marzo de 1917) de un viaje marítimo emprendido por su narrador.[49] Otra vez la dualidad estructural: las impresiones de lo exterior —el viaje— junto al dramático y abstraído itinerario introspectivo del protagonista: quiere "personalizar" sus sensaciones y le interesa tanto observarse "que quiero, a diario, fijar mi modo de reaccionar ante los incidentes nuevos" (*OC,* 269). Como *El sendero, Xaimaca* resulta otro diario interior. Pero, junto a esto, hay también un vitalismo pánico que, en gran medida, reconoce la influencia de Walt Whitman traducido por Larbaud. Hay una constante exaltación de la vida, un repetido goce del paisaje y de sus elementos.

A un nivel superficial *Xaimaca* podría ser considerada la historia de un idilio que, aunque llega a la consumación física, se mantiene siempre en un plano ideal totalmente opuesto al crudo sexualismo del amor en *Raucho.* Como la exaltación de ese amor ocupa mayormente el mundo narrado, podríamos considerar, dado el tratamiento poético que de él se hace, que *Xaimaca* es una eulogía

[49] Consta de 36 entradas fechadas y 16 sin fecha, de un viaje por el Pacífico desde Chile a Jamaica, y se corresponde con el viaje efectivamente hecho por los Güiraldes con sus amigos los González Garaño en esas fechas. La primera parte abarca el viaje del protagonista desde Buenos Aires a Chile, en ferrocarril.

del amor. Pero, en verdad, es algo más profundo: es la visión trascendental del amor, la comprensión de que el amor es ascesis, experiencia religiosa casi, vocación natural del hombre. "El amor —dice el protagonista— ... es la suma de obediencia y el modo de acercarse hasta confundirse con el poder divino" (*OC*, 298).

Los sentimientos muestran aquí íntima relación con el mundo físico: el amor de Marcos Galván por Clara Ordóñez se intensifica a medida que el calor se hace más intenso, y a medida que la vida se acompasa con el ritmo de la navegación. De Valparaíso a Jamaica el diario describe el amor de Marcos y la unión espiritual de los amantes en una armoniosa fusión. De Jamaica en adelante, esa unión se vuelve posesión física y Marcos confía al diario su nuevo goce.

Tanto las impresiones del mundo exterior como las relaciones humanas están transmitidas mediante sensaciones y emociones de toda índole. Todas las descripciones del escenario donde el amor tiene lugar, son tratadas como marco para ese amor y siempre se animiza lo inanimado, se abstrae lo concreto y se intensifican las sensaciones físicas y emocionales en una mezcla de técnicas impresionista y expresionista. Las frases han sido despojadas de todo elemento accesorio; encierran un único pensamiento y al leerlas comunican, en rápida secuencia, claras impresiones. El carácter poemático de esta prosa se acentúa a medida que el idilio va acercándose a su consumación y, cuando ella se produce, la narración naturalmente se resuelve en una serie de bien ensartados poemas en prosa que se yerguen como tales frente al resto de la narración, como remansos de paz interior en un clímax totalmente creacional, poético.[50]

Es, pues, evidente a partir de este breve análisis que los valores de *Xaimaca* residen en el tratamiento que se ha dado al tema del amor. La novela es pura forma y quizá haya que verla como escrita, al comienzo, en un arranque eufórico frente al paisaje americano sobre el que

[50] Véase el análisis de Giovanni Previtali. *Op. cit.*, 131-138.

empieza a agrandarse la otra euforia, la del amor, la de la pareja humana unida en una comunicación total. Es interesante observar que *Xaimaca* ataca por primera vez la primera persona narrativa, soslayada hasta aquí en las dos novelitas precedentes, una de las cuales —*Raucho*— hubiera admitido el yo personal. Esto indica, creo, una mayor seguridad por parte de Güiraldes y la convicción de que la primera persona es la única posible en este descenso al yo que él ahora iniciaba. *Xaimaca* me parece la culminación en la búsqueda del tono justo, del equilibrio entre el narrar y el poetizar, polos entre los que se debatió Güiraldes desde su primer libro. Bordelois lo reputa un exorcismo. Pero, opino, no se trataba de desembarazarse de malos espíritus, sino de armonizar, en sí y en la obra, intuiciones y tendencias.

Xaimaca no fue una obra improvisada. Güiraldes la compuso durante tres años y podó después, por cuatro años, más de la mitad de las 600 páginas iniciales. En carta a su amigo Dávalos, Güiraldes admitió que *Xaimaca* "me gusta hoy por hoy... En fin, *Xaimaca* me parece lo mejor de mi peor" ("Del epistolario", *OC*, 758). *Xaimaca* es, desde un punto de vista exclusivamente poético, la obra más enteramente lograda de Güiraldes como totalidad y como coherencia interna. No se la valoró como lo merecía porque también ella se anticipó al ambiente y a los gustos literarios del momento argentino. En la actualidad, sigue aún pospuesta a la fama de *Don Segundo.*

Tres son los libros de publicación póstuma —a más de los *Poemas solitarios* y los *Poemas místicos* ya discutidos— con que su viuda cerró la producción de Ricardo Güiraldes. Son ellos *El libro bravo, Pampa* y *El sendero.*

El libro bravo (*OC*, 547-550) fue un proyecto largamente alimentado por Güiraldes como himno a los hombres de su tierra. El texto, tal como nos ha llegado, es en verdad un breve conjunto de apuntes, fijación de ideas embrionarias que no alcanzan a transmitir el carácter casi epopéyico que quizá su autor deseaba lograr. Hay sí un programa poético —"Quiero que mis cantos sean libres de leyes"— y que muestren las mismas virtudes de los hombres a quienes loan; no admite falacias —"¿Cómo podría loar la audacia y ser modesto?"—. Canta porque siente que es "como la garganta por donde dice su palabra 'armoniosa' todo mi pueblo". Y canta a ese pueblo porque, en contacto con otros pueblos, "vi que el conjunto de pequeñas luces rechazadas, hacían una gran luz y que esa luz era 'armonía'... y vi que mi pueblo era un ser completo ante el cual mis ojos se anegaron de cariño". Y de pronto, en una sucesión anafórica de interrogaciones, una frase clave para entender *Don Segundo Sombra:* "¿Mi pueblo? Un pueblo admirable de simplicidad, de aristocracia anárquica que *está en peligro de claudicar*" (el subrayado me pertenece).

Cierran las cuartillas dos cantos —"Mi orgullo" y "Mi hospitalidad"— de los diecinueve proyectados para exaltar otras tantas cualidades del hombre argentino. Poco, en verdad, para que podamos aventurar conjeturas sobre lo que el libro hubiera podido ser.

Pampa (*OC,* 553-555) son seis piezas en prosa tituladas "Pampa", "Poema", "Me voy" "El río", "Tropa" y "Benteveo". Cuatro están fechadas: en "La Porteña" en 1913, 1922 y 1925, y una en París en enero de 1920. Son poemas, apuntes, breves retazos del paisaje pampeano escritos "dans l'estime" de esa geografía tan cara a su corazón. Fueron primeramente publicados, por deseo de la mujer de Güiraldes, por Francisco A. Colombo, en 1954.

Indudablemente, *El sendero* (*OC,* 517-544) es la obra póstuma de mayor interés para el estudioso de Güiraldes, precisamente porque son las "Notas sobre mi evolución espiritualista en vista de un futuro", tal como él la subtituló. La primera edición fue hecha por Adelina en Holanda, en 1932, y ella la precedió con una nota en que decía lo siguiente:

> *El sendero* fue para Ricardo Güiraldes un camino de perfección... Inició estos apuntes íntimos el año 1926, o no sé si algo antes,[51] en Buenos Aires, y sólo renunció

[51] En el libro mismo (p. 521), Güiraldes fecha en 1924 las notas anteriores a la 13, aunque la nota 37 se remonta a 1915 o 1916,

a ellos, en París, dos días antes de morir... Ricardo Güiraldes no los destinaba a la publicidad, pero creo ser justa al publicarlos. Con ello honro su memoria y doy a sus lectores como una llave para entrar libremente en aquel espíritu ejemplar *(OC,* 810).

Son setenta y siete textos en que Güiraldes fija sus ideas, explica sus lecturas, indaga su verdad y se enfrenta consigo mismo. Es, por esto mismo, una lectura de suma riqueza para el investigador ya que la espontánea sinceridad de las aseveraciones y la honesta entrega de sus reflexiones profundizan el conocimiento del hombre cuanto del escritor. Observaciones sobre su carácter, el origen de su búsqueda espiritual, la incidencia del dolor físico en el carácter, el fortalecimiento de la voluntad, el de su solidaridad con lo creado, el de la intuición de su genio, el de su método de trabajo, el de su necesidad de crear para dar, el valor del trabajo literario, el de su subyacente catolicismo, etc., son buena prueba de que el libro necesita un estudio a fondo hecho en estrecho careo con la obra publicada.

"Don Segundo Sombra"

Sería ocioso en esta somera recorrida del libro máximo del escritor argentino querer agotar los ángulos críticos cuando tanto se ha analizado esta novela y con verdadera solvencia crítica en muchos casos. Me limito, por lo tanto, a señalar algunos aspectos básicos y a remitir al lector interesado a la bibliografía que contiene los trabajos más serios producidos hasta el presente.

Con su más famosa novela, Ricardo Güiraldes se puso a la vanguardia no ya de las letras argentinas sino de las del continente hispanoamericano. La razón hay que bus-

---

ya que Güiraldes dice que es poco posterior a *El cencerro.* Hay otras que rezan. "Año pasado", "De hace 4 ó 5 años", "Estos apuntes datan de 1917".

carla en la nueva postura literaria que el libro aportaba. Güiraldes había encontrado un lenguaje vernacular, netamente argentino, que se metía en el español literario creando una profunda simbiosis de esos dos extremos en que se debate el alma hispanoamericana: lo europeo —la herencia culturalmente hecha— y lo telúrico, el "hoy" y el "aquí" de la tierra nativa. Del exquisitamente culto Güiraldes había salido una voz gaucha, llena de realismo, de imaginería campesina pero vestida a la última moda francesa: lo dialectal americano y lo europeo unidos en dosis sutiles en uno de los estilos más personales que Hispanoamérica había dado hasta entonces. Un libro nuevo y distinto cuyo atractivo residía en sus oposiciones: realidad y mitos, verismo e imaginación, limitación e infinitud.[52]

Pero, a más del placer estético, *Don Segundo Sombra* aportaba valores de orden ético: el contrapunto entre la vida aprisionada por convencionalismos y la vida libre del hombre en la pampa con su implícito ideal estoico de lucha, entereza, soledad y silencio.

El argumento de la novela es muy simple: un muchachito, sin padre conocido, que se ahoga en la vida mezquina de un pueblo pampeano y que quiere lanzarse a vivir de verdad, como hombre, es decir, como gaucho. El destino lo une a un ser de contornos fabulosos, Don Segundo Sombra, a quien el muchachito adopta por padrino y que lo inicia en el duro aprendizaje de vivir. Pero ese mismo destino que los juntó, los separa cuando, con la muerte de quien se revela como su padre —un rico estanciero—, el gauchito, ahora Fabio Cáceres, tiene que

[52] Hay afirmaciones de Güiraldes en su *Diario íntimo* (inédito. Museo Güiraldes de San Antonio de Areco) que muestran hasta qué punto él tomó elementos de la realidad en la composición de *Don Segundo Sombra*: "de la conversación a los reseros puedo servirme para *Don Segundo Sombra*. En todo caso me pongo en pleno ambiente" (Entrada del 18 de mayo de 1923, p. 65. Gentileza del Dr. Lecot). Pocos días antes, el 13 de mayo, escribe: "Ciriaco Díaz cuenta unos arreos de cuando tenía 18 años, me podrían servir para *Don Segundo Sombra*".

hacer frente a sus nuevas responsabilidades y aceptar que Don Segundo se separe de él impelido por su irrenunciable afán de soledad y libertad.

La novela configura así el periplo de la vida del muchachito desde una infancia ociosa y desperdiciada en travesuras, hasta una adultez responsable, seriamente asumida a través del duro aprendizaje gaucho. La ocupación gaucha que el muchacho elige —la de resero— es el soporte argumental de la narración y, dado que la vida del resero es viajar, constante desplazarse, esto determina la organización del material narrativo en una textura episódica, la única posible para una novela que tiene el viaje como resorte y eje estructural. La novela es simbólica ya que los viajes son *significativos,* son itinerarios a la vez temporales y espirituales que intercambian su literalidad en lo cual reside su significación.

El motivo del viaje está estrechamente relacionado con el de la búsqueda. El muchachito cuando parte de lo de Galván siguiendo a Don Segundo y escapando a su anclaje pueblerino con las tías, busca hacerse *gaucho.* Para ello sabe que le espera un duro aprendizaje interior y exterior: habrá de endurecer su cuerpo y moldear su carácter para hacerlo resistente a dolores y reveses y habrá de aprender todas las destrezas en que el gaucho sobresale. *Don Segundo* es, en verdad, la novela de un aprendizaje, un *bildungsroman:* "la historia de una educación, de un irse haciendo un hombre, de las experiencias, sacrificios, aventuras, por las que viaja hacia la búsqueda, la conquista de su madurez», como dice Baquero Goyanes.[53] No se trata, sin embargo, en la novela de "señalar pintorescamente cómo se desarrollan las habilidades y el oficio del resero o del gaucho en general, sino que se propone el aprendizaje gaucho como la forma original de educar al hombre en contacto con la tierra para recibir de ella la impronta propia e inconfundible del paisaje determinante

[53] Mariano Baquero Goyanes, *Estructuras de la novela actual* (Barcelona, Planeta, 1970), 33.

como un sello moral de silencio, entereza, vitalidad y grandeza, y la virilidad y autodominio de sus hombres".[54]

Como lo señalamos, la estructura narrativa del *bildungsroman* se caracteriza por una serie episódica de aventuras cuyo eje aglutinante es el protagonista y por ser una narración autobiográfica, una primera persona narrativa. Esta fue precisamente la forma elegida por Güiraldes para narrar 'los trabajos y los días' de su reserito. Y fue una elección muy acertada porque, aun cuando el narrador es ya un hombre culto, él no ha renunciado su gauchismo, esto es, no ha olvidado el aprendizaje gaucho. Es más, muchos de sus rasgos de carácter y de costumbres siguen respondiendo a aquella educación.

Güiraldes debió llegar a su elección luego de duros debates consigo mismo. Prueba de ello es un "curioso" (según el Dr. Lecot) prólogo redactado en 1922 con la firma de Fabio Cáceres y más tarde descartado.[55] Reza así:

> Más interesante, díjome un amigo al devolver este manuscrito, hubiese sido un relato de tu vida misma. ¿Será así? ¿Tendrá más sabor para el público una autobiografía, llena de reveses y sinsabores vencidos, que este discurrir al margen de una existencia sin más rumbo que el horizonte promisor? No sé. Lo cierto es que en mi vida misma, digna según aquel amigo aconsejador de ocupar el primer plano, es Don Segundo Sombra mi motivo principal e inevitable.
>
> Su figura ha impreso en mi sencibilidad (sic) primera una marea luego extendida a todas mis fuerzas vitales y, como acontece en estos casos, óigome con frecuencia decir: Cuando íbamos con Don Segundo, como decía Don Segundo; expresiones que delatan claramente el dominio de esos momentos o de esas palabras, sobre mis recuer-

[54] Cedomil Goic, *Historia de la novela hispanoamericana* (Valparaíso, Editorial Universitaria, 1972), 168-169.

[55] Está contenido en cinco tarjetas y, en el reverso de una, hay un dibujo hecho por el escritor del mar, montañas y un caserío. El prólogo ha permanecido hasta aquí inédito y se encuentra en la colección de Ramachandra Gowda de donde lo copió el Dr. Alberto G. Lecot, quien tuvo a bien facilitármelo.

dos y sobre mis ideas; cimientos sólidos de mis pensamientos y acciones.

Harto extenso sería enumerar las diferentes faces de esta influencia. Tocaríame una intrincada desfacedura de enredos psicológicos para demostrar cómo un comentario campero llegó en mí a ser un principio imperativo, luego ramificado en miles de conclusiones ideológicas erigidas en centinelas de mi conducta. Tocaríame, también enumerar, en dilatado inventario, mi haber sentimental, demostrando de qué manera lograron complejas florecencias otros tantos hechos y decires de mi protagonista.

Por lo tanto básteme decir que lo aprendido posteriormente en la vida y en los libros y todo lo vivido en las luchas privadas y públicas por este mi individuo, tan óptimo según tesis de mi mentor, están en germen, intactas y puras en este portentoso andador de caminos y llanuras cuyas andanzas parcialmente relato en las páginas subsiguientes.

Fabio Cáceres

Este prólogo resulta confuso ya que, por momentos, la voz del autor parece superponerse a la del personaje que firma el prólogo. No resulta claro si se leerá la autobiografía de Fabio o un discurrir acerca de una existencia itinerante o las andanzas de esa existencia (¿la de Don Segundo o la de Fabio?). Es, pues, evidente que el problema de la estrategia narrativa con la consiguiente elección de la voz narrativa que ella conlleva, fue agudamente percibido por Güiraldes y resuelto con tanta maestría que en ello reside, en gran medida, el perdurable valor literario de su libro.

En su manejo de la primera persona narrativa, Güiraldes fue, en verdad, un innovador sin saberlo. Como lo ha expresado Amado Alonso,[56] el problema de Güiraldes era reproducir narrativamente el mundo del paisano desde el interior mismo de ese hombre. Dos son las formas que una narración autobiográfica puede adoptar: la de diario

[56] "Un problema estilístico de *Don Segundo Sombra*" en *Materia y forma en poesía*, 353-363.

o la de memorias. Otro acierto de Güiraldes: el haberse decidido por las memorias en que pudo superponer a los hechos y reacciones del momento, las que ahora provoca la evocación en un hombre diferente del que los vivió. Por ello es que en *Don Segundo Sombra* la primera persona narrativa ofrece desplazamientos, diferencias de focalización. Es el hombre hoy culto y maduro el que dicta los epítetos con que se entrega la figura del "perdidito", del "gauchito" sin objetivos en su vida. Es el mismo personaje pero visto distanciadamente, con una mirada enjuiciadora muy cercana a la de un narrador omnisciente. En cambio, una vez que el 'gauchito' se transforma en 'reserito', hay una suerte de aproximación entre el narrador y su otro yo, el del personaje, hasta el punto de que, frecuentemente, el narrador se vale de expresiones que, en su madurez culta, no usaría pero a las que debe echar mano para no falsear la naturaleza de su personaje. En esos momentos, la primera persona lo es casi de modo pleno. Y por cierto lo es en el capítulo final en que, por única vez, el tiempo de los hechos y su narración son simultáneos.

Esta doble naturaleza del narrador-protagonista —hombre culto/gaucho— es lo que determina los diferentes tipos de lenguajes usados en el libro y es lo que obligó a Güiraldes a separar nítidamente las formas gauchescas del diálogo de los paisanos —o de los dos cuentos de Don Segundo— de la prosa literaria, la del narrador culto en la que, sin embargo, no desechó formas populares y hasta gauchescas de decir determinadas por su estrategia narrativa. El punto de vista narrativo escogido —el autobiográfico— se plasma en una voz narrativa en primera persona que, no obstante, resuena diferentemente en las diferentes etapas de la vida del reserito y también varía de acuerdo con la naturaleza del episodio en que se ubica el personaje. Pero cuando el narrador y el reserito se funden en esa voz narrativa, cuando el narrador culto actual se siente revivir en ciertos episodios, los giros agauchados se insertan naturalmente en la prosa y no hay disonancia en ellos para el lector por esa estrecha simbiosis lingüística y de imagenería de que la lengua toda de *Don Segundo* hace gala y a la que Güiraldes llegó sin forzar el instrumento lingüístico sino más bien oyendo, con amorosa atención, las voces de sus paisanos.[57] En realidad, Güiraldes confirió a la narración su propia voz, la de estanciero bonaerense, la misma que ya había resonado en *El cencerro de cristal,* en los *Cuentos de muerte y de sangre* y en *Raucho.*

El sincero amor por los gauchos y la comprensión total de sus costumbres y destino le permitió a Güiraldes fundirse anímicamente con ellos, lo que se transparenta bien en el idioma gaucho que supo crear: una lengua sobria, pudorosa, en total consonancia con la idiosincracia de sus personajes; un habla que hace culto de la parquedad, de la más absoluta naturalidad y de las mismas metáforas, acentos e inflexiones que el paisano usaba en su decir. Pero todo ello junto a las metáforas más modernistas o simbolistas o ultraístas de que su espíritu era capaz, y junto a una ironía pícara que mantiene la sonrisa del lector durante todo el libro. Con muchos y específicos sustantivos, con limitados adjetivos y numerosos verbos de movimiento, con sencillez pero con verdad, Güiraldes obtiene una precisión estilística única.

Ese mismo amor por lo gauchesco lo lleva a insertar en su libro cariñosos retratos de la vida campestre argentina. De este modo, la novela respira un aire veraz que Güiraldes logra sin recurrir a largas descripciones sino integrando multitud de notas individuales, usando una

[57] En varias ocasiones la narración del narrador culto presenta palabras o giros gauchescos entrecomillados. Aparte el valor realista que pueda asignarse a este procedimiento, creo que la razón para estas palabras o giros así destacados debe relacionarse con la voz narrativa: en estos momentos, reserito y memorialista son uno solo, se funden tan íntimamente que eso se trasunta en la elección lingüística que no puede ser sino la gauchesca, pero que el narrador culto siente que tiene que destacar del resto de su enunciación. Son islas de contagio en que el narrador culto sucumbe a su personaje.

técnica impresionista.[58] Identifica lo humano y lo animal por medio de comparaciones y metáforas en las que usa todos los seres y cosas importantes para el paisano. En las comparaciones, principalmente, Güiraldes recurre al animal que es constante compañero del gaucho, el caballo, evidenciando no sólo un gran conocimiento técnico, sino hasta casi podríamos decir una compenetración sicológica con el animal.

El paisaje entra en el libro con toda su aplastante monotonía y sus características reaparecen como atributos morales de los personajes: el silencio e inmutabilidad de la pampa son los mismos de los paisanos, así como la estoica indiferencia del hombre es espejo de la impasibilidad del campo ante su agonía.

La novela se halla, asimismo, salpicada de motivos recurrentes que, en general, son responsables por un cierto aire de predestinación casi mágica que parece imperar sobre los seres como sobre el paisaje y, en general, sobre la vida. Me refiero a la noche, a las premoniciones, al agua, al retorno. La noche, por oposición al día, es lo extraño, lo desconocido y, por ello, amenazador, lo que trae el miedo y los fantasmas.[59] Es también la hora de las leyendas y las supersticiones, la de la imaginación. Esa imaginación es la que despierta en la mente, todavía confundida del reserito luego de su feroz pelea con el toro,

[58] "Los trabajos... que se detallan, no están descriptos en un sentido estricto, sino narrados en el acontecer de los personajes, especialmente del narrador. Pertenecen a la experiencia del aprendizaje del muchacho" (Ofelia Kovacci, *La pampa a través de Ricardo Güiraldes,* Bs. As., Un. Nac. de Bs. As., 1961, 83).

[59] Es pertinente aquí subrayar que, como se verá en el aparato crítico de la edición, Güiraldes cambió, en el Cap. XXVII, la hora de la marcha de Don Segundo del amanecer al anochecer. El comienzo del día hubiera sido el momento más indicado para iniciar un viaje. Pero razones de índole artística —las asociaciones emocionales que las incipientes sombras despiertan, la congoja y tristeza, la soledad que siempre en el relato se han unido a las sombras nocturnas, el mayor efectismo visual, impresionista de la figura que se pierde en la lejanía y la escasa luz— es lo que debió pesar en la resolución del escritor y decidirlo al cambio.

una visión premonitoria: la de que Galván un día le dirá unas palabras que cambiarán su vida. Cuando efectivamente las oye, las reconoce pero no puede ubicarlas. El reserito tiene otros momentos, si no de premoniciones, de intuiciones: por ejemplo, cuando sale con su tropilla en la zona de los cangrejales, está de mal humor, desazonado y no sabe por qué. No soporta las puyas del padrino y se 'aluna'. Todo le sabe mal en el rancho de Don Sixto porque algo le está anunciando el espectáculo espeluznante de que habrá de ser testigo. Cuando va a lo de Cuevas a comprar su primer pingo, el maizal le da miedo. Es que allí tendrá lugar su 'extraña' exaltación a causa de Aurora. Al principio del relato, teme el cementerio y hasta lo erizan perros conocidos que él sabe que puede dominar con sólo pronunciar sus nombres. Es que, inconscientemente, su espíritu está inquieto ante la proximidad de su encuentro con Don Segundo que habrá de cambiar su vida. Pre-siente la vecina presencia del grande hombre. De esta manera se sensibiliza al personaje a la par que se prepara al lector para la aceptación de lo extraño. Es, pues, indudable la presencia de lo supernatural en *Don Segundo* pero lo que también es fuerza observar es que Güiraldes no supo darle un tratamiento más cabal. Anderson Imbert, con su habitual sagacidad crítica, se pregunta si Güiraldes cedió a un tema literario de moda en la época o a una interior solicitud.[60] Pienso, dado el interés del escritor por las religiones orientales y la teosofía, que lo preocupaba simultáneamente con la escritura de *Don Segundo,* que ese interés es responsable por la aparición de este motivo. Por otra parte, el autor parece decir que éste es un rasgo del carácter del paisano. Don Segundo parece creer en el aviso sobrenatural que recibe Don Sixto. El reserito tiene sentimientos ambiguos al respecto. Hay una suerte de hesitación en el uso y tratamiento de este motivo, no sé si porque Güiraldes no tenía convicciones arraigadas al respecto o porque literariamen-

[60] "Ricardo Güiraldes y lo sobrenatural" en *Los domingos del profesor,* 247.

te no supo engarzarlo con más fuerza en la idiosincrasia de sus personajes.

El agua es el motivo estructural que enlaza los tres momentos en que se divide la reminiscencia. La novela está armoniosamente estructurada exteriormente: un capítulo inicial que relata los catorce años de la vida del gauchito anteriores a su encuentro con Don Segundo; un capítulo final que devuelve al protagonista a su condición solitaria pero ya hecho hombre, con un nombre y un patrimonio, esto es, proyectado hacia el futuro, y 25 capítulos intermedios, los de la búsqueda de la propia personalidad y los del aprendizaje. El motivo del agua —arroyo, río, laguna— controla esa estructura externa. Cada nueva etapa en la vida del muchacho está señalada por la presencia del agua que une todos los acontecimientos y los recrea con un sentido de totalidad pero a la vez de acontecimientos susceptibles de ser reelaborados como el incesante fluir del agua. En dos ocasiones el protagonista rememora su vida pasada —primeros dos cortes temporales— junto a una corriente de agua. En la tercera —la correspondiente al último capítulo— se vuelve consciente de que el agua es para él un símbolo del pasado, de su vida, pero ahora le anuncia un momento por venir: el de la separación de su padrino. Y esto es lo que tiñe de profunda tristeza todo el capítulo, una tristeza ausente del resto del libro que es siempre optimista y riente.

En general, la crítica considera la novela dividida en tres partes: Caps. I a IX constituyen la primera parte iniciada a la vera de un arroyo. Cuenta la vida del muchacho hasta su encuentro con Don Segundo, la escapada de su casa, su estratagema para trabajar en la estancia de Galván y su primer viaje como resero. En el Cap. X, otra vez frente a una corriente de agua, han pasado cinco años y rememora entonces el duro aprendizaje (segunda parte, Caps. X a XXIV). A partir del Cap. XXV se relatan los hechos que llevan al desenlace cuyo clímax se alcanza en el Cap. XXVII, a orillas de una laguna, momentos antes de la definitiva separación de los dos hombres. Aquí se resumen los tres años que Fabio ya ha pasado como patrón de sus heredades. De que Güiraldes pensaba cuidadosamente la composición de sus novelas, dan idea las anotaciones hechas en las tarjetas (de 14×10½ cm) que siempre tenía a mano. En una de las dos tarjetas conservadas hoy junto con el manuscrito autógrafo en la Biblioteca Nacional de Buenos Aires, se lee este plan de *Don Segundo:*

Primera parte — Don Segundo Sombra
Segunda parte — La vida vagabunda
Tercera parte — Blanco Cáceres (hijo)
Cap. 1.º — La pezca (sic). Mi vida
Cap. 2.º — Mi vuelta al pueblo
El forastero
Cap. 3.º — La pelea
Cap. 4.º — Casa — Decisión de fuga
Cap. 5.º — La estancia. DS domador
Cap. 6.º — La domada — El cuento
Cap. 7.º — Yo quiero ir en el arreo
Cap. 8.º — Primer día de marcha
Cap. 9.º — Ya sé que voy a aguantar [61]

El del retorno es un motivo básico que hay que entender unido al mensaje que el libro se propuso: retorno a la tierra americana, argentina, al pago. Don Segundo retorna a su vida de resero, de caminar y caminar que muy pronto habrá de extinguirse por obra del progreso. Don Segundo se pierde en el horizonte como ya le había su-

[61] La redacción del Cap. XXVII creó a Güiraldes serios problemas que debatió en sucesivos borradores, como se advertirá en el aparato crítico de la presente edición. Se dispone asimismo de un esquema de este último capítulo. Helo aquí: "Evocaciones de varios años, como en el principio de la 1.ª y 2.ª parte. Vida de rico. Entrega de un potrero a DS. Concepto de Don Leandro. Lecturas con Raucho. Arreos cortos. De vez en cuando pues no pierdo mi afición. Mejora de mi tropilla y de mis pilchas y prendas. Nada se modifica en mi interior con cuyo criterio juzgo todo, adoptando o rechazando afinidades. No pierdo mi costumbre de dormir a saco, ni de levantarme al alba y acostarme con las gallinas" (Colección Ramachandra Gowda. Copiado por el Dr. Alberto G. Lecot quien me lo facilitó).

cedido a Martín Fierro y sus hijos. Es la Argentina vieja que caduca. El antiguo reserito regresa a su pago, a su patria chica, como Fabio Cáceres, todo un hombre que conoce la pampa y sus necesidades y en cuyas manos está el futuro de la patria argentina. Ése es el mensaje nacionalista de Güiraldes que, con sus ojos de patrón y su amor por las tradiciones, veía con pavor cómo ellas desaparecían rápidamente en su país.[62]

La historia de *Don Segundo Sombra*[63] es simple pero lo que ensancha la riqueza del libro son dos factores: por un lado, el contraste entre la figura intensa de Don Segundo y la juvenil y espontánea del reserito, y por otro, la pintura cariñosamente detenida del pasaje del tiempo, de las estaciones, de los animales que pueblan la pampa, descripción hecha siempre a partir de las vivencias que todos estos elementos despiertan en los seres humanos.

[62] Enrique Anderson Imbert sostiene que la novela tiene "la forma de un adiós. Es una Argentina que se va..." (*Historia,* II, 131). Y Juan C. Ghiano afirma que *Don Segundo Sombra* es una "*paideia* campesina", que es "la elección propuesta a una juventud contemporánea, desorientada e inquieta" (*Ricardo Güiraldes,* 54 y 45, respectivamente).

[63] Adelina del Carril contó al Dr. Lecot la siguiente anécdota sobre la génesis del libro:

"En la terraza del hotel de Alta Gracia tomaban sol con unos amigos, Ricardo conversaba con Enrique Larreta y ambos emulábanse en la demostración de conocimientos gauchescos, en particular de la provincia de Buenos Aires. El primero comentó entonces el propósito de escribir una obra en la cual quedarían apuntadas la grandeza y calidad de las proezas y manifestaciones diversas de carácter filosófico, poético y artístico del gaucho. Cuando Larreta oyó el nombre del protagonista quedó prendado y en broma le dijo: 'Cédamelo Ud., Ricardo'. Le contestó Güiraldes que su inspirador existía y que su nombre le pertenecía" (Ms. sin paginación perteneciente al Dr. Lecot quien generosamente me permite transcribirlo).

Güiraldes parece no haber inventado el nombre literario de su personaje, ya que Segundo Ramírez lo ha explicado de este modo: "Yo soy Segundo Ramírez. Es decir, tampoco me llamo Ramírez; mi padre se puso Ramírez porque el patrón de la estancia donde él trabajaba así se llamaba. Y le decían Sombra porque era negro y yo he salido parecido a él" (José D. Forgione, *Coloquios,* 42).

La novela íntegra se desarrolla sobre experiencias de las criaturas en el paisaje que las cobija. A este respecto es pertinente señalar el tratamiento que Güiraldes hace de sensaciones visuales y auditivas, en especial. Algunas son 'puras' y otras se reflejan en el yo. Son altamente poéticas y constituyen un elemento de capital importancia en el estilo del libro.

Don Segundo [64] emerge de las páginas del libro corpóreo, recio aunque envuelto siempre en un halo de misterio y fantasía que Güiraldes consigue por un lento proceso en el que el personaje aparece y se agiganta hasta alcanzar la estatura de símbolo varonil e intemporal de la pampa. Insistimos, sin embargo, en la humanidad y realismo básicos de Don Segundo. Físicamente se lo describe en detalle (Cap. II), aun en los pormenores de su indumentaria. Sus rasgos de carácter irán surgiendo de sus propias acciones, de su manera de encarar las relaciones con los otros seres, de sus sabios consejos al ahijado. Don Se-

[64] Güiraldes, a los trece años de edad, conoció a Segundo Ramírez. Éste era un paisano de unos cincuenta años, mezcla de indio y negro, que vivía en las cercanías de la estancia de los Güiraldes con una mujer (con la que se casó al final de su vida), dos hijastros y una hija adoptiva. Perezoso, lleno de un ingenio muy gaucho, su figura despertó el interés del futuro escritor desde que lo conoció. Don Segundo murió el 20 de agosto de 1936 en Areco, a los ochenta y cinco años, doblegada su imponente figura por el reumatismo. Yace muy cerca de la tumba de su patrón. Fue uno de los últimos prototipos verdaderos del gaucho. Forgione, en su libro de diálogos con Don Segundo, lo describe así:

"Cuando lo conocimos, Don Segundo tenía más de setenta años. Era alto, firme en el andar y de maneras elegantes. Sus ojos se perdían bajo las cejas pobladas. Un duro flequillo le bajaba por la frente hasta los ojos. Sus pómulos abultados y la mota encanecida hablaban de un remoto cruce africano..." (*Op. cit.*, 24).

"Sobre la camiseta blanca, usaba camisa de bombasí, de mangas largas que llevaba habitualmente arremangadas. La bombacha clara desaparecía debajo del poncho raído que le servía de chiripá. Calzaba alpargatas abiertas en el empeine y medias gruesas. Un pañuelo oscuro rodeaba su cuello, no para abrigarse sino para adorno de su persona" (Ib., 26). Todo su porte, afirma Forgione, revelaba "serenidad parcial" (Ib.).

gundo es, fundamentalmente, un tipo estoico que acepta la vida tal como se presenta. No abriga falsas expectaciones ni se ilusiona ante nada. Vive con arreglo a esta filosofía y en ello reside su inmunidad ante las circunstancias adversas y su moderación en la alegría. Es valiente, trabajador, sabe divertirse cuando la ocasión se presenta y hasta tiene dotes artísticas. Es un hombre cuyo sentido común lo vuelve sabio y le da ascendiente sobre los demás que respetan sus opiniones y prudencia. Por sobre todo ama la libertad y sabe estar solo en la inmensidad de la pampa. Figura esta que reúne en sí los rasgos del gaucho tradicional tal como ellos se habían trasmitido en la mitificación de ese tipo social luego que sobrevino su desaparición. Préstese atención al hecho de que Güiraldes hace de Don Segundo —y de su ahijado— un resero, última forma de vida del paisano que guardaba aún alguna relación con la vida nomádica y libre del gaucho originario. Por otra parte, Güiraldes nunca entrega directamente a Don Segundo: él está siempre visto a partir del 'gauchito', del 'reserito', de 'Fabio Cáceres'; esto es, está visto como con lente de aumento, agigantado por la admiración incondicional que el joven protagonista le otorga desde que lo topa en el callejón.

La relación entre este hombre endurecido física e interiormente y el muchachito tierno y curioso, está mostrada con sobriedad y emoción y con un simbolismo que agudiza más, por una parte, la figura alegórica del gaucho Don Segundo en una pampa que se va civilizando y, por la otra, la del mozo nuevo perteneciente a un mundo todo promesas y futuro. La ternura que une a los dos hombres es tácita y elemental, pero profundamente conmovedora en su laconismo.

Del reserito, de su físico, nada sabemos; en cambio, Güiraldes nos permite conocer sus pensamientos y emociones en cuatro diferentes instantes de su vida: primero, en el pueblo donde vive con sus tías; luego, a partir de su encuentro con Don Segundo, en su aprendizaje gaucho; más tarde, cuando ya es resero y domador, esto es, en su madurez física y espiritual; y, por último, en su "existencia nueva", solo, enteramente formado: *hecho gaucho que es decir hecho hombre.*

El protagonista evoluciona en el transcurso de los 27 capítulos desde un huérfano desarraigado, pasando por una etapa de pícaro pueblerino, a un muchacho que ha salido a ganarse la vida y en el que se revela una férrea voluntad, fortaleza física, un acendrado sentido de la amistad y de la lealtad junto a un carácter arriscado, temerario y amante de la libertad. "[E]l protagonista se muestra con mayor riqueza de elementos psicológicos, no sólo por ser el narrador, sino porque a Güiraldes le interesan sus contradicciones, debilidades y fracasos, para subrayar así la importancia de la educación".[65] Como ya lo había expresado el poeta en *El cencerro de cristal,* el reserito tenía "alma de proa". Y quizá ésta sea la mayor inconsistencia del personaje, porque sintiendo tan acendradamente el llamado de los caminos mal podía avenirse con su nuevo rol de estanciero, con una vida totalmente sedentaria. Es de señalar, asimismo, la absoluta falta de descripción física del protagonista. Esto permite al lector gran latitud en el ejercicio de su imaginación y des-realiza, por así decir, al personaje que, de esta mantera, asume, como su padrino, un carácter simbólico: es el discípulo por excelencia que perpetuará las cualidades del modelo. Otra vez en este personaje, como en Don Segundo, la arista mítica junto a la realista, dualidad imperante en diversos planos de esta novela.

Junto a los dos protagonistas hay una multitud de otros personajes masculinos en la novela: Valerio, Goyo, Pedro (Perico, cariñosamente), el tape Burgos, Numa, el pulpero, Remigio, Don Sixto, etc. Son personajes apenas esbozados pero que, no obstante, perduran en la memoria del lector con rasgos de carácter bien definidos. Don Leandro y su hijo, Raucho —un desdoblamiento del mismo Güiraldes—, son el puente que une al paisano con el hombre de ciudad.

[65] Juan C. Ghiano, *Op. cit.,* 103.

En un libro que es casi un himno a la virilidad, poco lugar hay para la mujer. Tres se destacan, sin embargo, en el horizonte masculino de Fabio: Aurora, Paula y la chinita del baile, y en ellas se nota su coqueta agresividad, sus espontáneas maneras y su inocente y primaria sensualidad. Las tías son furiosas caricaturas pero, en cambio, la imagen de la madre resulta excesivamente fugaz y accesoria. El muchachito, una vez arrancado de su lado, jamás intenta volver a verla, ni mucho menos lo hace ya de hombre. Para cuando el reserito deviene Fabio Cáceres, ella parece haber muerto pero, excepto la declaración de que su nacimiento le impedía ser frívolo en materia de amores, no hay indicios en él de verdadero cariño filial. La mujer de *Don Segundo Sombra* es un ser sometido (se usa esta palabra con respecto a Paula) y completamente secundario en el mundo macho de la pampa. Cuando se quiere ejemplificar debilidad siempre se menciona lo femenino. El hombre, cuando lo es a cabalidad —como Don Segundo— es un ser solo. Este aspecto de la novela quizá sea el más abierto a crítica, pues lo que falta en ella para ser un completo mensaje de construcción del futuro sobre el arraigo en la tierra, es precisamente la figura materna, la mujer que significa permanencia y multiplicación.[66]

[66] Es muy interesante constatar la existencia de un borrador que luego Güiraldes desechó. El trozo pertenecía al Cap. XXVI y se refiere a Aurora. De haber sido incorporado al libro vendría a clarificar que los "juegos" de los dos adolescentes en el maizal fueron realmente más serios de lo transparentado en el texto. Explicaría también el miedo del reserito al entrar en el maizal, miedo que es, en verdad, otra de sus intuiciones ya que iba a vivir un hecho trascendental. El fragmento descartado es el siguiente:

"—¿Está siempre Cuevas? ¿Y una hijita que tenía como de mi grandor? Me quedé suspenso, esperando la respuesta. Sentía la boca seca.

—¿Aurora?

—La misma.

—Ahí está —me dijo [Raucho] con los ojos chispeando malicia—, más linda... —pero burlón se interrumpió.

—Y ¿qué te puede importar?

—Nada. La curiosidá. ¿Siempre en el mismo puesto?

Especial atención merecen en un análisis de *Don Segundo Sombra* los dos cuentos intercalados en el mundo narrado y puestos en boca de Don Segundo. Su ubicación, con respecto a los episodios vividos por el reserito, apunta de inmediato a su carácter ejemplarizante. El cuento del paisanito Dolores y el hijo de Añang (Cap. XII), es relatado por Don Segundo la víspera de la partida para un arreo, durante la noche, alrededor del fogón que congrega al gauchaje y, tangencialmente, está relacionado con el desaire sufrido por el reserito en el baile de esa noche. Parecería significar que hay que luchar para ganar el amor y no desanimarse ante las dificultades para conseguirlo. Más clara y directa es la significación del cuento sobre el viejo Miseria porque sobreviene luego que el reserito ha perdido todas sus posesiones en el juego (Cap. XXI). Y como la miseria es parte integral del mundo —como le enseña el cuento—, el muchacho la sobrelleva sin desesperarse porque la sabe inescapable. El destino —otra ley natural también inescapable— vendrá a solucionarle el problema. En ambos casos, Don Segundo está presentado como un consumado contador de cuentos que, consciente de esa maestría, la explota dotándola de un cierto aire teatral haciéndose rogar para dar comienzo a la historia, creando un suspenso inicial y alargando la fábula con digresiones seudo-filosóficas que no hacen sino alimentar el interés de su audiencia y enriquecer la percepción que de la vida se va formando el ahijado. Alguna vez se han criticado estas interpolaciones y se las ha acusado de interferir en el ritmo novelesco. Pero si se recuerda el carácter episódico ya señalado, se las podrá interpretar como otros tantos episodios, aunque de naturaleza no factual. Y aun cuando no se juzgue así estos dos cuentos, puede

---

—No. Trabaja de costurera con una tía d'ella en el pueblo. Dicen que tuvo amores con un tal Riarte, paisano pícaro, y ha de haber quedado escaldada porque se ha puesto ariscaza.

—Parece que le has seguido el rastro.

—No la he conocido más que de nombre. Hace mucho que nc está." (De la colección Ramachandra Gowda por gentileza del Dr. Alberto G. Lecot).

considerárselos desde el ángulo del personaje Don Segundo: aquí lo tenemos muy directamente ante nosotros; aquí podemos admirar su ironía, su gracejo, asomarnos a algunas de sus ideas y hasta de su filosofía de vida. Estamos frente a su poder imaginativo, ese poder que fue alimentando la fantasía del escritor que ahora nos relata estos episodios de vida sencilla. Don Segundo ya había sido presentado por primera vez en los *Cuentos de muerte y de sangre* (como queda indicado en nota) como narrador, y en los dos cuentos que se insertan en *Don Segundo* de lo que se trata es de leyendas tradicionales adaptadas al folklore local.[67] Pueden ser sentidas como un *divertissement* en la economía de la novela, pero un *divertissement* que mantiene el tono de los diálogos, que se produce en los lugares habituales de la vida de los reseros —un fogón de estancia, un alto en el camino—, en momentos de descanso y esparcimiento, cuando al mismo tiempo se matea y se abandonan las acuciantes preocupaciones del diario vivir. El cuento intercalado es, además, una manera de acercar a personajes y lectores ya que ambos se convierten en oyentes del relato.

Frecuentemente *Don Segundo Sombra* se estudia como novela 'telúrica', olvidándose que Güiraldes no estaba interesado en mostrar los problemas socioeconómicos del campo bonaerense. Hay instancias en la novela en que los reseros están vistos desde afuera como "aquella gente", en que el narrador expresa juicios de vuelo filosófico incompatibles con la simple mentalidad campesina, y hasta el desprecio de Fabio por su condición de estanciero, de propietario, no lo lleva a distribuir o compartir su patrimonio sino a aceptarlo para perpetuar un estado de cosas. Anderson Imbert habla de falsificación de la realidad social del campo argentino, pero también de "admirable veracidad estilística".[68] Y es, en verdad, así porque no estamos frente a una obra costumbrista de alegato social

[67] Cf. Mireya Camurati, "Función literaria del cuento..." y Alberto Blasi, "Mito y escritura en *Don Segundo Sombra*".
[68] *Historia II*, 135.

sino a una recreación artística de una realidad muriente para erigirla en símbolo. Se trata de tipos humanos señeros cuyo modelo debe sobrevivir. Se trata, asimismo, de expandir lo regional llevándolo a una escala de esencias universales mediante el subrayamiento de los valores absolutos que esa realidad posee. Esta es la razón de la perduración del libro y de su atractivo más allá de las fronteras de su país de origen.

«Don Segundo Sombra» y la literatura gauchesca

En la época colonial, en la parte más austral de América, aparece ese tipo especial de literatura que es la gauchesca que, si bien por su índole popular no es novedosa —piénsese en las *Coplas de Mingo Revulgo* o en las *rustiqueces pastoriles* de Juan del Encina—, sí muestra específica originalidad en su entonación "entre conversada y literaria"[69], entonación conseguida por el uso del octosílabo, de una desmañada sintaxis, enunciada, las más de las veces, en primera persona, evocativa, con sus verbos en pretérito, de un tiempo pasado inalterablemente arcádico, o furiosamente propagandística en sus presentes comprometidos con el momento político.[70] Original por las formas dialogales de una poesía expresada en una lengua *gauchesca* (i.e., *relacionada con* o *perteneciente* al gaucho pero no *del* gaucho), pergeñada por autores cultos citadinos. Original por su carácter a-literario, dado que su rusticidad venía a insertarse en una tradición que había nacido culta y, porque frente a una literatura de héroes, despliega *anti-héroes,* esto es, no varones ilustres que cumplen hazañas heroicas, sino pobres rústicos que se quejan con la frustración del hombre escarnecido y sin esperanza

[69] Juan C. Ghiano, *Testimonio de la novela argentina* (Bs. As., Leviatán, 1956), 109. Fue Estanislao del Campo quien, por primera vez en 1859, usó el calificativo formado por el sufijo adjetival *-esca, -esco* para designar esta particular modalidad literaria.
[70] Juan C. Ghiano, *Op. cit.,* 106.

en un contexto social injusto y trágico. Por último, esa literatura gauchesca es original porque constituyó —desde su primera muestra en 1777, en el romance de Juan Baltazar Maciel titulado *Canta un guaso en estilo campestre los triunfos del Excmo. Señor Don Pedro de Ceballos*—,[71] como bien lo observó Ricardo Rojas, el "primer ensayo" de "un arte propio" argentino,[72] anterior a la producción romántica de Esteban Echeverría. Hay que señalar, además, que esa literatura gauchesca nació, se desarrolló y perduró al margen de la literatura culta pero paralelamente a ella. Que significó una profunda disidencia con esa literatura culta por lo que el escritor gauchesco se vio muy pronto como un rebelde alzado contra la tradición y contra los literatos y la literatura al uso. Hubo que esperar hasta el siglo XX para que el juicio crítico evolucionara (gracias a Lugones) y se reconociera el valor de esa literatura desestimada.

En ese "país con hambre de raíces" [73] que es la Argentina, la perduración del fenómeno literario de la gauchesca puede explicarse, según lo hace Juan C. Ghiano, por razones históricas —la falta de una cultura indígena— y por razones culturales —la inexistencia de mitos locales coloniales—. El gaucho era la realidad popular más cercana y que ofrecía la posibilidad de convertirse en (o de ser explotada como) representación de lo nacional [74].

Pero cuando se habla de la perduración de la gauchesca nos asalta uno de los varios problemas críticos con que esa modalidad de la literatura argentina confronta al que la estudia. Porque ¿cuándo empieza y/o cuándo termina

[71] Cf. Augusto R. Cortázar, *Poesía gauchesca argentina* (Bs. As., Guadalupe, 1969).

[72] Ricardo Rojas *Historia de la literatura argentina. I. Los gauchescos* (Bs. As., Ed. G. Kraft Ltda., 1960), 57.

[73] Antonio Pagés Larraya, "Gutiérrez y los estudios de literatura argentina", *Revista de la Universidad de Buenos Aires,* IV (1959), 533.

[74] Cf. Juan C. Ghiano, "*Martín Fierro* en la literatura argentina", en *Martín Fierro. Un siglo* (Bs. As., Ed. Xerox Argentina, 1972), 159-166.

la gauchesca? o, más simplemente, ¿cuáles son los límites de la gauchesca?

Me parece lícito volver a plantear esta cuestión porque existe confusión, restringiéndose, unas veces, el uso de ese rótulo a la poesía y, otras veces, haciéndole cobijar formas dramáticas, en prosa y verso, o novelas y cuentos. Si por literatura gauchesca entendemos *poesía gauchesca,* esa literatura debería limitarse a los nombres de Hidalgo, Ascasubi, Estanislao del Campo, Hernández y el del uruguayo Antonio Lussich. Esto es, precisamente, lo que hace Horacio J. Becco en su *Antología de la literatura gauchesca* (Madrid, Aguilar, 1972). Sin embargo, los caracteres generales que él asigna a esa poesía: "singularidad argentina, universalidad, lenguaje rústico, personalidad del protagonista, naturaleza epopéyica de la acción y escenario pampeano", sólo son *enteramente* aplicables al *Martín Fierro.*

Es evidente, pues, que estamos confrontados con un problema de *definición* de la literatura gauchesca, una definición que involucraría una descripción de sus rasgos característicos. Sólo de esa manera estaremos en condiciones de entendernos en cuanto a qué obras integran esta peculiar modalidad literaria. Esta sería la definición que propongo:

> llamar literatura gauchesca al grupo de obras literarias, en verso, que escritas por autores cultos, citadinos, tienen como protagonista y personaje principal al *gaucho histórico* con sus específicos caracteres de campesino ecuestre, sin oficio especializado; obras que se inscriben en el paisaje pampeano; las cuales utilizan, por lo general sostenidamente, la convención lingüística gauchesca; que revelan un mundo y un modo de sentir particular del gaucho; que tienen una temática limitada, similar y continuada, con semejanza en el enfoque —el *cantar opinando*—, el tono y el propósito, con un semejante repertorio formal (metro, estructura, perspectivismo, diálogo) y que obedecen a una misma voluntad artística *(kunstwollen)* de provocar en el lector la adhesión, simpatía o conmiseración por el gaucho y/o la causa que éste defiende o representa.

Necesitamos ahora algunas precisiones: las obras *strictu sensu,* más propiamente gauchescas resultarían ser *Martín Fierro,* los cuatro poemas del uruguayo Lussich y los *Diálogos* y la *Relación* de Hidalgo. El *Fausto* presenta los elementos esenciales de la gauchesca: la forma dialogal, la convención lingüística y los dos interlocutores gauchos. Usa las infaltables fórmulas con respecto a la manera de socializar del gaucho, a sus costumbres (mate, trato de su caballo) pero, dada su factura paródica, no está dirigido a provocar ni simpatía ni conmiseración por el gaucho, o a conseguir la adhesión del lector a una causa sustentada por el gaucho, ni tampoco se *canta opinando,* quizá el rasgo más particularizador, junto con el del lenguaje, de que hace gala la gauchesca. El *Fausto* vendría a ser, pues, una forma *paródica* de literatura gauchesca, como lo fue, igualmente, la "Carta de Anastasio el Pollo sobre el beneficio de la señora La Grúa" (1857), verdadero borrador del famoso poema. El *Santos Vega* de Ascasubi, por su parte, sería una forma *didáctico-descriptiva* y *folletinesca,* en verso, de la gauchesca. Su fundamental diferencia con el *Martín Fierro* o la obra de Hidalgo radicaría en su temática, considerablemente más amplia que la de aquéllos. Ese largo poema narrativo de 13.179 versos es la historia folletinesca (yo lo llamaría más adecuadamente *folletín rimado)* de los mellizos de la estancia La Flor. Y, como buen folletín, contiene una serie de historias subsidiarias centradas en otros personajes y en otras coordenadas témporo-espaciales. *Santos Vega* es el gran poema épico-descriptivo de la "vida íntima", como apunta el mismo Ascasubi [75], de la primitiva estancia bonaerense, de las faenas por excelencia del campo argentino —como la *yerra*—, del indio y de sus malones, con el agregado de "alguno que otro rasgo de la vida de la ciudad" *(Ib.).* Esta amplitud temática llevaría a analizar el poema junto a las formas noveladas, de aparición más tardía, y que muestran un similar ensanche temático. *Santos*

[75] Hilario Ascasubi, "Al lector" en *Santos Vega.* En Horacio J. Becco, comp. *Antología de la poesía gauchesca* (Madrid, Aguilar, 1972), 128.

Vega, por lo demás, presenta el problema de estar relatado por el anciano payador Santos Vega, un ser ya mitificado cuya presencia, no obstante el expreso deseo de Ascasubi de "consagrar" a esta especie de "mito" de los paisanos *(Ib.),* se diluye tras la voz narrativa o desaparece en la realidad dramática de los diálogos, cosa que no ocurre en los otros ejemplares gauchescos. En cuanto a las dos series de *Trovos* que Ascasubi creó y puso en boca de sus dos afamados gauchos —Paulino Lucero y Aniceto el Gallo—, constituyen la forma *poético-combativa/gacetillera,* periodística de la gauchesca. Aquí habría que incluir los *Cielitos* de Hidalgo compuestos para atraer la adhesión de la población gaucha, carente de la noción de nacionalidad, a la causa de la independencia, como así también las *Poesías* de Anastasio el Pollo de del Campo, particularmente su "Gobierno gaucho".

Como se ve el problema de los límites de las obras que conforman la literatura gauchesca no es simple.

Volviendo a mi definición, creo que se hace necesario aclarar por qué he adosado al gaucho el calificativo de *histórico* y por qué lo encierro en límites cronológicos bien marcados: siglo XVII/últimos del siglo XIX. También le he asignado los específicos caracteres de ser *campesino ecuestre* y de *carecer de oficio especializado.* Estas especificaciones las considero necesarias dado que el apelativo de *gaucho*[76] suele aplicarse, pero indebidamente, a otros especímenes humanos de la campaña argentina que, en puridad sólo fueron eso: habitantes de la campaña, campesinos pero no gauchos. Y es que este nombre debe reservarse para un tipo social de rasgos muy particulares que no necesariamente todo hombre del campo argentino tuvo. Curiosamente, no existe un estudio científico —antropológico, étnico, sociológico— sobre el gaucho. El tratado más completo que sobre él se ha escrito, lo debemos a un investi-

[76] Para la etimología de esta voz, cf. Marcos Morínigo, *Diccionario de Americanismos,* Buenos Aires, Muchnick Editores, 1966, s.v.

gador uruguayo, Fernando de Assunçao,[77] y su obra, si bien indispensable y abarcadora, no es todo lo exacta y científica que sería deseable. El primer problema que acerca del gaucho se nos plantea, es tratar de dilucidar cuándo apareció por vez primera. Tenemos datos de documentos rioplatenses coloniales que mencionan a estos hombres que vagabundeaban por la pampa desde 1617 y a quienes, legalmente, se les permitía *carnear* todo el ganado salvaje, vacuno y yeguarizo, que pastaba en la rica e inmensa llanura pampeana. Como explica Assunçao, el gaucho "no [era] un campesino en la acepción correcta del término; tampoco [era] un rural afincado en la tierra. [Era] un típico marginal. Descendiente en realidad de individuos semi-urbanos del grupo guerrero-conquistador, no de verdaderos colonos: hombres duros y duchos en la pelea, viriles, adaptados a una vida áspera, individualistas y desapegados de la fórmula socio-hogareña... que [tenían] facilidad de adaptarse a las condiciones de vida vagabunda, casi errática; sin oficio definido, trabajando... para subvenir una necesidad inmediata, que nunca [era] la del alimento..., puesto que la comida [estaba] siempre asegurada por la abundancia pantagruélica de carne".[78] ¿Cómo o por qué fue posible la existencia de este tipo humano en la pampa? No se sabe. Se aducen algunas explicaciones, pero sin posibilidad de comprobación. Lo que sí parece seguro es que la zona de aparición del gaucho hay que llevarla hasta el Estado de Río Grande do Sul, en el Brasil, en donde su existencia está documentada por una comunicación del año 1774. De allí el gaucho se habría desparramado por el Uruguay y las pampas litoralenses y bonaerenses argentinas.

Este ser de carácter y modalidad de vida tan especiales, marginado al principio, por propia voluntad, de la sociedad constituida, sufrirá una evolución en íntimo paralelismo

[77] Fernando de Assunçao, *El gaucho* (Montevideo, Imprenta Nacional, 1963). Hay edición abreviada con el título *El gaucho, su espacio y su tiempo* (Montevideo, Ed. Arca, 1969). Hago mis citas por la edición de 1963.

[78] F. de Assunçao, *Op. cit.,* 502-503.

con la experimentada, política y socialmente, por el suelo en que vivía. E importa destacar las diferentes etapas en el proceso evolutivo del gaucho porque ellas grafican su tragedia y porque, en gran medida, configuran otras tantas etapas en la literatura que lo inmortalizó. Tenemos, así, pues:

1. *El gaucho colonial* (desde el siglo XVII hasta finales del XVIII): un hombre instintivo, fundamentalmente campesino ecuestre que vive del contrabando de cueros y de las vaquerías,[79] que acepta, por temporadas, trabajo en las estancias y al que se acusa de *ladrón, cuatrero, vagabundo* y *malevo*.

2. *El gaucho de la Independencia* (1800 a 1816): un gaucho dignificado por la lucha. San Martín y Güemes usaron su heroísmo y su entrega a la causa de la libertad. Aunque fuerza es notar que hubo también una razón más pedestre para la incorporación del gaucho a los ejércitos de la independencia: la economía del país cambiaba. A la vaquería sucedía una incipiente industria saladeril que volvía singularmente valiosa la carne, esto es, la propiedad del ganado. Es por ello que se pasa una *ley de vagancia* que acorrala al gaucho y lo lanza a la guerra como manera de conseguir la aceptación social.

3. *El gaucho del caudillaje y de la época de Rosas* (1816-1852): este gaucho se encuentra en el centro de una nueva guerra, pero civil: la del poder centralista de Buenos Aires *versus* el federalismo de las provincias. El gaucho se hará *montonero* (y *mazorquero*), es decir, ferviente sol-

[79] Las *vaquerías* eran una especie de caza, originada en tierras realengas, del ganado salvaje. Esporádicas al principio, fueron objeto más tarde de reglamentaciones y ordenanzas que permitieron el surgimiento de los *accioneros* o capitalistas que debían poseer docenas de carretas, miles de caballos y dinero para pagar por anticipado los víveres de la expedición y los salarios de los numerosos peones durante los seis meses que, como mínimo, duraba una vaquería (Cf. E. Coni, *El gaucho*, Bs. As., Sudamericana, 1945 y S. Schneider, *Proyección histórica del gaucho*, Bs. As., Procyón, 1962).

dado de un caudillo. Y su nombre se volverá otra vez anatema.

4. *El gaucho de la organización nacional* (1852-1900): un tipo en franca decadencia, engañado, al que la ley de fronteras y la leva militar obligatoria asestan el golpe definitivo que conduciría a su extinción o a su asimilación que, para el caso, es lo mismo puesto que al volverse sedentario, al adquirir un trabajo estable y volverse agricultor pierde las características fundamentales que lo distinguían para convertirse en *paisano,* en jornalero, en *peón* a sueldo fijo que cumple determinadas tareas. Otra posibilidad que se presentó al gaucho en esta etapa significa otra forma de asimilación ya que es la *ciudadana:* se incorpora a *las orillas,* a la periferia de la ciudad, a una vida ambigua, con maneras, costumbres y hasta vestimenta particulares que más tarde definirían al *compadrito porteño,* íntimamente unido al cual nacerá otro producto artístico nacional argentino: el *tango.*

Ahora bien, puesto que la literatura gauchesca se mueve al ritmo de los imperativos socio-políticos de los que es inseparable, en su desarrollo se pueden marcar, por consiguiente, cinco etapas que siguen muy de cerca a las observadas para el gaucho y que nos permitirán retomar, y resolver, el problema de los límites de esta literatura:

Una *primera etapa,* desde 1777 hasta 1800, de tímidos escarceos, pero que ya muestran algunos de los rasgos básicos del género.

Una *segunda etapa,* de 1800 a 1825, en que sobresaldrían las originales creaciones de Hidalgo, sus *Cielitos* (1812-1821) y sus *Diálogos* y *Relación* (1820-1822), que, con sus chocantes novedades, constituirían el correlato literario de la independencia política, una toma de conciencia del compromiso civil, el descubrimiento de un ser auténticamente argentino, capaz, por ello mismo, de atraer y sacudir a una audiencia mayoritaria. Lo que revela la importancia que Hidalgo atribuyó al lectorado como factor determinante de esa particular forma de literaturizar que él escogió y cultivó sistemáticamente, erigiéndola en modelo de los otros poetas que hallaron acertadas sus innovaciones.

La *tercera etapa* sobrevendría acompasada con la tiranía de Rosas; se extendería, pues, entre 1825 y 1852. Dominaría el horizonte de la gauchesca el *periodismo gauchesco* del combativo gaucho inventado por Ascasubi, Paulino Lucero.

La *cuarta etapa* (1852-1880) se correspondería con el período de la organización nacional y terminaría con la revolución del 80. En este lapso aparece la obra máxima de la gauchesca: el *Martín Fierro* (1872-1879), a más de nuevas manifestaciones del periodismo gauchesco —*Trovos* de Aniceto el Gallo y *Poesías* de Anastasio el Pollo—, el *Fausto* de Estanislao del Campo (1866) y el *Santos Vega* de Ascasubi (1872). Estas dos obras tuvieron la virtud de atraer para la gauchesca el público culto de la época para el que, en verdad, habían sido escritas, a diferencia del poema de Hernández.

Por fin, encontramos una *quinta etapa* (de 1880 en adelante): la de la *idealización* y *mitificación* del gaucho, que se prolongaría hasta la actualidad. En esta etapa las obras ya no responderían a nuestra definición como se comprenderá si afirmo que, dentro de esta etapa, hay una fecha cumbre, la de 1926, año que ve la publicación de *Don Segundo Sombra.* Es que ahora estamos *únicamente* frente a *proyecciones* [80] de la literatura gauchesca, proyecciones que se dan tanto en la prosa como en la poesía,[81] proyecciones que reaparecen continuamente llegando, en el arte dramático, hasta a dar origen al teatro argentino a partir de la representación mimada del folletín de Eduardo Gutiérrez, *Juan Moreira,* en 1882, sin olvidar que este autor habría dado carta de ciudadanía, con sus *folletines gauchescos,*

[80] *Proyección* es tecnicismo del folklore que creo que puede usarse, como lo hago, con el valor de "hipóstasis" que reflejan y expresan algunos de los rasgos esenciales de la literatura gauchesca propiamente dicha.

[81] Piénsese en los sendos poemas de Bartolomé Mitre y Rafael Obligado sobre Santos Vega.

a esa modalidad narrativa aprendida en los europeos.[82] Esta etapa ofrece la interesante problemática que puede resumirse, parafraseando el título del famoso ensayo de Martínez Estrada, como la de *la muerte y transfiguración del gaucho.* Porque en esta etapa ya *Martín Fierro* se ha folclorizado, esto es, ha pasado del libro a la transmisión oral, lo que acabó por borrar la silueta del gaucho real sobre el que Hernández había construido su denuncia, haciéndose así posible la mitificación, la transfiguración a través de las versiones de autores gauchescos, de las que ya no serán protagonistas Martín Fierro u otros gauchos reales, sino el *gaucho arquetípico* constituido, a la vez, en el símbolo del hombre argentino, de la nacionalidad argentina. Y como símbolo reaparecerá una y otra vez en poemas, novelas y cuentos, en el teatro y la radio (no así en la TV, lo que podría indicar un debilitamiento del interés por producir, y consumir, este tipo de literatura).

Don Segundo Sombra es, pues, una *proyección* o hipóstasis de la literatura gauchesca tradicional y sus personajes no pueden ser considerados gauchos en sentido estricto, sino que son *paisanos,* esto es, campesinos que, aunque todavía en gran medida ecuestres, están ya afincados, se han vuelto *reseros* y *peones* de estancia. Eso sí, aun en la época en que Güiraldes parece situar la acción de su novela —circa 1900—, esos paisanos representan las virtudes tradicionales del gaucho y son capaces de desempeñar diestramente todas las faenas que habían ganado al gaucho histórico el calificativo de *centauro de la pampa.*

ANGELA B. DELLEPIANE

82 Cf. Angela B. Dellepiane, "Los folletines gauchescos de Eduardo Gutiérrez", *Revista Iberoamericana,* XLIV, 104-105 (jul.-dic. 1978), 487-506.

ADVERTENCIA LINGÜÍSTICA

A fin de facilitar la comprensión de aquellas partes del texto de *Don Segundo Sombra* en que Güiraldes ha tratado de recrear el habla de los paisanos bonaerenses, hago una somera caracterización de la lengua gauchesca. Esta *Advertencia lingüística* se limita a los parlamentos de los personajes campesinos —Don Segundo, el reserito y los varios peones, puesteros, etc.— que pueblan la novela. Se descartan las partes del texto en que el reserito narra subjetivamente, o describe —también subjetivamente— porque aún cuando en esos pasajes él suele usar expresiones coloquiales compartidas por el gauchesco o simplemente voces gauchescas, él no oficia allí de personaje sino de narrador culto consciente de tal rol. Se han tomado en cuenta, no obstante, en esos pasajes, voces o giros idiomáticos que el narrador ha entrecomillado por la simbiosis que se produce allí entre narrador y personaje, como ha quedado explicado en el análisis del libro. También se anotan, y por la misma razón, algunas otras voces que el narrador usa, aunque no las destaca, y que son distintamente gauchescas.

I. Fonética

Güiraldes intentó reproducir la pronunciación dialectal pero no adoptó un sistema ortográfico sostenido que transparentara la pronunciación del hombre de campo bonaerense, como se verá en las inconsistencias que se anotan.

A. ACENTUACIÓN

aé > *ái: cair, maistro, trairla, trair.*
áe > *ai: train, trai, traime, traite, trais, cai.*
aí > *ái: traido.*
aó > *áo* > *áu: aura, desaugue.*
eí > *éi, ái: reir, rairse.*
eú > *éu, iu: riunen.*
eé > *ié: apiensén, bolié, manotié, rabié* pero *ladeensén.*
éa > *iá: charquiá.*
ia > *éa: cambea, cambeo* pero *cambiarlo.*
oí > *ói: oido.*

La voz *ahí,* una de las que habitualmente cambian su acentuación en el habla rural, es un buen ejemplo de la inseguridad de Güiraldes. *Ahí* no aparece nunca acentuada en el ms. autógrafo (ms. en el que, por lo general, los acentos son casi inexistentes), pero sí se agrega el acento en la copia mecanografiada y, por cierto, en las pruebas de imprenta. Es, pues, evidente que Güiraldes sintió que la forma con hiato era la más apropiada para esta palabra. Por lo tanto, así se encontrará en el texto. Igual vacilación se nota en voces como *maíz, raíces* y, particularmente, *Paraíso* (Cap. XXI), las cuales, en los documentos, muestran dudas aunque casi siempre terminan por acentuarse. Esta preferencia por las formas con hiato se percibe también en los participios en *-ai* (*caido/caído*; *traido/traído*), *-ei* (*reido/reído*; *creido/creído*) y *-oi* (*oido/oído*). Los hábitos cultos muchas veces desalojaron a lo que debió dictar el oído.

En cuatro ocasiones, Güiraldes acentúa enclíticas pronominales unidas a formas verbales, lo que es práctica general de los argentinos: *mirenmé, dejenmé, oiganlé, digalé.*

Junto a la forma culta *adonde* usada una vez (III), Güiraldes utiliza sistemáticamente *ande* (13 veces), resultado de la pérdida de la dental sonora intervocálica y del paso del acento a la vocal más abierta que termina por absorber a la menos abierta.

B. CAMBIOS DE VOCALES

En las vocales Güiraldes sigue las normas generales de la escritura, aunque no olvida los cambios de *e* en *i,* por ejemplo, y viceversa, en los que el habla campesina se aparta de la culta. Pero, a veces, esos cambios no aparecen, por inadvertencia quizá o por el predominio de los hábitos personales cultos. Por lo general, son más las veces que no hace la sinalefa de las vocales contiguas entre palabras, fenómeno característico de la pronunciación vulgar, campesina, ni expresa en muchos casos la fusión de vocales iguales.

1. *Vocales simples*

a) Tónicas

naide(s) y *mesmo,* conservación de formas arcaicas.

b) Atonas

e > a: barraco.

e > i: riunida, dirición, dispertó, divirsión, ispió, liciones, ricién, rigular, siñuelo, asigún.

i > e: polecía, nenguna(o), escrebir.

os+cons. > es+cons.: escura, escuro, escuridá.

o > u: Filumena.

2. *Vocales concurrentes*

a) En la palabra: vocales iguales se reducen a una:

aa > a, por caída de *-r-* intervocálica en *para > pa,* sostenidamente usada por los paisanos de la novela. En cambio, *ee* se mantiene: *creer, ladeensén.*

ea > ia: boliaría, arriador, maniador, pialador, pialar, baquianas, corcoviaba, corniao, cueriando, curiosiando, clariar, coloriando, apiarse, arriar, baldiar, desiao, desmaniados, galopiando, golpiaba, lonjiar, maniao, manquiar, matiamos (pero *matear*), *miar, pasiar, peliar, floriarse, pial, puntiando, rodiao, rumbiar, secretiaron, tumbiar, voltiar.*

eo > io: rumbió, pelió, golpió, pior, piones, tantió, titubió.

oa > ua: ruano, entuavía (pero también *entoavía).*

oí > ui: tuito < todito pero, asimismo, *toito* y *toditos, todita(s).*

b) Entre palabras

a+a > a: p'adonde, pacá, payá (pero también *p'allá*), *p'arriba, p'atrás, p'andar, p'adentro, l'anca, p'ajuera.*

a+e > a: pa'l y *p'al.*

e+e > e: qu'es, qu'entran, d'esos (pero también *que el* y *de ellos*).

i+i > i: m'hijito, m'hijo.

o+e > o: po'l < por el.

La 1ra. pers. sing. del presente de indicativo del verbo *ver,* cuando está seguida por la preposición *a,* se reduce a *vi* y se transcribe *vi a* en 26 casos y *vía* en uno. Lo mismo sucede cuando *voy* está seguido por *hacer* u otros verbos comenzados con *a-* (*vi hacer*). Los hábitos lingüísticos del autor han prevalecido sin embargo, y el resultado son formas híbridas tales como *vi a alzarlo.*

3. *Diptongos*

ei > *ai: Raynoso, Ray, plaito(s), trainta.* La terminación *-iencia* aparece reducida a *-encia: cencia, pasencia.*
eu > *u: Ubaldina, Ufemio.*
e > *ie: presienta, enderieza.*
ó > *ue: ruempa.*
ie > *i: hirve.*

C. CAMBIOS DE CONSONANTES

También aquí hay inconsistencia. Lo general es que Güiraldes adopte el consonantismo académico en las tiradas puestas en boca de los paisanos, reproduciendo, otras veces, la ortografía fonética dialectal. De allí que aparezcan, en los diálogos o narraciones hechos por esos personajes, formas dobles de una misma palabra: *güeya* y *güella*; *juria* y *furia*; *ajuera* y *afuera*; *ansí* y *así*; *cayáte* y *calláte,* etc. En cambio, los grupos cultos de consonantes, aparecen reducidos a la segunda consonante, de acuerdo con la pronunciación de los paisanos.

En los casos en que Güiraldes escribe *v, ll, z, c* (ante *e, i*) sigue siempre sus hábitos cultos, sin tratar de representar con ortografía fonética la pronunciación de los paisanos. Sin embargo, hay algunas excepciones: *yevar, payá* (=*p'allá*), *cayáte* (pero también *calláte*). El *seseo* no ha sido representado constantemente, excepto en la voz *sonso,* escrita con la sibilante sorda no sólo cuando aparece en boca de los paisanos sino hasta cuando es el narrador culto quien la emplea, grafía que he respetado en estos casos pues así llegó hasta la edición *princeps* y que está hoy aceptada por la Academia. Por su parte la voz *petizo* aparece siempre con *z* en los mss., grafía correcta que se mantiene en la presente edición pues es evidente que la forma *petiso,* de las ediciones corrientes, ha sido una corrección editorial que no refleja la voluntad de Güiraldes. Aparecen escritas con *s*: *pasencia, lisenció, remosao, sonsamente* y *asonsado,* estos dos últimos como parte de la narración culta, grafías que he mantenido pues llegaron hasta la 2.ª edición, lo que significa que Güiraldes las consideraba usuales en su medio lingüístico. Hay otras dos voces —*cachafaz* y *lenguaraz*— que aparecen con la sibilante sorda en el ms. autógrafo pero son corregidas en las pruebas de imprenta, por lo que he aceptado esta última decisión del autor condicionado, evidentemente, por la norma culta. En cambio, *sagaz* aparece dos veces en el Cap. XXI: la primera con *-z,* la segunda con *-s.* He dejado estas grafías inconsistentes, pues las considero demostrativas de la inseguridad del autor en la transcripción fonética gauchesca y características de los problemas que presenta el estudio de esta lengua artística para el investigador de ella. En el Cap. XXII, no obstante, aparece *ofresca* sin que haya sido corregida por Güiraldes. La *h* es mantenida siempre. Además, se usa *h,* consistentemente, como signo de aspiración, aunque ésta también se reproduce con *j* en los casos de aspiración conservada.

1. *Consonantes simples*

-d- perdida: esto se da sistemáticamente en la pronunciación de los nombres y participios terminados en *-ado* (*airao, lao, ñublao*). En esto Güiraldes no presenta casi desviaciones. Aparece, asimismo, la común ultracorrección rural *vacidos* (X).

Entre palabras la pérdida de *-d-* es muy frecuente. Esto lo percibió bien Güiraldes, pues sistemáticamente marca la elisión en los casos en que la preposición *de* va precedida de palabras que terminan en vocal. Los ejemplos son de cuatro tipos:

a+de: pulperí*a'e* Las Ganas.
e+de: carn*e'e* cristiano.
o+de: bañader*o'e* los patos.
de+e: *d'esos*; *d'ellas* aunque a veces estos casos se transcriben aglutinados: *della(s), del, dellos, deste(a, os).* En la edición de las *Obras Completas* y en la de Losada estas formas aparecen modificadas. En una ocasión, Güiraldes parece no haber 'oído' a su personaje pues elide la *-d-* precedida de consonante en el sintagma *diversión'e* (IX). Güiraldes ha sido, en lo que respecta a la *d-* de la preposición, más consistente que los poetas gauchescos. Sin embargo, he contado 24 instancias en que la pérdida no se registró.

-d se pierde: amistá, autoridá, bondá, escuridá, edá, felicidá, necesidá, oportunidá, temeridá, tranquilidá, usté, verdá, voluntá, aunque aquí también hay inconsistencias.

g en vez de b: regolviendo, golver(se), golvieran, golvió pero asimismo *volver.*

b+ue > güe: güelta(s), güelto, güelvo, güen, güena(s), güeno(s), güenones. Encontramos tan sólo dos instancias en que Güiraldes descuidó esta transcripción: *hueso* y *alcahuete.* A esta tendencia hay que adscribir la pronunciación de voces indígenas que tienen la semiconsonante *w* inicial o intervocálica —*guacho, gualicho, guampudas, guascas, guascazo,* etc.— que van explicadas en las notas. Y también la pronunciación castellanizada del apellido inglés *Wales* (*Guales,* XIV). *hue,* al comienzo de palabra, se transcribe *güe*: *güella, güérfano, güeso, güesitos* y *güeserío.* Por analogía, el texto presenta *desaugue* por *desahogue* (IV).

j en vez de f: juria, juror, jui, junción, juera (por *fuera* y por *afuera), juerte, juerza, juente, juego, jue, jogón.*

DSS también presenta tres inflexiones del verbo *huir* con pronunciación en que la aspiración está representada por la velar fricativa, uno de los muy pocos casos que de tal fenómeno se dio entre el paisanaje bonaerense: *juía, juido* y *juyen.*

La *-s* intervocálica en una palabra, se aspira casi sin excepciones: *nohotros* —aunque también *nosotros*—. La aspiración aparece igualmente cuando la *-s* está entre palabras: *aguah' abajo*; *eh'esta*; *estáh'enojada*; *graciah'ermano*; *me hah'entendido,* etc.

ñ en vez de n: ñublao, ñudo.

-r- perdida: el único caso que trae *DSS es pa* < *para,* 117 veces contra tres de *para* conservado.

por+el > po'l. En esto Güiraldes se diferencia de la mayor parte de los gauchescos que deshacen el hiato con la formación del diptongo *ue: por el > po el > puel.*

sb > f: refalen.

sg > j: dijusto, dijusta.

s por x: desijo, esigir, esistencia, estraviao y *Sueselencia* en que, además, se usa la grafía fonética en la fusión del posesivo al nombre. No obstante, hallamos también *extrañao, extraviada, sexto* y, al puestero del Cap. XV, siempre se lo llama *Don Sixto.*

2. *Grupos cultos*

-cc- > *s: dirición, liciones.*
-gn- > *-n-: indino, inore, manate(s).*
-pt- > *-t-: acetarlo.*

Pero aquí también hay inseguridad:
monstruo en ms. autógr. y
mostruo en los demás documentos (Cap. XII).

D. OTROS CAMBIOS

1. *Por adición*

Prótesis: dir < *ir; dentrar* < *entrar.* Los paisanos de *DSS* usan constantemente estas formas de ambos verbos. Güiraldes emplea, asimismo, dos sustantivos con *d*-protética: *dentrada* y *dentro* y, en una ocasión, utiliza otro verbo con prótesis no común entre los gauchescos: *desijo.* Pero se encuentran igualmente formas regulares de *entrar* e *ir.*

Epéntesis: virgüelas por *viruelas* es el único caso en *DSS.*

2. *Por contracción*

Aféresis: siguiendo el uso gauchesco, Güiraldes suprime, en los grupos sintácticos *está güeno, está bien* y otros semejantes, la *e-* de *estar,* formándose así un grupo fónico en que el acento de intensidad cae sobre la segunda palabra: *sta bien, sta güeno,* etc., pero también *está sacao,* en boca de la vieja curandera del Cap. XVIII. Se encuentra, asimismo, en *DSS,* aféresis de *puta (ta)* y de su eufemismo *pucha (cha).*

3. *Por metátesis: cabrestiar, cabresto*[1], *culeca, humadera, naide(s), polvadera, redamar, redepente, redetir, reditió, vegísimo.*

[1] Debo puntualizar que existe diferencia entre el ms. autógrafo de *DSS* y la copia mecanografiada en cuanto a la ortografía de esta palabra. El ms. autógrafo escribe *cabestro* mientras que en la copia mecanografiada aparece *cabresto.* No es corrección, de modo que debemos pensar que así conocía esta palabra la mujer de Güiraldes que fue quien pasó a máquina el original. Evidentemente el escritor no percibió la metátesis, o consideró que ésa era la pronunciación de los paisanos.

II. Morfosintaxis

A. Flexión nominal

Número: Güiraldes confiere plurales en *-ses* a los sustantivos terminados en vocales acentuadas: *caracuses, pieses* y, en boca del narrador culto, *batituses, chiripases.* Como el paisano no pronuncia la *-j* de *reloj,* el resultado es una palabra aguda terminada en vocal —*reló*— que, naturalmente, el paisano pluraliza en *reloses.*

Sufijos: *-ada*: con idea de acción y valor colectivo: *bellaqueada, diablada, ponchada, pueblada.*

-aje: indica conjunto y tiene matiz despectivo: *animalaje, hembraje* y, en la narración del narrador culto: *beberaje, paisanaje* y *vacaje.*

-al: conjunto o lugar donde se encuentra el conjunto: *cangrejal.*

-arrón: con valor intensivo peyorativo: *cimarrón, mancarrón.*

-azo: con valor aumentativo e intensivo de golpe o herida: *añazos, apuradazo, cansadazo, chinaza, chupetazo, enojadazo, ladinazo, ponchazos, porrazo, cuchillazos, chicotazo, encontronazo, flechazo, golpazo, guascazo, lonjazo, puntazo, puyazo, rebencazo, talerazo, topazo.*

-ción: entretención.

-dor: oficio u ocupación: *domador, pialador*; nombres de objetos: *arriador, fiador, maniador.*

-dura: acción y efecto: *amansadura.*

-erío, -ería: nombre de establecimiento: *pulpería*; colectivo con matiz despectivo: *cangrejerío, griterío, güeserío, pulguerío.* El narrador culto usa *bicherío* y *pobrerío.*

-ero, -era: hábito, oficio, acción, tendencia: *matrero, parejero, resero*; lugar y procedencia: *potrero, vizcachera*; gentilicio: *loro barranquero, norteros, pampero*; nombres de cosas: *tabaquera.*

-eza: irónico, despectivo: *lindezas.*

-aco: aumentativo: *pajarraco.*

-ón: aumentativo: *charcones, encontrones, güenoñes, mandón, tirones, tristón*; diminutivo: *charabón*; intensivo: *chapetones, redomón.* El narrador culto usa *panzón, retacón* y *vaquillona.*

-ote, -ota: aumentativo: *grandote, grandota(s).*
-ano: lugar de procedencia u origen: *pajuerano.*
-ado: semejanza: *acajetillao, agauchao.*
-oso: intensivo: *idiosos.*
-udo: *corajudo, platudo.*
-uno: semejanza, referidos a nombres o pelajes de animales: *lobuno.*
-inga: desvalorativo: *Mandinga.*
-ingo: desvalorativo: *pingo.*
-ungo: desvalorativo: *matungo.*
-orro: desvalorativo: *cachorro.*

Prefijos:

a-: *acajetillao, agauchao.*
des-: *desnegao, despicao, desabordinao* (confusión de prefijo *des-* por *in-* y cambio de vocal *—insubordinado—*).
en-: *envinaos.*

La mayor parte de las voces prefijadas en *DSS*, como en los poetas gauchescos, son conservatismos españoles: *desgracia, infeliz, riunión, redomón.*

Posverbales hechos sobre verbos de la 1a. conjugación:

en -a: *farra, mentas.*
en -o: *embrollo, entrevero, pelecho.*

Superlativo: el paisano expresa la idea del superlativo mediante aumentativos o fórmulas admirativas. *DSS* muestra este rasgo en los siguientes sintagmas: "no se haga *el más sonso* de lo que es" (XII); "Yo... he tenido *más de muchas* de estas diferencias" (XXIII).

Artículo: se lo suprime en expresiones de tiempo: *vez pasada, años después,* lo que es corriente en el habla coloquial argentina. Pero se lo mantiene en *al día siguiente, dentro de un rato* y *al rato.*

Adjetivo: en *DSS* se dan instancias de uso redundante de la combinación *adverbio de cantidad+adjetivo comparativo*: *más mejorcitos, menos pior.* Además, en otros dos pasajes, se usa el binomio *más bien* con el valor de 'mejor'.

B. PRONOMBRES

1. *Personal*: la novela usa sostenidamente el *voseo* argentino. *Vosotros* es reemplazado por *ustedes* y *usted* reemplaza a *tú* con formas verbales de tercera sing. No se usa *os* (como dativo y acusativo) ni tampoco *contigo*, que es reemplazado por *con él*. Además, se diferencia netamente entre *les* —dativo— *y las, los* —acusativo—. En el uso de *vos* como sujeto, *vos* concuerda, etimológicamente, con formas verbales del plural —*andás, querés, seguís, sos*— en el presente de indicativo. En los demás tiempos y en el subjuntivo, *vos* concuerda con la segunda pers. singular: *querráh, agarrá, hacé, decí*, etc.

2. *Posesivo+cerca, delante, detrás: cerca mío, delante mío, detrás mío.* Este es un uso generalizado en la Argentina tanto en la lengua oral como en la literatura.

C. VERBO

Ya vimos que las segundas personas del plural, en el habla de los paisanos güiraldianos, se mantienen con valor de singular. El acento y el vocalismo gauchescos, tal como se vieron en páginas anteriores, nos ofrecen cambios en el radical y/o en las desinencias verbales por acción de la fonética y la analogía. La mayor parte de las anomalías en las formas verbales de fisonomía gauchesca, provienen del acento: *caer* > > *cáir*; *traer* > *tráir*; la desinencia *-ía* de imperfecto, cuando no se da en posición final absoluta, se cambia a *-ia* cosa que, en verdad, ocurre también en la pronunciación rápida coloquial. Algunas analogías actúan sobre la raíz por analogía *(gólpea)*; los infinitivos en *-ear, -iar* se confunden; los infinitivos con *o, e* en el radical vacilan frecuentemente en la diptongación de las inflexiones y, de ahí, la abundancia de formas analógicas; la terminación *-ba* del imperfecto de los verbos de primera conjugación se extiende a los de segunda y tercera (*craiba,* con cambio de *ei* > *ai, traiba*).

Futuro: la única forma gauchesca encontrada en *DSS* es la antigua española, con radical alterado, *quedrá(s)*, aunque en una ocasión se desliza un *querrás*. Por lo general, Güiraldes prefiere, como los poetas gauchescos, formas perifrásticas con los auxiliares *haber* e *ir: ha de poder, vi'arreglarme, vah'a ir.*

Subjuntivo: los presentes con *-g- (caiga, traiga)* extienden, por analogía, este fonema a otros verbos. En *DSS* sólo aparece *haiga,* un arcaísmo del siglo XVI.

Imperativo: formas como *apiensén, firmenmén, ladeensén, sientensén* muestran repetición, en el enclítico, de la *-n* de la voz verbal, fenómeno que puede apreciarse en alguno de los gauchescos y que es general, al nivel coloquial y vulgar, del habla argentina. También lo es la metátesis de la *-n* de la desinencia verbal al enclítico que se aprecia en *larguelón.*

Verbos irregulares: Güiraldes pone siempre en boca de Don Segundo las formas arcaicas *vide* por *vi* y *vido* por *vio.* En un caso, un paisano usa *velo* por *verlos,* con asimilación de la vibrante líquida a la lateral líquida.[3]

Gerundio: Güiraldes usa constantemente el gerundio combinado con formas verbales. Al escoger esta forma de expresión el autor sigue las normas tradicionales de la lengua, pero lo que es de destacar es la proporción en que Güiraldes favorece las construcciones con gerundio frente a otros recursos oracionales tales como la coordinación o la subordinación. Esta proclividad puede explicarse por la tendencia de las hablas populares a la economía de los elementos lógicos y, también porque, a despecho de la opinión de los casticistas, las construcciones con gerundio están muy generalizadas en Hispanoamérica, donde no se las siente como vulgares. Güiraldes, entonces, una vez más, se ha atenido —consciente o inconscientemente— a la lengua tal como se usaba en su país y entre los paisanos.

Prefijos: Güiraldes usa las siguientes voces verbales con prefijos hoy desusados. En algunos casos se trata de formaciones gauchescas y en otros de conservación de arcaísmos: *abajar, acodillar, almitir, alvirtir, desnegarse, desranillar, embichar, embramar, empacarse, emprestar, emprincipiar, enllenar, redetir.*

Arrastrarse, dentrar, meterse: se usan con valor incoativo aunque, en varias ocasiones, Güiraldes también se vale de co-

[3] En la narración culta aparece un arcaico *sabería* (Cap. V, 167, l. 6) que RG nunca corrigió, ¿quizá porque ésta era la forma usual en su habla?

menzar y *empezar+infinitivo* quizá llevado por sus hábitos lingüísticos: *se arrastró* a bellaquear; *dentró* a mandar; *se ha metido a correr.* Junto a estos verbos, *DSS* trae, asimismo, uno extensamente usado en la Argentina —*agarrar*— que no es propiamente gauchesco: *agarraron* y ensillaron.

ir+a+inf.: es casi constante en perífrasis en las que, con frecuencia, lo que importa es el valor incoativo: *te vi'a zampar, vah'a saber,* etc.

Verbos usados con significado diferente del habitual:

ser por estar: "como *jueran* por llegar a un pueblo".

aprender por saber, enterarse: "dejáte estar callao *pa aprender* cómo sigue el cuento".

dejar por *permanecer, quedarse*: "*dejáte* estar callao".

morir por matar: "ni tampoco *he muerto a* nadie".

andar por ir en combinaciones binarias de infinitivo: "*andá decíle* a Juan Sosa".

sentir por resentirse: "tengo miedo que el patrón *se me siente*" en que hay que observar, asimismo, que la inflexión usada del subjuntivo corresponde al verbo *sentar* y no a *sentir.*

caer por venir en la expresión *como caiga* por 'como venga'.

pegar por dar: con valor reiterativo: "pa seguir *pegándole* al manjar".

saber por soler: "sabía venir"

hacerse+dativo=parecer: "si se me hace". También la fórmula *no le hace*=no importar.

dele+..., frase impersonal con valor expletivo: *déle pacá, déle payá.*

había sido+sustantivo: con valor de posibilidad: "*Había sido redondo* pa los negocios."

Otras observaciones

ir yendo: el gauchesco ha conservado del antiguo español el modo verbal de acompañar *ir* con su propio gerundio. *DSS* trae un ejemplo de este uso: *vamos yendo* (XXI).

venir y: argentinismo, fórmula de encarecimiento: "y a mí *viene y* se me corta el lazo" (XVII).

pegar+sustantivo de acción en lugar de *dar+sustantivo de acción*: *pegar un bife, pegar un reto, pegarse un susto, pegar al relato.*

E. PREPOSICIÓN

Se usan las formas anticuadas y rústicas *asigún* y *dende* (empleado casi con valor de adverbio temporal). A veces *desde* se sustituye por *de*: *de ajuera, de ande, de pajuera, de atrás, de abajo, de adentro, de arriba, de arriba abajo, ¿de cuándo?*

hacia es sustituida por *para, a* o con fórmulas como *en dirición de, en frente'e, en derecera'e.*

contra se usa con el sentido que tiene en la lengua general y, además, con el de 'junto a': "*contra* el baúl".

Régimen preposicional: en esto el habla de los paisanos de *DSS* se aparta del uso correcto de la lengua por omisión o confusión de preposiciones dependientes de un verbo. Casi siempre las anomalías se producen con las preposiciones *a y de* que o se omiten o son usadas cuando no son regímenes del verbo: "conocía algún hombre"; "las leyeron... *a* las letras"; "Si es *de* su idea venderlo".

En la oración subordinada a *tener miedo,* se elude la preposición *de* en construcción galicada: "*¿no tenés miedo que* te muerda algún tigre?".

Frecuentemente, se confunden las siguientes preposiciones: *en* por *de*; *en* por *a*; *para* por *hacia*; *a* por *para*; *por* por *de*; *sobre* por *en*; *con* por *por*.

subir+para arriba y *volver+para atrás*: construcciones redundantes.

en contra de se reduce a *contra*: "qué vi a hacer yo... *contra* las muy muchas brujerías..." (XII).

F. CONJUNCIÓN

denó='decir de no', con pérdida del verbo, tomó valor de conjunción en el habla del paisano y así aparece en *DSS*.

de... que reemplazan *a tan... que:* "una moza *de* linda y fresca *que...*" (XII).

G. OTRAS OBSERVACIONES

— *Concordancia ad sensum*: refleja la oralidad y espontaneidad del habla de los paisanos de la novela y se aprecia, generalmente, cuando la idea colectiva de un sujeto singular, atrae el plural del verbo: "esa gente ... *parecían*" (XXI, 334, l. 3). Este tipo de concordancia se da en todos los poetas gauchescos y refleja, asimismo, un rasgo del habla coloquial urbana bonaerense.

— El paisano usa *hacer* y no *haber* para expresar tiempo indeterminado: "*hace* una ponchada de años" (XII): "*hace* poco" (XVI).

— *lo de+nombre personal*: expresiones como en *lo de Galván,* en *lo de Raynoso, lo del Gobernador, lo de Cuevas* son corrientes en el habla argentina para indicar el lugar de propiedad de una persona.

— En los complementos circunstanciales de modo, Güiraldes, en numerosas ocasiones, modifica el verbo mediante un adjetivo que desempeña, en verdad, función adverbial: vamos *lindo*; ganarle *fácil*; contestó *juerte*; cortar *chiquito*; verlas *clarito*; olvidar *tan fácil.*

— *Elipsis y exclamación*: el habla gauchesca gusta mucho de la expresión elíptica, lo que se explica por el laconismo del paisano. Debido a esta economía sintáctica, se observa con frecuencia en el gauchesco una elipsis puramente intelectual o gramatical que omite en la oración uno o varios términos, cuya reposición sería necesaria para la congruencia formal de las ideas. Esta manera es común a todos los textos gauchescos y se da también en *DSS* particularmente en el uso de la conjunción *y* interrogativa, por sí sola, en reemplazo de una oración completa: "*¿Y?* preguntó Perico" (XII). "¡Hágase cargo!"; "¡Pero vea!"; "¡Qué temeridá!", son las expresiones usadas por el puestero Don Candelario a cada afirmación hecha por el reserito en cuanto a los campos de Areco. *¡Cómo no!,* usado en Hispanoamérica como equivalente de 'sí, seguramente, ya lo creo, sin duda, claro, ¿por qué no?' [2], es otra expresión elíptica coloquial y del gauchesco que Güiraldes usa. Es tan consustancial al paisano esta forma de hablar que casi no hay expresión de sentimiento que no la traduzca al lenguaje exclamativo, lo que en *DSS* puede apreciarse claramente.

[2] Charles Kany, *Spanish American Syntax,* 2nd. ed. Chicago: UCP, 1951, 412-413.

Entre las formas nominales y verbales usadas como exclamaciones, en *DSS* se anotan: *¡amalaya!*, *¡aura!*, *¡aura sí!*, *¡azotes!*, *¡bien haiga!*, *¡claro! ¿Y de no?*, *¡lindo!*, *¡oiganlé!*, *so maulas*, *¡vamos!*

DSS muestra también algunas de las más corrientes formas eufemísticas del gauchesco para la imprecación: *¡la pucha!*, *jue pucha* y sus aféresis: *ta* y *cha*. Aparece, asimismo, *¡canejo!* aunque, en general, en esta categoría el repertorio de *DSS* es limitado.[4]

[4] Para la presente *Advertencia lingüística,* he seguido de cerca el estudio que de la lengua del *Martín Fierro* incluyó Eleuterio F. Tiscornia en su edición del poema: *Martín Fierro comentado y anotado.* Buenos Aires: Coni, 1952.

NOTICIA BIBLIOGRÁFICA

De las obras de Güiraldes se consignan las primeras ediciones, salvo en el caso de *Don Segundo Sombra,* en que se deja constancia de las tres más importantes de entre las publicadas modernamente.

OBRAS DE RICARDO GÜIRALDES

El cencerro de cristal, Buenos Aires, Librería La Facultad, 1915.

Cuentos de muerte y de sangre, seguidos de *Aventuras grotescas* y una *Trilogía cristiana,* Buenos Aires, Librería La Facultad, 1915.

Raucho. Momentos de una juventud contemporánea, Buenos Aires, Librería La Facultad, 1917.

Rosaura (Novela corta), San Antonio de Areco, Establecimiento Gráfico Colón, de Francisco A. Colombo, 1922.

Xaimaca, San Antonio de Areco, Establecimiento Gráfico Colón, de Francisco A. Colombo, 1923.

Don Segundo Sombra, Buenos Aires, Editorial Proa, 1.º de julio de 1926.

Don Segundo Sombra, 2.ª ed. Buenos Aires, Editorial Proa, octubre de 1926.

Don Segundo Sombra, Buenos Aires, Editorial Guillermo Kraft Ltda., 1952. Ilustraciones de Alberto Güiraldes y "Nota preliminar" de Adelina del Carril.

Don Segundo Sombra, Buenos Aires, Editorial Losada, 1952.

Poemas místicos, Edición póstuma de Adelina del Carril, San Antonio de Areco, Establecimiento Gráfico Colón, de Francisco A. Colombo, 1.º de abril de 1928.

Poemas solitarios, 1921-1927, Edición póstuma de Adelina del Carril, San Antonio de Areco, Establecimiento Gráfico Colón, de Francisco A. Colombo, 30 de marzo de 1928.

Seis relatos, Buenos Aires, Editorial Proa, 1929. Con un poema de Alfonso Reyes.

El sendero. Notas sobre mi evolución espiritualista en vista de un futuro, Edición póstuma de Adelina del Carril. Maestricht (Holland), A. A. M. Stols, octubre de 1932.

El libro bravo, San Antonio de Areco, Establecimiento Gráfico Colón, de Francisco A. Colombo, 6 de diciembre de 1936.

Pampa (Poemas inéditos). Introducción de Horacio J. Becco, Buenos Aires, Editorial Ollantay, 5 de junio de 1954.

Obras completas, prólogo de Francisco Luis Bernárdez, Buenos Aires. Emecé, 1962.

Doce croquis y un poema, prólogo de Adelina del Carril, Buenos Aires, Editorial Ricardo Güiraldes, junio de 1967.

Croquis, dibujos y dos poemas, carpeta prologada por el doctor Alberto G. Lecot, Buenos Aires. Editorial Ricardo Güiraldes, septiembre de 1967.

Semblanza de nuestro país, introducción por Adelina del Carril, compilada por Ramachandra Gowda. Mar del Plata, Escuela de Artes Gráficas "Pedro Tavelli", noviembre de 1972.

Cuaderno I (Poemas), selección antológica con material inédito, compilado por Ramachandra Gowda, Buenos Aires, Editorial En Buen Romance, 1981.

Cuaderno II (Relatos y reflexiones), compilado por Ramachandra Gowda, Buenos Aires, Editorial En Buen Romance, 1981.

Cuaderno III (Proyectos y ensayos), compilado por Ramachandra Gowda, Buenos Aires, Editorial En Buen Romance, 1981.

Cuaderno IV (Ensayos y apuntes), compilado por Ramachandra Gowda, Buenos Aires, Editorial En Buen Romance, 1981.

Semblanza de nuestro país y otros escritos (Antología), con material inédito, compilada por Ramachandra Gowda, Buenos Aires, Ediciones Búsqueda, septiembre de 1982.

Croquis, dibujos y poemas, selección de material inédito, compilada por Ramachandra Gowda, Buenos Aires, Ediciones Búsqueda, 2 de abril de 1983.

Guerra, violencia y dignidad. Antología con material inédito, compilada por Ramachandra Gowda, Buenos Aires, Editorial En Buen Romance, marzo de 1984.

BIBLIOGRAFÍA SELECTA

Para una bibliografía detallada sobre Ricardo Güiraldes y su obra se remite a las *Obras completas* del autor, en las que aparece un "Apéndice documental y bibliográfico" de la autoría de Horacio J. Becco (pp. 801-866). Asimismo, véase la bibliografía del libro de Giovanni Previtali.

La que damos a continuación es una bibliografía seleccionada de entre los libros y artículos que sobre Güiraldes y su obra se han publicado a partir de 1962 —fecha de publicación de las *Obras completas*— y hasta el presente.

SOBRE RICARDO GÜIRALDES, SU VIDA Y SU OBRA

Ara, Guillermo, "Dos cuentistas de la muerte brava: Güiraldes y Borges", *Estafeta Literaria,* 381-382 (oct.-nov. 1967), 22-23.

Battistessa, Angel J., "Simpatía e influencia", en *El prosista en su prosa,* Buenos Aires, Ed. Nova, 1969, 103-134.

——, *Ricardo Güiraldes. En la huella espiritual y expresiva de un argentino (1886-1986).* Buenos Aires, Ed. Corregidor, 1987.

Beardsell, P. R. "French Influences in Güiraldes' Early Experiments", *Bulletin of Hispanic Studies,* 16 (1969), 331-344.

——, "The Dichotomy in Güiraldes' Aesthetic Principles". *Modern Language Review,* 66 (1971), 322-327.

Blasi, Alberto, *Güiraldes y Larbaud. Una amistad creadora,* Buenos Aires, Ed. Nova, 1970.

——, "Las cartas de Adelina del Carril", en William W. Megenny, ed. *Four Essays,* 1-37.

——, "Contribuciones ensayísticas de Güiraldes", *Los ensayistas,* 8 y 9 (1980), 141-145.

Bordelois, Ivonne, *Genio y figura de Ricardo Güiraldes,* Buenos Aires, Eudeba, 1966.

Carilla, Emilio, "El retorno del personaje en Ricardo Güiraldes" en William W. Meggeny, ed. *Four Essays,* 38-80.

Cersosimo, E. B., *Literatura y profecía: Arlt, Sábato, Marechal, Güiraldes,* Buenos Aires, Ed. Proyecto Cinae, 1983.

Curet de Anda, Miriam de, *El sistema expresivo de Ricardo Güiraldes,* Río Piedras (Puerto Rico), Ed. Universitaria, 1976.

Ghiano, Juan C., *Ricardo Güiraldes,* Buenos Aires, Ed. Pleamar, 1966.

Larbaud, Valery, *Lettre à deux amis,* Buenos Aires, Francisco A. Colombo, 1962.

Lecot, Alberto G., "Valery Larbaud y Ricardo Güiraldes", *La Prensa* (Bs.As.), 4 de marzo 1973.

——, "*Caaporá,* el ballet que soñaron Alfredo González Garaño y Ricardo Güiraldes", *La Prensa,* 24 de marzo 1974.

——, Advertencia a Ricardo Güiraldes, *El cencerro de cristal,* Buenos Aires, Ediciones Rivolín Hnos., S.R.L., 1983, 7-13.

——, *En "La Porteña" y con sus recuerdos. Contribución al estudio de la vida y obra de Ricardo Güiraldes,* Bs. As., Edics. Rivolín Hnos., 1986.

Liberal Villar, J. R., *Vida y obra de Ricardo Güiraldes; ensayo y antología,* Buenos Aires, Ed. Corregidor, 1980.

Mata, Ramiro R., *Ricardo Güiraldes, José Eustasio Rivera, Rómulo Gallegos; estudios bio-críticos,* Montevideo, CISA, 1961.

McGrady, Donald, "Un cuento folclórico en Güiraldes y Carrasquilla", *Thesaurus* (Bogotá), 26 (1971), 143-146.

Megenney, William W. ed., *Four Essays on Ricardo Güiraldes (1886-1927),* Riverside (Cal.), Latin American Studies Program, 1, oct. 1977.

Molloy, Sylvia, "Ricardo Güiraldes" en *La diffusion de la littérature hispano-américaine en France au XXe siècle,* Paris, PUF, 1972, 108-145.

——, "L'américanisme de Valery Larbaud", en *La diffusion,* 146-162.

Morello-Frosch, Marta, "Localismo y universalidad temática de *El cencerro de cristal",* en Aníbal Sánchez-Reulet, comp.

Homenaje a Rubén Darío (1867-1967), Los Angeles (Cal.), Centro Latinoamericano, Universidad de California, 1970, 227-232.

Noel, Martín A., "Un Güiraldes inédito", *La Nación* (Bs.As.), 4.ª sec. (29-IV-1984), 5.

Ocampo, Victoria, "La época del menosprecio", en *Testimonios. Décima Serie (1975-1977),* Buenos Aires, Ed. Sudamericana, 1977, 96-103.

——, "Vivió inalcanzable (A manera de prólogo)", en *Testimonios. Décima Serie,* 103-108.

Parkinson de Saz, Sara M., "Güiraldes and Kipling. A Possible Influence", *Neophilologus,* LV, 3 (jul. 1971), 270-284.

Previtali, Giovanni, *Ricardo Güiraldes and Don Segundo Sombra. Life and Works,* New York, Hispanic Institute, Columbia University, 1963.

——, *Ricardo Güiraldes. Biografía y crítica,* México, Ediciones De Andrea, 1965.

——, "Ricardo Güiraldes y el movimiento de vanguardia en la Argentina", en *Movimientos literarios de vanguardia en Iberoamérica,* Memoria del XI Congreso IILI, México, Ed. Cultura, 1965, 31-39.

Pupo-Walker, Enrique, "Elaboración y teoría en los cuentos de Ricardo Güiraldes", en William W. Megenney, ed. *Four Essays,* 81-102.

Rivera, Jorge B., "Güiraldes: una búsqueda de la singularidad nacional", *Crisis* (Bs.As.), 37 (1976), 60-65.

Rodríguez-Alcalá, Hugo, "Güiraldes y el ambiente intelectual de su tiempo", en William W. Megenney, ed. *Four Essays,* 103-124.

Ross, W., "Dos momentos de la libertad de la pampa: William H. Hudson y Ricardo Güiraldes", en *Ensayos sobre la geografía interior,* Madrid, G. Sánchez, 1971, 101-119.

Soler Cañas, Luis M., *Güiraldes y Areco,* La Plata (Argentina), Subsecretaría de Cultura, Ministerio de Educación, 1971.

——, *Güiraldes y su tierra,* Buenos Aires, Ediciones Castañeda, 1977.

SOBRE "DON SEGUNDO SOMBRA"

Aguirre, J. M., "*Don Segundo Sombra:* una interpretación más", *Nueva Revista de Filología Hispánica,* XVII, 1-2 (1963-1964), 88-95.

Alonso, Amado, "Un problema estilístico en *Don Segundo Sombra*", en *Materia y forma en poesía,* 3.ª ed. reimpr. Madrid, Gredos, 1969, 355-363.

Anderson Imbert, Enrique, "Ricardo Güiraldes y lo sobrenatural", en *Los domingos del profesor,* 2.ª ed. Buenos Aires, Ediciones Gure, 1972, 246-248.

Battista de Cesare, Giovanni, "Sobre la estructura y los protagonistas de *Don Segundo Sombra*", *Boletín del Instituto Caro y Cuervo* (Bogotá), XIX, 3 (1964), 558-565.

Battistessa, Angel, J., "*Don Segundo Sombra* en París", en *El prosista,* 159-176.

——, "Viejo gaucho..., vieja estancia", en *El prosista,* 135-146.

Blasi, Alberto, "Mito y escritura en *Don Segundo Sombra*", *Revista Iberoamericana,* XLIV, 102-103 (en.-jun. 1978), 125-132.

Camurati, Mireya, "Función literaria del cuento intercalado en *Don Segundo Sombra, La vorágine* y *Cantaclaro*", *Revista Iberoamericana,* XXXVII, 75 (abr.-jun. 1971), 403-417.

Caracciolo Trejo, E., "Otro enfoque de *Don Segundo Sombra*", *Papeles de Sons Armadans,* XXXIX, 116 (1965), 123-139.

——, "Regreso a *Don Segundo Sombra*", *Revista Iberoamericana,* XLVII, 116-117 (jul.-dic. 1981), 139-144.

Castagnino, Raúl H., *El análisis literario. Introducción metodológica a una estilística integral,* 9.ª ed., Buenos Aires, Ed. Nova, 1974, 263-383.

Castelli, Eugenio, y Rogelio Barufaldi, *Estructura mítica e interioridad en "Don Segundo Sombra",* Santa Fe (Argentina), Ed. Colmegna, 1968.

Cosse, Rómulo, "Aproximaciones a *Don Segundo Sombra* de Ricardo Güiraldes", *Casa de la Américas,* XX, 120 (mayo-jun. 1980), 34-44.

Cuña, Irma, "Símbolos de *Don Segundo Sombra*", *Révue de Littérature Comparée,* XXXVI (1962), 404-437.

Earle, Peter, G., "El sentido poético de *Don Segundo Sombra*", *Revista Hispánica Moderna,* XXVI, 3-4 (1960), 120-132.

Echevarría, Evelio, "Función de los cuentos de *Don Segundo Sombra*", *Romance Notes,* 16 (Autumn, 1974), 232-235.

Eyzaguirre, Luis B., "*La gloria de Don Ramiro* y *Don Segundo Sombra:* dos hitos en la novela modernista de Hispanoamérica", *Cuadernos Americanos,* XXXI, 1 (en.-feb. 1972), 236-249.

——, "Tradición, renovación y vigencia de *Don Segundo Sombra*", *Revista de crítica literaria latinoamericana* (Lima), V, 10 (2.º sem. 1979), 129-136.

Forgione, José D., *Coloquios con Don Segundo Sombra,* Buenos Aires, Imprenta Taladriz, 1969.

Garganigo, John F., "Gaucho Tierra y Don Segundo Sombra: dos idealizaciones gauchescas", *Revista Hispánica Moderna,* XXXII, 3-4 (1966), 198-205.

Ghiano, Juan C., "Lectura moral, lección ética", *La Nación,* 3.ª sec. (27-VI-1976), 1.

Jiménez, R. L., "*Don Segundo:* razón y signo de una forma narrativa", *Cuadernos Americanos,* CCLI, XLII, 6 (nov.-dic. 1983), 211-227.

Lecot, Alberto G., "La génesis y la primera edición de *Don Segundo Sombra*", introducción a *Don Segundo Sombra,* ed. facsimilar de la edición de Stols de 1929, Buenos Aires, Ediciones Rivolín Hnos., S.R.L., 1982, 9-15.

León, Pedro R., "El símil en *Don Segundo Sombra,* expresión de la actitud conflictiva de Güiraldes", *Explicación de Textos Literarios* (Sacramento, Cal.), IV, 2 (1975-1976), 189-197.

Meehan, Thomas C., "Prefiguración de Don Segundo Sombra como contador de cuentos", *Explicación de Textos Literarios,* VII, 1 (1978), 53-62.

Moretic, Y., "Algo acerca del contenido afectivo de *Don Segundo Sombra*", *Atenea* (Santiago, Chile), XLIV, 417 (jul.-set. 1967), 61-67.

Murguía, Theodore, "The Timeless Aspect of *Don Segundo Sombra*", *Hispania,* XLVI, 1 (1963), 88-92.

Predmore, Michael P., "The Function and Symbolism of Water Imagery in *Don Segundo Sombra*", *Hispania,* XLIV, 3 (1961), 428-431.

Previtali, Giovanni, "*Don Segundo Sombra* y los simbolistas franceses", *Cuadernos Hispanoamericanos,* 235 (jul. 1969), 222-231.

Rivers, Elias L., "*Don Segundo Sombra* y la desanalfabetización del héroe", *Revista Iberoamericana,* XLIV, 102-103 (en.-jun. 1978), 119-124.

Rodríguez Alcalá, Hugo, "Lo real y 'lo ideal' en *Don Segundo Sombra*", *Revista Hispánica Moderna,* XXXII, 3-4 (1966), 191-197.

——, "Sobre una nueva interpretación de *Don Segundo Sombra*", *La Nación,* 13 de noviembre, 1966.

——, "A los cuarenta años de *Don Segundo Sombra*", en *Sugestión e ilusión,* México, Universidad Veracruzana, 1967, 130-177.

——, "El interés artístico de las riñas de gallos en *Los de abajo, La vorágine* y *Don Segundo Sombra*", en *Sugestión e ilusión,* 99-127.

——, "Los parentescos de la novela", *La Nación,* 3.ª sec. (27-VI-1976), 1-2.

——, "Críticos españoles y *Don Segundo Sombra*", *Revista Interamericana de Bibliografía* (Washington), XXIX, 1 (1979), 53-64.

——, "En torno a un libro contra Ricardo Güiraldes y contra *Don Segundo Sombra*", *Hispanic Journal,* XV, 3 (Fall 1981), 23-44.

Schwartz, J., "*Don Segundo Sombra:* una novela monológica", *Revista Iberoamericana,* XLII, 96-97 (jul.-dic. 1976), 422-446.

Scott, Nina M., "Language, Humor and Myth in the Frontier Novels of the Americas: Wister, Güiraldes and Amado", Amherst (Mass.), Program in Latin American Studies, Occasional Papers, Series N.º 16, 1983, 1-34.

Verbitsky, Bernardo, "Verdad y belleza de *Don Segundo Sombra*", *Testigo* (Bs.As.), 2 (abr.-jun. 1966), 26-38.

Zárate, Armando, "Espacio, tiempo y movimiento en *Don Segundo Sombra*", *Riverside,* IX (1970), 127.

NOTA PREVIA

LA PRESENTE edición ha tomado como texto base el de la segunda edición revisada, publicada en vida del autor: Ricardo Güiraldes / *Don Segundo Sombra* / Buenos Aires / Editorial Proa / 30 de octubre de 1926. Güiraldes especificó al final del libro la fecha de su conclusión —marzo de 1926—, siendo la fecha de publicación de la 1.ª edición el 1.º de julio de 1926. La tirada de la 2.ª edición fue de 5.000 ejemplares en octavo chico, sobre papel pluma Berger, más 60 ejemplares fuera de comercio en octavo grande, sobre papel hilo Roma, con un total de 363 páginas.

El aparato crítico de la presente edición es el que sigue:

BN = manuscrito ológrafo, conservado en la Biblioteca Nacional de Buenos Aires (sin catalogar). Consta de 471 páginas escritas de ambos lados a 28 renglones por página (excepto las iniciales de capítulo). Las páginas tienen 24 centímetros de largo por 16 centímetros de ancho y forman cuadernillos. El papel es grueso y está amarilleando. El manuscrito está inconcluso y carece de la Dedicatoria.

F = copia mecanografiada de *BN* hecha por Adelina del Carril. Se conserva en el Fondo Nacional de las Artes, Buenos Aires. Son 325 páginas con enmiendas de puño y letra de Güiraldes las que, en general, dan la versión definitiva del texto aunque, en algunas instancias, ésta sólo aparece en las pruebas de imprenta. Contiene la versión completa de la novela y una hoja inicial con la *Dedicatoria* manuscrita.

Pr = pruebas de imprenta conservadas en el Museo Güiraldes de San Antonio de Areco. Son de dos clases:

pruebas de página (Caps. I a VI) y galeradas (Caps. VII a XXVII), razón por la cual las denomino, genéricamente, *pruebas*. Están muy incompletas. Todas estas pruebas corresponden a la primera edición.

EP = *editio princeps*, primera edición. Buenos Aires: Editorial Proa, 1.º de julio de 1926, 393 páginas. He manejado este volumen en fotocopia de la Biblioteca del Congreso, Washington D.C. (N.º de referencia PQ 7797.G75D6 1926a).

Para el capítulo XXVII, además de *BN, F* y *Pr,* he tenido a la vista dos documentos más:

Fms = cuatro hojas ológrafas con la "Primera versión" del capítulo XXVII que aparecen a continuación de *F*. Tres de las hojas están escritas de ambos lados.

B = borrador de los últimos ocho párrafos del capítulo XXVII. Me fue facilitado por el Dr. Alberto G. Lecot y pertenece a una colección privada.

Se ha cotejado asimismo el texto base con las siguientes ediciones:

Editorial Kraft, Buenos Aires, 1952, edición conmemorativa del 25 aniversario de la publcación de *DSS*. Lleva Nota Preliminar de Adelina del Carril. Se consigna que se usó "el manuscrito original", dando la impresión de que existía un solo ms.

Editoral Losada, Buenos Aires, 1952, edición conmemorativa del 25 aniversario de la publicación de *DSS*. Se afirma que, por primera vez, se manejó "el manuscrito" de la novela, pero no se lo describe ni se indica dónde se halla.

Obras completas de Ricardo Güiraldes, Emecé Editores, Buenos Aires, 1962. Estuvo al cuidado de Juan José Güiraldes y Augusto Mario Delfino y se basó en la ed. de Losada.

Edición Stols, Maestricht (Holanda), 1929, hecha por encargo de Adelina del Carril y que sigue la segunda ed.

He revisado, asimismo, dos ejemplares de la *EP* que se encuentran en la Academia Argentina de Letras. Uno fue regalado por Adelina al Dr. Juan C. Ghiano, a quien le aseguró que las correcciones eran de puño y letra de su marido. El otro ejemplar también está corregido y, en ambos casos, las correcciones, mayormente, son de puntuación, acentuación y de supresión de la mayúscula de la fórmula *Don.* Puesto que estas correcciones nunca pasaron a la segunda edición (que designo como *TB,* texto base), no las he considerado sino como un material auxiliar. Del mismo modo, los fragmentos de la novela que se citaron en páginas 55 y 67-68 no son considerados como variantes dado que no fueron incorporados por el autor a ninguno de los mss. destinados a la imprenta. Se trata de apuntes hechos en una etapa preparatoria.

Se ha elegido como texto base el de la segunda edición, puesto que apareció aún en vida del autor quien *debió* corregirla dadas las diferencias que muestra con *EP.* Esta elección responde también al hecho de que lo que la presente edición busca es presentar el texto tal como su autor lo deseaba. Creemos con este criterio, atenernos al dictado fundamental de la crítica textual, esto es, ofrecer el texto en la integridad de su forma autorial única.

El valor de presentar las variantes que se dan en los mss. es el de iluminar —como lo ha dicho Paul Valéry— las secretas discusiones del autor consigo mismo, ya que esas variantes permiten observar el proceso creativo en su marcha, por así decir. Ésta es la razón por la cual se consignan, en el aparato crítico, las instancias en las que Güiraldes dudó y escribió una palabra sobre otra dado que estas dudas del autor arrojan luz sobre el criterio que lo llevó a la elección definitiva.

El respeto del texto tal como el autor lo produjo es doblemente importante en el caso de *DSS,* por cuanto gran parte de la novela está escrita en lengua gauchesca, y necesitamos conocer cómo Güiraldes resolvió (o no) los problemas que tal creación lingüística propuso a su escritura. Sólo así podrán, en el futuro, recopilarse los testimonios de la lengua gauchesca tal como sus autores mayores la concibieron.

Es evidente, al leer las variantes, que algunos cambios (por omisión, adición, inversión o corrección por hábito culto) y errores fueron hechos por Adelina del Carril al pasar a máquina el ms. de su marido. A veces él se percató de esos cambios y los corrigió pero, en la mayoría de los casos, no fue así. Esos cambios y/o errores han subsistido hasta el presente. Hoy podemos, finalmente, ser conscientes de ellos.

A veces un texto aparece en *BN*, pero no en *F* (¿omisión del copista?) aunque vuelve a reaparecer en *Pr*. Esto parecería indicar que los dos mss. —*BN* y *F*— fueron a la imprenta, lo que parecería estar corroborado por una nota escrita por Güiraldes al margen de una de las galeradas del capítulo XVI: " ¡ojo!, la frase está en el texto a máquina".

BN no parece haber sido el único manuscrito ológrafo que Güiraldes hizo de *DSS*, pues Borges ha afirmado lo siguiente: "Antes de que Adelina los pasara a máquina, he visto muchas veces los originales de *Don Segundo*. Güiraldes escribía su novela en esos grandes libros de comercio, de tapas negras, duras, con páginas divididas en Debe y Haber, que también se utilizan en las estancias. Madre lo leyó después, cuando el libro estaba cosido y armado, pero sin encuadernar" (Apud Bordelois. *Genio y figura,* 140). El ms. de la Biblioteca Nacional de Buenos Aires no presenta ninguna marca que indique que las páginas hayan estado cosidas, ni tampoco en las páginas aparecen las columnas mencionadas por Borges. El ms. que he manejado debe ser, pues, una segunda versión que sirvió de base para la copia a máquina, ya que ésta reproduce indudablemente ese original. *BN* es un ms. considerablemente 'limpio', a pesar de algunas enmiendas, tachaduras y agregados. Parecería, pues, que podemos establecer una genealogía de estos documentos que llevaría a esta ordenación de los mismos:

BN→*F*→*Pr*→*EP*→*TB*

Entre *EP* y el texto base mediarían pruebas de imprenta corregidas por Güiraldes lo que suponemos en base a las diferencias anotadas entre *EP* y el texto base. Nótese además que, debido al cambio de tamaño de las letras, la segunda edición consta de 363 páginas, mientras que la primera llega a 393.

Pero esta genealogía se complica cuando llegamos al capítulo XXVII ya que para él, como lo especificamos anteriormente, disponemos de otros dos mss. autógrafos —*Fms* y *B*—. Escasamente legible, en la parte anterior de la hoja en que empieza *Fms*, se alcanza a leer *PRIMERA VERSION*. Y que esto es así se comprueba al cotejar *BN* y *Fms*: no cabe duda de que *Fms* fue la primera redacción del capítulo y *BN* una segunda y quizá hasta una tercera. Hay diferencias en el orden de las palabras, en la elección de ellas y también en la ordenación de los párrafos, acercándose *BN* mucho más a la versión que finalmente se imprimió. En *BN* el capítulo está inconcluso, como se puede apreciar en el aparato crítico en donde se indica el lugar en que este ms. se interrumpe. Asimismo, *Fms* está inacabado, lo que también se señala en el aparato crítico. Pero allí donde termina *Fms*, comienza *B*, el borrador autógrafo. O sea que, para el capítulo XXVII, la genealogía sería:

Fms→*F*→*BN*→*Pr*→*EP*→*TB*

Para los siete últimos párrafos de este capítulo, tendríamos:

B→*F*→*Pr*→*EP*→*TB*

BN, en este capítulo, parece haber sido posterior a la versión mecanografiada, de la que frecuentemente difiere acercándose siempre más a *EP*. Esta suposición parecería estar corroborada por el hecho de que *Fms* viene agregado al final de *F* y no en *BN*. Si así lo dejó Güiraldes o si esta ordenación de los documentos fue hecha por Adelina del Carril o por alguna otra persona que estuvo en contacto con los originales güiraldianos, no me ha sido posible determinarlo.

Las notas que aparecen a pie de página son explicativas: definición de vocablos gauchescos y/o argentinismos, significado de una expresión o de circunstancias, etc. La aclaración en nota se hace la primera vez que aparece el vocablo. Análogamente, de las obras de consulta mencionadas en nota, sólo se consignan los datos editoriales completos la primera vez que se recurre a ellas. Al volver a citarlas, se usa una abreviatura del título y se indica el número de página.

Deseo testimoniar aquí mi agradecimiento al Decano Dr. Manuel de la Nuez del City College de CUNY que tuvo a bien leer todas las notas, y a la Dra. Georgette Dorn, de la Biblioteca del Congreso de Washington, quien cooperó en la preparación de las fotocopias de la primera edición. Reconocimiento especial debo al Dr. Roberto Yahni, de la Universidad de Buenos Aires, quien me hizo en todo momento observaciones de utilidad considerable y que, generosamente, leyó en su totalidad el manuscrito del presente trabajo. Vaya, asimismo, mi profundo agradecimiento a la señorita María Smith Estrada, del Museo Güiraldes, quien tuvo a bien fotografiar cuidadosamente las pruebas de imprenta de *Don Segundo Sombra* allí conservadas, y al Dr. Alberto G. Lecot a cuya generosidad debo el haber tenido acceso a textos güiraldianos desconocidos que él me ha permitido reproducir, así como también el facilitarme las fotografías que aparecen en esta edición. Su profundo conocimiento de la vida y obra de Ricardo Güiraldes, ha sido igualmente de gran ayuda en mi tarea. Por último, deseo agradecer la paciencia con que me ayudaron dos entrañables amigas: la Srta. Esther Amster y la Dra. Eloísa Lezama Lima.

A. B. D.

DON SEGUNDO SOMBRA

D E D I C A T O R I A

A Vd., Don Segundo.

A la memoria de los finados: Don Rufino Galván, Don Nicasio Cano y Don José Hernández.

A mis amigos domadores y reseros: Don Víctor Taboada, Ramón Cisneros, Pedro Brandán, Ciriaco Díaz, Dolores Juárez, Pedro Falcón, Gregorio López, Esteban Pereyra, Pablo Ojeda, Victorino Nogueira y Mariano Ortega.

A los paisanos de mis pagos.

A los que no conozco y están en el alma de este libro.

Al gaucho que llevo en mí, sacramente, como la custodia lleva la hostia.

R. G.

I

En las afueras del pueblo, a unas diez cuadras [1] de la plaza céntrica, el puente viejo tiende su arco sobre el río, uniendo las quintas al campo tranquilo.

Aquel día, como de costumbre, había yo venido a esconderme bajo la sombra fresca de la piedra, a fin de pescar algunos bagrecitos, [2] que luego cambiaría al pulpero [3] de "La Blanqueada" por golosinas, cigarrillos o unos centavos.

Mi humor no era el de siempre; sentíame hosco, huraño,

[1] *cuadra*: *Am.* el espacio de una calle comprendido entre dos que la atraviesan. También un lado de la manzana. En la Argentina, habitualmente, las cuadras tienen 120 m. de extensión. Para el origen de esta significación, cf. Daniel Granada, *Vocabulario rioplatense razonado*. 2.ª ed. corr. y aum. (Montevideo, Imprenta Rural. 1890), s.v.

[2] *bagrecitos: Am. dim.* de *bagre.* En la Argentina, pez de agua dulce, sin escamas, de color pardo, cabeza grande, con bigotes. Su carne es muy apreciada por lo sabrosa. Rodolfo Lenz (*El español en Chile. BDH, VI,* Buenos Aires, Instituto de Filología, 1940) asignó a este americanismo un probable origen antillano o centroamericano. Apareció, en documentos coloniales de Yucatán, en 1545. Joan Corominas (*Diccionario crítico-etimológico castellano e hispanoamericano,* Madrid, Gredos, 1980, s.v.) lo relaciona con *pagro* y *pargo* a partir del catalán *bagra,* también pez fluvial.

[3] *pulpero*: *Am. Mer.* dueño de *pulpería* (véase n. 41. en este capítulo).

y no había querido avisar a mis habituales compañeros de huelga y baño, porque prefería no sonreír a nadie ni repetir las chuscadas de uso.

La pesca misma pareciéndome un gesto superfluo, dejé que el corcho de mi aparejo, llevado por la corriente, viniera a recostarse contra la orilla.

Pensaba. Pensaba en mis catorce años de chico abandonado, de "guacho", [4] como seguramente dirían por ahí.

Con los párpados caídos para no ver las cosas que me distraían, imaginé las cuarenta manzanas del pueblo, sus casas chatas, divididas monótonamente por calles trazadas a escuadra, siempre paralelas o perpendiculares entre sí.

En una de esas manzanas, no más lujosa ni pobre que otras, estaba la casa de mis presuntas tías, mi prisión.

¿Mi casa? ¿Mis tías? ¿Mi protector Don Fabio Cáceres? Por centésima vez aquellas preguntas se formulaban en mí, con grande interrogante ansioso, y por centésima vez reconstruí mi breve vida como única contestación posible, sabiendo que nada ganaría con ello; pero era una obsesión tenaz.

¿Seis, siete, ocho años? ¿Qué edad tenía a lo justo cuando me separaron de la que siempre llamé "mama", para traerme al encierro del pueblo, so pretexto de que debía ir al colegio? Sólo sé que lloré mucho la primer semana, aunque me rodearon de cariño dos mujeres desconocidas y un hombre de quien conservaba un vago recuerdo. Las mujeres me trataban de "m'hijito" y dijeron que debía yo llamarlas Tía Asunción y Tía Mercedes. El hombre no exigió de mí trato alguno, pero su bondad me parecía de mejor augurio.

Fui al colegio. Había ya aprendido a tragar mis lágrimas y a no creer en palabras zalameras. Mis tías pronto se aburrieron del juguete y regañaban el día entero, ponién-

[4] *guacho*: *Arg.* se aplica a la cría que ha perdido la madre. Por extensión, se dice de quien es huérfano o carece de padres conocidos. Aplicado a personas es siempre despectivo. Implica frecuentemente la idea de hijo natural, ilegítimo. Del quichua *wáчča*=pobre, indigente, huérfano, *Did. de wah*=extraño, extranjero (Corominas, *Dicc. crít.-etim.*, s.v.).

dose de acuerdo sólo para decirme que estaba sucio, que era un atorrante [5] y echarme la culpa de cuanto desperfecto sucedía en la casa.

Don Fabio Cáceres vino a buscarme una vez, preguntándome si quería pasear con él por su estancia. [6] Conocí la casa pomposa, como no había ninguna en el pueblo, que me impuso un respeto silencioso a semejanza de la Iglesia, a la

[5] *atorrante*: voz lunfarda de Buenos Aires. Vagabundo, holgazán, aventurero, tunante. Marcos Morínigo afirma que deriva de *atorrar*=dormir (*Dicc. Am.*, s.v.). Corominas da igual etimología y sostiene que es otro caso más de occidentalismo americano. Se ha atribuido también la creación de esta voz a la existencia, a fines del siglo pasado, en el puerto de Buenos Aires, de unos grandes caños que llevaban la marca del fabricante —A. Torrent o A. Torrant— y en los que pernoctaban vagos y pordioseros, por lo que el nombre del fabricante pasó a designar a los individuos (cf. José Gobello, *Diccionario lunfardo y de otros términos antiguos y modernos usuales en Buenos Aires*, Buenos Aires, A. Peña Lillo, 1975, s.v., y también Mario E. Teruggi, *Panorama del lunfardo*, Buenos Aires, Sudamericana, 1978, 201). Pero esta es una opinión que no ha sido documentalmente confirmada hasta el presente. Según el escritor José S. Alvarez (*Fray Mocho*), quien primero usó el vocablo *atorrante* fue el folletinista Eduardo Gutiérrez en un artículo publicado, a fines de siglo, en *La Patria Argentina*. Es voz coloquial muy usada en Buenos Aires.

[6] *estancia*: en la Argentina, establecimiento de campo, generalmente de gran superficie, dedicado a la ganadería y hoy también a la agricultura. Al dueño se le llama *estanciero*. La palabra *estancia*, como denominación de los establecimientos rurales ganaderos de la Argentina, se originó en las antiguas *vaquerías* o faenamiento a campo abierto de los vacunos salvajes que poblaban las pampas. Los hombres se instalaban durante meses enteros en el lugar que se les había concedido para realizar la *corambre* (matar a los animales para sacarles el cuero). De ese *estar* en el lugar se derivó el vocablo *estancia* que luego pasó a designar los toscos ranchos, con sus corrales de palo a pique y sus fogones, que constituyeron los primitivos centros ganaderos estables. Las estancias, para la época en que se sitúa la acción de *DSS*, constaban de la casa principal en que habitaba el estanciero y su familia, la del mayordomo (administrador), la del capataz, varios puestos para los encargados de la atención de un determinado número de cabezas de ganado, una serie de galpones para depósito de cueros, lanas, cereales y enseres de labor y una serie de *ranchos* para vivienda de los peones. A este conjunto de edificios se le denomina 'casco' de la estancia.

cual solían llevarme mis tías, sentándome entre ellas para soplarme [7] el rosario y vigilar mis actitudes, haciéndose de cada reto [8] un mérito ante Dios.

Don Fabio me mostró el gallinero, me dio una torta, me regaló un durazno [9] y me sacó por el campo en "sulky" [10] para mirar las vacas y las yeguas.

De vuelta al pueblo conservé un luminoso recuerdo de aquel paseo y lloré, porque vi el puesto [11] en que me había criado y la figura de "mama", siempre ocupada en algún trabajo, mientras yo rondaba la cocina o pataleaba en un charco.

Dos o tres veces más vino Don Fabio a buscarme y así concluyó el primer año.

Ya mis tías no hacían caso de mí, sino para llevarme a misa los domingos y hacerme rezar de noche el rosario.

En ambos casos me encontraba en la situación de un preso entre dos vigilantes, cuyas advertencias poco a poco fueron reduciéndose a un simple coscorrón.

Durante tres años fui al colegio. No recuerdo qué causa motivó mi libertad. Un día pretendieron mis tías que no valía la pena seguir mi instrucción, y comenzaron a encargarme de mil comisiones que me hacían vivir continuamente en la calle.

En el Almacén, [12] la Tienda [13], el Correo, me trataron con afecto. Conocí gente que toda me sonreía sin nada

[7] *soplarme*: sugerirme, dictarme.

[8] *reto*: *Arg., Chile, Par., Ur.* reprimenda.

[9] *durazno*: *Arg., Chile,* melocotón.

[10] *sulky*: *Arg.* carruaje de dos ruedas y un asiento, tirado por un caballo. Muy común en el campo argentino. Es voz inglesa.

[11] *puesto*: *Arg., Chile., Par., Ur.* casa rústica (*rancho*) en los campos de la estancia donde vive el que cuida animales suyos o del estanciero y a quien se le denomina *puestero.* F. Huarte afirma que "[l]os *puesteros* fueron la primera familia agraria argentina, dándole al puesto arraigo de hogar... Los *puesteros* eran hombres con familia para que estuvieran más sujetos al puesto" (*El puestero,* Tres Arroyos (Bs. As.), Miralles, 1947, 23).

[12] *almacén*: *Arg., Par., Ur.* tienda de comestibles.

[13] *tienda*: *Arg., Cuba, Chile, Par., Ur., Ven.* negocio en que se venden telas y ropas.

exigir de mí. Lo que llevaba yo escondido de alegría y de sentimientos cordiales, se libertó de su consuetudinario calabozo y mi verdadera naturaleza se expandió libre, borbotante,[14] vívida.

La calle fue mi paraíso, la casa mi tortura; todo cuanto comencé a ganar en simpatías afuera, lo convertí en odio para mis tías. Me hice ladino.[15] Ya no tenía vergüenza de entrar en el hotel a conversar con los copetudos,[16] que se reunían a la mañana y a la tarde para una partida de tute o de truco.[17] Me hice familiar de la peluquería, donde se oyen las noticias de más actualidad, y llegué pronto a conocer a las personas como a las cosas. No había requiebro ni guasada[18] que no hallara un lugar en mi cabeza, de modo que fui una especie de archivo que los mayores se entretenían en revolver con algún puyazo,[19] para oírme largar el brulote.[20]

[14] *borbotante*: de *borbotar*. Impetuosa. Es creación de Güiraldes y, en verdad, un acierto estilístico a causa de su poder sugestivo.

[15] *ladino*: *Am.* taimado, astuto.

[16] *copetudos*: gente importante, rica, de clase alta.

[17] *truco*: *Arg., Par., Ur.* juego de cartas de envite en que la astucia y el disimulo juegan un papel importante. Se juega entre 2, 4 o 6 participantes a los que se da tres cartas para jugarlas una a una y hacer bazas. Gana el que posee la carta más alta o el que, mintiendo, convence a los otros de que la tiene. Para los envites se requieren dos cartas del mismo palo. Con tres se tiene una 'flor', que es el envite más alto. Otros envites son: 'truco', 'retruco', 'vale cuatro', 'real envido'. Frecuentemente, los jugadores avezados contestan los diferentes envites con improvisados floreos verbales, a veces versificados. Es aún hoy un juego muy popular y masculino por excelencia. Cf. Eleuterio F. Tiscornia, *Martín Fierro comentado y anotado,* Buenos Aires, Coni, 1951, 262. Léase, asimismo, la descripción de una partida familiar de *truquiflor* (*truco*) en el canto LV del poema *Santos Vega* de Hilario Ascasubi.

[18] *guasada*: *Arg.* grosería.

[19] *puyazo*: *Arg. aum.* de *puya,* picana, aguijada de 4 a 9 m de largo con que se espoleaba a los bueyes que tiraban de una carreta o arado. Por extensión de significado, broma molesta lo que está acentuado por la terminación aumentativa.

[20] *largar el brulote*: *Arg.* decir algo grosero o provocativo.

Supe las relaciones del comisario con la viuda Eulalia, los enredos comerciales de los Gambutti, la reputación ambigua del relojero Porro. Instigado por el fondero Gómez, dije una vez "retarjo" [21] al cartero Moreira, que me contestó "¡guacho!", con lo cual malicié que en torno mío también existía un misterio que nadie quiso revelarme.

Pero estaba yo demasiado contento con haber conquistado en la calle simpatía y popularidad, para sufrir inquietudes de ningún género.

Fueron los tiempos mejores de mi niñez.

La indiferencia de mis tías se topaba en mi sentir con una indiferencia mayor, y la audacia que había desarrollado en mi vida de vagabundo, sirvióme para mejor aguantar sus reprensiones.

Hasta llegué a escaparme de noche e ir un domingo a las carreras, donde hubo barullo y sonaron algunos tiros sin mayor consecuencia.

Con todo esto parecíame haber tomado rango de hombre maduro y a los de mi edad llegué a tratarlos, de buena fe, como a chiquilines desabridos.

Visto que me daban fama de vivaracho, hice oficio de ello satisfaciendo con cruel inconsciencia de chico, la maldad de los fuertes contra los débiles.

—Andá decile algo a Juan Sosa —proponíame alguno— que está mamao, [22] allí, en el boliche. [23]

[21] *retarjo*: por *retajo, retajado*: insulto grave; equivale a castrado ya que *retajar* es castrar a los animales (*Arg., Cuba, Chile, Guat., Méx.*).

[22] *mamao*: *Arg., Méx.* borracho, ebrio.

[23] *boliche*: *Arg., Bol., Chile., Par., Perú, Ur.* despacho de comestibles y bebidas, inferior a la pulpería. Tiscornia hace estas anotaciones interesantes: "el boliche, sito en puntos menos poblados [que la pulpería], no pasa de los efectos imprescindibles para las necesidades diarias de la vida; ... lo común a ambas casas, ... es el lugar reservado a partidas de naipes o de taba que, como juegos de azar, se empeñan a espaldas de la policía. ... Eso es, en el fondo, lo característico del boliche argentino. De aquí puede inferirse que el vocablo no interpreta la acepción que el español y algunos de sus dialectos le dan para un juego particular, que los gauchos nunca practicaron, sino la propia en lengua

Cuatro o cinco curiosos que sabían la broma, se acercaban a la puerta o se sentaban en las mesas cercanas para oír.

Con la audacia que me daba el amor propio, acercábame a Sosa y dábale la mano:

—¿Cómo te va, Juan?

—...

—Ta [24] que tranca [25] tenés, si ya no sabés quién soy.

El borracho me miraba como a través de un siglo. Reconocíame perfectamente, pero callaba maliciando una broma.

Hinchando la voz y el cuerpo como un escuerzo, [26] poníamele bien cerca, diciéndole:

—No ves que soy Filumena, tu mujer, y que si seguís chupando, [27] esta noche, cuantito dentrés [28] a casa bien mamao, te vi' a zampar [29] de culo en el bañadero' e los patos pa que se te pase el pedo [30].

Juan Sosa levantaba la mano para pegarme un bife, [31] pero sacando coraje en las risas que oía detrás mío no me

---

de hampa que la gitanería andante pudo dejar en nuestros campos: *boliche* = *'garito, casa de juego'.*" (*Martín Fierro com. y an.*, 361.)

[24] *ta*: apócope de *puta.*

[25] *tranca*: *Am.* borrachera, embriaguez.

[26] *escuerzo*: *Arg.* sapo gigante, de un verde muy vivo y que se hincha al encolerizarse fácilmente.

[27] *chupando*: *Arg.* embriagándote. *Chuparse* significa emborracharse. Con respecto a la embriaguez existe en América un amplio repertorio léxico para referirse a ella en forma pintoresca. En su jocoso *Gobierno gaucho* (1870), el poeta gauchesco Estanislao del Campo trae *peludo, mamada, gomitao* y *mona.* El *Martín Fierro* agrega *mamúa.* Otras expresiones usadas por los gauchescos son *curado* y *puntiao.* La mayor parte de ellas han pasado al lenguaje coloquial argentino.

[28] *cuantito dentrés*: así que entres.

[29] *zampar*: *Arg. arrojar.*

[30] *pedo*: *Am.* borrachera, embriaguez. Con los verbos *estar, ponerse* la expresión común entre paisanos es *en pedo* aunque el uso del sustantivo solo está también generalizado. Todas estas formas se dan en todos los poetas gauchescos.

[31] *pegarme un bife*: *Arg.* darme una bofetada. *Am. bife* = bistec.

movía un ápice, diciendo por lo contrario en son de amenaza:

—No amagués [32], Juan..., no vaya a ser que se te escape la mano y rompás algún vaso. Mirá que al comisario no le gustan los envinaos [33] y te va a hacer calentar el lomo [34] como la vez pasada. ¿Se te ha enturbiao la memoria?

El pobre Sosa miraba al dueño del hotel, que a su vez dirigía sus ojos maliciosos hacia los que me habían mandado.

Juan le rogaba:

—Digalé, pues, que se vaya, patrón, a este mocoso [35] pesao. Es capaz de hacerme perder la pacencia.

El patrón fingía enojo, apostrofándome con voz fuerte:

—A ver si te mandás mudar [36], muchacho, y dejás tranquilos a los mayores.

Afuera reclamaba yo de quien me había mandado:

—Aura dame un peso.

—¿Un peso? Te ha pasao la tranca Juan Sosa.

—No..., formal, alcanzáme un peso que vi' hacer una prueba.

Sonriendo, mi hombre accedía esperando una nueva payasada y a la verdad que no era mala, porque entonces tomaba yo un tono protector, diciendo a dos o tres:

—Dentremos, muchachos, a tomar cerveza. Yo pago.

Y sentado en el hotel de los copetudos me daba el lujo de pedir por mi propia cuenta la botella en cuestión, para convidar, mientras contaba algo recientemente aprendido sobre el alazán de Melo, la pelea del tape [37] Burgos con

[32] *amagar*: *Arg., Par., Ur.* amenazar.
[33] *envinaos*: *Arg.* ebrios, borrachos.
[34] *calentar el lomo*: azotar, dar golpes.
[35] *mocoso*: muchachito.
[36] *mandarse mudar*: *Arg.* marcharse. Cf. Tiscornia, *Martín Fierro com. y an.*, 146.
[37] *tape*: *Arg., Ur.* persona aindiada, de piel oscura. Es palabra guaraní. *Tape* era el nombre de la región habitada por indios guaraníes a quienes se designaba también con el topónimo. En los siglos XVI y XVII, comprendía los actuales estados de Santa Catalina y Río Grande do Sul, en Brasil.

Sinforiano Herrera, o la desvergüenza del gringo [38] Culasso que había vendido por veinte pesos su hija de doce años al viejo Salomovich, dueño del prostíbulo.

Mi reputación de dicharachero y audaz iba mezclada de otros comentarios que yo ignoraba. Decía la gente que era un perdidito y que concluiría, cuando fuera hombre, viviendo de malos recursos. Esto, que a algunos los hacía mirarme con desconfianza, me puso en boga entre la muchachada de mala vida que me llevó a los boliches convidándome con licores y sangrías, a fin de hacerme perder la cabeza; pero una desconfianza natural me preservó de sus malas jugadas. Pencho me cargó una noche en ancas y me llevó a la casa pública. Recién [39] cuando estuve dentro me di cuenta, pero hice de tripas corazón y nadie notó mi susto.

La costumbre de ser agasajado, me hizo perder el encanto que en ello experimentaba los primeros días. Me aburría nuevamente por más que fuera al hotel, a la peluquería, a los almacenes o a la pulpería [40] de "La Blanquea-

[38] *gringo*: para el paisano, todo aquel que no es criollo, esto es, oriundo del país.

[39] *recién*: uso hispanoamericano del adverbio apocopado *recientemente* con valor de *sólo, solamente*. Son muy interesantes las observaciones hechas por Eduardo Wilde en su opúsculo *Idioma y gramática,* acerca de los usos de *recién* en su época. Cf. Tobías Garzón, *Diccionario argentino,* Barcelona, Impr. El Zeviriano, 1910, s.v.

[40] *pulpería*: *Am. Mer.* despacho de bebidas, comestibles y enseres rústicos. También denota lugar de juego y esparcimiento. En la época colonial y hasta principios del siglo XX, las pulperías solían tener, en su interior, rejas de hierro o madera para separar al público del depósito de mercaderías y para proteger al pulpero en caso de grescas entre los parroquianos. La pulpería estaba siempre en las afueras de los pueblos o en el campo. Constituían el lugar de reunión por excelencia de los gauchos y peones de estancia. Allí jugaban a los naipes, a la taba, corrían la sortija y otras carreras, compraban y vendían caballos y se enteraban de las últimas novedades así como de las estancias en que se podían necesitar sus servicios. Allí también los gauchos *payaban* y solían entreverarse en discusiones que terminaban en *desgracias.* Mucho se ha discutido sobre la etimología de esta voz, pero lo más probable, según Morínigo (*Dicc. am.,* s.v.), es que derive de *pulpa.*

da", cuyo patrón me mimaba y donde conocía gente de "pajuera":[41] reseros,[42] forasteros o simplemente peones[43] de las estancias del partido.[44]

Por suerte, en aquellos tiempos, y como tuviera ya doce años, Don Fabio se mostró más que nunca mi protector viniendo a verme a menudo, ya para llevarme a la estancia, ya para hacerme algún regalo. Me dio un ponchito,[45] me avió de ropa y hasta, ¡oh maravilla!, me regaló una yunta de petizos[46] y un recadito,[47] para que fuera con él a caballo en nuestros paseos.

---

uno de los primeros artículos que se vendieron en ella (Cf. Charles Kany, *Semántica hispanoamericana,* Madrid, Aguilar, 1962, 110.)

[41] *pajuera*: para afuera. Otros lugares.

[42] *reseros*: *Arg.* capataces y/o peones de estancia encargados de arrear ganado.

[43] *peones*: *Am.* bracero sin oficio determinado que, en la estancia, hace cualquier tipo de trabajo, a pie o a caballo, bajo la dirección del capataz.

[44] *partido*: en la Argentina, subdivisión político-administrativa de una provincia.

[45] *ponchito*: *Am. dim.* de *poncho,* prenda rectangular de lana de oveja, alpaca o vicuña, con una abertura en el centro para pasar la cabeza. Cae sobre los hombros y los extremos llegan hasta las rodillas. Era una de las prendas básicas de la vestimenta del gaucho. Le servía de abrigo contra el frío y la lluvia; de manta al dormir y hasta de escudo, enrollado al brazo, en los duelos a cuchillo, para parar los golpes de su contrincante. (Borges demuestra, con una cita de *De Bello Civili* de Julio César, que ya los romanos practicaban este tipo de defensa con sus togas. Cf. *Poesía gauchesca, I.* México, FCE, 1955, 19.) La voz es antigua española (Morínigo, "Para la etimología de *poncho*" en *Programa de Filología Hispánica,* Buenos Aires, Nova, 1959, 101-106).

[46] *petizos*: *Arg., Bol., Chile, Par., Ur.* Caballos de poca alzada. Probablemente del francés *petit.*

[47] *recadito*: *Am. dim.* de *recado.* Conjunto de piezas que constituyen la silla de montar. Llamado también *apero. Arg.* la montura comprendía para el paisano las siguientes piezas (no todas usadas hoy): la *bajera* o *sudadera* colocada directamente sobre el lomo del caballo; encima, las *matras* o *jergas,* dos o tres, tejidas de lana gruesa y colores vivos; luego se pone(n) la(s) *carona*(*s*), cubierta(s) de suela (cuando se usan dos, una es lisa y la otra más lujosa, labrada); en seguida van los *bastos* o *lomillo* y todo esto se sujeta con la *cincha,* ancha tira de cuero dividida en dos partes, con argollas y dos correones. Esas dos partes son la cincha

Un año duró aquello. En mi destino estaría escrito que todo bien era pasajero. Don Fabio dejó de venir seguido. De mis petizos, mis tías prestaron uno al hijo del tendero Festal, que yo aborrecía por orgulloso y maricón. Mi recadito fue al altillo, so pretexto de que no lo usaba.

Mi soledad se hizo mayor, porque ya la gente se había cansado algo de divertirse conmigo y yo no me afanaba tanto en entretenerla.

Mis pasos de pequeño vagabundo me llevaron hacia el río. Conocí al hijo del molinero Manzoni, al negrito [48] Lechuza que, a pesar de sus quince años, había quedado sordo de andar bajo el agua.

Aprendí a nadar. Pesqué casi todos los días, porque de ello sacaba luego provecho.

Gradualmente mis recuerdos habíanme llevado a los momentos entonces presentes. Volví a pensar en lo hermoso que sería irse; pero esa misma idea se desvanecía en la

---

propiamente dicha (o *barriguera*) y la *encimera* de la que salen las *estriberas* con los *estribos* aunque a veces aquéllas pueden salir de la *acionera,* correa con argolla sujeta a los bastos. Ajustadas todas estas piezas con la cincha —barriguera y encimera—, se coloca el *cojinillo,* cuero de oveja con lana larga, muy mullido y, cubriéndolo, para evitar el calor, va un *sobrepuesto* de cuero liso, curtido. Estas dos piezas se aseguran con una tira de cuero larga y angosta —el *cinchón*— que da dos o tres vueltas al cuerpo del animal. Esta pieza puede ser reemplazada por tiras de cuero más cortas y anchas, con hebillas o con argollas y correón —*sobrecincha* y *pegual*— que rinden igual servicio. El significado que de esta voz da el *Diccionario de la RAE* (20.ª ed., 1984), 5.ª ac. es "conjunto de objetos necesarios para hacer ciertas cosas". Es, pues, evidente, que, en el uso del gaucho, la voz restringió su significado y lo especializó, lo que es natural si se piensa que, dado que el gaucho era esencialmente un hombre ecuestre, para él el recado por excelencia estaba constituido por aquellas prendas necesarias para montar a caballo. Además, el recado servía al gaucho como cama en sus viajes y hasta en su rancho tal como Martín Fierro lo expresa en *La vuelta,* C. XXXI, v. 4547-4552: "El colchón son las caronas, / el lomillo es cabecera, / el cojinillo es blandura, / y con el poncho o la jerga, / para salvar del rocío, / se cubre hasta la cabeza."

[48] *negrito*: indica que el chico tiene la tez oscura. El diminutivo sugiere, además, una actitud de cariñosa amistad hacia el muchachuelo.

tarde, en cuyo silencio el crepúsculo comenzaba a suspender sus primeras sombras.

El barro de las orillas y las barrancas habíanse vuelto de color violeta. Las toscas costeras exhalaban como un resplandor de metal. Las aguas del río hiciéronse frías a mis ojos y los reflejos de las cosas en la superficie serenada, tenían más color que las cosas mismas. El cielo se alejaba. Mudábanse los tintes áureos de las nubes en rojos, los rojos en pardos.

Junto a mí, tomé mi sarta de bagrecitos "duros pa morir", que aún coleaban en la desesperación de su asfixia lenta, y envolviendo el hilo de mi aparejo en la caña, clavando el anzuelo en el corcho, dirigí mi andar hacia el pueblo en el que comenzaban a titilar las primeras luces.

Sobre el tendido caserío bajo, la noche iba dando importancia al viejo campanario de la Iglesia.

II

Sin apuros, [1] la caña de pescar al hombro, zarandeando irreverentemente mis pequeñas víctimas, me dirigí al pueblo. La calle [2] estaba aún anegada por un reciente aguacero y tenía yo que caminar cautelosamente, para no sumirme en el barro que se adhería con tenacidad a mis alpargatas, amenazando dejarme descalzo.

[1] *sin apuros*: *Am.* sin darse prisa.

[2] *calle*: sendero, camino rural. Uso arcaizante. En Güiraldes alterna con *callejón,* como puede verse en el siguiente párrafo de este mismo capítulo. *Callejón* está allí usado como camino estrecho. En el Capítulo VII y otros, vale por calle angosta, cercada de alambrados, en el campo y también por lugar estrecho y largo a modo de calle. Ambas palabras, con estas acepciones, son arcaísmos (Cf. Isaías Lerner, *Arcaísmos léxicos del español de América,* Madrid, Ínsula, 1974, s.v.).

Sin pensamientos seguí la pequeña huella que, vecina a los cercos de cinacina,[3] espinillo[4] o tuna,[5] iba buscando las lomitas como las liebres para correr por lo parejo.

El callejón, delante mío, se tendía oscuro. El cielo, aún zarco[6] de crepúsculo, reflejábase en los charcos de forma irregular o en el agua guardada por las profundas huellas de alguna carreta, en cuyo surco tomaba aspecto de acero cuidadosamente recortado.

Había ya entrado al área de las quintas, en las cuales la hora iba despertando la desconfianza de los perros. Un incontenible temor me bailaba en las piernas, cuando oía cerca el gruñido de algún mastín peligroso; pero sin equivocaciones decía yo los nombres: Centinela, Capitán, Alvertido. Cuando algún cuzco[7] irrumpía en tan apurado como inofensivo griterío, mirábalo con un desprecio que solía llegar al cascotazo.

Pasé al lado del cementerio y un conocido resquemor[8] me castigó la médula, irradiando su pálido escalofrío hasta mis pantorrillas y antebrazos. Los muertos, las luces ma-

[3] *cinacina*: *Arg.* árbol pequeño, muy espinoso, usado en setos vivos.

[4] *espinillo*: *Arg.* mimosácea sumamente espinosa, con flores amarillas, muy perfumadas y tronco duro usado para leña. Se le llama comúnmente *aromo criollo.*

[5] *tuna*: *Am.* nombre genérico de las plantas cactáceas. Voz taína.

[6] *zarco*: se dice del animal que tiene uno o los dos ojos con el iris casi blanco o azul claro. Aquí Güiraldes aplica este adjetivo a la coloración del cielo hacia el final del día, evocando en su lector el celeste muy claro del cielo y confiriendo al sintagma un fuerte poder evocador de lo campesino, de que el ojo que percibe y la voz que narra están consustanciados con el paisaje campero.

[7] *cuzco*: perro pequeño, vulgar, faldero, ladrador. Juan Manuel de Rosas, en las *Instrucciones para la administración de estancias,* escribió: "Los cuzcos no sirven para nada y por ello ni rastros quiero de ellos." (Apud Tito Saubidet, *Vocabulario y refranero criollo,* 6.ª ed. Buenos Aires, Ed. Kraft Ltda., 1962, s.v.). Sobre el significado y la etimología de la voz, cf. Joan Corominas, "Indianorománica", *RFH,* VI, 2 (abr.-jun. 1944), 173-174.

[8] *resquemor*: *Am.* temor, resentimiento.

las,[9] las ánimas, me atemorizaban ciertamente más que los malos encuentros posibles en aquellos parajes. ¿Qué podía esperar de mí el más exigente bandido? Yo conocía de cerca las caras más taimadas y aquél que por inadvertencia me atajara, hubiese conseguido cuanto más que le sustrajera un cigarrillo.

El callejón habíase hecho calle, las quintas manzanas; y los cercos de paraísos,[10] como los tapiales, no tenían para mí secretos. Aquí había alfalfa, allá un cuadro de maíz, un corralón[11] o simplemente malezas. A poca distancia divisé los primeros ranchos,[12] míseramente silenciosos y alumbrados por la endeble luz de las velas y lámparas de apestoso kerosén.[13]

Al cruzar una calle espanté desprevenidamente un caba-

[9] *luces malas*: fosforescencias animales o vegetales. Para los gauchos eran indicio de la presencia de almas en pena. Fue una de las supersticiones más generalizadas entre ellos y, en general, entre los habitantes del campo bonaerense.

[10] *paraíso*: *Am. Cent., Arg., Col., Méx., Par., Ur.* árbol de origen oriental aclimatado en América. Tiene flores arracimadas, de color violeta. Da buena sombra y su madera se usa en ebanistería. Güiraldes anota, en el Vocabulario que agregó a su novela *Raucho,* que el paraíso es un "[á]rbol de unos siete metros de altura, copa amplia redondeada, de color verde intenso y tronco rugoso. Muy empleado para "sombrear" los patios vecinos a la casa". (*OC,* 239).

[11] *corralón*: *Río de la Plata* corral grande, cercado, por lo general con depósito de materiales.

[12] *rancho*: choza campesina con paredes de barro, piso natural de tierra y techo de paja 'quinchada', esto es, paja entretejida con espadaña, juncos, etc., con la que también a veces se hacían las paredes. El techo quinchado iba cosido sobre una ramazón de cañas o ramas. Por lo general, el rancho pampeano constaba de un solo aposento en que, de un lado, se encontraba el *fogón,* y del otro los catres para dormir. Solían tener techo a dos aguas con alero, una ventana y una *ramada* o *enramada.* Completaban el rancho el horno y el aljibe. (Para *fogón,* véase n. 2, Cap. IV, y para *enramada,* n. 11, Cap. VII.) *Rancho* es voz náutica española que designaba los alojamientos de la marinería en los barcos. Con el descubrimiento de América, extendió —y cambió— su significado (cf. Lerner, *Arc. léx.,* s.v.).

[13] *kerosén*: *Arg., Chile, Par., Ur.* petróleo destilado que se usa como combustible. Es voz de origen griego.

llo, cuyo tranco me había parecido más lejano, y como el miedo es contagioso, aun de bestia a hombre, quedéme clavado en el barrial [14] sin animarme a seguir. El jinete, que me pareció enorme bajo su poncho claro, reboleó [15] la lonja del rebenque [16] contra el ojo izquierdo de su redomón; [17] pero como intentara yo dar un paso, el animal asustado bufó como una mula, abriéndose en larga "tendida". [18] Un charco bajo sus patas se despedazó chillando como un vidrio roto. Oí una voz aguda decir con calma:

—Vamos, pingo... [19] Vamos, vamos, pingo...

Luego el trote y el galope chapalearon en el barro chirle.[20]

[14] *barrial*: *Am. Mer.* lugar donde hay mucho barro. Síncopa de *barrizal*.

[15] *reboleó*: hizo girar por encima de la cabeza. Se usa en la *Arg., Méx., Par., Ur.* Indica ejecutar molinetes con cualquier objeto, con una soga, rebenque, boleadoras o lazo. Suele escribirse con *v*.

[16] *lonja del rebenque*: extremidad del látigo. En *Arg., Bol., Méx., Par., Ur.* el *rebenque* es un látigo corto que consta de manija, cabo de unos 30 cm, paleta y lonja que debe tener igual longitud que el cabo. El gaucho lo llevaba generalmente en dos dedos de la mano o colgado del cabo del cuchillo. Hay diferentes tipos. El vocablo aparece registrado en el *Tesoro* de Covarrubias con el significado de látigo para castigar a los galeotes. Es voz muy difundida en todos los textos gauchescos, en relación con el caballo (cf. Lerner, *Arc. léx.*, s.v.).

[17] *redomón*: *Am. Mer., Guat., Méx.* caballo domado a medias, todavía arisco. En puridad, es el *potro* en amansamiento que, desde el primer galope hasta que se le pone el freno, ha cesado de ser potro. También se le llama 'medio bagual' cuando, en pocos días de amansadura, aún no está adiestrado en la boca. Es vocablo frecuente en los gauchescos.

[18] *tendida*: espantada. En la Arg., esguince o quite que hace el caballo al asustarse (Morínigo, *Dic. am.*, s.v.). Güiraldes da la siguiente definición: "Disparadas que da el caballo asustándose de algún bulto." (*Raucho*, Vocabulario, en *OC*, 240.) Aparece, con igual significado, en obras gauchescas tales como los *Trovos de Paulino Lucero y Aniceto el Gallo*, de Hilario Ascasubi, y en su *Santos Vega*.

[19] *pingo*: *Arg., Ur.* caballo joven, brioso, de buena estampa, resistente y buen corredor. Llamado también 'flete'.

[20] *chirle*: no muy espeso, blando.

Inmóvil, miré alejarse, extrañamente agrandada contra el horizonte luminoso, aquella silueta de caballo y jinete. Me pareció haber visto un fantasma, una sombra, algo que pasa y es más una idea que un ser; algo que me atraía con la fuerza de un remanso, cuya hondura sorbe la corriente del río.

Con mi visión dentro, alcancé las primeras veredas [21] sobre las cuales mis pasos pudieron apurarse. Más fuerte que nunca vino a mí el deseo de irme para siempre del pueblito mezquino. Entreveía una vida nueva hecha de movimiento y espacio.

Absorto por mis cavilaciones crucé el pueblo, salí a la oscuridad de otro callejón, me detuve en "La Blanqueada".

Para vencer el encandilamiento fruncí como jareta los ojos [22] al entrar al boliche. Detrás del mostrador estaba el patrón, como de costumbre, y de pie, frente a él, el tape Burgos concluía una caña. [23]

—Güenas tardes, señores.

—Güenas —respondió apenas Burgos.

—¿Qué trais? —inquirió el patrón.

—Ahí tiene, Don Pedro —dije mostrando mi sarta de bagrecitos.

—Muy bien. ¿Querés un pedazo de mazacote? [24]

[21] *veredas*: *Am. Mer., Cuba* aceras de las calles.

[22] *fruncí como jareta los ojos*: entorné los ojos arrugando la piel.

[23] *caña*: *Arg., Col., Par., Ur.* aguardiente que se extrae, por destilación, de la caña de azúcar. Guarnieri trae esta curiosa noticia: "Esta bebida llegó al Uruguay merced a nuestro antiguo y activo comercio con Cuba ... país al que exportábamos grandes cantidades de tasajo o charque. Por su bajo precio, calidad y abundancia, la caña cubana relegó al olvido en nuestras pulperías al aguardiente español, la ginebra y el vino carlón" (Juan C. Guarnieri, *Nuevo vocabulario campesino rioplatense.* Montevideo, Florensa & Lafón, 1957, s.v.).

[24] *mazacote*: *Arg.* pasta hecha con los residuos del refinamiento del azúcar. Solía llevarse del Brasil al Río de la Plata en panecillos cuadrilongos envueltos en la hoja (chala) del maíz. Se dice también, por extensión de significado, de toda masa espesa y pegajosa.

—No, Don Pedro.

—¿Unos paquetes de La Popular? [25]

—No, Don Pedro... ¿Se acuerda de la última platita que me dio?

—Sí.

—Era redonda.

—Y la has hecho correr.

—Ahá.

—Güeno..., ahí tenés —concluyó el hombre, haciendo sonar sobre el mostrador unas monedas de níquel.

—¿Vah' a pagar la copa? —sonrió el tape Burgos.

—En la pulpería'e Las Ganas —respondí contando mi capital.

—¿Hay algo nuevo en el pueblo? —preguntó Don Pedro, a quien solía yo servir de noticiero.

—Sí, señor..., un pajuerano. [26]

—¿Ande [27] lo has visto?

—Lo topé en una encrucijada, volviendo 'el río.

—¿Y no sabés quién es?

—Sé que no es de aquí..., no hay ningún hombre tan grande en el pueblo.

Don Pedro frunció las cejas como si se concentrara en un recuerdo.

—Decime... ¿es muy moreno?

—Me pareció..., sí, señor... y muy juerte.

Como hablando de algo extraordinario el pulpero murmuró para sí:

—Quién sabe si no es Don Segundo Sombra.

—Él es —dije, sin saber por qué, sintiendo la misma emoción que, al anochecer, me había mantenido inmóvil ante la estampa significativa de aquel gaucho, perfilado en negro sobre el horizonte.

[25] *La Popular*: marca de yerba mate.

[26] *pajuerano*: *Arg., Bol., Ur.* persona que viene de otro lugar, forastero. En la ciudad, el campesino.

[27] *ande*: por 'adonde'.

—¿Lo conocés vos? —preguntó Don Pedro al tape Burgos, sin hacer caso de mi exclamación.

—De mentas, no más.[28] No ha de ser tan fiero [29] el diablo como lo pintan; ¿quiere darme otra caña?

—¡Hum! —prosiguió Don Pedro—, yo lo he visto más de una vez. Sabía [30] venir por acá a hacer la tarde. [31] No ha de ser de arriar con las riendas. [32] Él es de San Pedro. [33]

[28] *de mentas, no más*: *Arg., Bol. Ur.* de nombre, de oídas tan sólo. *No más* es modismo americano que denota asentimiento. Se usó mucho en España, con valor semejante, en los siglos XVI y XVII, siendo luego reemplazado por 'nada más'.

[29] *fiero*: temible. Como se ve, el tape Burgos da una versión criolla del refrán tradicional "No es tan bravo el león como le pintan" (Gonzalo Correas, *Vocabulario de refranes y frases proverbiales,* Madrid, Tipografía de la "Revista de Archivos, Bibliotecas y Museos", 1924).

[30] *sabía*: *Arg., Ec., Guat., Perú* solía, acostumbraba. Para este "américanisme frappant", como lo llamó Malmberg, véase Charles Kany, *American-Spanish Syntax.* 2nd. ed. Chicago, University of Chicago Press, 1951; Corominas, *Dicc. crít.,* s.v., y Lerner, *Arc. léx.,* s.v.

[31] *hacer la tarde*: tomar copas, pasar el tiempo bebiendo en la pulpería. Expresiones correlativas usuales en los textos gauchescos son 'hacer la mañana' y 'hacer mediodía'.

[32] *no ha de ser de arriar con las riendas*: no debe ser dócil. Modismo no recogido en los vocabularios pero común en los poetas gauchescos. Aparece en *Martín Fierro,* C. I, v. 1202: "pues malicié que aquel tío [se refiere al moreno con quien va a pelear] / no era de arriar con las riendas". Santiago M. Lugones, en su edición anotada del poema de Hernández, p. 80, explica lo siguiente en nota: "A los animales mansos se los arrea para donde se quiere sin más que revolear la punta sobrante de las riendas del caballo que uno monta. Del hombre bravo y diestro en la pelea, difícil de vencer, se dice que *no es de arriar con las riendas*". En cambio, Pedro Inchauspe (*Diccionario del Martín Fierro; con un apéndice complementario,* Buenos Aires, Ed. Dupont Farré, 1955) dice que es un modismo que "expresa que personas o animales son de una mansedumbre tal, que hacen buenamente, sin necesitar rigor ni exigencia, lo que se desea de ellos". Es evidente que en el texto se trata de insinuar desde el comienzo la fortaleza de carácter de Don Segundo, la cual, al avanzar la narración, se explicita.

[33] *San Pedro*: ciudad del noroeste de la provincia de Buenos Aires.

Dicen que tuvo en otros tiempos una mala partida con la policía.[34]

—Carnearía un ajeno.[35]

—Sí, pero me parece que el ajeno era cristiano.

El tape Burgos quedó impávido mirando su copa. Un gesto de disgusto se arrugaba en su frente angosta de pampa,[36] como si aquella reputación de hombre valiente menoscabara la suya de cuchillero.[37]

Oímos un galope detenerse frente a la pulpería, luego el chistido persistente que usan los paisanos para calmar un caballo, y la silenciosa silueta de Don Segundo Sombra quedó enmarcada en la puerta.

—Güenas tardes —dijo la voz aguda, fácil de reconocer. ¿Cómo le va, Don Pedro?

—Bien ¿y usté, Don Segundo?

—Viviendo sin demasiadas penas, graciah'a Dios.

Mientras los hombres se saludaban con las cortesías de uso, miré al recién llegado. No era tan grande en verdad, pero lo que le hacía aparecer tal hoy[38] le viera, debíase

[34] *dicen ... una mala partida con la policía*: tuvo algún incidente desagradable con la policía. La voz *partida* sugiere aquí la idea de lance, de juego de azar. Por cierto que un gaucho necesitaba siempre que la suerte lo protegiera en sus encuentros con la policía dado que ésta estaba acostumbrada desde antaño a considerarlo un individuo fuera de la ley y sin derechos. Véase el episodio con el comisario en el Cap. XIV, que demuestra que todavía los paisanos sufrían los atropellos de la autoridad policial.

[35] *carnearía un ajeno*: quizá haya matado (*carnear*) un animal que no le pertenecía. Es un comentario irónico del tape Burgos que ha cobrado instantánea antipatía por Don Segundo aun sin conocerlo.

[36] *pampa*: indio de raza araucana que vivió como nómada hasta 1880 en las llanuras argentinas. Fueron paulatinamente exterminados.

[37] *cuchillero*: *Arg., Hond., Méx., Perú, Ur.* pendenciero hábil en el manejo del cuchillo.

[38] *hoy*: antes, anteriormente. Es uno de los tantos cambios de referente producidos por las mutaciones temporales que se observan en el español de América con referencia a los adverbios. Cf. Kany, *Sem. hispam.,* 181 y ss.

seguramente a la expresión de fuerza que manaba de su cuerpo.

El pecho era vasto, las coyunturas huesudas como las de un potro,[39] los pies cortos con un empeine a lo galleta,[40] las manos gruesas y cuerudas como cascarón de peludo.[41] Su tez era aindiada, sus ojos ligeramente levantados hacia las sienes y pequeños. Para conversar mejor habíase echado atrás el chambergo de ala escasa, descubriendo un flequillo cortado como crin a la altura de las cejas.

Su indumentaria era de gaucho pobre. Un simple chanchero[42] rodeaba su cintura. La blusa corta se levantaba un poco sobre un "cabo de güeso",[43] del cual pendía el rebenque tosco y ennegrecido por el uso. El chiripá[44] era

[39] *potro*: en la Provincia de Buenos Aires, el paisano denomina así al yeguarizo macho, arisco, castrado y aún no domado. Cuando lo está se le llama 'caballo' (Saubidet, *Voc.*, s.v.)

[40] *empeine a lo galleta*: parte superior del pie chata y ancha, como el *mate* llamado *galleta* (cf. n. 3, Cap. IV).

[41] *peludo*: mamífero con caparazón recubierta de largos pelos. Armadillo.

[42] *chanchero*: cinturón de cuero de cerdo. El *chanchero* era un tipo especial de *tirador* (cf. n. 12, Cap. VI), con amplios bolsillos y adornos de monedas, hecho de cuero de cerdo (chancho), cuya vistosa superficie graneada y su larga duración lo volvían muy codiciado (Pedro Inchauspe, *Más voces y costumbres del campo argentino*. Santa Fe, Edics. Colmegna, 1953, s.v.), particularmente los de 'carpincho' (cerdo de agua).

[43] *cabo de güeso*: es sinécdoque por cuchillo.

[44] *chiripá*: prenda de la vestimenta gauchesca. La indumentaria del gaucho varió sustancialmente en los dos siglos aproximados en que este tipo social existió. Los pocos detalles que de las ropas se nos dan en *DSS*, parecen indicar que se trata todavía del paisano de fines del siglo XIX, ya que más tarde el peón de campo usaría, como pantalón, las *bombachas* derivadas de las babuchas turcas, por influjo de los soldados reclutados en aquella nación para formar el ejército que finalmente diezmaría a los indios. El *chiripá* era un paño burdo o bayeta, liviano, que, por un extremo, rodeaba la cintura y, por el otro, se pasaba por entre las piernas, a la manera del pañal infantil, volviéndose a ceñir por delante. Se llevaba sobre calzoncillos blancos lisos o 'cribados', esto es, bordados o con flecos y se sujetaba a la cintura con la faja. Es voz quichua: *chiri* = frío y *pac* = para. Completaban la indumen-

largo, talar, y un simple pañuelo negro se anudaba en torno a su cuello, con las puntas divididas sobre el hombro. Las alpargatas tenían sobre el empeine un tajo para contener el pie carnudo.

Cuando lo hube mirado suficientemente, atendí a la conversación. Don Segundo buscaba trabajo y el pulpero le daba datos seguros, pues su continuo trato con gente de campo hacía que supiera cuanto acontecía en las estancias.

—... en lo de Galván hay unas yeguas pa domar. Días pasaos estuvo aquí Valerio y me preguntó si conocía algún hombre del oficio que le pudiera recomendar, porque él tenía muchos animales que atender. Yo le hablé del Mosco Pereira, pero si a usté le conviene...

—Me está pareciendo que sí.

—Güeno. Yo le avisaré al muchacho que viene todos los días al pueblo a hacer encargos. Él sabe pasar por acá.

—Más me gusta que no diga nada. Si puedo iré yo mesmo a la estancia.

—Arreglao. ¿No quiere servirse de algo?

—Güeno —dijo Don Segundo, sentándose en una mesa cercana—, eche una sangría y gracias por el convite.

Lo que había que decir estaba dicho. Un silencio tranquilo aquietó el lugar. El tape Burgos se servía una cuarta caña. Sus ojos estaban lacrimosos, su faz impávida. De pronto me dijo, sin aparente motivo:

—Si yo juera pescador como vos, me gustaría sacar un bagre barroso [45] bien grandote.

Una risa estúpida y falsa subrayó su decir, mientras de reojo miraba a Don Segundo.

---

taria las *botas* (más tarde, las 'alpargatas'), el *tirador* o cinto, la *rastra* (cf. n. 6, Cap. XIV), la faja, el chaleco, una chaqueta abotonada de arriba abajo, camiseta y camisa o blusa de prender en el cuello, larga hasta la cintura, muy suelta, de mangas amplias, de puño doble, llamada 'corralera'; un pañuelo al cuello, sombrero de alas cortas (el 'chambergo') con un abollón en la copa, con barbijo más el infaltable *poncho* (cf. n. 46, Cap. I).

[45] *barroso*: *Arg., Par., Perú* pelaje de vacuno y yeguarizo castaño mezclado con blanco.

—Parecen malos —agregó—, porque colean y hacen mucha bulla; pero ¡qué malos han de ser si no son más que negros!

Don Pedro lo miró con desconfianza. Tanto él como yo conocíamos al tape Burgos, sabiendo que no había nada que hacer cuando una racha agresiva se apoderaba de él.

De los cuatro presentes sólo Don Segundo no entendía la alusión, conservando frente a su sangría un aire perfectamente distraído. El tape volvió a reírse en falso, como contento con su comparación. Yo hubiera querido hacer una prueba u ocasionar un cataclismo que nos distrajera. Don Pedro canturreaba. Un rato de angustia pasó para todos, menos para el forastero, que decididamente no había entendido y no parecía sentir siquiera el frío de nuestro silencio.

—Un barroso grandote —repitió el borracho—, un barroso grandote..., ¡ahá!, aunque tenga barba y ande en dos patas como los cristianos... En San Pedro cuentan que hay muchos d'esos bichos; [46] por eso dice el refrán:

San Pedrino
El que no es mulato es chino.[47]

Dos veces oímos repetir el versito por una voz cada vez más pastosa y burlona.

Don Segundo levantó el rostro y como si recién se apercibiera de que a él se dirigían los decires del tape Burgos, comentó tranquilo:

—Vea, amigo..., vi'a tener que creer que me está provocando.

Tan insólita exclamación, acompañada de una mueca de sorpresa, nos hizo sonreír a pesar del mal cariz que

[46] *bichos*: cualquier animal extraño o poco común. Por extensión, aquí significa, despectivamente, individuos.

[47] *chino*: *Arg., Chile, Par., Ven.* nombre vulgar del indio o del nativo aindiado. Es clara alusión a la tez cobriza de Don Segundo.

tomaba el diálogo. El borracho mismo se sintió un tanto desconcertado, pero volvió a su aplomo, diciendo:

—¿Ahá? Yo creiba que estaba hablando con sordos.

—¡Qué han de ser sordos los bagres con tanta oreja! [48] Yo, eso sí, soy un hombre muy ocupao y por eso no lo puedo atender ahora. Cuando me quiera peliar, avíseme siquiera con unos tres días de anticipación.

No pudimos contener la risa, malgrado [49] el asombro que nos causaba esa tranquilidad que llegaba a la inconsciencia. De golpe, el forastero volvió a crecer en mi imaginación. Era el "tapao",[50] el misterio, el hombre de pocas palabras que inspira en la pampa [51] una admiración interrogante.

El tape Burgos pagó sus cañas, murmurando amenazas. Tras él corrí hasta la puerta, notando que quedaba agazapado entre las sombras. Don Segundo se preparó para salir a su vez y se despidió de Don Pedro, cuya palidez delataba sus aprensiones. Temiendo que el matón asesinara al hombre que tenía ya toda mi simpatía, hice como si hablara al patrón para advertir a Don Segundo:

—Cuídese.

Luego me senté en el umbral, esperando, con el corazón que se me salía por la boca, el fin de la inevitable pelea. Don Segundo se detuvo un momento en la puerta, mirando a diferentes partes. Comprendí que estaba habituando sus ojos a lo más oscuro, para no ser sorprendido. Después se dirigió hacia su caballo caminando junto a la pared.

[48] *¡Qué han de ser sordos los bagres con tanta oreja!*: ¡Es imposible no oírlo! La expresión se debe a que el bagre tiene un sistema auditivo especialmente desarrollado.

[49] *malgrado*: a pesar de.

[50] *tapao*: *Arg.* el hombre que muestra súbitamente sus habilidades.

[51] *pampa*: llanura en la Argentina, especialmente en las provincias de Buenos Aires, La Pampa y sur de Santa Fe. Del quechua, *pampa*.

El tape Burgos salió de entre la sombra y creyendo asegurar a su hombre, tiróle una puñalada firme, a partirle el corazón. Yo vi la hoja cortar la noche como un fogonazo.

Don Segundo, con una rapidez inaudita, quitó el cuerpo y el facón [52] se quebró entre los ladrillos del muro con nota de cencerro.

El tape Burgos dio para atrás dos pasos y esperó de frente el encontronazo decisivo.

En el puño de Don Segundo relucía la hoja triangular de una pequeña cuchilla. Pero el ataque esperado no se produjo. Don Segundo, cuya serenidad no se había alterado, se agachó, recogió los pedazos de acero roto y con su voz irónica dijo:

—Tome, amigo, y hágala componer, que así tal vez no le sirva ni pa carniar borregos.

Como el agresor conservara la distancia, Don Segundo guardó su cuchillita y, estirando la mano, volvió a ofrecer los retazos del facón:

—¡Agarre, amigo!

Dominado, el matón se acercó, baja la cabeza, en el puño bruñido y torpe la empuñadura del arma, inofensiva como una cruz rota.

Don Segundo se encogió de hombros y fue hacia su redomón. El tape Burgos lo seguía.

[52] *facón*: *Arg., Bol. Ur.* cuchillo semejante al puñal pero de mayor dimensión pues podía alcanzar hasta media vara de largo. Entre la empuñadura y el 'gavilán' (parte más gruesa del filo) solía tener una S. La hoja se hacía, a veces, con la de un sable. Era un instrumento indispensable para el gaucho en su trabajo y un arma para su defensa. Se apreciaba en ella su dureza y temple. Cuando pasaba de media vara se lo llamaba 'caronero', pues, por su tamaño, debía llevarse debajo de las *caronas* del *recado*. Ciro Bayo dice del *facón* que pudiera llamársele el sexto dedo del gaucho, "pues con él corta, carnea la res, limpia el caballo, pulimenta las tiras de cuero con que hace sus guasquitas y se defiende de sus enemigos" (*Vocabulario criollo-español sudamericano*. Madrid, Librería de los Sucesores de Hernando, s.v.).

Ya a caballo, el forastero iba a irse hacia la noche; el borracho se aproximó, pareciendo por fin haber recuperado el don de hablar:

—Oiga, paisano —dijo levantando el rostro hosco, en que sólo vivían los ojos—. Yo vi'a hacer componer este facón pa cuando usté me necesite.

En su pensamiento de matón no creía poder más, como gesto de gratitud, que el ofrecer así su vida a la de otro.

—Aura déme la mano.

—¡Cómo no! [53] —concedió Don Segundo, con la misma impasibilidad con que hoy aceptaba el reto—. Ahí tiene, amigo.

Y sin más ceremonia se fue por el callejón, dejando allí al hombre que parecía como luchar con una idea demasiado grande y clara para él.

Al lado de Don Segundo, que mantenía su redomón al tranco,[54] iba yo caminando a grandes pasos.

—¿Lo conocés a este mozo? —me preguntó terciando el poncho con amplio ademán de holgura.

—Sí, señor. Lo conozco mucho.

—Parece medio pavote [55] ¿no?

III

Frente a casa, camino a la fonda donde iba a comer, Don Segundo se separó de mí, dándome la mano. Adiviné

[53] *¡Cómo no!*: abreviación de la frase *¿Cómo no voy a hacerlo?* usada en el español antiguo y no desconocida hoy en España. Se usa con mucha frecuencia en Hispanoamérica y, generalmente, no es más que una afirmación, como en este caso. El elemento interrogativo y exclamativo se ha debilitado y el acento recae sobre el adverbio.

[54] *al tranco*: *Arg., Chile, Par., Ur.* paso largo de las caballerías, más extendido que el natural.

[55] *pavote*: tonto.

que aquello se debía a mi aviso de que se cuidase al salir de "La Blanqueada", y sentí un gran orgullo.

Entré a casa sin apuro. Como había previsto, mis tías me pegaron un reto serio, tratándome de perdido y condenándome a no comer esa noche.

Las miré como se miran las guascas [1] viejas que ya no se van a usar. Tía Mercedes, flaca, angulosa, cuya nariz en pico de carancho [2] asomaba brutamente entre los ojos hundidos, fue quien me privó de comida. Tía Asunción, panzuda, tetona y voraz en todo placer, fue la que me insultó con más voluntad. Yo las encomendé a quien correspondía, y me encerré en mi cuarto a pensar en mi vida futura y en los episodios de esa tarde. Me parecía que mi existencia estaba ligada a la de Don Segundo y, aunque me decía los mil y mil inconvenientes para seguirlo, tenía la escondida esperanza de que todo se arreglaría. ¿Cómo?

[1] *guascas*: lonjas de cuero crudo usadas para hacer riendas, rebenques o cuerdas. Del quichua, *huasca,* cuerda, cadena. Las *guascas* resultan del estirado ('estaqueo') del cuero de vacuno al que luego se le afeita el pelo, se lo curte y soba, se lo cose o trenza, según el destino que se le vaya a dar. Entonces deja de ser *guasca* y pasa a ser *soga.* Cuando las sogas resultan duras por insuficiente sobeo o por haber sido trabajadas con escasa habilidad, despectivamente se les mantiene la denominación de *guascas.* Es, pues, evidente que, cuando el narrador mira a las tías como si fueran "guascas viejas", está subrayando, hasta exageradamente por el adjetivo que acopla, lo inútiles, desagradables, feas y bastas que son a sus ojos.

[2] *carancho*: *Arg., Par., Ur.* ave de rapiña diurna, de la familia de las falcónidas. Tiene medio metro de alto y otro tanto de largo; un plumaje pardo, oscuro, pico corvo, uñas fuertes. Ataca y devora animales pequeños y se ceba en la carroña de los animales muertos. La comparación, pues, de la tía Mercedes con este desagradable animal, no es gratuita, ya que es ella quien le quita los alimentos, ejerciendo su derecho de ser la más fuerte, tal como el ave lo hace con los animales más débiles. Voz guaraní: *cará,* onomatopeya del grito del ave, y *-ncho.* Es muy usada en los textos gauchescos. Tiscornia (*Martín Fierro com. y an.,* 365-366) ha recogido diversos ejemplos, así como también Horacio J. Becco, "*Don Segundo Sombra" y su vocabulario.* Buenos Aires, Ed. Ollantay, s.a., 39-40.

Primero pensé que a Don Segundo le pasaba otro percance y que yo, por segunda vez, lo advertía del peligro. Esto sucedía en tres o cuatro distintas ocasiones, hasta que el hombre me aceptaba como amuleto. Después era porque nos descubríamos algún parentesco y se hacía mi protector. Últimamente porque me tomaba afecto, permitiéndome vivir a su lado, mitad como peoncito, mitad como hijo del desamparo. Por de pronto, encontré una solución inmediata. ¿Don Segundo iba a lo de Galván? Pues bien, yo iría antes. Llegado a esta altura de mis meditaciones, no pensé más porque la solución me satisfacía y porque el pensar hasta el cansancio no para en nada práctico.

—Me voy, me voy —decía casi en alta voz.

Sentado en el lecho, a oscuras para que me creyeran dormido, esperé el momento propicio a la fuga. Por la casa soñolienta arrastrábanse los últimos ruidos, que me decían la estupidez de los menudos hechos cotidianos. Ya no podía yo aguantar aquellas cosas y una irrupción de rabia me hizo mirar, en torno mío, las desmanteladas paredes de mi cuartucho, como se debe mirar sin piedad al enemigo vencido. ¡Oh, no extrañaría seguramente nada de lo que dejaba, pues las riendas y el bozalito [3], que adivinaba enrollados en el clavo que los sostenía contra la madera de la puerta, vendrían conmigo! Los muros, que habían visto impasibles mis primeras lágrimas, mis aburrimientos y mis protestas, quedarían bien solos.

Al tanteo extraje de bajo el lecho un par de botitas raídas. Junto a ellas coloqué riendas y bozal. Encima tiré el cariñoso poncho, regalo de Don Fabio, y unas escasas mudas de ropa. El haber puesto mano a la obra aumentó mi coraje, y me escurrí cuidadosamente hasta el fondo del corralón, dejando entreabierta la puerta. La inmensidad de la noche me infligió miedo, como si se hubiese adueñado de mi secreto. Cautelosamente caminé

[3] *bozalito*: *dim.* de *bozal*. *Am.* correas que rodean el pescuezo, la frente y el hocico del caballo.

hacia el altillo. Sargento, el perro, me hizo algunas fiestas. Subí por una escalera de mano al vasto aposento, donde los ratones corrían entre algunas bolsas de maíz y trastos de desecho.

Era difícil encontrar las desparramadas pilchas [4] de mi recadito, pero por suerte tenía en mis bolsillos una caja de fósforos. A la luz insegura de la pequeña llama, pude juntar matras,[5] carona,[6] bastos,[7] pellón,[8] sobrepuesto [9] y

[4] *pilchas*: *Arg., Chile, Ur.* prenda de uso personal. Puede referirse a la ropa o, como en este caso, a las partes del recado de montar y hasta a la mujer querida. Tiscornia explica que "[p]or una sucesión de conceptos afectivos el paisano pasa su vocablo predilecto del sentido original al metafórico, pues para él *pilcha* es siempre *prenda,* con el valor de 'cosa amada, íntima'" (*Martín Fierro com. y an.,* 430).

[5] *matra*: *Arg., Ur.* jerga o manta de lana tejida en telar por los indios pampas en el siglo pasado, que se usa para armar el recado y también como abrigo. Va encima de la sudadera. Güiraldes da una explicación similar en el Vocabulario de *Raucho* (*OC,* 238-239).

[6] *carona*: *Arg.* pieza de suela o cuero crudo que se coloca encima de la matra al armar el recado de montar. Era muy útil como cama. El gaucho prefería el cuero negro de vaca o el de caballo para hacer la carona. Difiere de la pieza similar usada en España para la silla de montar, por el material con que está confeccionada y por su ubicación.

[7] *bastos*: *Am.* almohadillas cilíndricas u ovaladas de cuero rellenas de paja, junco, totora o cerda, bien apretadas y unidas por *tientos.* Llevan de cada lado una pieza de cuero ('ala' o 'falda') y sus cuatro extremos van cerrados por una tapa de suela circular o elíptica (*cabecera* o *cabezada*). Se asienta sobre la carona, protegiendo el lomo del caballo del roce. El *Dic. Aut.* la consideraba como "moda extranjera" de uso en las bestias de carga. Es prenda conocida por los griegos. Véase, *Raucho,* Vocabulario, en *OC,* 237.

[8] *pellón*: *Am. Cent.* y *Mer.* parte del recado de montar, generalmente de cuero de oveja, que hace la silla más muelle. Llamado también *cojinillo.* Va sobre los bastos. Cuando el gaucho se tendía a dormir, el pellón le servía de colchón.

[9] *sobrepuesto*: *Arg., Ur.* otra de las piezas del recado de montar. Va sobre el cojinillo, sin cubrirlo por completo. Puede ser de piel de carpincho, de descarne de vaca o de paño bordado en colores.

pegual.[10] Ajustado el todo con la cincha,[11] me eché el bulto al hombro volviendo a mi cuarto, donde agregué mis nuevos haberes al poncho, las botas y las riendas. Y como no tenía más que llevar, me tumbé entre aquellas cosas de mi propiedad dejando vacía la cama, con lo cual rompía a mi entender con toda ligadura ajena.

De noche aún desperté, el flanco derecho dolorido de haberse apoyado sobre el freno, el trasero enfriado por los ladrillos, la nuca un tanto torcida por su incómoda posición. ¿Qué hora podía ser? En todo caso resultaba prudente estar preparado para prever toda eventualidad. Como un turco [12] me eché a la espalda recado y ropa. Medio dormido llegué al corralón, enfrené mi petizo, lo ensillé y, abriendo la gran puerta del fondo, gané la calle. Experimentaba una satisfacción desconocida, la satisfacción de estar libre.

El pueblo dormía aún a puños cerrados y dirigí mi petizo al tranco, singularmente sonoro, hacia la cochera de Torres, donde pediría me entregasen el otro petizo, que allí hacia guardar Festal chico.

Un gallo cantó. Alboreaba imperceptiblemente.

Como la cochería comenzaba a despertar temprano, a fin de prepararse para el tren de la madrugada, encontré

[10] *pegual*: *Arg., Chile, Ur.* correa ancha con una argolla en cada extremo y una longitud calculada para que dé una sola vuelta al cuerpo del caballo. Un correón (o cincha de guascas) que pasa por entre ambas argollas, permite ajustar el pegual tanto como sea necesario para que mantenga firmes las otras partes del recado. El pegual fue invención de los indios, pero los gauchos lo perfeccionaron.

[11] *cincha*: faja ancha con que se asegura la silla sobre la cabalgadura. Puede ser de lona o de cuero crudo.

[12] *como un turco*: se refiere a la figura, típica en el campo argentino desde el siglo XIX, del vendedor ambulante de mercancías que llevaba en maletas y hatillos. Solían ser sirios o libaneses de lengua árabe, pero se los llamaba *turcos* porque en la época en que comenzaron a llegar a la Argentina, sus países estaban bajo la dominación del sultán de Turquía. Pronto el apelativo se hizo sinónimo de baratillero y mantuvo siempre un matiz peyorativo.

el portón abierto y a Remigio, un muchachón de mis amigos, entre la caballada.

—¿Qué viento te trae? —fue su primer pregunta.

—Güen día, hermano.[13] Vengo a buscar mi parejero.[14]

Largo rato tuve que discutir con aquel pazguato para probarle que yo era dueño de disponer de lo mío. Por fin se encogió de hombros:

—Ahí está el petizo. Hacé lo que te parezca.

Sin dejármelo decir dos veces embozalé al animal, por cierto mejor cuidado que el que había quedado en mis manos, y despidiéndome de Remigio, con caballo de tiro [15] y ropa en el poncho, como verdadero paisano, salí del pueblo hacia los campos, cruzando el puente viejo.

Para ir a lo de Galván tenía que tomar la misma dirección que para lo de Don Fabio. A cierta altura un callejón

[13] *hermano*: fórmula de tratamiento común entre los gauchos. Valía por 'amigo', 'leal compañero' y demostraba que se tenía confianza en la persona a quien así se trataba. Solía usarse también en diminutivo. Cf. Frida Weber, "Fórmulas de tratamiento en la lengua de Buenos Aires", *RFH,* III, 2 (abr.-jun. 1941), 123-124.

[14] *parejero*: *Arg.* caballo muy veloz especialmente adiestrado para correr carreras. Su nombre proviene de que, durante el adiestramiento, se le enseñaba a correr en pareja con otro caballo, lo que es, por otra parte, una vieja costumbre española. Es voz muy común en todos los textos gauchescos.

[15] *caballo de tiro*: caballo de llevar de tiro. "En los viajes de cierta duración o en que hubiese que marchar con apuro, era común llevar, además del montado, otro caballo para ensillarlos alternativamente. Ese caballo se llevaba *de tiro,* es decir, del cabresto; y siempre se procuraba que fuese *cabresteador,* porque de lo contrario resultaba muy fatigoso para el que debía conducirlo." (A. J. Althaparro, Vocabulario en *De mi pago y de mi tiempo*, Buenos Aires, 1944, 181.) Obsérvese que el narrador, unos pocos renglones después, apunta que "[e]l petizo que llevaba de tiro cabrestreaba perfectamente". O sea, que no dificultaba el galope el hecho de ir atado por el cabestro. *Cabrestear* significa seguir con facilidad al que conduce del cabestro. El *cabresto* (metátesis de *cabestro*) es, según el *Voc.* de Saubidet, s.v., la soga de mayor largo que una rienda, con una presilla en un extremo, que va prendida a la argolla del bozal y que sirve para atar el caballo o llevarlo de tiro.

arrancaba hacia el Norte y por él debía seguir hasta el monte [16] que de lejos ya conocía.

Apurado por alejarme del pueblo me puse a galopar. El petizo que llevaba de tiro cabresteaba perfectamente.

Cuando hube hecho unas dos leguas, di un resuello a mis bestias, mientras el sol salía sobre mi existencia nueva.

Sentíame en poder de un contento indescriptible. Una luz fresca chorreaba de oro el campo. Mis petizos parecían como esmaltados de color nuevo. En derredor, los pastizales renacían en silencio, chispeantes de rocío; y me reí de inmenso contento, me reí de libertad, mientras mis ojos se llenaban de cristales como si también ellos se renovaran en el sereno matinal.

Una legua faltábame para llegar a las casas [17] y las hice al tranco, oyendo los primeros cantos del día, empapándome de optimismo en aquella madrugada que me parecía crear la pampa venciendo a la noche.

Receloso ante las casas, enderecé al galpón.[18] No parecía haber nadie. Los perros que gruñían arrimándose a los garrones [19] de mi petizo, no eran una invitación amable de echar pie a tierra. Por fin asomó un viejo a la puerta de la cocina, gritó " ¡juera! " a la perrada, diciéndome que pasara adelante, y me señaló uno de los tantos bancos del aposento para que me sentara.

[16] *monte*: bosquecillo. No implica elevación del terreno.

[17] *las casas*: *arc.* "En el Siglo de Oro y en la Edad Media era común emplear *casas* en plural para designar el edificio habitado por alguien... [H]oy se ha conservado este uso en el habla rural argentina..." (Corominas, *Dicc. crít. etm.*, s.v.). En la Argentina, *las casas* es también modismo con que se designa el conjunto de los edificios de la estancia y que constituye el 'casco' de la misma (cf. Lerner, *Arc. léx.*, s.v.).

[18] *galpón*: *Am. Mer.* cobertizo extenso techado y con paredes en el que se almacenan aperos, cueros, máquinas, vehículos, frutos, etc. En la estancia hay, por lo general, galpones especiales para los animales de raza. Es voz de origen náhuatl, *kalpulli* = sala grande.

[19] *garrones*: *Arg.* extremo de la pata del animal; corvejón.

Toda la mañana quedé en aquel rincón espiando los movimientos del viejo, como si de ellos dependiera mi porvenir. No dijimos una palabra.

A mediodía empezaron a llegar algunos peones y sonó una campana llamando para la comida. La gente saludaba al entrar y algunos me miraban de soslayo.

Junto con cuatro o cinco hombres, entró Goyo López que yo conocía del pueblo.

—¿Andás pasiando? —me preguntó.

—Vengo a buscar trabajo.

—¿Trabajo? —repitió clavándome la vista. Un momento temblé pensando que algo iba a decir de mi familia en el pueblo, pero Goyo era hombre discreto. Los peones me observaban. Un muchachón dijo, comentando mi respuesta:

—Vendrá a conchabarse [20] pa hombrear bolsas.

Goyo se dio vuelta hacia él:

—Sí, chuciálo [21] aura que está medio asustao, porque cuanto tome confianza tal vez te hombree a vos. No sabés qué peje es éste.

Un momento fui el punto de mira de cuarenta ojos. No pestañeé siquiera, esperando que pasara aquella atención.

Sin embargo, las palabras de Goyo habían hecho su efecto. Ser despierto, aunque pasando los límites de la buena conducta, es un mérito que el paisano aprecia.

Goyo me llamó desde la puerta diciendo que desenfrenara mi petizo, que él me enseñaría dónde estaba la bebida para que le diera un poco de agua. Esto no era más que una maniobra para hablarme a solas. Ni bien nos encontramos afuera, me dijo:

—Vos te has juido' e el pueblo.

[20] *conchabarse*: *Am. Mer. (excepto Chile y Perú).* contratarse para algún trabajo de índole inferior. Asalariarse. Cf. Tiscornia, *Martín Fierro com. y an.*, 370-371.

[21] *chuciálo*: por *chuceálo,* de *chucear. Am. Cen., Arg., Col., Chile, Ec., Guat., Pan., Méx., Ur., Ven.* herir o picar con chuzo u otra arma punzante. Por extensión de significado: provocar.

—No digás nada, hermanito, mirá que me comprometés.

—¿Te comprometo? ¡Qué traza!... y ¿vah'a trabajar?

—¿Y de no? [22]

—Güeno..., dale agua al petizo... Mirá, allí viene el mayordomo.[23]

Esperamos que un inglés acriollado llegara hasta nosotros y, después del saludo, hice mi pedido.

—No tengo trabajo que dar —dijo bajando del caballo.

—Entonces, ¿me da permiso pa comer? Enseguidita [24] después me voy.

—¿P'adónde vas a ir?

—P'allá —contesté estirando la mano al azar.

El inglés me miró con una sonrisa bonachona.

—¿Sos bien mandao?

—Sí, señor.

—¿Usted lo conoce, Goyo?

—Algo, Don Jeremías.

—Muy bien. Después de la siesta déle el petizo Sapo. Que ate el carrito'e pértigo y vaya sacando esa paja'e los pesebres y la eche en los zanjones de la puerta blanca.

—Sí, señor.

Para ganarle el "lao de las casas" [25] al "mayor", me acerqué a su caballo, le bajé el recado, dándole vuelta las matras para que se orearan y pregunté a Goyo dónde debía largarlo.

—En aquel potrerito [26] donde está la cebada.

El inglés me miró sonriendo mientras me dirigía a la bebida llevando su caballo.

—¿Con bozal o sin bozal? —pregunté a Goyo.

—Sin bozal.

[22] *¿Y de no?*: *Arg., Ur.* ¿Cómo no? ¿Cómo supone que no?

[23] *mayordomo*: en las estancias, administrador de quien dependen el capataz y los peones.

[24] *en seguidita*: forma de encarecimiento de más frecuente uso que *en seguida.*

[25] *para ganarle el lao de las casas*: para atraerse la buena voluntad del mayordomo. Es modismo común en el habla gauchesca.

[26] *potrerito*: *dim.* de *potrero. Am.* campo grande cercado, para pastoreo. Dehesa.

No puedo decir mi alegría cuando, en la mesa ya flanqueada de veinte hombres, tomé lugar entre Goyo y un gringuito viejo que cuidaba la quinta.[27]

—Cocinero —dijo Goyo—, pásele un plato y una cuchara al mensual [28] nuevo.

—¿Mensual nuevo? —rio el muchacho que hoy había hecho burla de mi pedido de trabajo—. ¿Será pa acarriar basuras?

Me di cuenta de que aquellas palabras, que en otro pudieran haber sido maldad, no eran más que estupidez y aproveché la ocasión, no queriendo hacer mentir a Goyo, que había prometido bueno para cuando yo tuviera confianza.

—¿Pa acarriar basuras? —repetí—. Tené cuidao, no vaya ser que algún día amanezcás por los zanjones.

Y como sentí que reían, recordé mis días de popularidad en el pueblo.

—Mala inclinación tenés —continué, mirando el pelo motoso [29] y desordenado de mi interlocutor—; si fuera el patrón, te mandaría cortar la porra [30] pa rellenar pecheras.

Una risotada general acogió mi discurso. Cuando se hubo terminado, un hombre de los más viejos me reconvino con altura:

—Muchas leyes parece que tenés, pero es güeno no querer volar antes de criar bien las alas. Sos muy cachorro pa miar como los perros grandes.[31]

[27] *quinta*: aquí esta designación se aplica, limitadamente, a la huerta.

[28] *mensual*: *Arg.* peón a sueldo mensual (Vocabulario, *Raucho,* en *OC,* 239).

[29] *motoso*: derivado de *mota*: *Am.* pelo enrulado del negro y del mulato.

[30] *porra*: *Arg.* pelo abundante, crecido y enredado. Usado por un paisano, es despectivo, ya que él llama *porra* a la maraña de cerda, tierra y abrojos que se forma, por abandono, en la cola y crines de los caballos. Cf. Saubidet, *Voc.,* s.v.

[31] *sos muy cachorro pa miar como los perros grandes*: eres muy joven para pretender actuar como un adulto. No he encontrado esta expresión ni en otros textos gauchescos ni en glosarios, vocabularios y/o diccionarios. Si fue creación de Güiraldes, resulta

Una mirada me había bastado para saber quién me hablaba y esa vez agaché la cabeza, diciendo mansamente, como corresponde cuando se habla con un mayor:

—No crea, señor; también sé respetar.

—Así debe ser —concluyó el viejo, y después de una breve pausa volvió a correr la broma de punta a punta de la mesa.

Toda esa tarde me la pasé acarreando paja de los pesebres a los zanjones, por un trecho de unas diez cuadras. Cuando llegaba al galpón, cargaba el carro el galponero, dejando clavada en la carga la horquilla. En los zanjones esgrimía yo el instrumento, que luego venía matraqueando de una manera ensordecedora sobre las tablas del carro vacío.

La comida me halló medio dormido, pero el cansancio que me exponía a alguna burla, pasó desapercibido en el silencio general.

En el cuarto de Goyo me acomodaron un catre. No tenía yo colchón ni prenda alguna para arreglarme en el lecho poco amable, pero la fatiga siendo el mejor de los colchones, me eché envuelto en mi poncho sobre la lona desnuda y áspera, sin cuidarme de mimos. Un rato pensé en mi escapada, evoqué la casa de mis tías, sus figuras, mis rezos. El sueño cayó sobre mí, como una parva sobre un chingolo.[32]

---

extremadamente apropiada en labios de un paisano viejo, en lo que respecta a su significación. Pero lo es también porque responde a la mentalidad del hombre de campo que no hubiera sabido expresar un concepto abstracto sin objetivarlo en su realidad inmediata.

[32] *chingolo*: *Arg., Bol., Chile, Par., Ur.* pajarillo de color pardo rojizo, con una franja clara en la cabeza y, el macho, con copete. Canta durante la noche. Vive cerca de las casas, en los montes poco tupidos. Anida al pie de los árboles. Voz araucana, *chincol.* Es semejante al gorrión europeo. Para las leyendas que se han creado a su alrededor, véase Félix Coluccio, *Diccionario folklórico argentino,* 2.ª ed. aum. y corr. Buenos Aires, El Ateneo, 1950, s.v.

IV

Horacio me despertó bruscamente sacudiéndome por los hombros.

Mi primer pensamiento fue para el día anterior: mi huida, el éxito de mi treta para preceder a Don Segundo en la estancia de Galván, la recepción de Goyo y la presentación que hizo de mí a la peonada como mensual nuevo, el incidente de la mesa.

Alboreaba y ya, por la pequeña ventana, vi rociarse de tintes dorados las nubes del naciente, largas y finas como pétalos de mirasol.

Bajé los pies del catre, me levanté con esfuerzo sobre las piernas blandas como queso, ajusté mi faja, me rasqué los ojos cuyos párpados sentía más pesados que si los hubieran picado los mangangás,[1] y me encaminé arrastrando las alpargatas hacia la cocina. Tenía frío y el cuerpo cortado de cansancio.

En torno al fogón,[2] casi apagado, concluía de ma-

[1] *mangangás*: por *mangangáes. Arg., Bol., Ur.* especie de abejón cuya picadura produce fiebre, dolor e hinchazón. Del guaraní *mamanga,* onomatopeya del sonido.

[2] *fogón*: en las cocinas de la campaña argentina, sitio donde se hace fuego y se cocina. "Alrededor del *fogón* en la cocina de la estancia tiene lugar la reunión de la peonada en las horas de las comidas. En pasadas épocas muchas de las cocinas de los peones tenían dos puertas, una enfrente de la otra, y el *fogón* estaba en el medio; era generalmente redondo, formado por *caracuces* (cf. n. 13, Cap. VI) clavados y sobresaliendo cierta altura del piso de tierra; después se usaron de adobe, llanta de rueda de carro, ladrillos, etc. ... De la *cumbrera* o de una de las tijeras del techo pendía verticalmente al centro del fogón una cadena, de la que se suspendía la *caldera* siempre llena de agua, lista para el mate. En la gran rueda de paisanos formada alrededor del fogón, cada grupo cebaba su mate y la *caldera* siempre colgaba (sic) de uno de los ganchos que pendía de los eslabones, volvía al centro toda vez que la dejaba un cebador." (Saubidet, *Voc.,* s.v. Los subrayados son del autor.) Güiraldes llama al fogón, en un poema

tear[3] la peonada y ligué tres amargos[4] que me despertaron un tanto.

—Vamos —dijo uno, y como si no se hubiese esperado sino aquella voz, nos desparramamos desde la puerta hacia rumbos diferentes.

La primera mirada del sol me encontró barriendo los chiqueros de las ovejas, con una gran hoja de palma. No era muy honroso, en verdad, eso de hacer correr las cascarrias[5] por sobre los ladrillos y juntar algunos flecos de lana sarnosa; sin embargo, estaba tan contento como la mañanita. Hacía mi trabajo con esmero, diciéndome que por él era como los hombres mayores. El fresco apuraba mis movimientos. En el cielo deslucíanse los colores volteados por la luz del día.

---

en prosa, "corazón de fuego" del rancho ("Mi hospitalidad" en *Libro bravo, OC,* 550); Mansilla lo considera "la tribuna democrática" del ejército argentino del siglo XIX y el uruguayo Carlos Reyles lo llama *capilla gaucha.* El fogón de la estancia de Galván no es ya el típico fogón gaucho cuya descripción da Saubidet.

[3] *matear*: *Arg., Chile, Par., Ur.* tomar mate. La palabra *mate* (del quichua *mati,* calabaza chica, redonda) designa, a la vez, la bebida y la calabacilla en que se sirve. La bebida es una infusión de hojas del arbusto *Ilex paraguayensis,* llamado *yerba mate.* Es costumbre en la Argentina, Bolivia, Chile, Paraguay, Perú (sur de Arequipa), Uruguay y, fuera de la América hispánica, en el Brasil. Los paisanos tomaban el mate amargo (el 'amargo'), llamado también *cimarrón.* Hay dos tipos de calabaza en que se toma el mate: una chata, redonda y sin asa llamada *galleta,* y otra alargada como pera también sin asa denominada *poro* o *poronguito.* Al tomar mate se le dice *matear, cimarronear, yerbear* y/o *yerbatear.* El resero solía llevar su mate colgado del tirador por medio de una cadenita engarzada en el recipiente. Cuando la infusión no se bebe en la calabacilla, sino en una taza, se denomina *mate cocido.* Servido en el *poronguito* o *mate,* se bebe por medio de una *bombilla* de metal que, en su extremo inferior, lleva una bolita hueca con pequeños agujeros con lo que el líquido se sorbe filtrando la yerba.

[4] *ligué tres amargos*: *Río de la Plata,* me tocaron en suerte tres mates sin azúcar.

[5] *cascarrias*: *Arg.* suciedad, estiércol del ganado ovejuno y caprino.

A las ocho nos llamaron para el almuerzo [6] y mientras, a diente, despedazaba un trozo de churrasco,[7] espié a mis compañeros de quienes todo quería adivinar en los rostros.

El domador, Valerio Lares [8], era un tape forzudo, callado y risueño; hubiera deseado hacerme amigo suyo, pero no quería ser entrometido. Además, nadie hablaba porque el escaso tiempo de que disponíamos, quería ser aprovechado por cada uno en forma más útil.

Concluido el almuerzo, el cocinero me dijo que quedara a ayudarlo y fueron saliendo todos hasta dejar vacío el gran aposento cuyo significado parecía resumirse en el fogón, bajo cuya campana tomó lugar la olla, rodeada de pavas [9] como un ñandú [10] por sus charabones.[11]

El cocinero no fue más locuaz que el día de mi llegada, y me pasé la mañana haciendo de pinche, los ojos constantemente atraídos por la silenciosa silueta del domador que, vecino a la puerta, cosía unas riendas de cuero crudo.

Debía ser ya cerca de mediodía, cuando oímos unas

[6] *almuerzo*: usado aquí como desayuno, comida ligera. Con esta acepción es arcaísmo rural. Cf. Lerner, *Arc. léx.*, s.v.

[7] *churrasco*: *Arg., Bol., Chile, Par., Ur.* carne asada a la brasa para concentrar el jugo. Para la etimología de esta voz, cf. Corominas, "Indianorománica", *RFH*, VI, 1 (en.-mar. 1944), 23-28.

[8] *Valerio Lares*: Güiraldes explica así a su amigo Valery Larbaud el nombre de este personaje, en carta fechada en Bs. As. en julio de 1926: "Verá que el primer gaucho que ayuda al pequeño Cáceres en la vida ..., es un tocayo de usted. No sin intención sucede esto, como tampoco es mera coincidencia que el apellido Lares lleve la inicial de Larbaud. Con gran cariño lo he hecho y con igual egoísmo se lo hago notar" (*OC*, 789).

[9] *pava*: *Arg., Bol., Par.* recipiente de metal, en forma de tetera, con asa en semicírculo para calentar agua y cebar el mate. Durante los viajes, el gaucho la llevaba colgada del cinchón de su caballo o del de la yegua madrina.

[10] *ñandú*: *Arg., Par., Ur.* avestruz sudamericana de plumaje gris, más pequeña que la especie africana. Del guaraní *ñandú guasú*. Para las leyendas que explican su apariencia, cf. Coluccio, *Dicc. folkl. arg.*, s.v.

[11] *charabones*: *Arg., Bol. Ur.* crías del ñandú. De *chara,* de origen incierto. Becco sostiene que proviene del guaraní *yaraví,* aves sin plumas (*DSS y su voc.,* 43) y Tiscornia dice que es voz tehuelche (*Martín Fierro com. y an.,* 378).

espuelas rascar los ladrillos de afuera. La voz de Valerio saludó a alguien, invitándolo a que pasara a tomar unos mates. Curiosamente me asomé, viendo al mismo Don Segundo Sombra.

—¿Pasiando? —preguntaba Valerio.

—No, señor. Me dijeron que aquí había unas yeguas pa domar y que usté estaba muy ocupao.

—¿No gusta dentrar a la cocina?

—Güeno.

Los dos hombres se arrimaron al fogón. Don Segundo dio los buenos días sin parecer reconocerme; ambos tomaron asiento en los pequeños bancos y continuó la conversación con grandes pausas.

Volviéndose hacia mí, Valerio ordenó con autoridad:

—A ver pues, muchacho, traite un mate y cebále [12] a Don Segundo.

—¿Éste?

—No. Ése es de Gualberto que es medio mañero. [13] Agarrá aquel otro sobre la mesa.

Encantado puse una pava al fuego, activé las brasas y llené el poronguito [14] en la yerbera. [15]

—¿Dulce o amargo?

—Como caiga.

—Dulce, entonces.

—Güeno.

[12] *cebar el mate*: *Arg., Bol., Par., Ur.* echar repetidamente agua caliente en el mate en que ya se ha puesto la cantidad apropiada de yerba mate. Indica no sólo esta preparación del mate, sino también la acción de servirlo.

[13] *mañero*: *Arg., Par., Ur.* se dice del animal receloso que pone en juego sus recursos para no dejarse cazar, enlazar, conducir, etc. Por extensión de significado se aplica a las personas hábiles para eludir ricsgos o lances peligrosos (Morínigo, *Dicc. am.*, s.v.). Aquí indica que Gualberto es maniático, puntilloso con respecto a su mate.

[14] *poronguito*: *dim.* de *porongo.* calabaza de forma oval en la que se prepara y sirve el mate. Designa también la planta que la produce.

[15] *yerbera*: *Arg., Par., Ur.* recipiente en que se guarda la yerba mate.

Arrimé un banco para mí y, mientras el agua empezaba a hacer gorgoritos, contemplé a Don Segundo con cierto resentimiento, por no haber sido en su saludo un poco menos distraído.

Como nadie hablaba, me atreví a preguntarle:

—¿No me reconoce?

Don Segundo me miró sin dignarse hacer un esfuerzo para darme gusto.

—Yo jui —agregué— el que le espantó el redomón ayer noche en las quintas del pueblo.

Lejos de la exclamación que esperaba, mi hombre se puso a observarme con atención, como si algo curioso hubiera esperado encontrar en mi semblante.

—La lengua —dijo— parece que la tenés pelada.

Comprendí y se me encendió la cara. Don Segundo temía una indiscreción y prefería no conocerme. Un rato largo quedamos en silencio, y el diálogo interrumpido entre el forastero y el domador volvió a arrastrarse lentamente.

—¿Son muchas las yeguas?

—No, señor. Son ocho no más, son.

—Me han dicho que los animales d'esta cría saben salir flojos de cincha.[16]

—No, señor; son medioh'idiosos [17] no más, son.

La campana llamó para la comida. Don Segundo seguía chupando la bombilla y ya había yo cambiado dos veces la cebadura.[18]

Fueron cayendo los peones abotagados [19] de calor, pero alegres de haber concluido por un tiempo con el trabajo.

[16] *flojos de cincha:* no resisten la cincha.

[17] *idioso*: por *ideoso*: *Arg., Bol. Méx.* maniático, receloso. G. Alonzo Stanford dice que es cualidad de los animales que tienden a alejarse del resto de la manada ("A Study of the Vocabulary of Ricardo Güiraldes's *Don Segundo Sombra", Hispania,* XXV, 1 (1942), 185).

[18] *cebadura*: *Arg.* la cantidad de yerba mate que se pone en la calabaza (mate) para beber el mate (la infusión) y que se renueva a medida que la bebida se debilita o 'lava'.

[19] *abotagados*: por *abotargados,* congestionados.

Siendo casi todos conocidos del forastero, no se oyó un rato sino saludos y "güenos días".

Poco dura la seriedad en una estancia cuando en ella trabajan numerosos muchachos inquietos y fuertes. Goyo tropezó en los pies de Horacio. Horacio le arrojó por la cabeza un pellón. La gente hizo cancha [20] a aquellos mocetones incómodos, acostumbrados a andar golpeándose por todos los rincones.

—¡A dedo tiznao, maula! [21] —convidó Horacio, y ambos visteadores [22] por turno pasaron sus dedos sobre la panza de la olla.

Las piernas abiertas en una guardia corta, que permite rápidas cuerpeadas y embestidas, el brazo izquierdo adelante como si lo guareciera el poncho, la derecha movediza en cortas fintas, Goyo y Horacio buscaban marcarse.

Paró la chacota cuando Horacio se echó a la cara las puntas del pañuelo que llevaba al cuello, queriendo disimular la raya de hollín que sesgaba su mejilla.

—Sos muy pesao —decía Goyo.

—Ya te tuvo que contar tu hermana.

—¿De cuándo comemos chancho en casa?

[20] *hacer cancha*: despejar el lugar. *Cancha* (del quichua, sitio cercado) en América es lugar despejado propio para competencias deportivas. Cf. Granada, *Voc.* s.v., que aporta interesantes datos. Esta misma expresión es usada por Ascasubi en los *Trovos de Aniceto el Gallo* pero es más común en los poetas gauchescos el uso de la forma *abrir cancha.*

[21] *¡A dedo tiznao, maula!*: los gauchos se ejercitaban desde la niñez en el manejo del cuchillo; lo hacían sin armas y, muchas veces, tiznándose la mano derecha o el dedo. El rastro que dejaba el tizne señalaba que uno de los 'canchadores' (o participantes en la pelea) había sido alcanzado por su rival. La frase, acompañada de la interjección *maula* (*Arg.*=cobarde), usada amistosamente, indica, pues, el comienzo de una amigable pelea entre Goyo y Horacio.

[22] *visteadores*: sinónimo de canchadores. *Der.* de *vistear* (o 'canchar'). Esgrima practicada por los gauchos en la que el canto de la palma de la mano reemplazaba el filo del cuchillo. Como explica Güiraldes (Vocabulario de *Raucho* en *OC,* 240), en el visteo se hacía gala de "ver a tiempo los golpes para atajarlos y responder".

Interrumpió la bulla la entrada del patrón, hombre de aspecto ríspido. Don Segundo se adelantó hacia él, diciéndole el objeto de su venida. Salieron a conversar y la cocina quedó como en misa.

Don Segundo comió con nosotros y dijo que se había arreglado para empezar la doma esa misma tarde. Valerio se comidió a echar las yeguas al corral, cuando cayera un poco el sol, para que sufrieran menos.

—Si necesita algún maniador,[23] riendas o lo que se ofrezca, yo le puedo emprestar[24] lo que guste.

—Muchas gracias. Creo que tengo todo.

A pesar de mi fatiga no pude dormir la siesta, pensando en cómo haría para asistir a la domada. Sabía que el patrón había recomendado a Don Segundo el mayor cuidado, visto su peso; pero ¿hasta dónde puede evitarse que un potro corcovee?

Llegado el momento, me arreglé para llevar a los zanjones unas cargas de alambres rotos, fierros[25] viejos y varillas quebradas. Camino haciendo, cruzaría por la playa[26] y tal vez me cupiera en suerte presenciar el trabajo.

Advino lo que había previsto. Las tres primeras yeguas salieron mansas, dando trabajo sólo a los padrinos.[27] La cuarta quiso librarse del bulto que pesaba en sus lomos, pero fue vencida por las manos potentes del domador que le impedía agachar la cabeza.

[23] *maniador*: por *maneador,* de *manear. Arg., Méx., Par.* correa de cuero crudo que puede tener hasta 12 metros de longitud, con una presilla en un extremo y que se usa para atar el caballo y dejarlo pacer con comodidad. Se usa también en la doma de diferentes maneras.

[24] *emprestar*: *vulg.* por *prestar.*

[25] *fierros*: *Am.* las marcas para el ganado vacuno, caballar y lanar usadas durante la 'yerra'.

[26] *playa*: *Arg.* "Escampado frente a las casas, útil para la doma de potros y generalmente vecina a los corrales, dependencias, y de la cual arranca por lo común el callejón que conduce al pueblo más vecino" (Güiraldes, Vocabulario, *Raucho* en *OC,* 239).

[27] *padrinos*: en este caso, los otros peones que, a caballo, ayudaban al domador.

La quinta fue trigo de otra chacra [28], y como no pudiera correr, corcoveó furiosamente, a vueltas, del modo más duro y peligroso.

Tuve la ganga [29] de que esto coincidiera con una vuelta mía de los zanjones y de cerca oí el grito ahogado de la bestia, el sonar de las caronas, el golpear descompasado de las patas contra el suelo, en cuyo apoyo la yegua buscaba desesperadamente el contragolpe brusco. El cuerpo del hombre grande estaba como atornillado en los bastos, mientras la cara broncínea decía el esfuerzo y la boca entreabierta jadeaba breves palabras:

—... Déjela de ese lao... atráquese a la derecha a ver si se endierieza... ¡aura sí!... ¡hasta que se desaugue!

Los padrinos trataban de seguir aquellas órdenes, aunque no hubiera más remedio que quedar a distancia, esperando intervenir de un modo eficaz. La yegua no gritaba ya. Don Segundo calló. Era como si ambos estuviesen atentos a un intenso trabajo mental, hecho de malicias y sorpresas, de resistencia y bizarría.

El animal, ya entregado, resistió pasivamente los tirones que debían ablandarle la boca. Don Segundo se desmontó en un salto ágil, que le colocó a distancia prudente. Su respiración buscaba, hondamente, satisfacer el ansia de aire, levantando su tórax vasto. Tenía las manos aún encogidas de haber estrangulado las riendas, las piernas moldeadas por el recado arqueábanse sobre los pies, como para solidificar su equilibrio, y sus hombros, echados hacia atrás a fin de despejar el pecho, parecían complacerse de sentir su capacidad de dominio.

[28] *ser trigo de otra chacra*: ser diferente. Es el equivalente americano del refrán español “ser harina de otro costal”. *Chacra*: *Am. Cent.* y *Mer.* (excepto *Par.*), finca rural, cerca de poblado, en que se cultivan legumbres y maíz y se crían aves de corral y puercos. Tiene también frutales y sus propios vacunos y caballos. Puede abarcar de 10 a 100 o más hectáreas. Del quichua *chac-ra.* sementera.

[29] *tuve la ganga*: tuve la suerte, la facilidad.

Lastimosa, la yegua, cuyo cogote sudado apenas podía sostener la cabeza, jadeaba afanosamente, los ijares temblorosos y vacíos.

—Ésta no es como la zaina —dijo Valerio con cierta satisfacción.

—No, señor —replicaba Don Segundo con su asombrada voz de falsete—; ésta es alazana.

De pronto recordé que estaba en mi petizo Sapo, con mi carrito de pértigo a la cincha, abriendo la boca ante los ojos mismos del patrón y un susto repentino me hizo castigar al pobre bichoco,[30] tomando rumbo a las casas al compás del férreo canto de la horquilla, que tembleя queaba sobre las planchas del carrito. ¡Dale música hermano, y movéme esos güesitos!

A la oración, el señor me mandó llamar para que le cebara unos mates, bajo la sombra ya oscura de un patio de paraísos. Para eso tuve que ir a la cocina de adentro. La cocinera, que me entregó el poronguito, me hizo largas recomendaciones, diciéndome casi que el patrón me iba a comer si veía nadar unos palitos en la boca de plata. Desagradablemente me acordé de mis tías. ¿Pa qué servían las mujeres? Pa que se divirtieran los hombres. ¿Y las que salían fieras [31] y gritonas? Pa la grasería [32] seguramente, pero les andaban con lástima.

[30] *bichoco*: *Arg., Bol., Chile, Ur.* caballo viejo, achacoso, inservible. Ascasubi apunta en *Santos Vega* (v. 194) que es caballo enfermo de los vasos. Se aplica también a seres humanos. Aquí es expresión de cariño con la que el muchachito se refiere a su petizo. Recuérdese que es tendencia popular la de dar expresión afectuosa a voces que denotan defectos, particularmente tratándose de caballos (cf. Rufino J. Cuervo, *Apuntaciones críticas sobre el lenguaje bogotano,* 7.ª ed., Bogotá, 1939, 673).

[31] *fieras*: feas. Con esta acepción es arcaísmo usual en América. Cf. Lerner, *Arc. léx., fiero.*

[32] *grasería*: fábrica de velas. La frase indica que las mujeres feas sólo son buenas para trabajar. Para Segovia es "[e]stablecimiento industrial donde se sacrificaban yeguas, ovejas, etc., para beneficiar su grasa" (*Dicionario de argentinismos, neologismos y barbarismos,* Buenos Aires, 1911, 221).

El patrón me preguntó de dónde era, si tenía familia, y si hacía mucho que salía a trabajar. Contesté aproximadamente la verdad de miedo de pisar en alguna trampa y ser mandado al pueblo.

—¿Qué edad tenés?

—Quince años —contesté, agregándome uno.

—Sta bien.

Sonaron los últimos chupetazos en la bombilla.

—No cebés más... Volvéte pa la cocina y mandámelo a Valerio.

Hubo gran contento en la cocina después de la comida. Al día siguiente sería domingo y la gente preparaba su ida al pueblo. Los muchachos se daban bromas precisas, siendo conocidos los amoríos de cada uno. Los que tenían familia se iban esa misma noche, para volver el lunes de madrugada. Los puesteros tal vez se decidieran también al viajecito para hacer alguna compra necesaria; pero los más quedarían de seguro en sus ranchos, "haciendo sebo",[33] o vendrían a las casas principales a jugar una partida de bochas, en la cancha que había bajo un despejado plantío de moreras.

Los más viejos protestaban diciendo que ya no había corridas de sortija,[34] ni carreras, ni "entretención" [35] alguna. Medio dormido me acomodé en un rincón, cerca de un grupo formado por Don Segundo, Valerio y Goyo, que quería aprender el oficio, y escuchaba en lo posible los comentarios del trabajo brutal, lleno de sutilezas y mañas.

Atento a las lecciones, me hamacaba hacia atrás sobre mi pequeño banco con maquinal vaivén de cuna. Poco a

[33] *hacer sebo*: *Arg., Ur.* holgazanear. Proviene de engordar, criar grasa (sebo) los animales.

[34] *corridas de sortija*: juego de a caballo en que gana el competidor que logra ensartar su puntero en un arito (sortija) que pende de un arco, al pasar debajo de aquél a toda carrera. Era tradicional entre los gauchos y todavía se corren hoy, en ocasiones especiales, en los pueblos de campo. En estas corridas los gauchos demostraban su puntería, serenidad y soltura para manejar el caballo.

[35] *entretención*: *Am.* entretenimiento, diversión.

poco las voces fueron siendo como pensamientos confusos del fogón en vías de apagarse y sentía muy patente un pie, porque lo tenía pisado con el otro.

Aquella presión de la alpargata me era agradable y al imprimir a mi banco su lento balanceo, mi empeine sufría con placer el áspero contacto de la tosca suela de soga.

Mis tías me hubieran reñido seguramente por tan curioso entretenimiento, pero estaban tan lejos, tan lejos, que apenas oía sus voces sumidas en un rezo, singularmente grave... ¿Por qué tenían mis tías esa voz de cura?...

De pronto el banco, en que había concluido por dormirme, cayó hacia atrás, bruscamente. Mis espaldas comprimeron un manojo de leña y las pequeñas ramas al quebrarse me hincaron las costillas como espuelas.

V

A los quince días estaban mansas las yeguas. Don Segundo, hombre práctico y paciente, sabía todos los recursos del oficio. Pasaba las mañanas en el corral manoseando sus animales, golpeándolos con los cojinillos [1] para hacerles perder las cosquillas, palmeándoles las ancas, el cogote y las verijas [2] para que no temieran sus manos, tusándolos [3] con mil precauciones para que se habituaran al ruido de las tijeras, abrazándolos por las paletas para que no se sentaran cuando se les arrimaba. Gradualmente y sin brusquedad, había cumplido los difíciles compromisos del domador y lo veíamos abrir las tranqueras [4] y arrear novillos con sus redomonas.

[1] *cojinillos*: *pellón*. Cf. n. 8, Cap. III.

[2] *verijas*: *Arg., Chile, Méx., Nic., Par., Ur.* ijares de los equinos; ingles de las personas.

[3] *tusar*: cortar las crines a los animales.

[4] *tranqueras*: *Arg., Bol., Méx. Par., Ur.* portones hechos de travesaños de madera y hierros que sirven de entrada a los estable-

—Las yeguas ya están mansitas —dijo, al cabo, al patrón.

—Muy bien —respondió Don Leandro—, sígalas unos días, que después tengo un trabajo para usté.

Pasadas mis dos semanas de gran tranquilidad, en que sólo rabié con las perezas del petizo Sapo, habíame caído una mala noticia:

En el pueblo sabían mi paradero, y posiblemente querrían obligarme a volver para casa. Esa isoca [5] no me haría daño porque ya estaba en parva mi lino. Antes me zamparía en un remanso o me haría estropear por los cimarrones,[6] que aceptar aquel destino. De ningún modo volvería a hacer el vago por las calles aburridas. Yo era, una vez por todas, un hombre libre que ganaba su puchero, y más bien viviría como puma,[7] alzado en los pajales,[8] que como cuzco de sala entre las faldas hediondas a sahumerio eclesiástico y retos de mandonas bigotudas. ¡A otro perro con ese hueso! ¡Buen nacido me había salido en la cruz! [9]

---

cimientos de campo, potreros o cualquier lugar cercado. Sobre su etimología, cf. Corominas, "Indianorománica", *RFH,* VI, 3 (jul.-sept. 1944), 216-217.

[5] *isoca*: *Arg., Ur.* parásito que ataca las plantas. Del guaraní *isoc,* gusano. Toda la expresión que sigue significa que nada malo podría ya sucederle pues era libre.

[6] *cimarrón*: *Am.* animal salvaje. Como sustantivo y adjetivo se aplica a animales pero, en el Río de la Plata, raramente se usa para personas como en otras regiones de América. En *Martín Fierro* se usa repetidamente con la acepción que damos. Tiscornia discutió la etimología de esta voz sin resolverla (*Martín Fierro com. y an.,* 367-368) y Corominas cree que es posible que se derive de *CIMA* por los montes adonde huían los cimarrones —animales y hombres— (*Dicc. crít.-etim.,* s.v.).

[7] *puma*: *Am.* león americano. Voz de origen quichua. Subraya, en esta comparación, el temor del muchachuelo de volver a la vida que acaba de abandonar, junto a sus tías.

[8] *pajales*: *Arg., Chile, Par., Ur., Ven.* pajonales. Lugar bajo y húmedo en el campo, cubierto de malezas y paja brava.

[9] *¡Buen nacido me había salido en la cruz!*: *nacido*=tumor, forúnculo, grano de las caballerías que aparece en su lomo o pescuezo (*cruz*). Toda la frase expresa el desagrado del muchacho ante el pensamiento de volver a vivir con sus tías.

Apenado, no hice caso de la actividad desplegada en torno mío por la peonada. Los más, en efecto, habían tomado un aspecto misterioso y ocupado, que no comprendí sino cuando me informaron de que habría aparte [10] y luego arreo.[11]

Por segunda vez parecía que la casualidad me daba la solución. ¿No decidí pocos días antes escapar, por haberme marcado un camino el paso de Don Segundo? Pues esa vez me iría detrás de la tropa,[12] librándome de peligros lugareños con sólo mudar de pago.[13] ¿A dónde iría la tropa? ¿Quiénes iban de reseros?

A la tarde Goyo me informó, aunque insuficientemente, a mi entender.

La tropa sería de quinientas cabezas y saldría de allí dos días para el Sur, hacia otro campo de Don Leandro.

—¿Y quiénes son los reseros?

—Va de capataz Valerio y de piones Horacio, Don Segundo, Pedro Barrales y yo, a no ser que mandés otra cosa.

Don Segundo fue más parco aún en sus explicaciones, y yo no sabía por entonces a qué se debía ese silencio despreciativo que usan los que se van, cuando hablan con los que quedan en las casas.

—¿Podré dir yo?

—Si te manda el patrón.

—¿Y si no me manda?

Don Segundo me miró de arriba abajo y sus ojos se detuvieron a la altura de mis tobillos.

—¿Qué es lo que busca? —pregunté fastidiado por su insistencia.

[10] *aparte*: *Arg., Chile, Méx., Ur.* en el rodeo, separación de las reses según su edad y destino. Cf. n. 22, Cap. XVI.

[11] *arreo*: desplazamiento del ganado de un punto a otro.

[12] *tropa*: *Arg., Par., Ur.* conjunto de ganado vacuno que se transporta de un lugar a otro.

[13] *pago*: *Arg., Ur.* lugar en que ha nacido o donde se ha arraigado una persona. Es arcaísmo. Cf. Lerner, *Arc. léx.*, s.v. Véase lo que el reserito piensa del *pago* al principio del Cap. XXVI.

—La manea.[14]

—¿Ande la tiene?

—Craiba que te la habías puesto.

Un momento tardé en darme cuenta de su decir. Cuando comprendí hice lo posible por reírme, aunque me sintiera burlado con justicia.

—No es que me haiga maniao, Don [15], pero tengo miedo que el patrón se me siente.

—Cuando yo tenía tu edá, le hacía el gusto al cuerpo sin pedir licencia a naides.

Aleccionado, me alejé tratando de resolver el conflicto creado por las ansias de irme y el temor de un chasco.

Como Don Jeremías se había mostrado bondadoso, a él dirigí aunque tartamudeando mi pedido. El inglés se encogió de hombros:

—Valerio te dirá si te quiere yevar.

Valerio, de quien menos esperaba yo comedimiento, me dijo que hablaría con el patrón, pidiéndole permiso para agregarme a los troperos con medio pago.

—Mirá —agregó— que el oficio es duro.

—No le hace.

—Güeno, esta noche te vi a contestar.

Cuando media hora más tarde Valerio me hizo una seña desde el palenque,[16] largué los platos que estaba limpiando en la cocina y salí corriendo.

[14] *manea*: traba de cuero, con ojal y botón, con que se sujetan las manos del caballo. Ya asegurados con ella, los caballos sólo pueden dar pasos cortos o saltos aunque pueden pastar o pacer.

[15] *Don*: en América es fórmula de tratamiento aplicada a toda persona de cierta edad. A veces es también fórmula de respeto. En la lengua gauchesca se lo antepone, como proclisis, a apellidos y sobrenombres con resultados hasta hilarantes (*Don Ganza, Don Vizcacha,* por ejemplo, en *Martín Fierro*). La lengua gauchesca acostumbra a usar, asimismo, *don* y *doña,* a secas, modalidad que se da en toda el área rural rioplatense como también, en menor proporción cada día, en las ciudades. En *DSS* encontramos todos los matices en la utilización de este tratamiento.

[16] *palenque*: *Arg., Bol., Par., Ur.* poste para atar los animales.

—Podés dir juntando tus prendas [17] y preparando la tropilla.[18]

—¿Me lleva?

—Ahá.

—¿Habló con el patrón?

—Ahá.

—Ése sí que eh'un hombre gaucho! [19] —prorrumpí lleno de infantil gratitud.

—Vamoh'a ver lo que decís cuando el recao te dentre [20] a lonjiar [21] las nalgas.

—Vamoh'a ver —contesté seguro de mí mismo.

La botaratada es una ayuda porque una vez hecho el gesto, se esfuerza uno en acallar todo pensamiento sincero. Ya está tomada la actitud y no queda más que hacer "pa-

[17] *prendas*: tiene varios significados. Aquí equivale a 'ropas'.

[18] *tropilla*: *Arg., Par., Ur.* manada de caballos mansos guiada por una yegua madrina. El resero necesitaba la tropilla para poder dar descanso a su cabalgadura durante los largos viajes en que conducía ganado. Es *dim.* de *tropa,* pero considerado como forma positiva del primitivo. Cf. Lerner, *Arc. léx.,* s.v.

[19] *gaucho*: en el Río de la Plata, hombre de campo. Jinete diestro y hábil para las tareas ganaderas, dotado de virtudes masculinas, sobrio, amante de su libertad, orgulloso pero prudente, leal con sus amigos, hospitalario, astuto, parco en su hablar, enérgico, supersticioso. Étnicamente, solía ser blanco o mestizo. Aquí la voz está usada como adjetivo calificativo. Sugiere en la persona a quien se aplica el calificativo, las virtudes antes mencionadas. Con respecto a la tan discutida etimología de esta voz, Morínigo ha proporcionado la más científicamente sostenible al afirmar —y demostrar— que deriva del guaraní *ca'ú*=borrachera con adición del sufijo español *-cho* para formar "el híbrido afortunado" que conocemos. Cf. *Dicc. am.,* s.v.

[20] *dentre*: por *entre,* empiece.

[21] *lonjiar*: por *lonjear.* Es decir, cuando el recado le corte las carnes por las largas cabalgatas. *Lonjear,* según una de sus acepciones castizas, es sacar lonjas o tiras de un cuero. Pero en la pampa argentina, donde el cuero fue materia prima fundamental, el vocablo poco se usó con esa significación, pues en el léxico del gaucho a aquel acto se le llamó *cortar guascas* o *sogas.* Cortadas las guascas, se les afeitaba el pelo y era precisamente a esa afeitada a lo que se denominaba *lonjear* o *lonjeo.*

Foto de Ricardo Güiraldes probablemente cuando contaba unos treinta años. (De la colección del Dr. Alberto G. Lecot.)

Foto de Güiraldes tomada hacia 1925 en su apartamento de la calle Solís. (De la colección del Dr. Alberto G. Lecot.)

ta ancha".[22] Pero la ausencia del público corrige luego las resoluciones tomadas arbitrariamente, de suerte que cuando quedé solo púseme, a pesar mío, a consultar las posibilidades de sostener mi gallardía. ¿Cómo hablaría, en efecto, cuando "el recao me dentrara a lonjiar las nalgas?" ¿Qué tal me sabería dormir al raso una noche de llovizna? ¿Cuáles medios emplearía para disimular mis futuros sufrimientos de bisoño? Ninguna de estas vicisitudes de vida ruda me era conocida y comencé a imaginar crecientes de agua, diálogos de pulpería, astucias y malicias de chico pueblero que me pusieran en terreno conocido. Inútil. Todo lo aprendido en mi niñez aventurera, resultaba un mísero bagaje de experiencia para la existencia que iba a emprender. ¿Para qué diablos me sacaron del lado de "mama" en el puestito campero, llevándome al colegio a aprender el alfabeto, las cuentas y la historia, que hoy de nada me servían?

En fin, había que hinchar la panza y aguantar la cinchada.[23] Por otra parte, mis pensamientos no mellaban mi

[22] *hacer pata ancha*: *Arg.* asumir responsabilidad por ciertos actos, afrontar un peligro. Similar a 'hacer frente' o 'dar la cara'. El origen de esta expresión gaucha es sumamente interesante: el calzado típico del gaucho era la bota de potro, de cuero muy blando, sin suela y sin armado. Cuando el gaucho se afirmaba con violencia sobre sus pies (*patas*), éstos se ensanchaban a causa del peso del cuerpo, lo que la natural elasticidad del cuero bien sobado de la bota de potro permitía. Ello sucedía especialmente en los duelos gauchos. En sus inicios la frase equivalía, pues, a 'tener una de a pie'. Luego amplió su significado y significó enfrentar resueltamente una dificultad, tal como está usada por Güiraldes (cf. Becco, *DSS y su voc.*, 105, e Inchauspe, *Más voces,* 211-212). Es expresión frecuente en los textos gauchescos.

[23] *hinchar la panza y aguantar la cinchada*: prepararse para lo que sobrevenga. La expresión alude, figurativamente, al esfuerzo que es necesario hacer en el juego de la *cinchada* (*Arg., Méx., Par., Ur.*) en que dos bandos tiran en sentido contrario de una cuerda. Los paisanos lo juegan, en parejas, de a caballo, con la cuerda prendida a la asidera de sus recados. Para ganar, uno de los que cinchan tiene que hacer retroceder al adversario hasta hacerlo pasar una línea marcada en donde estaba parado al iniciarse el juego.

resolución, porque desde chico supe dejarlos al margen de los hechos. Metido en el baile bailaría, visto que no había más remedio, y si el cuerpo no me daba, mi voluntad le serviría de impulso. ¿No quería huir de la vida mansa para hacerme más capaz?

—¿Qué estáh'ablando solo? —me gritó Horacio que pasaba cerca.

—¿Sabéh'ermano?

—¿Qué?

—¡Que me voy con el arreo!

—¡Qué alegría pa la hacienda![24] —exclamó Horacio, sin la admiración que yo esperaba.

—¿Alegría? ¡No ves que voy de a pie!

—¡Oh!, no le andás muy lejos.

—Verdá, hermanito —confesé pensando en mis dos petizos—. ¿No sabés de ningún potrillo que me pueda comprar?

—¿Te vah'acer domador?

—Vi arreglarme como pueda. ¿No sabés de nenguno?

—Cómo no, aquí cerquita no más,[25] en la chacra de Cuevas, vah' a hallar lo que te conviene... y baratito —concluyó Horacio dándome buenos datos, después de haber comenzado mofándose de mi indigencia.

—¡Graciah'ermano!

A la caída del sol tomé rumbo a lo de Cuevas. La chacra estaba a unas quince cuadras atrás del monte, y me fui a pie para disimular mi partida al patrón, que podía disgustarse, y a los peones que se burlarían de mi audacia, conociendo mi falta de capital para un negocio.

[24] *hacienda*: *Arg.* ganado. La primera acepción de esta palabra en el *Dicc. Aut.* es "heredades del campo y tierras de labor, que se trabajan para que fructifiquen". Como resultado de que estas heredades fueron básicas y muy numerosas en el campo rioplatense, *hacienda* pasó allí a ser sinónimo de ganado ya que éste era lo que se percibía como lo verdaderamente importante y no el trabajo agrícola. El término se aplica, además, particularmente a los vacunos, reservándose la voz *ganado* para los otros animales.

[25] *no más*: refuerza la idea del adverbio "cerquita".

Salí por un grupo de eucaliptos, pisando en falso sobre los gajos caídos de algunas ramas secas y enredándome a veces en un cascarón, por ir mirando para atrás. Al linde de la arboleda descansé mi andar, asentando las alpargatas sobre la lisa dureza de una huella; poco a poco fui acercándome al rancho, por un maizalito[26] de unas pocas cuadras.

Andando distraídamente, pensaba en cómo haría mi oferta de compra y mi promesa de pagar más adelante, y resolví cerrar el trato, si el negocio convenía, prometiendo pasar al día siguiente para verificar el pago y llevarme el potrillo.

De pronto sentí, en el maizal que iba orillando mi huella, un ruido de tronquillos quebrados y no pude impedir un intuitivo salto de lado. Entre la sementera verde, reía la cara morocha[27] de una chinita[28] y una mano burlona me dijo adiós, mientras encolerizado seguía mi camino interrumpido por el miedo grotesco.

Un enorme perro bayo[29] me cargó haciéndome echar mano al cuchillo, pero la voz del amo fue obedecida. Estaba junto a las poblaciones: un rancho de barro prolijamente techado de paja con, al frente, un patio bien endurecido a agua y escoba. En un corralito vi unos doce ca-

[26] *maizalito*: *dim.* de *maizal. Am.* porción de tierra sembrada de maíz.

[27] *morocha*: *Arg., Ur.* trigueña. Al parecer del quichua *muruchu,* maíz duro, de tono oscuro, pero también, posiblemente, de origen castellano con interferencia de *moro* y *moreno* (Corominas, *Dicc. crít.-etim.*, v. *moro*).

[28] *chinita*: *dim.* de *china. Arg., Chile, Par., Ur., Ven.* posee significados diversos —novia, esposa, mujer amada— además del de muchacha criolla del campo, de tez morena. También designaba a las indias o criollas aindiadas. Del quichua *china,* mujer y hembra. Palabra muy usual en los textos gauchescos.

[29] *bayo*: de pelaje blanco amarillento. Se usa exclusivamente para el caballo pero Güiraldes, aplicándolo a un perro, acentúa la visión gaucha del narrador a la vez que da una clara idea del color del pelo del can.

ballos y entre un ellos un potrillo [30] petizón de pelo cebruno. [31]

—Güenas tardes, señor.

—Güenas tardeh'amigo.

—Soy mensual de las casas..., vengo porque me han dicho que tenía un potrillo pa vender.

El hombre me estudiaba con ojos socarrones y adiviné una ligera sonrisa dentro de la barba.

—¿Eh' usté el comprador?

—Si no manda otra cosa.

—Ahí está el potrillo..., lo doy por veinte pesos.

—¿Puedo mirarlo?

—Cómo no..., hasta que se enllene.[32]

Tras una corta mirada, que no fue muy clara, dada la turbación que me infundía mi papel importante, volví hacia el dueño.

—Mañana, con su licencia, vendré a buscarlo y le traeré la plata.

—Había sido redondo pa los negocios.[33]

—...

Un rato quedé sin saber de qué hablar, y como aquel hombre parecía más inclinado a la ironía muda que al gracejo, saludé, llevándome la mano al sombrero, y di frente a mi huellita.

El perro bayo quiso cargarme, pero, decididamente, su amo sabía hacerse obedecer. No sé por qué, llevaba una impresión de temor y apuré el paso hasta esconderme en el maizal, donde me sentí libre de dos ojos incómodamente persistentes.

[30] *potrillo*: derivado de *potro*. Es el potro de menos de tres años. De *potrillo* se hizo el *dim. potrillito* para diferenciar distintas etapas en la vida del animal.

[31] *pelo cebruno*: pelo tostado. Es arcaísmo. Cf. Lerner, *Arc. léx.*, s.v.

[32] *enllene*: *arc.*, vulg. por *llene*.

[33] *había sido redondo pa los negocios*: resultó sin rodeos para los negocios.

Una pequeña silueta salió a unos veinte metros delante mío, poniéndose a caminar en el mismo sentido que yo. Por el pañuelito rojo que llevaba atado en la cabeza y el vestido claro, reconocí a la chinita de hoy.

Sin preguntarme con qué objeto, me puse a correr tras aquella grácil silueta, escondiéndome en las orillas del maizal.

Advertida por mis pasos, se dio vuelta de pronto y habiéndome reconocido, rio con todo el brillo de sus dientes de morena y de sus ojos anchos.

Yo nunca había tenido miedo sino delante de mujeres grandes,[34] por temor a las burlas de quienes estaban acostumbradas a juguetes más serios; pero esa vez me sentí preso de una exaltación incómoda.

Para vencerme, pregunté imperativamente:

—¿Cómo te llamás?

—Me llamo Aurora.

Su alegría y la malicia de sus ojos disiparon mi timidez.

—¿Y no tenés miedo que te muerda algún tigre, andando ansí solita por el maizal?

—Aquí no hay tigres.

Su sonrisa se hizo más maliciosa. Su pequeño busto se irguió con orgullo y provocación.

—Puede venir uno de pajuera —apoyé significativamente.

—No será cebao en carne' e cristiano.

Su desprecio era duro e hirió mi amor propio. Extendí hacia ella mi mano. Aurora hizo unos pasos atrás. Entonces sentí que por ningún precio la dejaría escapar y rápidamente la tomé entre mis brazos, a pesar de su tenaz defensa y de sus amenazas.

—¡Largáme o grito!

Empeñosamente la arrastré hacia el escondite de los tallos verdes, que trazaban innumerables caminos. Entorpecido por su resistencia, tropecé en un surco y caímos en la tierra blanda.

[34] *mujeres grandes*: *Arg.* mujeres mayores, maduras.

Aurora se reía con tal olvido de su cuerpo que hacía un rato tenazmente defendía, que pude aprovechar de aquel olvido.

Un solo momento calló, frunciendo el rostro, entreabriendo la boca como si sufriera. Luego volvió a reír.

Orgulloso, no pude dejar de decirle:

—¿Me querés, prendita? [35]

Aurora, enojada, me apartó de un solo golpe, poniéndose de pie.

—Sonso [36]..., sinvergüenza..., decí que sos más juerte.

Y la dejé que se fuera, muy digna, murmurando frases que consolaban su pudor y su amor propio.

VI

A las tres de la mañana, despertóme mi propia impaciencia. Cuando fuera día saldríamos, llevando nuestra tropa, camino al desconocido. Aguanté en lo posible mi turbulencia, diciéndome las múltiples obligaciones, en las cuales una falla sería luego castigada severamente. Recordé que mi recado estaba en el galpón de los padrillos,[1] donde lo había dejado por su proximidad con el palenque. El petizo reservado para mis primeras horas estaba en el corral, mientras su compañero y mi nueva adquisición debían encontrarse en compañía de la tropilla de Goyo. Las mudas que había dispuesto llevar yacían apiladas a los pies de

[35] *prendita*: aquí equivale a 'chinita', 'querida'.

[36] *sonso*: *Arg.* por *zonzo,* forma popular de *tonto.* Cf. Amado Alonso, "Çonço y su origen" en *Estudios lingüísticos. Temas hispanoamericanos* (Madrid, Gredos, 1953), 399-414; Corominas, *Dicc. crít.-etim.,* s.v. —ed. 1954—; Ch. Kany, *American-Spanish Euphemisms* (Berkeley & Los Angeles, University of California Press, 1960), 50-51 y Lerner, *Arc. léx.,* s.v.

[1] *padrillos*: *Arg., Par., Perú, Ur.* caballos sementales. Es diminutivo de *padre* aunque no se percibe como tal.

mi catre. ¿Tabaco?... Tenía un paquete de picadura y papel para armar.

Hecha mi revisación de haberes, me sentí feliz rememorando cómo los preparativos de ese primer viaje fueron fáciles para mí. El patrón me había hecho entregar los veinticinco pesos de mi sueldo mensual, con los cuales pude pagar el potrillo, sobrando para "los vicios".[2]

¿Qué más quería? Tres petizos, de los cuales uno chúcaro [3] que podía reservarme una mala sorpresa, es cierto, recado completo con su juego de riendas y bozal, su manea, lonjas y tientos,[4] ropa para mudarme en caso de mojadura y buen poncho que es cobija,[5] abrigo e impermeable. Con menos avíos, a la verdad, suele salir un resero hecho.

[2] *los vicios*: para el gaucho o el antiguo peón de campo, *los vicios* por excelencia eran el mate y el tabaco. Garzón, *Dicc. arg.*, enumera "yerba mate, azúcar y aguardiente". Saubidet menciona "el mate y el tabaco" aunque, al explicar la expresión *ir por vicios,* agrega "harina, arroz, fideos, yerba, sal, azúcar, etc." (*Voc.*, s.v.). Morínigo apunta: "*Arg.* y *Ur.* Fumar, tomar mate, beber un trago de cuando en cuando, apostar, jugar a las carreras y otros gustos que satisfacen con poco dinero son los llamados *vicios* por los hombres de campo. Siempre se habla de ellos en conjunto y en plural..." (*Dicc. am.*, s.v.). De acuerdo con lo que leemos en la novela de la vida del reserito, creemos que esta última definición es la que se ajusta más al significado de la expresión en el texto.

[3] *chúcaro*: *Am. Cen. y Mer.* esquivo, huraño, bravío. Se aplica a animales y, por extensión, a personas. Probablemente del quichua *chucru,* duro.

[4] *tientos*: "Tiras finas de cuero crudo pelado y suavizado por medio de una fricción trabajosa que le dan los gauchos, a cuya operación le llaman *sobar una lonja,* de la cual, cuando está preparada, cortan los tientos para trenzar sus utensilios, como son, el *lazo,* las *riendas,* los *maniadores, bozales,* etc. Luego, de esas mismas tiras de cuero, llevan algunas como de dos tercias de largo, prendidas a la delantera y trasera de la montura con el objeto de asegurar con ellas lo que se les ocurra cargar atado a los tientos, a los cuales precisamente aseguran las boleadoras y particularmente el lazo." (Nota de Ascasubi al "Diálogo" entre Contreras y Barragán en *Aniceto el Gallo,* en Borges y Bioy Casares, comps., *Poesía gauchesca,* II, 219).

[5] *cobija*: *Arg., Col., Méx.* manta de cama. Es arcaísmo (cf. Lerner, *Arc. léx.*, s.v.).

Concluido aquel recuento, al tiempo que anudaba las alzaprimas [6] de mis espuelas, me incorporé satisfecho, echando, no sin tristeza, una mirada a mi cuartito y al catre, que quedaba desnudo y lamentable como una oveja cuereada.[7] Adiós vida de estancia, ya veríamos lo que nos reservaban los caminos y el campo sin huellas.

Con las dos mudas envueltas en el poncho, puesto en la cintura, salí andando de a pedacitos hasta afuera y me detuve un rato, porque la noche suele ser traicionera y no hay que andar llevándosela por delante.

Respiré hondamente el aliento de los campos dormidos. Era una oscuridad serena, alegrada de luminares lucientes como chispas de un fuego ruidoso. Al dejar que entrara en mí aquel silencio me sentí más fuerte y más grande.

A lo lejos oí tintinear un cencerro. Alguno andaría agarrando caballo o juntando la tropilla. Los novillos no daban aún señales de su vida tosca, pero yo sentía por el olor la presencia de sus quinientos cuerpos gruesos.

De pronto oí correr unos caballos; un cencerro agitó sus notas con precipitación de gotera. Aquellos sonidos se expandían en el sereno matinal, como ondas en la piel somnolente del agua, al golpe de algún cascote. Perdido en la noche, cantó un gallo, despertando la simpatía de unos teros.[8] Solitarias expresiones de vida diurna, que amplificaban la inmensidad del mundo.

En el corral, agarré mi petizo, algo inquieto por el inusitado correr de sus compañeros libres. Al ponerle el bozal sentí su frente mojada de rocío. Sobre el suelo húmedo oí

[6] *alzaprimas*: *Arg.* correa o cadenilla que sostiene y levanta las espuelas a fin de que no arrastren. Arranca del brazo que sostiene la rodaja, contornea el tobillo y se abrocha adelante, encima del empeine.

[7] *cuereada*: *Río de la Plata,* deshollada.

[8] *teros*: *Arg., Ur.* por *teruteru,* ave zancuda cuyo nombre guaraní es onomatopéyico. Con su grito estridente anuncia de lejos el peligro. Los huevos son de color verdoso con manchas, muy característicos. De allí la comparación que el narrador hace en el Cap. XIII.

rascar las espuelas de Goyo que andaba buscando alguna prenda.

—Güen día, hermano— dije despacio.

—Güen día.

—¿Se te ha perdido algo?

—Ahá, el arriador.[9]

—¿Cuál?

—El cabo'e plata.

—Está en el cuarto contra el baúl.

—Vi a alzarlo.

—¿No matiamos?

—Aurita.

Mientras Goyo buscaba su arriador, ensillé chiflando mi petizo que dormitaba, gachas las orejas, resoplando a intervalos con disgusto.

Cuando entré a la cocina, estaban ya acompañando a Goyo, Pedro Barrales y Don Segundo.

—Güenos días.

—Güenos días.

Horacio entró descoyuntándose a desperezos.

—Te vah'a quebrar —rio Goyo.

—¿Quebrar?... Ni una arruguita le vi a dejar al cuerpo.

Silencioso, Valerio transpuso el umbral, dirigiéndose a un rincón, donde en cuclillas se calzó un brillante par de lloronas [10] de plata. Después rodeamos el fogón y el mate comenzó a hacer sus visitas.

Cada cual vivía para sí y mi alegría de pronto se hizo grave, contenida. Un extraño nos hubiese creído apesadumbrados por una desgracia.

No pudiendo hablar, observé.

Todos me parecían más grandes, más robustos y en sus ojos se adivinaban los caminos del mañana. De peones de

[9] *arriador*: por *arreador*. *Arg., Par.* especie de látigo largo usado por reseros, troperos, etc., para arrear el ganado.

[10] *lloronas*: *Arg., Col., Ur.* espuelas de gran tamaño que producen un rumor o zumbido intermitente y una persistente queja, semejante al llanto. De ahí el nombre. Se las llamaba también 'nazarenas' quizá porque su rodaja o roseta se asemejaba a la corona de espinas del Nazareno.

estancia habían pasado a ser hombres de pampa. Tenían alma de reseros, que es tener alma de horizonte.

Sus ropas no eran las del día anterior; más rústica, más práctica, cada prenda de sus indumentarias decía los movimientos venideros.

Me dominó la rudeza de aquellos tipos callados y, no sé si por timidez o por respeto, dejé caer la barbilla sobre el pecho, encerrando así mi emoción.

Afuera los caballos relinchaban.

Don Segundo se puso en pie, salió un momento, volvió con un par de riendas tiocas [11] y fuertes.

—Traime un poco de sebo, muchacho.

Lentamente untó el cuero grueso con la pasta, que a las tres pasadas perdió su blancura.

Valerio acomodó una poca ropa en su poncho, que ató en torno a su cintura, sobre el tirador.[12]

Pedro Barrales se asomó hacia la noche, dio un sonoro rebencazo en un banco y dijo con mueca de resignación:

—Me parece que a mediodía, el sol nos va a hacer hervir los caracuses.[13]

De un movimiento coincidente salimos sin necesidad de ser mandados. Las espuelas resonaron en coro, trazando en el suelo sus puntos suspensivos. La noche empezaba a desmayarse.

En el palenque tomamos cada cual su caballo y salimos tranqueando por la playa.

—Goyo —dijo Valerio—, andá sacando los caballos...; nosotros vamoh'a buscar la tropa... Vos, muchacho, seguílo a Goyo. Ya es güeno que nos movamos.

[11] *tiocas*: rústicas, ordinarias. Se aplica a personas y cosas.

[12] *tirador*: *Arg., Bol., Par., Ur.* cinturón ancho con bolsillos para el dinero, generalmente adornado con monedas de plata cuyos extremos se cierran adelante con la *rastra* (cf. n. 6, Cap. XIV) aunque había otros tipos "con correas y hebillas para su ajuste" (Inchauspe, *Más voces,* 141). Véase *chanchero,* n. 42, Cap. II.

[13] *caracuses:* pl. vulgar de *caracú. Arg., Bol., Par., Ur.* médula, tuétano del hueso de los animales. Por metonimia, también el hueso que lo contiene. Voz guaraní.

Por primera vez el capataz daba una orden y esto era como un paréntesis abierto para el arreo.

Valerio, Horacio y Barrales galoparon hacia un potrero cercano, en que se veía confusamente el bulto de los novillos echados. Goyo y yo abrimos la tranquera del corral, dejando salir las tropillas que pronto hicieron familia, cada cual con su madrina, cuyo cencerro les sirve de voluntad.

—Abríles la puerta del potrero grande y quedáte adelante pa que no disparen.[14]

Había empezado mi trabajo y con él un gran orgullo: orgullo de dar cumplimiento al más macho de los oficios.

Primero tuve que espolear mi petizo y correr de un punto a otro, para sujetar los ímpetus libertarios de las tropillas, pero muy pronto las madrinas baquianas [15] comprendieron, tomando sometidamente el camino. Marchando bien las madrinas, podía reírme de las rebeldías de los más briosos, que un silbido y un "vuelva pingo" cortaba de cuajo. Tranquilo marché, sabiéndome seguido.

De la playa venían los gritos y el ruido de la tropa en marcha; rumor de guerra con sus tambores, sus órdenes, sus quejidos, carreras, choques y revolcones. Aquello se acercaba, aumentando en tamaño, y pronto distinguimos un pesado entrevero de colores y formas en la luz naciente.

Fuese calmando la tropa hasta formar una sola masa de movimiento, de la cual yo era el principio tallado en punta.

En mi aislamiento y mientras el amanecer iba haciendo su obra, me sentí de pronto triste. ¿Por qué? Tal vez fuera un detalle del oficio. Hoy en la cocina, antes de la par-

[14] *disparar*: *Arg.* echar a correr, huir. Es arcaísmo. Cf. Lerner, *Arc. léx.*, s.v.

[15] *baquianas*: hábiles, avezadas. Derivado de *baquía=Am.* conocimiento práctico de la geografía de una región. También, por extensión de significado, habilidad, destreza. Es arcaísmo (Lerner, *Arc. léx.*, s.v.). El *baquiano* tipificó una peculiar habilidad del gaucho: su profundo conocimiento de la pampa al punto que se le ha llamado "la brújula de la pampa" (Ciro Bayo, *Voc.*, s.v.). Una admirable descripción del baquiano como tipo gaucho, trae Sarmiento en *Facundo,* Cap. II.

tida, no había oído ninguna risa, sorprendiéndome, por el contrario, la seriedad de las expresiones. ¿Sería porque dejaban algo detrás suyo? ¿Sería un pasajero momento de duda al iniciar la tarea, en que corrían el albur de no volver más a sus pagos, a sus familias? No conociendo lo que era extrañar [16] la querencia, explicábame a medias los sentimientos nostálgicos. ¿Sería, entonces, por las chinas y los guachitos? ¿Y qué tenía yo que ver con eso? Una carita olvidada en el trajín de mi partida, se presentó nítida a mis ojos. Aurora.

Aurora, pensé, ¿qué tenía que ver conmigo sino el compartimiento de un juego sin mayor pasión, dada nuestra rudimentaria sensualidad?

Sin embargo, la imagen no retrocedió ante mi pensamiento. ¿En qué andaría a esas horas? ¿No estaría triste, a pesar de la sonrisa con que me había despedido la noche antes, en el maizal?

Idear una expresión de llanto en su pequeño rostro hecho de alegría, me echó en un repentino enternecimiento. "Chinita", dije casi fuerte, y mordí la manijera [17] del rebenque mirando hacia adelante, para abstraerme en otra cosa.

El día se iba preparando hacia el Este con vibración potente. Mi petizo escarceaba [18] seguido, como llamando la madrugada. Ya un pájaro tendía el vuelo sobre la llanura.

Los recuerdos de mis últimas dos horas en la estancia, parecían empaparse de finura y lejanía.

Al día siguiente de mi primer encuentro con Aurora, había ido a hacer efectiva mi compra, y de vuelta la encontré en el mismo lugar, pero esa vez hosca.

—Güenas tardes.

[16] *extrañar*: *Am.* echar de menos a una persona o cosa.

[17] *manijera*: *Arg.* agarradera del rebenque con que se sujeta a la muñeca.

[18] *escarceaba*: *Arg.* mordía el freno con inquietud, levantando y bajando la cabeza. El *Dicc. Aut.* registra *escarceos*: "Tornos y vueltas en forma circular, que suelen dar los caballos cuando están lozanos y fogosos", pero no registra los derivados *escarcear* y *escarceador* que se generalizaron en el Río de la Plata.

—Güenas.

—¿Estáh'enojada?

—¡No he de estar! Anoche, por culpa tuya, he perdido una sortija entre el maíz y mama me ha pegao una paliza.

—¿Querés que la busque? —pregunté, no sin malicia.

—¿Te acordás dónde jue?

—¡Cómo no me vi'acordar, preciosa!

—Sonso.

Después, juntos habíamos buscado la pequeña joya y habíamos encontrado nuestros juegos.

Esa tarde no me había reñido, y al apartarnos, no fui yo quien dijo:

—Mañana te espero.

Pobre chinita, aquel mañana había sido nuestro último encuentro.

Distrájome de mis pensamientos la cruzada del río. Volvió a formarse el remolino y el griterío, osciló la tropa asustada, hasta que los primeros novillos se echaron al agua. Llenóse de espuma, de risas y roturas la corriente arisca; salimos a la otra orilla con las cinchas goteando y alguno que otro salpicón en las bombachas.[19]

Sobre la tierra, de pronto oscurecida, asomó un sol enorme y sentí que era yo un hombre gozoso de vida. Un hombre que tenía en sí una voluntad, los haberes necesarios del buen gaucho y hasta una chinita querendona que llorara su partida.

VII

Con la salida del sol, vino el fresco que nos trajo una alegría ávida de traducirse en movimiento. Dejando el río a nuestras espaldas, cruzamos la rinconada [1] de un potrero para entrar, por una tranquera, al callejón.

[19] *bombachas*: *Arg.*, *Par.*, *Ur.* pantalón muy ancho, ceñido al tobillo, que usan los paisanos argentinos. Cf. n. 44, Cap. II.

[1] *rinconada*: *Arg.*, *Méx.*, *Ur.* espacio de campo situado en el ángulo formado por dos alambradas que se cortan.

En aquel camino, que corría entre sus alambrados como un arroyo entre sus barrancas, el andar de la tropa se hizo tranquilo y el peligro de un desbande más remoto.

Sujetando mi petizo, me coloqué a una orilla y esperé la llegada de Goyo, para dar expansión a mi estado comunicativo.

—Si querés, volvete p'atrás —me dijo.

—Güeno.

Sin moverme, dejé pasar la tropa. Los novillos caminaban con pausa y sin cansancio. Unos pocos balaban, mirando hacia la estancia. De vez en cuando, una cornada producía un hueco de algunos metros que volvía a rellenarse, y la marcha seguía pausada, sin cansancio. Al enfrentarme, las bestias hacían una curva a distancia, observándome desconfiadamente. Muchas se detenían, las narices levantadas, olfateando con curiosidad.

Absorto en el movimiento de las paletas fuertes y el cabeceo rítmico, esperé a los troperos. El sol matinal, pegando de soslayo en aquellos cuerpos, dorábales el perfil de un trazo angosto y las sombras se estiraban sobre el campo, en desmesurada parodia.

Pronto me vi envuelto en un asalto de bromas.

—Stán muy amontonaos pa contarlos —reía Pedro Barrales.

—No, si está eligiendo la res pa ponerle el lazo —contestábale Horacio.

—¡Mozo! —gritó Valerio— si se me hace [2] que ya lo veo atravesao sobre del recao y con las nalgas p'arriba pa que lah'alivee el fresco.

—Me están boliando parao [3] —retruqué—; dejenmé siquiera que corra un poco.

La conversación se hacía a gritos, mientras, uno de aquí, otro de allá, menudeábamos porrazos a los rezagados que marcaban un intento de escapar para la querencia.

[2] *si se me hace*: *Am.* hasta me parece.

[3] *me están boliando parao*: me atacan sin que yo haya hecho aún nada. El gaucho arrojaba las boleadoras a las patas del animal para atraparlo en su carrera.

—Vez pasada —contó Pedro—, cuando juimos de viaje pa Las Heras,[4] ¿te acordáh' Oracio?, lo llevábamos de bisoño a Venero Luna. Hubieran visto la bulla que metía este cristiano. Puro floriarse [5] entre el animalaje. Tenía una garganta como trompa' e línea [6] y déle pacá, déle payá,[7] les gritaba: "Ajuera guay, ajuera guay".[8] Pero, cuando llevábamos cinco días de arreo, al hombre se le jueron bajando los humos. A la llegada, ya casi ni se movía. "Era ey, era ey",[9] decía como si estuviese rezando, y estaba de flaco y sumido que me daban ganas de atarlo a los tientos.

—Sí —acentuaba gravemente Valerio—, pa empezar, toditos somos güenos.

Y quedaron, un momento, saboreando aquella gloria de sus cuerpos resistentes. ¿Qué muchacho no ha probado el oficio? Sin embargo, no abundaban los hombres siempre dispuestos a emprender las duras marchas, tanto en invierno como en verano, sufriendo sin quejas ni desmayos la brutalidad del sol, la mojadura de las lluvias, el frío tajeante de las heladas y las cobardías del cansancio.

Asaltado de dudas, repetí el decir de Valerio: "Pa empezar, toditos somos güenos." ¿Me vería yo vencido des-

[4] *Las Heras*: pueblo de la Provincia de Buenos Aires.

[5] *floriarse*: por *florearse. Am.* hacer algo para lucirse y distinguirse.

[6] *tenía una garganta como trompa'e línea*: tenía una garganta estentórea, resistente.

[7] *déle pacá, déle payá*: iba primero para un lado y luego para otro. Es muy común en la lengua del gaucho el uso del imperativo *déle* bien con un valor ponderativo —"Déle bala a los ñanduces", *Martín Fierro, La ida,* C. I, v. 468—, bien en frases impersonales expletivas y ponderativas o iterativas como es el caso en este pasaje de *DSS*. "Este sentido de insistencia que tales expresiones revelan se acerca un tanto a los modos españoles 'dale que dale', 'llueve que te llueve'. Pero el uso constante en los poetas gauchescos evita la repetición del verbal y acude directamente al régimen de un nombre o infinitivo" (Tiscornia, *Martín Fierro com. y an.,* 381). *Pacá*=para acá. *Payá*=para allá.

[8] *ajuera guay*: por *afuera buey.* Interjección para animar a los animales.

[9] *era ey*: por *fuera buey.* Interjección para animar a los animales.

pués de mi primer ensayo? Eso sólo podría decirlo el futuro; por el momento, lejos de arredrarme sentí un gran coraje, y tuve la certeza de que me había de romper el alma, antes que ceder a las fatigas o esquivar algún peligro del arreo.

Tan valiente me juzgué, que resolví ensillar, en la primer parada, mi petizo potro, y así demostrarme a mí mismo la decisión de tomar las cosas de frente. La mañana invita con su ejemplo a una confianza en un inmediato más alto y yo obedecía tal vez a aquella sugestión.

Mientras iba afirmándome en mi resolución, vi que llegábamos a un boliche. Era una sola casa de forma alargada. A la derecha, estaba el despacho, pieza abierta amueblada con un par de bancos largos, en los que nos sentamos como golondrinas en un alambre. El pulpero alcanzaba las bebidas por entre una reja de hierro grueso, que lo enjaulaba en su vasto aposento, revestido de estanterías embanderadas de botellas, frascos y tarros de toda laya.

El suelo estaba poblado de cuartos de yerba,[10] damajuanas de vino, barriles de diversas formas, cojinillos, matras, bastos, lazos y otros artículos usuales. Entre aquel cúmulo de bultos, el pulpero se había hecho un camino, como la hacienda hace una huella, y por el angosto espacio iba y volvía trayendo las copas, el tabaco, la yerba o las prendas de ensillar.

Frente al despacho había un par de columnas de material, sujetando una enramada[11] que unía el abrigo de la casa al de un patio de paraísos nudosos. Más lejos se veía la cancha de taba.[12]

[10] *cuartos de yerba*: paquetes de 1/4 kilo de yerba mate.

[11] *enramada*: *Arg., Par., Ur.* cobertizo amplio, armado sobre palos, con techo de paja o ramas y sin paredes. Daba reparo y sombra. Se lo encontraba también en las pulperías.

[12] *taba*: juego muy popular en el campo argentino en que se usa el hueso astrágalo de vaca, oveja, etc. Era costumbre griega que pasó luego a España. Se tiraba al aire el hueso —la taba— y si caía dejando hacia arriba el lado llamado 'la carne' se ganaba. Por el contrario, se perdía si salía el lado opuesto, 'el culo'.

Delante de la pulpería, el callejón se agrandaba en amplia bolsa, cosa que volvía fácil el cuidado de las tropas.

A eso de las ocho echamos pie a tierra para reponernos con algún alimento.

Empezaba ya a hacer calor y traíamos una lasitud de hambre, pues estábamos en movimiento desde hacía cinco horas con sólo unos mates en el buche.

Horacio y Goyo acomodaron un fogón y prepararon el churrasco. Los demás entraron al despacho, saludaron al pulpero conocido en otros viajes, y pidieron éste una Ginebra, aquél un Carabanchel.[13]

—¿Qué vah'a tomar? —me preguntó Don Segundo.

—Una caña'e durazno.

—Te vah'a desollar el garguero.

—Deje no más, Don.

En silencio, vaciamos nuestras copas.

Por turno, un rato más tarde "tumbiamos" [14] y yo me eché otra caña al cuerpo.

Repuestos y alegres nos preparamos a seguir viaje. Don Segundo y Valerio mudaron caballo. Valerio ensilló un colorado gargantilla [15] que todos le codiciaban por su pinta vivaracha, la finura de sus patas y manos.

—¡Qué pingo pa una corrida 'e sortija! —decía Pedro Barrales.

—Medio desabordinao,[16] no más —comentó Valerio— y capaz de hacerme una travesura cuando lo toque con lah'espuelas.

—Algún día tiene que aprender.

Así como hubo concluido de subirlo y lo tocara con las

[13] *Carabanchel*: marca de anís.

[14] *tumbiamos*: por *tumbeamos,* de *tumbear=Arg.* comer *tumba,* esto es, carne hervida de no muy buena calidad. La designación se originó en el ejército donde los trozos de carne hervida constituían el principal alimento del soldado. Pero como se usaba carne de mala calidad, los soldados la apodaron 'carne de tumba', abreviando luego la expresión y reduciéndola a 'tumba'.

[15] *colorado gargantilla*: caballo de pelo rojizo con manchas blancas en el pescuezo.

[16] *desabordinao*: insubordinado, mañero.

espuelas, vio Valerio que no había errado. El gargantilla se alzó "como leche hervida".[17]

Valerio, de cuerpo pequeño y ágil, seguía a maravilla los lazos de una "bellaqueada",[18] sabia en vueltas, sentadas,[19] abalanzos[20] y cimbrones.[21] Su poncho acompasaba el hermoso enojo del bruto, que en cada corcovo lucía la esbeltez de un salto de dorado. Sus ijares se encogían temblorosos de vigor. Su cabeza rayaba casi el suelo en signos negativos y su lomo, encorvado, sostenía muy arriba la sonriente dominación del jinete.

Al fin, la mano diestra puso término a la lucha y Valerio rio jadeante.

—¿No les dije?

—¡Hm! —comentó Pedro—, no es güeno darle mucha soga.[22]

[17] *se alzó como leche hervida*: reaccionó violenta y súbitamente; se encabritó.

[18] *bellaqueada*: *Arg., Ur.* corcovo o respingo de un caballo. Nótese cómo Güiraldes, unos renglones más adelante, visualiza el lomo curvado del caballo en su *bellaqueada* al compararlo con el salto del dorado, pez sumamente ágil, inquieto, difícil de apresar por sus corcovos.

[19] *sentadas*: *Am.* posición del animal cuando tira tanto hacia atrás que queda casi apoyado en sus garrones, como sentado. En el Vocabulario de *Raucho,* Güiraldes da una definición semejante y agrega que se usa también "para los animales que detienen bruscamente su carrera, adoptando para ello una postura análoga" (*OC,* 239).

[20] *abalanzos*: *Arg., Ur.* pararse el caballo sobre sus patas traseras.

[21] *cimbrón*: *Arg., Col., C.R., Méx.* sacudida violenta del caballo al ser enlazado.

[22] *darle mucha soga*: soltar cuerda al animal enlazado, dándole cierta libertad de movimientos. "Cuando se enlaza de a caballo... el enlazador conserva en la mano izquierda, en rollos, el sobrante del lazo o *soga*... Esos rollos se van soltando de uno en uno, de tal modo que el animal enlazado pueda moverse como si estuviera libre. Al terminarse la cantidad de rollos disponibles, el jinete marcha o galopa detrás del animal apresado, con lo que sigue *dándole soga* o sea facilitándolo hasta que juzgue llegado el momento de detenerlo, lo que logrará, indefectiblemente, con sólo frenar su cabalgadura, a cuya cincha está apresillado o

—Si lo dejo, de seguro se me hace bellaco.

—Sería pecao..., un pingo tan parejo.

Enardecido por el espectáculo, alentado por las dos cañas que me bailaban en la cabeza, recordé mi proyecto de hacía un rato.

—¿Quién me da una manito pa ensillar mi potrillo?

—¿Pa qué?

—Pa subirlo.

—Te vah'acer trillar.

—No le hace.

—Yo te ayudo —dijo Horacio—, aunque no sea más que por tomar café esta noche en el velorio.

Con risas y al compás de dicharachos agarraron y ensillaron mi petizo, más pronto de lo que era menester para que yo pensara en mi temeridad. Horacio tomó el potrillo de la oreja, le dio unos zamarreones.

—Cuando querráh'ermano.

Con sigilo me acerqué, puse el pie en el estribo y "bolié la pierna",[23] tratando de no despertar demasiado pronto las cosquillas del cebrunito.

Las bromas me ponían nervioso. ¿Para dónde iría a salir el petizo? ¿Cómo prevendría yo el primer movimiento?

Había que concluir de una vez y, tomando mi coraje a dos manos, después de haberme acomodado del modo que juzgué más eficiente, di la voz de mando.

—¡Larguelón no más!

El petizo no se movió. Por mi parte, no veía muy claro. Delante mío adivinaba un cogote flacucho, ridículo, un poco torcido. Al mismo tiempo noté que mis manos sudaban y tuve miedo de no poderme afirmar en las riendas.

---

sujeto el lazo" (Inchauspe, *Más voces,* 228). En los poetas gauchescos aparece la expresión similar *dar lazo* (Del Campo, *Poesías de Anastasio el Pollo*; Ascasubi, *Santos Vega*; Hernández, *Martín Fierro*).

[23] *boliar la pierna*: *Arg.* al montar a caballo, levantar la pierna y pasarla por sobre la cruz de la cabalgadura. También se *bolea la pierna* para deslizarse del lado contrario, en caso de rodada, y caer de pie.

—¿Pa cuándo? —preguntó detrás mío una voz que no supe a quién atribuir.

Como una vergüenza, peor que un golpe, sentí el ridículo de mi espera y al azar solté por la cabeza del petizo un rebencazo. Experimenté un doloroso tirón en las rodillas y desapareció para mí toda noción de equilibrio. Para mal de mis pecados eché el cuerpo hacia adelante y el segundo corcovo me fue anunciado por un golpe seco en las asentaderas, que se prolongó al cuerpo en desconcertante sacudimiento. Abrí grandes los ojos previendo la caída, y echéme esta vez para atrás, pues había visto el camino subir hacia mí, no encontrando ya con la mirada ni el cogote ni la cabeza del petizo.

Otra y otra vez se repitieron los cimbronazos, que parecían quererme despegar los huesos, pero sintiendo las rodillas firmes y alentado por un "¡aura!" de mis compañeros, volví a dar un rebencazo a mi potro. Más y más sacudones se siguieron con apuro. Me parecía que ya iban cien y las piernas se me acalambraban. Una rodilla se me zafó de la grupa; me juzgué perdido. El recado desapareció debajo mío. Desesperadamente, viéndome suspenso en el vacío, tiré un manotón sin rumbo. El golpe me castigó el hombro y la cadera con una violencia que me hizo perder los sentidos. A duras penas, empero, alcancé a ponerme de pie.

—¿Te has lastimao? —me preguntó Valerio, que no se apartó de al lado mío durante mi mala jineteada.

—Nada, hermano, no me he hecho nada —respondí, olvidando la deferencia que debía a mi capataz.

A unos treinta metros, Don Segundo había puesto el lazo al fugitivo y corrí en su dirección.

—¡Ténganmelo!

—¿Pa llorarlo luego al finadito? —rio Goyo.

—No, formal, ténganmelo ese maula que lo vi a hacer sonar a azotes.[24]

[24] *hacer sonar a azotes*: *Arg., Chile,* castigar azotándolo. Antiguamente el modismo era 'hacer sonar el cuero'. Así aparece en

—Déjelo pa mañana —me ordenó sin bromas Valerio—, mire que tenemos que marchar y el trabajo no es diversión.

—Me parece —dijo Don Segundo— que si éste no se sosiega, lo vamoh'a tener que mandar pa la jaula'e las tías.

Horacio me trajo embozalado al petizo de Festal chico.

VIII

En la pampa las impresiones son rápidas, espasmódicas, para luego borrarse en la amplitud del ambiente, sin dejar huella. Así fue como todos los rostros volvieron a sei impasibles, y así fue también, como olvidé mi reciente fracaso sin guardar sus naturales sinsabores. El callejón era semejante al callejón anterior; el cielo permanecía tenazmente azul; el aire, aunque un poco más caluroso, olía del mismo modo y el tranco de mi petizo era apenas un poco más vivaracho.

La novillada marchaba bien. Las tropillas que iban delante llamaban siempre con sus cencerros claros. Los balidos de la madrugada habían cesado. El traqueteo de las pezuñas, en cambio, parecía más numeroso y el polvo alzado por millares de patas iba tornándose más denso y blanco.

Animales y gente se movían como captados por una idea fija: caminar, caminar, caminar.

A veces un novillo se atardaba mordisqueando el pasto del callejón, y había que hacerle una atropellada.

Influido por el colectivo balanceo de aquella marcha, me dejé andar al ritmo general y quedé en una semiinconsciencia que era sopor, a pesar de mis ojos abiertos. Así me

---

el *Nuevo diálogo* de Hidalgo y en los *Trovos de Paulino Lucero* de Ascasubi.

parecía posible andar indefinidamente, sin pensamiento, sin esfuerzo, arrullado por el vaivén mecedor del tranco, sintiendo en mis espaldas y mis hombros el apretón del sol como un consejo de perseverancia.

A las diez, el pellejo de la espalda me daba una sensación de efervescencia. El petizo tenía sudado el cogote. La tierra sonaba más fuerte bajo las pezuñas siempre livianas.

A las once, tenía hinchadas las manos y las venas. Los pies me parecían dormidos. Dolíanme el hombro y la cadera golpeados. Los novillos marchaban más pesadamente. El pulso me latía en las sienes de manera embrutecedora. A mi lado, la sombra del petizo disminuía desesperadamente despacio.

A las doce, íbamos caminando sobre nuestras sombras, sintiendo así mayor desamparo. No había aire y el polvo nos envolvía como queriéndonos esconder en una nube amarillenta. Los novillos empezaban a babosear largas hilachas mucosas. Los caballos estaban cubiertos de sudor y las gotas que caían de sus frentes salábanles los ojos. Tenía yo ganas de dormirme en un renunciamiento total.

Al fin llegamos a la estancia de un tal Don Feliciano Ochoa. La sombra de la arboleda nos refrescó deliciosamente. A pedido de Valerio, nos dieron permiso para echar la tropa en un potrerito pastoso, provisto de aguada, [1] y nos bajamos del caballo con las ropas moldeadas a las piernas, caminando como patos recién desmaniados. [2] Rumbo a la cocina, las espuelas entorpecieron nuestros pasos arrastrados. Saludamos a la peonada, nos sacamos los chambergos para aliviar las frentes sudorosas y aceptamos unos mates, mientras en el fogón colocábamos nuestro churrasco de reseros y activábamos el fuego.

No tomé parte en la conversación que pronto se animó entre los forasteros y los de las casas. Tenía reseco el cuer-

[1] *aguada*: *Arg., Chile, Par., Ur.* lugar donde hay agua potable para el ganado. Abrevadero.

[2] *desmaniados*: por *desmaneados.* Destrabados.

po como carne de charque,[3] y no pensaba sino en "tumbiar"[4] y echarme aunque fuera en los ladrillos.

—¿Seguirán marchando cuando acaben de comer?

—No, señor —contestó Valerio—. El tiempo está muy pesao pa los animales... Pensamos, más bien, con su licencia, echar una siestita y caminar un poco de noche, si Dios quiere.

¡Qué placer indescriptible me dio aquella respuesta! Instantáneamente sentí mis miembros alargarse en un descanso aliviador y toda mi buena disposición volvió a mí como por magia.

—¡Lindo! [5] —exclamé, escupiendo por el colmillo.

Uno de los peones me miró sonriente:

—Has de ser nuevo en el oficio.

—Sí —dije como para mí—, soy un nuevo que se va gastando.

—¡Oh! —comentó un viejo—, antes de gastarte tenés que dir p'arriba.[6]

—Si es apuradazo —replicó Pedro Barrales—. Hoy ya subió un potrillo; iba descolgándosele por la paleta, que no le quería bajar el rebenque. Es de los que mueren matando.

—¡Güen muchacho! —dijo el viejo con los ojos risueños de simpatía—. Tomá un mate dulce por gaucho.

—Lo habré merecido cuando no me voltee, Don.

—Será mañana, pues.

—Quién sabe —intervino Goyo— no juera mejor que lo largara.

—¡Claro! —subrayé—, pa ver cómo corren por el campo mis veinte pesos.

[3] *charque*: *Am. Mer.* tasajo, carne de vaca secada al sol o al aire. Del quichua *charqui.*

[4] *tumbiar*: comer la *tumba.* Cf. n. 14, Cap. VII.

[5] *¡Lindo!*: *Arg., Par., Ur.* ¡Muy bien! ¡Excelente! *Lindo* es voz de innúmeros usos en el gauchesco y, en general, en el castellano de la Argentina. Cf. Corominas, *Dicc. crít.-etim.,* s.v., y Lerner, *Arc. léx.,* s.v.

[6] *dir p'arriba*: aprender, obtener experiencia.

—No —volvió a interrumpir el viejito—, si es ladinazo pa'l retruque.

—¡Oh! —aseguró Don Segundo— si es por pico, no hay cuidao. Antes de callarse, más bien se le va hinchar la trompa. Es de la mesma ley que los loros barranqueros.[7]

—Ya me castigaron —concluí encogiéndome de hombros, como para prevenir un golpe, y no hablé más.

Un chico como de doce años se había sentado cerca mío y miraba mis espuelas, mis manos lastimadas en la jineteada, mi rostro cubierto por la tierra del arreo, con la misma admiración con que días antes observé yo a Valerio o a Don Segundo. Su ingenua prueba de curiosidad admirativa era mi boleta de resero.[8]

Para que durmiera la siesta, el mismo muchacho se comidió a enseñarme un lugar aparente y le estuve de ello tan agradecido casi como de sus manifestaciones de muda simpatía.

A eso de las cuatro nos hallábamos otra vez en el callejón. Las despedidas habían sido cordiales, después de unos pocos mates, y yo me sentía como recién parido por haberme bañado el rostro en un balde y sacudido la tierra con la blusa.

[7] *ser como los loros barranqueros*: *fig.* muy charlatán. "El loro barranquero es una especie particular argentina, observada desde el Baradero y Córdoba hasta el sur de la Patagonia... Anida en barrancas a pique, donde excava un tubo de 1 a 1 1/2 metros de profundidad en cuyo fondo deposita cuatro huevos blancos" (Eduardo L. Holmberg, *Las aves argentinas* apud Becco, *DSS y su voc.*, 49).

[8] *boleta de resero*: Cuando, en 1815, se empezó a perseguir a los gauchos, se les requería un pase para mudar de partido, un documento que certificara su domicilio y otro que especificara su trabajo. De lo contrario, se los acusaba de vagos y se los enviaba, prácticamente esclavizados, a los fortines de frontera a luchar contra los indios. Esta situación hizo crisis en 1865 con la sanción del 'Código rural de la Provincia de Buenos Aires' que incluía cuatro artículos sobre vagancia los cuales originaron múltiples abusos. Rezago de esto es la *boleta de resero* de nuestro texto, i.e., el documento que certificaba el tipo de trabajo que el muchacho realizaba.

A los mancarrones[9] les sonaba el agua en la panza y la tropa, habiendo tenido tiempo de echarse y probar unos buenos bocados de gramilla,[10] se encontraba mejor dispuesta.

Teníamos, además, la promesa cercana del frescor nocturno y eso de ir mejorando paulatinamente, hasta alcanzar un descanso, mantiene despierta la esperanza fundada.

Como a nuestra salida de la estancia, me fui hasta adelante de las tropillas, de donde me entretuve en mirar el camino y las poblaciones lejanas, para grabar el todo en mi memoria, acaudalando así mis primeros valores de futuro baquiano.

A las dos horas de marcha, como íbamos a pasar frente a un puesto, Goyo llegó hasta mí para transmitirme una orden de Valerio.

—Vení conmigo... Vamoh'a carniar un cordero y despuéh' alcanzamos la tropa.

—No sirvo, hermano, pa' ese trabajo.

—No le hace. Te vah'a ir acostumbrando.

Mientras el arreo seguía su camino, nos apeamos en el rancho, cuyo dueño nos recibió como a conocidos viejos.

—¿Un borrego? —dijo cuando Goyo le hubo explicado nuestra necesidad de carne—. Enseguidita no más.

No hubo discusión por el precio.

Goyo era baquiano y ligero. Mi atareada inutilidad le hacía reír sin descanso. No bien había yo rasgado el cuero de una pata, cuando ya su cuchillo, viniendo por la panza, me amenazaba con la punta. Con tajos largos y certeros separaba el cuero de la carne y, una vez abierta la brecha, metía en ella el puño con el que rápidamente procedía al despejo de la bestia. Haciendo primero un círculo con la hoja en derredor de las coyunturas, quebró las cuatro patas en la última articulación. Entre el tendón y el hueso del

[9] *mancarrones*: *Arg.*, *Ur.* de *manco*+suf. aum. *-arrón*. Caballos achacosos, viejos. Aquí se aplica a los caballos de los reseros que no se habían repuesto totalmente de su cansancio. Es arcaísmo (cf. Lerner, *Arc. léx.*, s.v.).

[10] *gramilla*: *Arg.*, *Par.*, *Ur.* "Hierba fina, corta y de gran alimento para el ganado" (Becco, *DSS y su voc.*, 47).

garrón, abrió un ojal en el que pasó la presilla [11] de cabestro y, arrimándose a un árbol, tiró por sobre una rama la punta opuesta, de la cual me colgué con él hasta que quedara suspendida la res.

Rápidamente abrió la panza, sacó a vueltas y revueltas el sebo de tripa, despojó el vientre de desperdicios, el tórax de bofes, hígado y corazón.

—¿Pa eso me has llamao? —pregunté estúpidamente inactivo, avergonzado de mis manos que colgaban también como desperdicios.

—Aura me vah'ayudar pa llevar la carne.

Concluida la carneada, metimos cada cual nuestro medio borrego en una bolsa de arpillera, lo atamos a los tientos y, despidiéndonos del puestero, que nos hizo traer unos mates con una chinita flaca y huraña, nos fuimos a trote de zorrino [12] hasta alcanzar la tropa, que por cierto no se había distanciado mucho.

Más apocado por mi ignorancia de carneador que por mi golpe de la mañana, me fui de nuevo hacia adelante mascando rabia. Horas antes había visto el buen lado de la taba, [13] cuando el chico de lo de Don Feliciano miraba asombradamente mis pilchas y aposturas de resero; y no me había acordado que el huesito tenía otra parte designada con un nombre desdoroso; ésa la veía sólo cuando mi impericia de bisoño se topaba con una de las tantas realidades del oficio. ¿Cuántos otros desengaños me esperaban?

Antes de andar haciéndome el "taita", [14] tenía por cierto que aprender a carnear, enlazar, pialar,[15] domar, correr

[11] *presilla*: *Arg.* ojal y botón de cuero en un extremo del lazo para abotonarlo al bozal, asidera, freno, etc.

[12] *zorrino*: *Arg.* yaguané. Zorro de unos 42 cm de largo por 25-30 de alto. Tiene dos franjas blancas sobre el lomo y la cola. Segrega, como defensa, un líquido de olor nauseabundo. Zorrillo.

[13] *había visto el buen lado de la taba:* había visto un buen aspecto de la situación. Véase n. 12, Cap. VII.

[14] *taita*: *Arg., fam. y vulg.* matón, persona bravucona que se impone a los demás por la fuerza.

[15] *pialar*: *Arg., Col., Chile, Méx., Par., Ur.* enlazar el animal por las patas con el *pial* (cf. n. 4, Cap. XXII).

como la gente [16] en el rodeo, hacer riendas, bozales y cabestros, lonjear, sacar tientos, echar botones, [17] esquilar, tusar, bolear, [18] curar el mal del vaso, [19] el haba, [20] los hormigueros [21] y qué sé yo cuántas cosas más. Desconsolado ante este programa, murmuré a título de máxima: "Una cosa es cantar solo y otra cosa es con guitarra". [22]

En esos trances me asaltó la tarde en una rápida fuga de luz. Acobardado por mi soledad, volvíme con los otros para saber a qué hora comeríamos.

Cenamos en campo abierto. Cerca del callejón había una cañada con unos sauces, de donde trajimos algunas ramas secas. El resplandor de la llama dio a nuestros semblantes una apariencia severa de cobre, mientras en cuclillas formábamos un círculo de espera. Las manos, manejando el cuchillo y la carne, aparecían lucientes y duras. Todo era quietud, salvo el leve cantar de los cencerros y los extrañados balidos de la hacienda.

En la cañada croaron las ranas, quebrando el uniforme

[16] *como la gente*: bien, ordenada, correctamente. Es ampliación del uso predicativo de *gente,* en el sentido de persona decente o correcta. Cf. Corominas, *Dicc. crít.-etim.,* s.v. Igual uso se da en *Martín Fierro*: "Y con el buche bien lleno / era cosa superior / irse en brazos del amor / a dormir como la gente..." (*La ida,* C. II, v. 199-204).

[17] *echar botones*: poner botones en donde se necesitan. Los *botones* que se usan en los aperos y sogas de campo son muy diversos. Suelen servir de asidero, tope, etc., según los casos.

[18] *bolear*: *Arg., Chile, Ur.* arrojar las boleadoras para cazar un animal (cf. n. 2, Cap. X).

[19] *mal del vaso*: hinchazón del casco del caballo, acompañada de fiebre. Para su cura hay que abrir y sangrar el casco. *Vaso*= casco de las caballerías. Es arcaísmo usual en el Río de la Plata y Paraguay. Cf. Lerner, *Arc. léx.,* s.v.

[20] *haba:* tumor del paladar de los caballos.

[21] *hormigueros*: *Arg.* agujero pequeño en la parte inferior del casco de los equinos, producido por una infección. La destrucción en la carne y la pezuña se ve como semejante a la que producirían las hormigas. De ahí el nombre de este mal.

[22] *"Una cosa es cantar solo y otra cosa es con guitarra"*: como afirma Ciro Bayo (*Voc.*), este decir es equivalente al español 'del dicho al hecho hay un gran trecho'.

siseo de los grillos. Los chajás [23] delataban nuestra presencia a intervalos perezosos. Los gajos verdes de nuestra leña silbaban, para reventar como lejanas bombas de romerías. Sentía el dolor del cansancio mudar de sitio en mi pobre cuerpo y parecíame tener la cabeza apretada bajo un cojinillo.

No teníamos agua y había que sufrir la sed por unas horas.

Nuevamente, al andar de la tropa, proseguimos nuestro viaje.

Encima nuestro, el cielo estrellado parecía un ojo inmenso, lleno de luminosas arenas de sueño. Cada paso propagaba una manada de dolores por mis músculos. ¿Cuántos vaivenes del tranco tendría que aguantar aún?

No sabía ya si nuestra tropa era un animal que quería ser muchos, o muchos animales que querían ser uno. El andar desarticulado del enorme conjunto me mareaba y si miraba a tierra, porque mi petizo cambiaba de dirección o torcía la cabeza, sufría la ilusión de que el suelo todo se movía como una informe masa carnosa.

Hubiese querido poder dormir en mi caballo como los reseros viejos.

Nadie se ocupaba ya de mí. La gente iba atenta al animalaje, temiendo que alguno se rezagara. Se oía de vez en cuando un grito. Los teros chillaban a nuestro paso y las lechuzas empezaron a jugar a las escondidas, llamándose con gargantas de terciopelo.

Ninguna población se avistaba.

De pronto me di cuenta de que habíamos llegado. Cerca ya, vimos la gran apariencia oscura de unas casas, y el callejón se ensanchó como un río que llega a la laguna.

[23] *chajás*: por *chajáes. Arg., Par., Ur.* ave zancuda, corpulenta, de color gris claro, cuello largo, patas rojas, copete de plumas en la cabeza y dos púas en la parte anterior de las alas. Tiene un desagradable grito de alerta. Se le llama "el centinela del campo". En el texto se denota esta condición. Es voz guaraní, onomatopéyica, que significa 'vamos'.

Goyo, Don Segundo y Valerio iban a rondar[24] según oí decir.

Estábamos en los locales de una feria, a orillas de un pueblo.

Cerca de las tropillas desenfrené mi petizo y le volteé el recado.[25]

Bajo un cobertizo de cinc tiré mis pilchas al suelo y me les dejé caer encima, como cae un pedazo de barro de una rueda de carreta.

Un rebencazo casi insensible me cayó sobre las paletas.

—¡Hacéte duro, muchacho!

Y creí haber reconocido la voz de Don Segundo.

IX

Goyo tuvo que arrastrarme lo menos unos tres metros, tirándome de los pies, para poder despertarme:

—Ta que sos dormilón..., si ya te estaba por hacer la prueba que se le hace al peludo pa sacarlo'e la cueva.[1]

—¿Nos vamos ya?

—Dentro de un rato.

Queriéndome incorporar hice un esfuerzo inútil.

—¿No te podéh'enderezar?

—A gatitas[2] —contesté mientras lograba tomar posición de gente.

[24] *rondar*: "Tarea de dar vueltas de a caballo, continuamente durante la noche, en campo abierto o en una calle, etc., alrededor de una cantidad de ganado con el fin de evitar que se disperse a causa de un susto u otro motivo, así como para impedir que los animales se *mesturen* con otros o que algunos de ellos se aparten" (Saubidet, *Voc.*, s.v.).

[25] *voltiar el recado*: quitar la montura al caballo.

[1] *prueba que se le hace al peludo pa sacarlo'e la cueva*: se hace humo a la entrada de la cueva y el animal, asfixiado, se ve obligado a salir. *Peludo*: *Arg., Ur.* especie de armadillo que se caracteriza por su abundante pelambre.

[2] *a gatitas*: *Arg., Par., Ur.* a duras penas, con dificultad.

—¿Qué te duele? —reía Goyo.

—El porrazo —alegué para no confesar mi fatiga.

—¿Ande, aquí?

—¡Afa! —exclamé retirando rápidamente el brazo que me apretaba Goyo. Pero aquello era, en realidad, una farsa. Lo que me dolía era el vientre, las ingles, los muslos, las paletas, las pantorrillas.

—¿Estarás pasmao? [3]

—Cuantito [4] me mueva se me va a pasar.

Haciendo un sentido esfuerzo, salí caminando sin dar muestras de mis sufrimientos. Apenas quería aclarar el día nublado.

—¿Tendremos lluvia?

—Sí.

—¿Ande está Don Segundo?

—En la tropilla, ensillando.

Guiado por los cencerros caminé hasta ver la gran silueta del paisano, abultada por la noche.

—Güen día, Don Segundo.

—Güen día, muchacho. Te estaba esperando pa hablarte.

—Diga, Don.

—¿Vah'a volver a ensillar tu potrillo?

—¿Y de no?

—Güeno. Yo te vi a ayudar pa que no andés sirviendo de divirsión e la gente. Aquí naides nos va a ver y vah'acer lo que yo te mande.

—Cómo no, Don Segundo.

De los tientos de su encimera [5] lo vi sacar el lazo. Luego

[3] *pasmao*: por *pasmado. Am.* enfriado, enfermo.

[4] *cuantito*: *dim.* fl., adv. tan pronto como, al punto que, tan luego como, en cuanto. Es expresión de encarecimiento hoy en desuso.

[5] *encimera*: *Arg., Ur.* pieza de cuero crudo que se coloca sobre los bastos del recado y se sujeta con la cincha. En el lado derecho —'lado del lazo'— tiene una argolla a la que va atada la cincha. En el lado izquierdo —'lado de montar'— lleva otra argolla por donde pasa el 'correón de cinchar'. De los costados delanteros de la *encimera* penden las 'estriberas'. En el borde de la parte trasera van unos ojales donde se llevan, 'atados a los tientos', avíos diversos.

tomó mi bozal, revisó el cabestro, que era fuerte, y me ordenó que lo siguiera.

En la luz incierta de la madrugada llovedora, se dirigió hacia mi cebrunito haciendo la armada.[6] El petizo, medio dormido, no tuvo tiempo para escapar. El lazo se ciñó en lo alto del cogote y Don Segundo, sin darse siquiera la pena de "echar a verijas",[7] contuvo a su presa.

—Andá arrimando tu recao.

Cuando volví encontré ya a mi potrillo sujeto a un poste por tres vueltas de cabestro y enriendado.[8]

Con paciencia Don Segundo fue colocando bajeras,[9]

[6] *haciendo la armada*: disponiendo el extremo del lazo en forma de aro (*armada*) para sujetar así al animal. El resto del lazo permanece enrollado en la mano izquierda. *Armada,* con este sentido, es post-verbal de *armar* en el sentido castizo de *poner trampa* a los animales. Así aparece en Covarrubias, *Tesoro de la lengua castellana o española* (Madrid, Luis Sánchez, 1611, s.v.). La Academia lo considera arcaísmo (cf. Tiscornia, *Martín Fierro com. y an.*, 355). Explica Ascasubi en nota a su "Juan de Dios Oliva", composición de los *Trovos de Paulino Lucero*: "cuando quieren [los paisanos argentinos] sujetar o tomar a un animal vacuno o caballar, después que hacen la armada la revolean haciendo tornos horizontalmente por sobre los hombros, y luego la arrojan en dirección al animal que quieren tomar, hasta distancia de treinta varas más o menos y de manera que la armada va a caer abierta por sobre la cabeza de la bestia, y corriéndose inmediatamente la lazada, resulta que el animal queda atado por el pescuezo regularmente, y preso a voluntad del enlazador" (Borges y Bioy Casares, comps., *Poesía gauchesca,* I, 102).

[7] *echar a verijas*: *Arg.* sujeto el animal con el lazo, el gaucho se afirmaba bien en el suelo, entreabriendo las piernas, y apretaba el lazo contra su cuerpo hasta que su mano derecha quedaba casi sobre la ingle (de aquí el modismo) y la mano izquierda en la parte posterior de la cintura. De este modo aumentaba la fuerza del tirón y terminaba por sofrenar al animal a fuerza de baquía.

[8] *enriendar*: anoto este verbo porque el paisano argentino lo usa con el significado de poner las riendas, embridar, y no como en España de poner las riendas para enfrenar (cf. Segovia, *Dicc. arg.*, s.v., y Tiscornia, *Martín Fierro com. y an.*, 385). Aparece en *Martín Fierro, La ida,* C. II, v. 170.

[9] *bajeras*: *Arg., Ur.* pieza del recado de montar que consiste en una manta pequeña de lana o algodón. Se le denomina también *matra* o *jerga* (cf. n. 5, Cap. III). Como va ubicada debajo de las

bastos y cincha. Cuando tiró del correón, el potrillo quiso debatirse pero era ya tarde. Los cojinillos completaron rápidamente la ensillada.

Asombrado miraba yo el dominio de aquel hombre, que trataba a mi petizo como a un cordero guacho.

Mientras apretaba el cinchón y desataba el cebrunito del poste trayéndolo al medio de la playa, Don Segundo me aleccionó:

—El hombre no debe ser sonso. De la gente jineta que vos ves aura, muchos han sido chapetones [10] y han aprendido a juerza de malicia. En cuanto subás charquiá [11] no más sin asco, que yo no vi a andar contando, y no le aflojés hasta que no te sintás bien seguro. ¿Me ah'entendido?

—Ahá.

—Güeno.

El caballo de Don Segundo estaba a dos pasos, pronto para apadrinarme. [12] Antes de subir miré en torno, pues a pesar de los consejos del hombre que entre todos merecía mi respeto, me hubiera molestado que otros me pillaran trampeando.

Tranquilizado por mi inspección, subí cautelosamente, no sin que me temblaran un poco las piernas. Ni bien es-

---

caronas se le llama asimismo *bajeras* por su posición en el recado.

[10] *chapetones*: *Arg., Bol., C.R., Chile, Ec., Par., Ur.* novatos, inexpertos. Es arcaísmo hoy en desuso (cf. Lerner, *Arc. léx.,* s.v.). Corominas (*Dicc. crít.-etim.,* s.v.) considera que es probable que derive de CHAPÍN, por cambio de sufijo. Esta voz significaba chanclo con suela de corcho. Con *chapetón* —si el étimon es el aducido por Corominas— se aludía al andar pesado del que sufría de niguas en los pies, dolencia que aquejaba, en los días coloniales, a los inexpertos en la vida tropical.

[11] *charquiar*: *Arg.* aferrarse a la cabezada del recado cuando el caballo corcovea. *Charquiar* (o *charquear*) no era honroso para el gaucho quien, como el conquistador español, consideraba ruin asirse de la montura para no caer del caballo. Pero Don Segundo permite esta libertad al muchacho pues aún está aprendiendo. Cf. Tiscornia, "Charquiar", *RFH,* I, 3 (jul.-sept. 1939), 264-265.

[12] *apadrinar*: *Arg.* acompañar un peón, a cierta distancia, al domador para ayudarlo a que el potro tome una determinada dirección y no se vaya contra un obstáculo, lo que es posible pues el animal aún no obedece las riendas.

tuve sentado, el dolor de las ingles y los muslos se me hizo casi insoportable; pero era mal momento para ceder y me acomodé lo mejor posible.

—No lo movéh'a ver si me da tiempo pa subir.

Como si hubiera entendido, el petizo quedó tranquilo hasta que mi padrino estuvo a mi lado.

Don Segundo alzó el rebenque. El petizo levantó la cabeza y echó a correr sin intentar más defensa. Alrededor de la playa dimos una gran vuelta. Poco a poco me fui envalentonando y acodillé [13] al petizo buscando la bellaqueada. Dos o tres corcovos largos respondieron a mi invitación; los resistí sin apelar al recurso indicado.

—Ya está manso —dije.

—No lo busqués —contestó simplemente Don Segundo, a quien mi maniobra no había escapado. Y colocándose alternativamente a uno y otro lado, me llevó hasta el lugar en que los demás troperos estaban desayunándose, con unos mates, a orillas del camino.

Nos recibieron con gritos y aplausos.

Hinchado de orgullo como un pavo, rematé mi trabajo tironeando al petizo según las órdenes de mi padrino:

—Aura pa la izquierda... Aura pa la derecha... Aura de firme no más, hasta que recule.

Y me cebaba en cada tirón, haciendo temblequear la jeta de mi víctima, tal como lo había visto hacer a los otros.

—Sta güeno. Te podés desmontar. Agarráte del fiador [14] del bozal y abrítele bien pa cair lejos.

[13] *acodillar*: *Arg.* talonear al caballo en los codillos —parte de las patas delanteras—.

[14] *fiador*: *Arg.* "El fiador, que precedió a los bozales modernos, es un anillo de cuero que se coloca en la parte superior del pescuezo de los animales... Una correa o tiento que pasa por la frente del animal —*frentera* o *testera*— evita que el *fiador* se descoloque, corriéndose hacia abajo. El verdadero nombre de esta prenda es cogotera; se usó para prender o apresillar el *cabresto* o la soga con que se ataban las cabalgaduras en los palenques de *las casas* o en las estacas, en medio del campo. Por eso la denominación de *fiador*...: a ese anillo... fiaba el gaucho su seguridad de tener caballo a mano en el momento necesario..." (Inchauspe, *Más voces*, 130-131). Cf. Lerner, *Arc. léx.*, s.v.

Lleno de confianza me ejecuté.

—¡Mozo liviano! —exclamó Pedro Barrales.

Recién cuando quise desensillar, me di cuenta de que por haberme excedido en los tirones tenía desgarradas las manos, de las cuales la izquierda me sangraba abundantemente.

—Te has lastimao —dijo Horacio, habiendo visto mi mirada—. Dejálo no más a tu redomón que yo le vi a bajar los cueros.[15]

No me hice rogar, porque sentía unos fuertes punzazos que me subían hasta el codo. Me envolví la herida con un pañuelo que Pedro me ayudó a anudar.

—Están resecas las riendas —dije a manera de comentario.

—Dejá eso no más —intervino Goyo— y arrimáte a tomar unos tragos del chifle[16] que te loh'as ganao.

Con explicable alegría, recibí aquella oferta, que me resultaba el más rico de los premios.

Media hora después, como se agotaran los elogios y las palmadas y la yerba, volvimos a nuestras impasibles actitudes de troperos. Pero yo llevaba dentro un tesoro de satisfacción, que saboreaba a grandes sorbos con el aire joven de la mañana.

Entretanto, los nubarrones amontonados en el horizonte habían recubierto el cielo y, cuando el arreo en marcha volvía a la angostura del callejón, las primeras gotas sonaron de un modo opaco y precipitado.

Como a pesar de la hora temprana sintiéramos calor, fue más bien un goce aquel tamborineo fresco. Algunos empezaron a acomodar sus ponchos; yo esperé.

Mirando el cielo colegimos que aquello era preludio de algo más serio.

La tierra se había puesto a despedir perfumes intensa-

[15] *bajar los cueros*: *Arg.* desensillar, quitar el recado al caballo.

[16] *chifle*: *Arg., Par., Ur.* asta de vacuno utilizada para llevar líquidos en el campo. Cantimplora. (Cf. Corominas, "Indianorománica", *RFH,* VI, 2 (abr.-jun. 1944), 150-151).

mente. El pasto y los cardos esperaban con pasión segura. El campo entero escuchaba.

Pronto, un nuevo crepitar de gotas alzó al ras del callejón una sutil polvareda. Parecía que nuestro camino se hubiese iluminado de un tenue resplandor.

Esa vez me acomodé el "calamaco" [17] preparándome a resistir el chubasco.

La lluvia se precipitó interceptándonos el horizonte, los campos y hasta las cosas más cercanas. Los troperos se distribuyeron a lo largo de la novillada para cerrar de más cerca la marcha.

—¡Agua! —gritó Valerio entreverándose a pechadas [18] entre los brutos.

Por mi parte me entretuve en sentir sobre mi cuerpo el cerrado martilleo de las gotas, preguntándome si el poncho me defendería de ellas. Mi chambergo sonaba hueco y pronto de sus bordes empezaron a formarse goteras. Para que éstas no me cayeran en el pescuezo, requinté [19] sobre la frente el ala, bajándola de atrás a fin de que el chorrito se escurriese por la espalda.

La primer reacción ante la lluvia, según más tarde pudo argumentar mi experiencia, es reír aunque muchas veces nada bueno traiga consigo la perspectiva de una mojadura. Riendo, pues, aguanté aquel primer ataque. Pero tuve muy pronto que dejar de pensar en mí, porque la tropa, disgustada por aquel aguacero que la cegaba de frente, quería darle el anca [20] y se hacía rebelde a la marcha.

[17] *calamaco*: *Arg.* se usa como adj. de poncho. Significa rojo y, en el norte del país, afirma Morínigo (*Dicc. am.*, s.v.), indica calidad inferior. Quizá del mapuche *kelii,* rojo, y *makuñ,* manta. Cf. también Corominas, *Dicc. crít.-etim.*, s.v.

[18] *a pechadas*: *Arg.* golpeando a los vacunos con el pecho del caballo para voltearlos o dirigirlos en una determina dirección.

[19] *requintar*: *Arg.* ladear, inclinar. Parece derivar del carioca *requintar*=tener afectación, ser afectado (Teruggi, *Panorama,* 147). En cambio, Giovani Meo Zilio y E. Rossi lo consideran genovesismo (*El elemento italiano en el habla de Buenos Aires y Montevideo.* I. Firenze, Valmartina Editore, 1970, 97).

[20] *dar el anca*: volver la espalda, irse en otra dirección. No he encontrado esta expresión en diccionarios ni en vocabularios.

Como los demás, tuve que meterme entre ellos distribuyendo sopapos y rebencazos. A cada grito llenábaseme la boca de agua, obligándome esto a escupir sin descanso. Con los movimientos me di cuenta de que mi ponchito era corto, lo cual me proporcionó el primer disgusto.

A la media hora, tenía las rodillas empapadas y las botas como aljibe.

Empecé a sentir frío, aunque luchara aún ventajosamente con él. El pañuelo que llevaba al cuello ya no hacía de esponja y, tanto por el pecho como por el espinazo, sentí que me corrían dos huellitas de frío.

Así, pronto estuve hecho sopa.

El viento que traíamos de cara arreció, haciendo más duro el castigo, y a pesar de que a su impulso el aire se volviese más despejado, no fue tanto el alivio como para que no deseáramos un próximo fin.

Acobardado miré a mis compañeros, pensando encontrar en ellos un eco de mis tribulaciones. ¿Sufrirían? En sus rostros indiferentes el agua resbalaba como sobre el ñandubay [21] de los postes, y no parecían más heridos que el campo mismo.

Pienso que Güiraldes la acuñó sobre el modelo de 'volear el anca' vulgarizada por el *Martín Fierro.* Esta expresión significaba dar media vuelta girando rápidamente sobre uno o los dos pies. Se originó en las suertes de la equitación: bolear la pierna para montar de un salto; bolear el anca para descabalgar. En ambos casos, el hábil jinete describía en el aire una media vuelta y quedaba en posición opuesta a la inicial. Inchauspe, además, puntualiza que 'volear el anca', referido a alguien de a pie, significaba dar media vuelta (*Más voces,* 218-219).

[21] *ñandubay*: *Arg., Par., Ur.* árbol de madera rojiza, muy dura, por lo que se la usa para hacer postes y corrales. Del guaraní *ñanduba y,* árbol que tiene arañas. Ascasubi define así el *ñandubay,* en nota agregada al Canto IX (v. 804) de su *Santos Vega*: "Es un árbol de las provincias del norte y noroeste, extremadamente duro, tan grueso como para dar tablas, pero sus troncos proporcionan palos de regular altura. Estos palos son de una ventaja incalculable para hacer los corrales para el ganado, o palizadas circulares en que se le encierra cuando es preciso. Tiene esta madera la ventaja de endurecerse más a medida que más tiempo están enterradas las extremidades de cada palo de los

El callejón, que había sido una nota clara con relación a los prados, estaba lóbrego. Por delante de la tropa, la huella rebrillaba acerada; atrás todo iba quedando trillado por dos mil patas, cuyas pisadas sonaban en el barrial como masticación de rumiante. Los vasos de mi petizo resbalaban dando mayor molicie a su tranco. Por trechos la tierra dura parecía tan barnizada, que reflejaba el cielo como un arroyo.

Dos horas pasé, así, mirando en torno mío el campo hostil y bruñido.

Las ropas, pegadas al cuerpo, eran como fiebre en período álgido sobre mi pecho, mi vientre, mis muslos. Tiritaba continuamente, sacudido por violentos tirones musculares, y me decía que si fuera mujer lloraría desconsoladamente.

De pronto, una abertura se hizo en el cielo. La lluvia se desmenuzó en un sutil polvillo de agua y, como cediendo a mi angustioso deseo, un rayo de sol cayó sobre el campo, corrió quebrándose en los montes, perdiéndose en las hondonadas, encaramándose en las lomas.

Aquello fue el primer anuncio de mejora que, al cabo de una breve duda, vino a caer en benéfico derroche solar.

Los postes, los alambrados, los cardos lloraron de alegría. El cielo se hizo inmenso y la luz se calcó fuertemente sobre el llano.

Los novillos parecían haber vestido ropas nuevas, como nuestros caballos, y nosotros mismos habíamos perdido las arrugas, creadas por el calor y la fatiga, para ostentar una piel tirante y lustrada.

El sol pronto creó un vaho de evaporación sobre nuestras ropas. Me saqué el poncho, abrí mi blusa y mi camiseta, me eché en la nuca el chambergo.

La tropa olfateando el campo se hizo más difícil de cuidar. Iniciamos algunas corridas arriesgando la costalada. [22]

---

que forman la palizada" (Horacio J. Becco, *Antología de la poesía gauchesca,* Madrid, Aguilar, 1972, 152).

[22] *costalada*: caída del caballo, con jinete o sin él, sobre un costado. También se dice de la caída de cualquier otro animal.

Una vida poderosa vibraba en todo y me sentí nuevo, fresco, capaz de sobrellevar todas las penurias que me impusiera la suerte.

Entretanto, la vitalidad sobrante quedó agazapada en nuestros cuerpos, pues de ella tendríamos necesidad para sobrellevar los próximos inconvenientes, y sin desparramarnos en inútiles bullangas, volvimos a caer en nuestro ritmo contenido y voluntarioso:

Caminar, caminar, caminar.

X

Le saqué el freno que recién se estaba acostumbrando a cascar; le aflojé el maneador lo más posible para que bebiera tranquilo.

El bayo se arrimó al agua, que tocó con cauteloso hocico, y apurado por la sed bebió a sorbos interrumpidos, sin apartar de mí su ojo vivaz. Era un buen pingo arisco aún y lleno de desconfiadas cosquillas. Lo miré con orgullo de dueño y de domador, pues estaba seguro de que pronto sería un chuzo [1] envidiable. Los tragos pasaban con regularidad de pulso por su garguero. Levantó la cabeza, se enjuagó la boca, aflojando los belfos al paso de su larga lengua rosada. De pronto se quedó estirado de atención, las orejas rígidas, esperando la repetición de algún ruido lejano.

—Comadreja —dije bajo, llamándolo por su nombre.

El bayo se volvió hacia mí, resopló como inquieto y comenzó a mordisquear la fina gramilla ribereña. Tranquilizado comió glotonamente, recogiendo entre sus labios movedizos los bocados, que luego arrancaba haciendo crujir los pequeños tallos.

[1] *chuzo*: según Saubidet (*Voc.*, s.v.)=buen caballo. Cf. también Corominas, *Dicc. crít.-etim.*, s.v.

Mi vista cayó sobre el río, cuya corriente apenas perceptible hacía cerca mío un hoyuelo, como la risa en la mejilla tersa de un niño.

Así, evoqué un recuerdo que parecía perdido en la aburrida bruma de mi infancia.

Hacía mucho tiempo, cinco años si mal no recordaba, intenté una recopilación de los insulsos días de mi existencia pueblera, y resolví romperla con un cambio brusco.

Era a orillas de un caserío, a la vera de un arroyo. A pocos pasos había un puente y hacia el medio del arroyo un remanso en el que solía bañarme.

¡Qué distintas imágenes surgían de mi nueva situación! Para constatarlo no tenía más que mirar mi indumentaria de gaucho, mi pingo, mi recado.

Bendito el momento en que a aquel chico se le ocurrió huir de la torpe casa de sus tías. Pero, ¿era mío el mérito?

Pensé en Don Segundo Sombra que en su paso por mi pueblo me llevó tras él, como podía haber llevado un abrojo de los cercos prendido en el chiripá.

Cinco años habían pasado sin que nos separáramos ni un solo día, durante nuestra penosa vida de reseros. Cinco años de ésos hacen de un chico un gaucho, cuando se ha tenido la suerte de vivirlos al lado de un hombre como el que yo llamaba mi padrino. Él fue quien me guió pacientemente hacia todos los conocimientos de hombre de pampa. Él me enseñó los saberes del resero, las artimañas del domador, el manejo del lazo y las boleadoras,[2] la difícil

[2] *boleadoras*: *Arg., Chile, Ur.* dos o tres esferas de piedra forradas de cuero y unidas por ramales a una anilla. Se usaban para la caza de ñandúes, potros y vacunos, o como arma defensiva. Los gauchos tomaron este instrumento de los indios, aprendiendo de ellos su manejo: tomar en la mano la menor, llamada 'manija' o 'manijera' y luego revolear las otras dos por sobre la cabeza, haciéndolas girar en redondo y lanzándolas con violencia contra el blanco. El fundador de la ciudad de Buenos Aires, Don Pedro de Garay, fue malamente herido por esta arma esgrimida por los indios. Luego los gauchos las usaron con éxito en las luchas de la Independencia, en las guerras civiles, durante la tiranía de Rosas y en la guerra contra el indio.

ciencia de formar un buen caballo para el aparte y las pechadas, el entablar una tropilla [3] y hacerla parar a mano [4] en el campo, hasta poder agarrar los animales donde y como quisiera. Viéndolo me hice listo para la preparación de lonjas y tientos, con los que luego hacía mis bozales, riendas, cinchones, encimeras, así como para injerir lazos [5] y colocar argollas y presillas.

Me volví médico de mi tropilla, bajo su vigilancia, y fui baquiano para curar el mal del vaso dando vuelta la pisada,[6] el moquillo con la medida del perro [7] o labrando un fiador con trozos de un mismo maslo, el mal de orina [8] poniendo sobre los riñones una cataplasma de barro podrido, la renguera de arriba [9] atando una cerda de la cola en la pata sana, los hormigueros con una chaira caliente,

[3] *entablar una tropilla*: *Arg.* acostumbrar al ganado mayor a que ande en manada y que siga a la yegua madrina. Amadrinar.

[4] *parar a mano*: poder apresar un yeguarizo en cualquier circunstancia, sin necesidad del lazo (Becco, *DSS y su voc.,* 114).

[5] *injerir lazos*: volver a unir, cuando se han cortado, los trozos del lazo sin que se note la juntura. *Lazo*: *Arg.* "Trenza redonda de tientos de cuero crudo de vacuno, de burro, etc., que sirve para enlazar o pialar, como así también para arrastrar *a la cincha* animales vivos o muertos, objetos, etc. Puede ser hecho con un solo tiento torcido al revés (*lazo chileno*). Los trenzados son de dos, tres, cuatro y hasta ocho tientos... Mide 17 a 20 metros de largo, con una argolla de hierro u otro metal en un extremo, que sirve para formar la *armada* o lazada corrediza" (Saubidet, *Voc.,* s.v.). Tanto el indio como el gaucho manejaron el lazo con gran destreza. Cf. Ciro Bayo, *Voc.,* s.v., que anota interesantes observaciones.

[6] *dar vuelta la pisada*: cortar la pisada dejada por el animal en la tierra y dar vuelta el terrón en que había quedado impresa.

[7] *medida del perro*: con una cinta se toma la circunferencia del pescuezo de un perrito sin dientes y se ata dicha cinta al cuello de un niño o animal, pues se le atribuye a tal acción virtudes curativas. También se cree que facilita la dentición sin dolores.

[8] *mal de orina*: imposibilidad que el caballo tiene de orinar después de una larga marcha.

[9] *renguera de arriba*: parálisis de los cuartos traseros del caballo.

los nacidos, cerda brava [10] y otros males, de diferentes modos.

También por él supe de la vida, la resistencia y la entereza en la lucha, el fatalismo en aceptar sin rezongos lo sucedido, la fuerza moral ante las aventuras sentimentales, la desconfianza para con las mujeres y la bebida, la prudencia entre los forasteros, la fe en los amigos.

Y hasta para divertirme tuve en él a un maestro, pues no de otra parte me vinieron mis floreos en la guitarra y mis mudanzas [11] en el zapateo. De su memoria saqué estilos, [12] versadas [13] y bailes de dos, e imitándolo llegué a poder escobillar [14] un gato [15] o un triunfo[16] y a bailar

[10] *cerda brava*: tumor en el cuello del animal.

[11] *mudanzas*: cambio de figura de zapateo en las danzas folclóricas. Donde mejor se aprecian las *mudanzas* es en el 'malambo', competencia de zapateo entre dos hombres, danza sumamente popular entre los gauchos por considerarla muy masculina y porque les permitía desplegar un virtuosismo al que eran muy afectos en todas sus empresas físicas.

[12] *estilos*: *Arg., Ur.* música rioplatense que se ejecuta con la guitarra. Es sentimental y lenta.

[13] *versadas*: *Arg., Chile, Guat., Perú, P.R., Ur.* composiciones en verso muy extensas y poco interesantes.

[14] *escobillar*: *Arg., Bol., Cuba, Chile, Perú, Ven.* hacer movimientos muy rápidos con el talón, la planta y el extremo delantero del pie, como restregando el piso, de modo que se produce un siseo lo que da su nombre a esta mudanza.

[15] *gato*: *Arg.* baile de dos con zapateo. Se ejecuta danzando o cantando y bailando a la vez. Estas dos maneras se distinguen con dos nombres: 'gato corrido' y 'gato con relación'. Su coreografía es intencionada y sugiere el asedio amoroso. Fue particularmente popular durante el siglo pasado y alcanzó prestigio de danza nacional. Carilla especifica que se acepta generalmente el hecho de que el nombre de este baile se relacione con la presencia de la palabra gato en los versos que se cantaban, y también por algunas semejanzas de su coreografía a modalidades del animal (*Martín Fierro,* Barcelona, Ed. Labor, S. A., 1972, 163). Más detalles sobre el *gato* consigna Tiscornia, *Martín Fierro com. y an.*, 93-95.

[16] *triunfo*: *Arg., Perú,* danza viva, en parejas, con zapateado. Inchauspe sostiene que, después del gato, el *triunfo* fue el preferido entre la gente de campo (*Voces y costumbres del campo argentino,* Buenos Aires, Sgo. Rueda, 1942, s.v.).

una huella [17] o un prado. [18] Coplas y relaciones [19] sobraban en su haber para hacer sonrojar de gusto o de pudor a un centenar de chinas.

Pero todo eso no era sino un resplandorcito de sus conocimientos y mi admiración tenía donde renovarse a diario.

¡Cuánto había andado ese hombre!

En todos los pagos tenía amigos, que lo querían y respetaban aunque poco tiempo paraba en un punto. Su ascendiente sobre los paisanos era tal que una palabra suya podía arreglar el asunto más embrollado. Su popularidad, empero, lejos de servirle, parecía fatigarlo después de un tiempo.

—Yo no me puedo quedar mucho en nenguna estancia —decía—, porque en seguida estoy queriendo mandar más que los patrones.

¡Qué caudillo de montonera [20] hubiera sido!

Pero por sobre todo y contra todo, Don Segundo quería su libertad. Era un espíritu anárquico y solitario, a quien la sociedad continuada de los hombres concluía por infligir un invariable cansancio.

[17] *huella*: danza del campo argentino bailada al son de la guitarra y acompañada de canto. Se le llamó 'el baile de los degolladores', pues fue la danza de caudillos y montoneras (Saubidet, *Voc.*, s.v.).

[18] *prado*: baile argentino antiguo, campesino, con zapateo y canto. Los bailarines, en pareja, se colocaban frente a frente y, cuando comenzaba el canto, 'paseaban el baile' haciendo graciosos movimientos con sus pañuelos. Cuando el cantor decía: "Da vuelta, mi vida", los bailarines colocaban sus respectivos pañuelos sobre sus hombros y castañeteaban los dedos (cf. Saubidet, *Voc.*, s.v.).

[19] *relaciones*: en el Río de la Plata, versos que en ciertos bailes populares campesinos, recita la pareja de bailarines.

[20] *montonera*: grupo de gauchos armados. Granada (*Voc. riopl.*, s.v.) cita al historiador Luis L. Domínguez para explicar el origen del argentinismo: "Artigas... permanecía a la cabeza de su *montonera* en los campos, haciendo la misma vida de los gauchos que lo seguían... Los grupos de merodeadores entre quienes vivía se llamaban *montones*, y de ahí viene el nombre de *montonera* con que se designaban las masas de caballería que lo seguían."

Como acción, amaba sobre todo el andar perpetuo; como conversación, el soliloquio.

Llevados por nuestro oficio, habíamos corrido gran parte de la provincia.[21] Ranchos, Matanzas, Pergamino, Rojas, Baradero, Lobos, el Azul, Las Flores, Chascomús, Dolores, el Tuyú, Tapalqué y muchos otros partidos nos vieron pasar cubiertos de tierra o barro, a la cola de un arreo. Conocíamos las estancias de Roca, Anchorena, Paz, Ocampo, Urquiza, los campos de "La Barrancosa", "Las Víboras", "El Flamenco", "El Tordillo" en que ocasionalmente trabajamos, ocupando los intervalos de nuestro oficio.

Una virtud de mi protector me fue revelada en las tranquilas pláticas de fogón. Don Segundo era un admirable contador de cuentos, y su fama de narrador daba nuevos prestigios a su ya admirada figura. Sus relatos introdujeron un cambio radical en mi vida. Seguía yo de día siendo un paisanito corajudo y levantisco, sin temores ante los riesgos del trabajo; pero la noche se poblaba ya para mí de figuras extrañas y una luz mala, una sombra o un grito me traían a la imaginación escenas de embrujados por magias negras o magias blancas.

Mi fantasía empezó así a trabajar, animada por una fuerza nueva, y mi pensamiento mezcló una alegría a las vastas meditaciones nacidas de la pampa.

A esa altura de mis mecedoras evocaciones, el bayo Comadreja dio una espantada que casi me quita el maneador de entre las manos.

Siguiendo su mirada vi, en la orilla opuesta del río, asomar la socarrona cabecita de un zorro.

Me dio vergüenza, como si hubiera burla en la atención de aquel bicho astuto.

Me levanté, tosí, acomodé las jergas[22] del recado, enrien-

[21] *provincia*: se refiere a la provincia de Buenos Aires. Todos los partidos o ciudades que menciona a continuación se encuentran en el este y sur de dicha provincia.

[22] *jergas*: piezas de lana del recado. Cf. *recadito,* n. 48, Cap. I, y *bajeras,* n. 9, Cap. IX.

dé el caballo y, una vez montado, emprendí el retorno a las casas.

Saliendo de las barrancas, vi tendido delante mío un vasto potrero y a lo lejos divisé el monte.

La estancia era grande y bien poblada. Diez leguas, ocho puestos, monte grande, con calles cuidadas, galpones, casa lujosa y un jardín de flores como nunca antes vi. Habíamos changado [23] en unos trabajos de aparte y ese día de Navidad, el patrón daba un gran baile para mensuales, puesteros y algunos conocidos del campo.

A la mañana había yo ayudado a limpiar y adornar el galpón de esquila, que quedó emperifollado como una iglesia, y mientras volvía, que era para la oración, prometíame una buena noche de parranda como no se presenta en muchas ocasiones. Además, allí, en un puesto medio perdido en los juncales de un bajo, [24] había conocido una mocita con más coqueterías que un jilguero. No sería mal arrimar un poquito de leña a ese fuego.

Entretanto, mi bayo iba pisando con desconfianza entre matas de paja colorada y esparto. A mis espaldas quedaba la laguna cubierta por la bruma de un griterío confuso y ya tímido. Entré a una calle del monte. Los troncos vibraban aún de luz. Me encontré de improviso con otro jinete ante cuya semblanza mis ojos dudaron un momento.

—¿Sos vos, Pedro?

[23] *changado*: de *changa.* Habían hecho un trabajo extra, temporario, de poca importancia. Para *changa,* cf. Corominas, "Indianorománica", *RFH,* VI, 2 (abr.-jun. 1944), 220-222, y también su *Dic. crít.-etim.,* v. *changador.*

[24] *bajo*: "Lugar llano opuesto a *alto, loma,* en los campos quebrados. Por lo general suele ser paraje anegadizo, refugio de los ganados, asiento de aves zancudas... La razón de la existencia del argentinismo *alto* explica naturalmente la de su contrario. Sin duda es resultado de una elipsis. No consta en los vocabularios regionales" (Tiscornia, *Martín Fierro com. y an.,* 358). La palabra ingresó a la literatura debido al comienzo del poema *Martín Fierro,* en que su protagonista declara: "Me siento en el plan de un bajo / a cantar un argumento" (*La ida,* C. I, v. 43-44).

—Barrales de apelativo. Yo mesmo soy. He sabido que andabas por acá y he venido a toparte sólo pa que me contés de tu vida.

—Y es claro que vos no más habías sido. Con razón cuanto te vide las viruelas me dije: Ésa es cara con hocico.

—¿Y yo, hermanito? ¡Si te habré estrañao! ¿Creerás que dende que no te veo no puedo miar?

Con qué gusto encontraba a mi bueno y viejo compañero del primer arreo, cuya alegría dicharachera había dejado en mi memoria la resonancia de un cencerro.

Hasta llegar al palenque, me hizo decir cuanto quiso sobre lo sucedido en mi existencia, desde que no nos habíamos visto, y comentaba a antojo mis relatos con ingeniosos parangones o burlas simpáticas. Convinimos andar juntos en el baile y comimos codo a codo, en cuclillas, al lado del asador rodeado por unos treinta hombres.

Desde la cocina entreveíamos el galpón, al que iban llegando como avanzadas de fiesta algunos charrés[25] y gente de a caballo. Adivinábamos risas de mujeres en los carruajes y poco a poco la cocina fue llenándose de paisanos que saludaban, alegres o taimados.

Ya la gente se había amontanado por demás y salimos con Pedro a curiosear lo que sucedía en el salón del baile.

Intimidados, a pesar de nuestros alardes, nos asomamos al recinto antes lleno de bolsas, maquinarias y cueros, entonces preparado, con ostentación de lámparas, velas, candiles y banderitas, a contener la alegría de un centenar de parejas.

El centro, despejado y limpio, asustaba y atraía como un remanso. En las sillas que formaban cuadro, apoyadas contra la pared, había mujeres de todas las edades, algunas con chicos en las faldas, los que asustados miraban con grandes ojos o cansados dormían sin reparar en conversaciones, ni luces, ni colores.

[25] *charrés*: coche de dos ruedas y dos o cuatro asientos, tirado por caballos.

Las mujeres, según la edad, vestían ropas oscuras o claras faldas floreadas. Algunas llevaban pañuelo en el pescuezo, otras en la cabeza. Todas parecían recogidas en una meditación mística, como si esperaran el advenimiento de un milagro o la entrada de algún entierro. Pedro me golpeaba disimuladamente el muslo con el puño:

—Vamoh'ermanito, que aurita dentra el finao.

Del galpón nos dirigimos a una carpa [26] improvisada con las lonas de las parvas, donde nos tentó una hilera de botellas y misteriosas canastas, tapadas con coloreados pañuelos, que según nuestros cálculos debían esconder alfajores, [27] pasteles, empanadas y tortas fritas. [28]

Pedro interpeló al muchacho que se aburría entre tanta golosina con ojos hinchados de sueño:

—Pase un frasco, compañero, que se van a redamar de llenos y nosotros estamos vacidos.

—¿No serán ustedes los llenos?

—De viento, puede ser.

—Y de intenciones.

—No sé mamarme con eso, mozo.

—Ni quiere tampoco el patrón que naides se mame.

—¿Y los pasteles?

—Después que se hayan servido las señoras y las mozas.

[26] *carpa*: *Am.* toldo, tienda de campaña. Generalmente se considera voz de origen quichua, pero Corominas (*Dicc. crít.-etim.*, s.v.) se inclina a derivarla de la voz española *carpeta.* Morínigo (*Dicc. am.*, s.v.) puntualiza que los soldados del Inca no conocían el objeto designado ya en 1560 como *carpa,* por lo que no descarta la posibilidad de que sea voz española. En el texto se designa con esta palabra un galpón rústico construido con lonas o arpilleras colocadas sobre un armazón de palos que era costumbre levantar durante la celebración de romerías, carreras, etc., o, como en este caso, como recinto adicional en la estancia para una fiesta o por otra razón especial.

[27] *alfajores*: en la Argentina, golosina de dos piezas circulares de masa unidas entre sí con diferentes tipos de dulces, según las regiones.

[28] *tortas fritas*: *Arg.* masa chata de harina, agua y sal, frita en grasa que no faltaba en las fiestas de campo.

—Jue pucha[29] —concluyó Pedro—, usté nos ha resultao un chancho que no da tocino.[30]

El guardián de las golosinas y los licores se rio y nos volvimos, con propósito de asearnos un poco, porque ya los guitarreros y acordeonistas preludiaban y no queríamos perder el baile.

XI

En el camino de luz proyectado por la puerta hacia la noche, los hombres se apiñaban como queresas[1] en un tajo. Pedro me echaba por delante y entramos, pero mis pobres ropas de resero me restaban aplomo, de modo que nos acoquinamos a la orillita de la entrada.

Las muchachas, modestamente recogidas en actitud de pudor, eran tentadoras como las frutas maduras, que esperan en traje llamativo quien las tome para gozarlas.

Corrí mi vista sobre ellas, como se corre la mano sobre un juego de bombas trenzadas.[2] De a una pasaron bajo mi curiosidad sin retenerla.

De pronto vi a mi mocita, vestida de punzó, con pañuelo celeste al cuello, y me pareció que toda su coquetería era para mí solo.

Un acordeón y dos guitarras iniciaron una polca. Nadie se movía.

[29] *juepucha*: por *hijo de puta*. Interjección eufemística. Aparece también en *Martín Fierro* (*La vuelta*, C. X, v. 1409).

[30] *ser chancho que no da tocino*: ser un fiasco. No he encontrado esta expresión en diccionarios o vocabularios.

[1] *queresas*: montones de huevecillos que las moscas depositan en las heridas de los animales y de los que luego nacerán gusanos. Epéntesis de *cresa*.

[2] *juego de bombas trenzadas*: adornos esféricos de plata o tejidos de tientos con los que se adornan las riendas, el bozal, etc., del recado.

Sufrí la ilusión de que toda la paisanada no tenía más razón de ser que la de sus manos, inhábiles en el ocio. Eran aquéllas unos bultos pesados y fuertes, que las mujeres dejaban muertos sobre las faldas y que los hombres llevaban colgados de los brazos, como un estorbo.

En eso, todos los rostros se volvieron hacia la puerta, al modo de un trigal que se arquea mirando viento abajo.[3]

El patrón, hombre fornido de barba tordilla,[4] nos daba las buenas noches con sonrisa socarrona:

—¡A ver, muchachos, a bailar y divertirse como Dios manda! Vos, Remigio, y vos, Pancho, Vd. Don Primitivo y los otros: Felisario, Sofanor, Ramón, Telmo..., síganme y vamos sacando compañeras.

Un momento nos sentimos empujados de todas partes y tuvimos que hacer cancha a los nombrados. Bajo la voz neta de un hombre, los demás se sintieron unidos como para una carga. Y en verdad que no era poca hazaña tomar a una mujer de la cintura, para aquella gente que sola, en familia o con algún compañero, vivía la mayor parte del tiempo separada de todo trato humano por varias leguas.

Un tropel se formó en el centro del salón, remolineó inquieto, se desparramó hacia las sillas, estorbándose como hacienda sedienta en una aguada.

Cada hombre dobló su importancia con la de la elegida. Arrancó el acordeonista a tocar un vals rápido.

—¡A bailar por la derecha y sin encontrones! —gritó con autoridad el bastonero. Y las parejas tomadas de lejos, los pies cercanos, el busto echado para atrás como marcando su voluntad de evitarse, empezaron a girar desafiando el cansancio y el mareo.

[3] *viento abajo*: "Viento que sopla de espalda" (Saudibet, *Voc.*, s.v.), esto es, que el trigal se arquea a favor del viento.

[4] *tordilla*: obsérvese cómo el narrador recurre a un pelaje de caballo para trasmitir, con un solo adjetivo, la noción de la barba entrecana del patrón ya que el tordillo es, en efecto, un caballo de pelaje blanco y negro.

Había comenzado la fiesta. Tras el vals, tocaron una mazurca. Los mozos, los viejos, los chicos, bailaban seriamente, sin que una mueca delatara su contento. Se gozaba con un poco de asombro, y el estar así, en contacto con los géneros femeniles, el sentir bajo la mano algún corsé de rigidez arcaica o la carne suave y ser uno en movimiento con una moza turbada, no eran motivos para reír.

Sólo los alocados surtían el grito necesario de toda emoción.

Yo me enervaba al lado de Perico, sorprendido como en una iglesia. Peleaban en mí los deseos de sacar a mi mocita de punzó y la vergüenza. Calló un intervalo el acordeón monótono. El bastonero golpeó las manos:

—¡La polca'e la silla!

Un comedido trajo el mueble que quedó desairado en medio del aposento. El patrón inició la pieza con una chinita de verde, que luego de dar dos vueltas, envanecida, fue sentada en la silla, donde quedó en postura de retrato.

—¡Qué cotorra pa mi jaula! —decía Pedro; pero yo estaba, como todos, atento a lo que iba a suceder.

—¡Feliciano Gómez!

Un paisano grande quería disparar, mientras lo echaban al medio donde quedó como borrego que ha perdido el rumbo de un golpe.

—Déjenlo que mire pa'l siñuelo [5] —gritaba Pedro.

El mozo hacía lo posible por seguir la jarana, aunque se adivinara en él la turbación del buen hombre tranquilo nunca puesto en evidencia. Por fin tomó coraje y dio seis trancos que lo enfrentaron a la mocita de verde. Fue mirado insolentemente de pies a cabeza por la moza, que luego dio vuelta con silla, dejándolo a su espalda.

El hombre se dirigió al patrón con reproche:

—También, señor, a una madrinita como ésta no se le acollara mancarrón tan fiero. [6]

[5] *siñuelo*: por *señuelo. Arg., Bol.* ganado vacuno manso que se usa en los rodeos para atraer y conducir a los animales ariscos. También se forma *señuelo* con los yeguarizos.

[6] *a una madrinita como ésta no se le acollara un mancarrón tan fiero*: comparación de naturaleza campera —como casi todas

—¡Don Fabián Luna!

Un viejo de barba larga y piernas chuecas,[7] se acercó con desenvoltura para sufrir el mismo desaire.

—Cuando no es fiero es viejo —comentó con buen humor. Y soltó una carcajada como para espantar todos los patos de una laguna.

El patrón se fingía acobardado.

—Alguno mejor parecido y más mozo, pues —aconsejaba don Fabián.

—Eso es; nómbrelo usted.

—Tal vez el reserito...

No oí más y me senté como potro sobre un maneador seguro, pero estaba contra la pared y no pude bandearla[8]

---

en la novela—. La muchacha es como una yegua madrina a la que el patrón pretende *acollarar* —unir, acercar— a un gaucho viejo y feo —*mancarrón fiero*—.

[7] *chuecas*: *Arg., Perú,* de piernas torcidas, con las puntas de los pies hacia adentro. Estevado.

[8] *bandearla*: atravesarla. "Las líneas costeras de una extensión de agua, de mayor o menor longitud, son conocidas también con el nombre de "bandas". Cruzar o atravesar un río o arroyo de costa a costa, es "bandearlo", o sea ir de una a otra orilla o "banda". En principio, el vocablo se aplicó, exclusivamente, al acto de cruzar a nado...; después, el significado se generalizó y "bandear"... expresó... pasar a la orilla contraria por cualquier medio, lo mismo a nado que en bote. Aquel concepto primitivo hizo que nuestro campesino convirtiese a "bandear" en sinónimo de traspasar; un cuerpo humano —y de otras especies— es "bandeado" por la hoja de un arma blanca, por una bala o por otra herramienta perforante, cuando éstas le entran por un sitio y le salen por el opuesto... Y este segundo concepto se amplió, a su vez: en una discusión o competencia, de la más diversa índole, un contrincante "bandea" a otro cuando aporta argumentos y pruebas irrebatibles o lo supera en forma indiscutible. De igual modo, un individuo puede "bandearse solo" en los casos en que, por falta de razones atinadas..., contribuye involuntariamente al triunfo de su rival. En ambos casos, el "bandeado" queda en la misma situación de inferioridad que el "bandeado" o atravesado por el arma del contrario en el curso de una pelea" (Inchauspe, *Más voces,* 302-303). Es voz arcaica y coloquial todavía sumamente usada por los porteños. Güiraldes hace aquí un uso metafórico de la expresión, intensificando así su valor gráfico, material y espiritualmente hablando.

para encontrar la noche, en que hubiera deseado perderme.

La atención general me hizo recordar mi audacia de chico pueblero. Con paso firme me acerqué, levanté el chambergo sobre la frente, crucé los brazos y quebré la cadera.

La muchacha pretendió intimidarme con su ya repetida maniobra.

—Cuanti más [9] me mire —le dije—, más seguro que me compra.

Seguidamente salimos a dar, bailando, nuestras dos reglamentarias vueltas, orillando la hilera de mirones.

—¿Qué gusto tendrán los norteros? —dijo como para sí la moza al dejarme en la silla.

—Ala derecha usamos los chambergos —comenté a manera de indicación.

A la derecha dio ella tres pasos, volviendo a quedar indecisa.

—Po'l lao del lazo se desmontan los naciones [10] —insistí.

Y viendo que mis señas no eran suficientemente precisas, recité el versito:

El color de mi querida es más blanco que cuajada,
Pero en diciéndole envido [11] se pone muy colorada.

[9] *cuanti más*: por *cuanto más*. Equivale a 'tanto más'. *Cuanti más* es forma fliar. que existía ya en el siglo XVI junto a *cuanto más* y ha perdurado como ruralismo (cf. Tiscornia, *Poetas gauchescos,* Buenos Aires, Losada, 1940, 154). Güiraldes lo usa también en los Caps. XII, XVIII y XXIII con el significado de 'a lo sumo', común entre los paisanos.

[10] *po'l lao del lazo se desmontan los naciones*: la frase del reserito es otra invitación para que la muchacha gire por la derecha y siga bailando. El lazo se ponía a la derecha del caballo y se montaba y desmontaba por la izquierda. Pero *los naciones* —los extranjeros—, ignorantes de las costumbres, lo hacían por la derecha. *Los naciones* es una antigua expresión española usada en la lengua militar para designar a los soldados extranjeros de los ejércitos de Felipe III. La registra el *Dicc. Aut.* como expresión de "estilo bajo". Es voz que aparece en todos los gauchescos. Ha sido siempre una metonimia arcaizante (cf. Lerner, *Arc. léx.,* s.v.).

[11] *envido*: modismo del juego de naipes. Significa convite, ofrecimiento (cf. n. 18, Cap. I). Este pareado es un buen ejemplo,

Esta vez fui entendido y tuve el premio de mi desfachatez cuando salí con mi morochita dando vueltas, no sé si al compás.

A media noche vinieron bandejas con refrescos para las señoras. También se sirvió licor y algunas sangrías. Alfajores, bollos, tortas fritas y empanadas fueron traídas en canastas de mimbre claro. Y las que querían cenar algún plato de carne asada, salían hacia la carpa.

Los hombres, por su lado, se acercaban al despacho de los frascos, que hoy habíamos contemplado con Pedro, y allí hacían gasto de ginebra, anís Carabanchel y caña de durazno o guindado. [12]

Desde ese momento se estableció una corriente de idas y vueltas entre las carpas y el salón, animado por un renuevo de alegría.

El acordeonista fue reemplazado por otro más vivaracho, bajo cuyos dedos las polcas y las mazurcas saltaban entre escalas, trinos y firuletes. [13]

Ya las bromas se daban a voz alta y las muchachas reían olvidando su exagerada tiesura.

Saqué como cuatro veces a mi niña de punzó y, al compás de las guitarras, empecé a decirle floridas galanterías que aceptaba con gustosos sonrojos.

En los intervalos volvía hacia mi lugar, al lado de Pedro Barrales, que me divertía con sus comentarios.

—Sos sonso —le decía—, estás sumido y triste como lechón que se ha dejao quitar la teta.

—No ves que soy loco como vos, para andar pataleando sobre de las baldosas.

—¿Loco?

—¡Si te hirve el agua en la cabeza!

Y como yo me fingiera resentido, tomábame del brazo para consolarme con afectuoso acento:

---

como los otros que pueden leerse en este capítulo, de las *relaciones* mencionadas en el Cap. X.

[12] *guindado*: licor hecho de guindas.

[13] *firuletes*: *Arg., Bol., Chile, Par., Perú, Ur.* rebuscamientos, adornos, complicaciones excesivas. Segovia le atribuye origen italiano *(Dicc. arg.,* 394).

—No te me enojéh'ermanito. Sos como la cañada'e la Cruz; tenés tus retazos malos y tus retazos güenos.

—Válganme los güenos —concluía yo, volviendo a mi fandango.[14]

Sin embargo, la animación crecía y éranos casi necesario un apuro de ritmos, cuando el bastonero golpeó las manos:

—¡Vamoh'a ver, un gato bien cantadito y bailarines que sepan floriarse!

El acordeonista dio sitio al guitarrero que iba a cantar.

Los cuatro bailarines se colocaron cerca de los músicos. Las mujeres miraban el suelo, mientras los hombres requintaban el ala de sus chambergos.

Empezaron a rasguear los mozos de las guitarras. Las manos de muñecas flojas pasaban sobre el encordado, con acompasado vaivén, y un golpe más fuerte marcaba el acento, cortando como un tajo el borrón rítmico del rasguido.

El latigazo intermitente del acento, iba irradiando valentías de tambor en el ambiente. Los bailarines, de pie, esperaban que aquello se hiciera alma en los descansados músculos de sus paletas bravías, en la lisura de sus hombros lentos, en las largas fibras de sus tendones potentes.

Gradualmente, la sala iba embebiéndose de aquella música. Estaban como curadas[15] las paredes blancas que encerraban el tumulto.

La puerta pegaba con energía sus cuatro golpes rígidos en el muro, abriéndolo a la noche hecha de infinito y de

[14] *fandango*: diversión, fiesta con baile, algarabía. Según el *Dicc. Aut.* es "baile introducido por los que han estado en los Reinos de las Indias". En Hidalgo se lo da como 'fiesta gauchesca (en la que suele haber baile)'. Tiscornia cita el testimonio de un viajero de mediados del siglo XVIII (*Martín Fierro com. y an.*, 389). El origen de la palabra es incierto y Corominas trae dos posibilidades: el portugués *fandango*<*fado*=canción y baile populares en Portugal o el étimon propuesto por Fernando Ortiz (*Glosario de afronegrismos*, La Habana, 1924, 202) que lo deriva del mandinga *fanda*=convite. La acepción de bullicio y/o desbarajuste, lío, desorden es hoy general para esta voz en América y Andalucía.

[15] *curadas*: empapadas, curtidas, embebecidas.

astros, sobre el campo que nada quería saber fuera de su reposo. Los candiles temblaban como viejas. Las baldosas preparaban sonido bajo los pies de los zapateadores. Todo se había plegado al macho imperio del rasguido.

Y el cantor expresó ternuras en tensas notas:

Sólo una escalerita de amor me falta.
Sólo una escalerita de amor me falta
Para llegar al cielo, mi vida, de tu garganta.

Las dos mujeres, los dos hombres dieron comienzo a la danza.

Los hombres caminaban con ágiles galanteos de gallo que arrastra el ala.

Las mujeres tomaron la delantera en el círculo descrito y miraban coqueteando por sobre el hombro.

El cuadro dio una vuelta, el cantor continuaba:

Vuela la infeliz, vuele, ay que me embarco
En un barco pequeño, mi vida, pequeño barco.

Las mujeres tomaron entre sus dedos las faldas, que abrieron en abanico, como queriendo recibir una dádiva o proteger algo. Las sombras flamearon sobre los muros, tocaron el techo, cayeron al suelo como harapos, para ser pisadas por los pasos galanos. Un apuro repentino enojó los cuerpos viriles. Tras el leve siseo de las botas de potro, [16] trabajando un escobilleo de preludio, los talones y las plantas traquetearon un ritmo, que multiplicó de impaciencia el amplio acento de las guitarras esmeradas en marcar el compás. Agitábanse como breves aguas los pliegues de los chiripases. Las mudanzas adquirieron soltu-

[16] *botas de potro:* botas *sui-generis* que el gaucho hacía con la piel entera de la pata de una yegua o potrillo. La descarnaba y sobaba hasta volverla suave y flexible. Por lo general, esta bota tenía la punta abierta dada la costumbre del gaucho de estribar con dos dedos. Saubidet explica en detalle cómo se hacían e ilustra sus variedades. Constituían uno de los lujos de la indumentaria gaucha.

Güiraldes, con ropas de trabajo, tomando mate, en la estancia, con Don Segundo. (De la colección del Dr. Alberto G. Lecot.)

Adelina y Ricardo en el jardín de la quinta de Victoria Ocampo. (De la colección del Dr. Alberto G. Lecot.)

ras de corcovo, comentando en sonantes contrapuntos el decir de los encordados.

Repetíase el paseo y la zapateada.[17] Un rasgueo solo batió cuatro compases. Otra vez los pasos largos descansaron el baile. Volvieron a sonar talones y espuelas en una escasa sobra de agitación. Las faldas femeninas se abrieron, más suntuosas, y el percal lució, como pequeños campos de trébol florido, la fina tonalidad de su lujo agreste.

Murió el baile sobre un punto final, marcado y duro.

Algunas mujeres hacían muecas de desagrado ante las danzas paisanas, que querían ignorar; pero una alegría involuntaria era dueña de todos nosotros, pues sentíamos que aquella era la mímica de nuestros amores y contentos.

A mi vez fui parte del cuadro con Don Segundo y mi elegida.

Era un gato con relación.

Cuando quedamos aislados en el silencio, deletreé claramente mis versos:

Para venir a este baile puse un lucero de guía,
Porque supe que aquí estaba la prenda que yo quería.

Por la derecha dimos una vuelta y zapateamos una mudanza. Quieto esperé la respuesta que vino sin tardar:

De amores me estás hablando, yo de amores nada sé.
Pero si en amor sos sabio, se me hace que aprenderé.

A su vez tocó el turno a Don Segundo, que avanzó hacia su compañera retándola con firme voz de amenaza:

Una, dos, tres, cuatro.
Si no me querés me mato.

Concluida la vuelta, contestó con gran indiferencia y encogiéndose de hombros la voluminosa Doña Encarnación:

Una, dos, tres.
Matáte si querés.

[17] *paseo y zapateada*: dos momentos en el gato.

Entre burlas y galanteos siguió el juego de los versos.

Bailamos un triunfo y un prado, y enardecidos nos entreveramos cada vez más con mi morocha, lanzándonos palabras que por ir en rima nos parecían disimuladas.

Una muchacha cantó. Un hombre tenía que contestar con una relación, porque era de uso. Pero ¿quién se atreve a declamar una versada jocosa, paseando de una punta del salón a la otra ante el silencio de los demás?

Don Segundo quedó de pronto en el centro de la rueda. La curiosidad volvía mudos a los mirones. Mi padrino se quitó el chambergo y pasó el antebrazo por la frente, en señal de trabajoso pensamiento. Por fin, pareciendo haber encontrado inspiración, echó una mirada circular y prorrumpió con voz fuerte:

Yo soy un carnero viejo de la majada'e San Blas. [18]

Dio una vuelta como prestándose a la observación:

Ya me han visto por delante...

Y tomando dirección lentamente hacia la puerta de salida concluyó con desgano:

...ahora mirenmé de atrás.

Mi morochita era indudablemente la prenda [19] más vivaracha de la fiesta y, como ya el amanecer nos sugería un deseo de blando descanso, no dejaba de anegarme en sus ojos chispones y en la risa carnosa de sus labios, dispuestos a la contestación tierna.

Un poco turbado por mis propios piropos y su consentimiento, intenté apartarla, invitándola a tomar un refresco en la carpa. Cuando, con una hábil y costosa maniobra, pude llevarla hasta quedar escondido de la gente por la lona del improvisado boliche, le tomé la mano preten-

[18] *San Blas*: obispo mártir que murió en 316 D. C. Es el patrono de los ganados.

[19] *prenda*: en este caso, moza, muchacha.

diendo sin más aviso darle un beso. Luchamos un momento y me sentí rudamente apartado ante su mirada de enojo. Volvimos al baile sin que se me ocurriese una artimaña para desagraviarla, y aunque fuera yo a pedirle tres piezas consecutivas, negóse con pretextos nimios.

Rabioso pensé en el trato benévolo de la de verde.

Al rato estaba muy bien de relaciones con mi nueva amiga, y hasta me acusaba de haber sido un sonso en desperdiciar mi tiempo con la otra.

Tiernamente, al concluir una polca, le oprimí los dedos, pero debía estar de mala pata esa noche porque se me cuadró en actitud altanera diciéndome:

—¿Se ha creído que soy escoba'e barrer sobras?

Adiós todos mis placeres de la noche. De pronto, la gente que me codeaba empezó a pesarme, como un caballo que lo ha apretado a uno en la rodada.

Me abrigué en la sociedad de Perico.

—Ve, ve —me decía éste señalando una pareja de gringos que pasaba bailando a saltos—. ¡Cha [20] que son gauchitos, si van como arrancando clavos con los talones!

Y al notar mi seriedad, volvió hacia mí sus bromas:

—No ves que el andar saltando al pedo [21] no lleva a nada güeno. ¿Te han basuriao, [22] hermano? ¡Pobrecito! ¡Si te has quedao con la pontizuela caída! [23]

Y Pedro aflojaba el labio inferior con expresión que trataba de acercar, lo más posible, a la de un freno con pontezuela.

[20] *cha*: contracción de la interjección eufemística *pucha* (cf. n. 6, Cap. XVII).

[21] *al pedo*: *Arg., Bol., Par., Ur.* inútilmente, en vano. Modismo adv. vulg. Sinónimos, en el habla campesina de la Argentina, son *al ñudo, al botón.*

[22] *basuriao*: por *basureado.* Humillado, manoseado, degradado.

[23] *te has quedado con la pontizuela caída*: como explica Güiraldes (*Raucho,* Vocabulario en *OC,* 239), la *pontezuela* es una chapa "en forma de media luna, que va colgada en los extremos inferiores de las piernas del freno. Es prenda de lujo y generalmente de plata". Por lo tanto, lo que Perico quiere decir es que el otro se ha quedado deslucido, frustrado al ser rechazado por las mujeres.

De golpe me fui por el día ya alto a tender mi recado y dormir unas horas.

XII

Era nuestra noche de despedida. Mateando en rueda, después de la cena, habíamos agotado preguntas y respuestas a propósito de nuestro camino del día siguiente.

Breves palabras caían como cenizas de pensamientos internos. Estábamos embargados por pequeñas preocupaciones respecto a la tropilla o los aperos, [1] y era como si el horizonte, que nos iba a preceder en la marcha, se hiciera presente por el silencio. Recordé mi primer arreo.

Perico, a quien repugnaba toda inacción, nos acusó de estar acoquinados como pollos cuando hay tormenta.

—O nos vamoh'a dormir —decía— o Don Segundo nos hace una relación de esas que él sabe: con brujas, aparecidos y más embrollos que negocio'e turco. [2]

—¿De cuándo sé cuentos? —retó Don Segundo.

—¡Bah! no se haga el más sonso de lo que es. Cuente ese del zorro con el inglés y la viuda estanciera.

—Lo habráh'oido en boca de otro.

—De esa mesma trompa embustera lo he oído. [3] Y, si

[1] *aperos*: piezas del recado de montar. Cf. n. 48, Cap. I.

[2] *con más embrollos que negocio'e turco*: con muchos enredos. Desde el siglo XIX los turcos recorrían la campaña argentina vendiendo baratijas. También se habían establecido con tiendas en las ciudades. Hablaban mal el castellano, no tenían precios fijos y confundían a los gauchos con sus triquiñuelas comerciales. La expresión aún se usa en todo el país. Cf. n. 12, Cap. III.

[3] *De esta... lo he oído*: ésta es referencia al cuento titulado "Al rescoldo", perteneciente al libro de Güiraldes *Cuentos de muerte y de sangre* en el que, efectivamente, Don Segundo narra la historia de la viuda rica, el inglés y el zorro. Ésa es la primera presentación del personaje y está hecha en los siguientes términos: "El enorme moreno se empacaba en un bordoneo demasiado difícil para sus

no quiere contar ése, cuéntenos el de la pardita [4] Aniceta que se casó con el Diablo pa verle la cola.

Don Segundo se acomodó en el banco como para hablar. Pasó un rato.

—¿Y? —preguntó Perico.

—¡Oh! —respondió Don Segundo.

Pedro se levantó, el rebenque en alto, tomado de la lonja.

—Negro [5] indino —dijo—, o cuenta un cuento, o le hago chispear la cerda de un taleraso. [6]

—Antes que me castigués —dijo Don Segundo, fingiendo susto para seguir la broma—, soy capaz de contarte hasta las virgüelas. [7]

Las miradas iban del rostro de Pedro, mosqueado de cicatrices, a la expresión impávida de Don Segundo, pasando así de una expresión jocosa a una admirativa.

Y yo admiraba más que nadie la habilidad de mi padrino que, siempre, antes de empezar un relato, sabía maniobrar de modo que la atención se concentrara en su persona.

—Cuento no sé nenguno —empezó—, pero sé de algunos casos que han sucedido y, si prestan atención, voy a relatarles la historia de un paisanito enamorao y de las diferencias que tuvo con un hijo'el Diablo.

—¡Cuente, pues! —interrumpió un impaciente.

---

manos callosas. Su pequeño sombrero. requintado, le hacía parecer más grande...

—Arrímese —le dijo uno, dándole lugar—, que aquí no hay duendes.

Hacía alusión a las supersticiones del viejo paisano; supersticiones conocidas de todos y que completaban su silueta característica" (*OC*, 109).

[4] *pardita*: *dim.* de *parda. Ant., Arg.* mulata; en general, persona de piel oscura por mezcla con negros o indios.

[5] *negro*: alude a la piel curtida por el sol de Don Segundo.

[6] *taleraso*: por *talerazo*. de *talero. Arg., Chile, Ur.* látigo formado por un cabo de unos 60 cm de largo de madera de tala (quizá origen del nombre del objeto) y una lonja corta y ancha. Se lleva colgado de la muñeca. El *talerazo* es el golpe aplicado con el cabo, teniendo la lonja envuelta en la mano.

[7] *virgüelas*: por viruelas.

—"Dice el caso que a orillas del Paraná,[8] donde hay "más remanses[9] que cuevas en una vizcachera,[10] trabajaba "un paisanito llamao Dolores.

"No era un hombre ni grande ni juerte, pero sí era co-"rajudo, lo que vale más."

Don Segundo miró a su auditorio, como para asegurar con una imposición aquel axioma. Las miradas esperaron asintiendo.

—"A más de corajudo, este mozo era medio[11] aficionao "a las polleras,[12] de suerte que al caer la tarde, cuando "dejaba su trabajo, solía arrimarse a un lugar del río ande

[8] *Paraná*: el río Paraná, entre la Argentina y Brasil.

[9] *remanses*: por *remansos*.

[10] *vizcachera*: cueva de la *vizcacha. Arg., Chile, Perú,* voz quichua *(huisk'acha)* que designa un roedor sudamericano semejante a la liebre. Vive en comunidades de hasta cuarenta miembros. La *vizcachera,* más que su cueva es, en verdad, una aldea como la califica Guillermo E. Hudson *(The Naturalist in el Plata,* 1892. Cap. XX. Apud Becco, *DSS y su voc.,* 64-65). La *vizcachera* tiene una entrada a la que dan las entradas a otras cuevas. Dependiendo del terreno, pueden ser de una profundidad de hasta dos metros. Es este verdadero laberinto de cuevas el que utiliza Güiraldes para enfatizar los numerosos remansos del río en aquel lugar del cuento.

[11] *medio*: en América se ha variado a veces el significado de una voz en razón de lo que Charles Kany llama "la analogía correlativa" *(Sem. Hispnoam.)* que abarca palabras íntimamente asociadas, palabras con significados contrarios y préstamos semánticos entre hablantes bilingües. Entre las palabras cuya carga semántica se ha vuelto contraria a la original figura *medio* que, frecuentemente en el habla popular, tiene el sentido de 'muy grande', 'inmenso'. Ser "*medio* aficionao a las polleras" significa que el mozo era *muy* aficionado a ellas. Es común este uso en el habla gauchesca y puede ser resultado allí de la natural parsimonia del gaucho que nunca llamaba a las cosas por su nombre, prefiriendo valerse de metáforas, expresiones perifrásticas o alusiones casi siempre irónicas. De las cuarenta veces que Hernández usa esta voz (cf. Daniel C. Scroggins, *A Concordance of José Hernández' Martín Fierro,* Columbia, University of Missouri Press, 1971, 145-146), veintiséis lo hace con la acepción indicada.

[12] *ser aficionao a las polleras*: ser mujeriego. *Pollera (Arg., Bol., Chile, Par., Ur.)* es arcaísmo que significa 'falda del vestido femenino'. La expresión que comentamos es sinécdoque de uso general en el Río de la Plata.

"las muchachas venían a bañarse. Esto podía haberle cos-
"tao una rebenqueada, pero él sabía esconderse de modo
"que naides maliciara de su picardía.

"Una tarde, como iba en dirición a un sombra'e toro,[13]
"que era su guarida, vido llegar una moza de linda y
"fresca que parecía una madrugada. Sintió que el corazón
"le corcoviaba en el pecho como zorro entrampao y la dejó
"pasar pa seguirla."

—A un pantano cayó un ciego creyendo subir a un cerro[14] —observó Perico.

—Conocí un pialador[15] que de apurao se enredaba en la presilla —comentó Don Segundo—, y el mozo de mi cuento tal vez juera' e la familia.

—"Ya ciego con la vista'e la prenda, siguió nuestro hom-
"bre pa'l río y en llegando la vido que andaba nadando
"cerquita'e la orilla.

"Cuando malició que ella iba a salir del agua, abrió los
"ojos a lo lechuza porque no quería perder ni un peda-
"cito."

—Había sido como mosca pa'l tasajo —gritó Pedro.

—¡Calláte, barraco![16] —dije, metiéndole un puñetazo por las costillas.

[13] *sombra'e toro*: árbol de cinco o seis metros de altura, de tronco delgado, común por casi toda la Argentina. Se le llama 'quebracho flojo' y se usa para hacer yugos.

[14] *A un pantano..., a un cerro*: si éste es un refrán que pertenece al acervo popular, no aparece registrado en ninguno de los refraneros españoles (las cuatro recopilaciones de Rodríguez Marín, los refraneros de Correas, Bergua y Corso y el diccionario de Sbarbi), ni tampoco en el refranero argentino e hispanoamericano de Moya y en el bonaerense de Ramón R. Capdevila. Estaríamos, pues, en presencia de una creación o re-creación de Güiraldes quien, bien adentrado en la mentalidad del paisano, acota la situación en que el personaje del cuento se encontraba con un refrán que la resume: esperando regodearse con la belleza de la muchacha, en realidad Dolores la sigue hacia su perdición. Perico entrevé que algo malo ha de suceder pero no hubiera sabido expresarlo sin concretizarlo a través de un dicho.

[15] *pialador*: el gaucho diestro en enlazar de a pie. Cf. n. 15, Cap. VIII y n. 4, Cap. XXII.

[16] *barraco*: por *verraco. Arg., Méx.* cerdo.

—"El mocito que estaba mirando a su prenda, encan-
"dilao como los pájaros blancos con el sol, se pegó de im-
"proviso el susto más grande de su vida. Cerquita, como
"de aquí al jogón, de la flor que estaba contemplando, se
"había asentao un flamenco grande como un ñandú y co-
"lorao como sangre'e toro. Este flamenco quedó aleteando
"delante'e la muchacha, que buscaba abrigo en sus ropas,
"y de pronto dijo unas palabras en guaraní.

"En seguida no más, la paisanita quedó del altor de un
"cabo'e rebenque."

—¡Cruz Diablo! —dijo un viejito que estaba acurrucado contra las brasas, santiguándose con brazos tiesos de mamboretá.[17]

—"Eso mesmo dijo Dolores, y como no le faltaban aga-
"llas,[18] se descolgó de entre las ramas de su sombra'e toro,
"con el facón en la mano, pa hacerle un dentro[19] al brujo.
"Pero cuando llegó al lugar, ya éste había abierto el vuelo,
"con la chinita hecha ovillo de miedo entre las patas, y le
"pareció a Dolores que no más vía el resplandor de una
"nube coloriada por la tarde, sobre el río.

"Medio sonso, el pobre muchacho quedó dando güeltas
"como borrego airao,[20] hasta que se cayó al suelo y quedó,
"largo a largo, más estirao que cuero en las estacas.

"Ricién a la media hora golvió en sí y recordó lo que
"había pasao. Ni dudas tuvo de que todo era magia, y que
"estaba embrujao por la china bonita que no podía apartar

17 *mamboretá*: *Arg., Par., Ur.* voz guaraní. Insecto saltador. Se lo conoce también por el nombre de 'reza a Dios' ya que, al estar posado, se asemeja a una persona arrodillada en oración. El comparar, pues, al viejito supersticioso con el insecto refuerza aquí la imagen que de la actitud supersticiosa del personaje recibe el lector.

18 *como no le faltaban agallas*: *Am.* como era osado, temerario. En el *Martín Fierro* se dice del gaucho que es capaz de vivir entre los indios: "ningún consuelo penetra / detrás de aquellas murallas— / el varón de más agallas, / aunque más duro que un perro, / metido en aquel infierno, / sufre, gime, llora y calla". *(La vuelta,* C. XII, v. 1941-1946).

19 *hacerle un dentro*: atacarlo, herirlo.

20 *airao*: desorientado, irresoluto.

"de su memoria. Y como ya se había hecho noche y el susto "crece con la escuridá, lo mesmo que las arboledas, Dolores "se puso a correr en dirición a las barrancas.

"Sin saber por qué, ni siguiendo cuál güella, se encon-"tró de pronto en una pieza alumbrada por un candil "mugriento, frente a una viejita achucharrada [21] como pasa, "que lo miraba igual que se mira un juego de sogas de "regalo. Se le arrimaba cerquita, como revisándole las cos-"turas, y lo tanteaba pa ver si estaba enterito.

—"¿Ande estoy? —gritó Dolores.

—"En casa de gente güena —contestó la vieja—. Sen-"táte con confianza y tomá aliento pa contarme qué te "trai tan estraviao.

"Cuando medio se compuso, Dolores dijo lo que había "sucedido frente del río, y dio unos suspiros como pa echar "del pecho un daño.[22]

"La viejita, que era sabia en esas cosas, lo consoló y "dijo que, si le atendía con un poco de pacencia, le con-"taría el cuento del flamenco y le daría unas prendas [23] "virtuosas, pa que se juera en seguida a salvar la moza, "que no era bruja sino hija de una vecina suya.

"Y sin dilación ya le dentró a pegar al relato [24] por lo "más corto.

"Hace una ponchada de años,[25] dicen que una mujer, "conocida en los pagos por su mala vida y sus brujerías, "entró en tratos con el Diablo y de estos tratos nació un "hijo. Vino al mundo este bicho sin pellejo y cuentan que "era tan fiero, que las mesmas lechuzas apagaban los ojos "de miedo'e quedar bizcas. A los pocos días de nacido,

[21] *achucharrada*: por *achicharrada,* arrugada.

[22] *daño*: *Am.* maleficio, mal de ojo.

[23] *prendas*: objetos, utensilios.

[24] *le dentró a pegar al relato*: comenzó a narrar ininterrumpidamente.

[25] *ponchada de*: *Arg., Chile, Par., Ur.* derivado de *poncho.* Cantidad considerable de algo, como la que cabría en un poncho. Guarnieri explica que el idiomatismo nació de la costumbre antigua de recoger las apuestas, en las carreras de campo, depositándolas sobre un poncho abierto en el suelo *(Nuevo voc.,* s. v.).

"se le enfermó la madre, y como vido que iba en derecera'e "la muerte,[26] dijo que le quería hacer un pedido.

—"Hablá, m'hijo —le dijo la madre.

—"Vea, mama, yo soy juerte y sé como desenredarme "en la vida, pero usté me ha parido más fiero que mi pro- "pio padre y nunca podré crecer, por falta'e cuero en que "estirarme, de suerte que nenguna mujer quedrá tener "amores conmigo. Yo le pido, pues, ya que tan poco me "ha agraciao, que me dé un gualicho[27] pa podérmelas "conseguir.

—"Si no es más que eso —le contestó la querida'el "Diablo—, atendéme bien y no has de tener de qué "quejarte:

"Cuando desiés alguna mujer, te arrancás siete pelos de "la cabeza, los tiráh'al aire y lo llamáh'a tu padre diciendo "estas palabras: (aquí se secretiaron tan bajito, que ni en "el aire quedaron señas de lo dicho).

"Poco a poco vah'a sentir que no tenés ya traza'e gente, "sino de flamenco. Entonces te voláh'en frente'e la prenda "y le decís estas otras palabras: (aquí güelta los secre- "teos).

"En seguida vah'a ver que la muchacha se queda, cuanti "más,[28] de unas dos cuartas de altor. Entonces la soliviás[29] "pa trairla a esta isla, donde pasarán siete días antes "que se ruempa el encanto.

"Ni bien concluyó de hablar esto, ya a la bruja querida

[26] *derecera*: vía o senda derecha, i.e., iba en línea recta a la muerte. Es arcaísmo (cf. Corominas, *Dicc. crít.-etim.*, v. *derecho*, y Lerner, *Arc. léx.*, s.v.).

[27] *gualicho*: *Arg.* mascota o talismán de virtudes sobrenaturales. La palabra, en la Argentina, Bolivia y Chile, significa también el diablo o genio del mal, daño o maleficio. Modernamente se usa con el valor de brebaje diabólico, mágico, de poderes sobrenaturales. Es voz tehuelche, *walichu*=genio del mal. Mansilla explica qué significación tenía *Gualichu* para los ranqueles y sus diversos efectos malignos en *Una excursión a los indios ranqueles* (Buenos Aires, CEAL, 1967), T. II, cap. 41, 5-6.

[28] *cuanti más*: a lo sumo. Cf. n. 9, Cap. XI.

[29] *soliviar*: *Arg.*, rur., robar.

"de Añang [30] la sofrenó la muerte y el mostruo sin pellejo
"jue güérfano.

"Cuando Dolores oyó el fin de aquel relato, comenzó a "llorar de tal modo, que no parecía sino que se le iban a "redetir los ojos.

"Compadecida, la vieja le dijo que ella sabía de bru-"jerías y que lo ayudaría, dándole unas virtudes pa resca-"tar la prenda, que el hijo'el Diablo le había robao con tan "malas leyes.

"La vieja lo tomó al llorón de la mano y se lo llevó a "un aposento del fondo'e la casa.

"En el aposento había un almario, grande como un ran-"cho, y de allí sacó la misia [31] un arco de los que supieron "usar los indios, unas cuantas flechah'envenenadas y un "frasco con un agua blanca.

—"Y ¿qué vi a hacer yo, pobre disgraciao, con estas "tres nadas —dijo Dolores— contra las muy muchas bru-"jerías que dejuro [32] tendrá Mandinga? [33]

—"Algo hay que esperar en la gracia de Dios —le con-"testó la viejita—. Y dejáme que te diga cómo has de hacer, "porque denó [34] va siendo tarde:

"Estas cosas que te he dao te las llevás y, esta mesma "noche, te vas pa'l río de suerte que naides te vea. Allí "vah'a encontrar un bote; te metéh'en él y remás pa'l medio

[30] *Añang*: Satanás.

[31] *misia*: fórmula de tratamiento. Mi señora. Solía usarse antepuesto al nombre, en forma similar al uso de Doña. Para la etimología, cf. Amado Alonso, en Aurelio M. Espinosa, *Estudios sobre el español de Nuevo Méjico. BDH*, I (Buenos Aires, Instituto de Filología, 1930), 418-421 y Corominas, "Indianorománica", *RFH*, VI, 3 (jun.-sept. 1944), 239. Es arcaísmo usado aún ruralmente en la Am. Mer. Cf. Lerner, *Arc. léx.*, s.v. Las observaciones de Granada *(Voc. riopl.*, s.v.) son interesantes, pues ilustran el uso de esta fórmula en la última década del siglo XIX.

[32] *dejuro*: por *de seguro*, cierto, en verdad. "Es la afirmación enfática que los paisanos prefieren y abunda en los textos [gauchescos]" (Tiscornia, *Poetas gauchescos*, 134).

[33] *Mandinga*: *Arg.* el diablo. Es la designación más generalizada en el gauchesco. Voz africana.

[34] *denó*: *Arg., Chile, Par.* si no, de lo contrario.

"del agua. Cuando sintás que hah'entrao en un remanse, "levantás los remos. El remolino te va hacer dar unas "güeltas, pa largarte en una corriente que tira en dirición "de las islas del encanto.

"Y ya me queda poco por decirte. En esa isla tenés "que matar un caburé,[35] que pa eso te he dao el arco y "las flechas. Y al caburé le sacáh'el corazón y lo "echáh'adentro del frasco de agua, que es bendita, y tam- "bién le arrancáh'al bicho tres plumas de la cola pa hacer "un manojo que te colgáh'en el pescuezo.

"En seguida vah'a saber más cosas que las que te puedo "decir, porque el corazón del caburé, con ser tan chiquito, "está lleno de brujerías y de cencia.

"Dolores, que no dejaba de ver en su memoria a la "morochita del baño, no titubió un momento y agrade- "ciéndole a la anciana su bondá, tomó el arco, las flechas "y el frasquito de agua, pa correr al Paraná entre la noche "escura.

"Y ya ganó la orilla y vido el barco y saltó en él y remó "pa'l medio, hasta cair en el remanse que lo hizo trompo "tres veces, pa empezar a correr después aguah'abajo, con "una ligereza que le dio chucho.[36]

"Ya estaba por dormirse, cuando el barco costaló[37] del

[35] *caburé*: ave de rapiña, pequeña, que aturde a sus víctimas con su chillido. A sus plumas se le atribuyen poderes mágicos. Voz guaraní. "La superstición ha establecido —dice Moya— que la persona que lleve entre sus ropas una pluma de caburé será siempre afortunada en el amor; la pluma, en este caso, constituye un verdadero "payé" (hechicero y amuleto de hechicero)". (Apud Becco, *DSS y su voc.*, 26). Cf. Coluccio, *Dicc. folkl. arg.*, s.v.

[36] *le dio chucho*: le infundió miedo. En *Arg., Bol., Ec., Par., Perú, Ur., chucho* (voz chibcha) es la denominación regional del paludismo o malaria, cuyo principal síntoma son los temblores que acometen a los afectados por el mal. Paludismo eran las 'tercianas' o 'fiebres' tan temidas por los conquistadores y aludidas en las crónicas coloniales. Ese temblor típico fue la base de la ampliación de significado que el vocablo sufrió más tarde, viniendo a significar miedo. También se usa con el significado de escalofrío, como puede verse en el Cap. XVII.

[37] *costalar*: *Arg., Ur.* caer sobre un costado. Otro ejemplo de voz propia de los equinos (o de los animales en general), aquí apli-

"lao del lazo y siguió corriendo de lo lindo.[38] Dolores se "enderezó un cuantito [39] y vido que dentraba en la boca de "un arroyo angosto, y en un descuido quedó como enredao "en los juncales de la orilla.

"El muchacho ispió un rato, a ver si el barco no cam-"biaba de parecer; pero como ahí no más quedaba clava-"dito, malició que debía estar en tierra de encanto, y se "abajó del pingo, que tan lindamente lo había traido, no "sin fijarse bien ande quedaba, pa poderse servir dél a "la güelta.

Y ya dentró en una arboleda macuca,[40] que no dejaba "pasar ni un rayito de la noche estrellada.

"Como había muchas malezas y raices de flor del aire, "comenzó a enredarse hasta que quedó como pialao. En-"tonces sacó el cuchillo pa caminar abriéndose una pi-"cada,[41] pero pensó que era al ñudo [42] buscar su caburé a "esas horas y que mejor sería descansar esa noche. Como "en el suelo es peligroso dormir en esos pagos de tigres y "yararases,[43] eligió la más juerte de las raices que encon-"tró a mano, y subió p'arriba arañándose en las ramas, "hasta que halló como una hamaca de hojas.

"Allí acomodó su arco, sus flechas y su frasco, dispo-"niéndose al sueño.

"Al día siguiente lo dispertó el griterío de los loros y la "bulla de los carpinteros.[44]

---

cada a la navegación. Esta misma trasmutación del mundo del gaucho a otros medios se da más adelante en este capítulo, cuando Dolores "se abajó del pingo" en vez del bote o cuando designa al grupo de pájaros como el "rodeo de pajaritos".

[38] *de lo lindo*: muchísimo, en grande.

[39] *un cuantito*: un tanto, un poco.

[40] *macuca*: sospechosa por lo densa e impenetrable. Baso esta explicación en el significado que esta voz tiene en *Arg., Chile, Perú, Ven.* de 'taimado', 'astuto' como así también el de 'muy grande' (Cf. Corominas, *Dicc. crít.-etim.*, v. *macuquino*).

[41] *picada*: *Am. Cen., Arg., Bol., C.R., Cuba, Par., Ur.* trocha o senda que se abre en un bosque o monte espeso.

[42] *al ñudo*: por *nudo. Arg., Bol., Ur.* en vano, inútil.

[43] *yararases*: por *yararáes. Arg., Bol., Par., Ur.* víbora muy venenosa y, por ello, muy temida. Voz guaraní.

[44] *carpinteros*: pájaros carpinteros.

"Refregándose los ojos, vido que el sol ya estaba pun-
"tiando [45] y, pa'l mesmo lao, divisó un palacio grande como
"un cerro y tan relumbroso, que parecía hecho de cha-
"falonía.

"Alrededor del palacio había un parque, lleno de árbo-
"les con frutas tan grandotas y lucientes, que podía verlas
"clarito.

"Cuando coligió de que todo era verdá, el paisanito re-
"cogió sus menesteres y se largó por las ramas.

"Abriéndose paso a cuchillazos, a los tirones pa desbro-
"zarse una güella, llegó al fin de la selva, que era ande
"emprincipiaba el jardín.

"En el jardín halló unos duraznos como sandias y des-
"gajó uno pa comerlo. Así sació el hambre y engañó la
"sé y, habiendo cobrao juerzas nuevas, empezó a buscar
"su caburé aunque sin mucha esperanza, porque no es éste
"un pájaro que naides haiga visto con el sol alto.

"Pobrecito Dolores, que no se esperaba las penas que
"debía sufrir pa alcanzar su suerte. Ansina es el destino del
"hombre. Naides empezaría el camino si le mostraran lo
"que lo espera.

"En las mañanas claras, cuando él cambea de pago, mira
"un punto delante suyo y es como si viera el fin de su
"andar; pero, ¡qué ha de ser, si en alcanzándolo el llano
"sigue por delante sin mudanzas! Y así va el hombre, per-
"siguiendo lo que alcanza con su vista, sin pensar en el
"desamparo que lo aguaita [46] atrás de cada lomada. Tranco
"por tranco lo ampara una esperanza, que es la cuarta [47]

[45] *puntiando*: por *punteando*. Saliendo, asomando.

[46] *aguaitar*: este anticuado verbo sobrevive en la mayor parte de América a veces —como en el texto— con el sentido de esperar, influido por aguardar (Arg.); otras veces con el significado de mirar, ver, atisbar (Chile, Ec.). Cf. Kany, *Sem. Hispanoam.*, 178 y 207. En el *Martín Fierro* es claro el sentido de 'acecho': "Habían estao escondidos [los indios] / aguaitando atrás de un cerro..." (*La ida,* C. III, v. 534-535). Para más información, cf. Tiscornia, *Martín Fierro com. y an.*, 349-350.

[47] *cuarta*: *Arg., Par., Ur.* yunta de caballos o bueyes usados para ayudar a los vehículos empantanados o muy cargados. También soga o cadena utilizada con igual propósito. Por extensión, toda

"que lo ayuda en los repechos para ir caminando rumbo "a su osamenta.[48] Pero ¿pa qué hablar de cosas que no "tienen remedio?[49]

"El paisanito de mi cuento craiba conseguir su suerte "con estirar la mano y graciah'a eso venció seis días de "penah' y de tormento. Muchas veces pensó golverse, pero "la recordaba a su morocha del río y el amor lo tiraba "p'atrás como lazo.

"Recién al sesto día, a eso de la oración, vido que al- "rededor de un naranjo revoloteaban una punta de[50] pa- "jaritos y dijo pa sus adentros:

—"Allá debe de hallarse lo que buscás.

"Gatiando como yaguareté,[51] se allegó al lugar y vislum-

---

clase de ayuda. Tiscornia explica el origen del uso de esta voz y cita el testimonio de *El lazarillo de ciegos caminantes,* de Carrió de la Bandera *(Martín Fierro com. y an.,* 371). Así lo usa Martín Fierro: "Peló la espada —y se vino / como a quererme ensartar, / pero yo sin tutubiar / le volví al punto a decir: / "Cuidao no te vas a pér...tigo, / poné cuarta pa salir..." (*La ida,* C. X, v. 1819-1824).

[48] *osamenta*: Saubidet anota que el paisano usa la frase *ir rumbo a su osamenta* cuando se refiere a su muerte, y también la variante *entregar su osamenta a Dios* (*Voc.,* s.v.). Es un caso de sinécdoque, común en la lengua gauchesca y que Güiraldes inyecta en el relato que pone en boca de Don Segundo, con lo que consigue recrear naturalmente el habla del paisano.

[49] Toda esta disquisición de Don Segundo recuerda conceptos similares expresados por Martín Fierro en el poema: "Viene el hombre ciego al mundo / cuartiándolo la esperanza, / y a poco andar ya lo alcanzan / las desgracias a empujones; / ¡la pucha, que trae liciones / el tiempo con sus mudanzas!" (*La ida,* C. II, v. 127-132). Los conceptos abstractos son semejantes como lo es también el grafismo con que el viejo paisano güiraldiano los expresa.

[50] *una punta de*: *Am.* multitud, muchos. El paisano argentino usa también la voz *punta* en su acepción castiza de 'porción separada del ganado' *(Dicc. Aut.,* s.v.) y este uso —afirma Tiscornia *(Martín Fierro com. y an.,* 435)— explica la extensión del significado, el extender la idea de pluralidad a las demás cosas que es argentinismo.

[51] *yaguareté*: *Arg., Bol., Par., Ur.* tigre americano o jaguar. Del guaraní *yaguar*+*eté*=perro verdadero. Morínigo (*Dicc. am.,* s.v.) trae la fascinante historia de esta voz: "Yaguar era el nombre guaraní del tigre americano... Con la llegada de los primeros perros traídos por los españoles y portugueses, que eran perros bravos

"bró al bicho parao en un tronco. Ya había muerto dos
"o tres pajaritos, pero seguía de puro vicio partiéndoles
"la cabeza a los que se le ponían a tiro.

"Dolores pensó en el enano malparido, rodiao de las
"mujercitas embrujadas.

—"¡Hijo de Añang —dijo entre dientes—, yo te vi a
"hacer sosegar!

"Apuntó bien, estiró el arco y largó el flechazo.

"El caburé cayó p'atrás, como gringo voltiao de un cor-
"covo, y los pajaritos remontaron el vuelo igual que si
"hubieran roto un hilo. Sin perder de vista el lugar donde
"había caído el bicho, Dolores corrió a buscarlo entre el
"pasto, pero no halló más que unas gotas de sangre.

"Ya se iba a acobardar cuando a unos dos tiros de lazo,
"golvió a ver un rodeo de pajaritos y en el medio otro
"caburé. De miedo y de rabia, tiró apurao y la flecha salió
"p'arriba.

"Tres veces erró del mesmo modo y no le quedaba más
"que una flecha pa ganar la partida, o dejar sin premio
"todas sus penas pasadas. Entonces, comprendiendo que
"había brujería, sacó un poquito de agua de su frasco,
"roció su última flecha y tiró diciendo:

—"Nómbrese a Dios.[52]

---

y de gran tamaño, los guaraníes les transfirieron el nombre del más feroz de sus conocidos, llamándolos *yaguar,* pero al propio tiempo al *yaguar* americano lo llamaron *yaguar-eté*... Cuando Azara, a fines del siglo XVIII, describió la fauna guaranítica, por razones de precisión llamó con el nombre indígena de *yaguar* al temible tigre americano. Pero lo obra de Azara se publicó en francés y, por supuesto, *yaguar* pasó a ser *jaguar*... Más tarde, extraviados los originales de Azara, su obra se retradujo del francés al español..., pero el traductor no reparó en que la *j* de *jaguar* en francés debía pasar a *y* en español. Para la zoología sudamericana posterior, Azara fue la gran autoridad, y la mala grafía de la traducción se difundió por vía erudita... Por último, *jaguar* se deslizó en el Diccionario de la Academia Española, hasta formar hoy parte de nuestro léxico literario y erudito. Pero el habla popular, con muy buen sentido, sigue llamando tigre al *yaguar,* como los primeros españoles que lo conocieron y lo bautizaron con indudable propiedad".

[52] *Nómbrese a Dios*: invocación para ahuyentar los malos espíritus. Con respecto a la religiosidad del gaucho, Pedro In-

"Esta vez, el pájaro quedó clavao en el mesmo tronco "y Dolores pudo arrancarle tres plumas de la cola, pa hacer "un manojo y colgárselo en el pescuezo. Y también le sacó "el corazón, que echó calentito en el frasco de agua "bendita.

"En seguida, como le había dicho la vieja, vido todo "lo que debía hacer y ya tomó por una calle de flores, "sabiendo que iría a salir al palacio.

"A unas dos cuadras antes de llegar, lo agarró la noche "y él se echó a dormir bajo lo más tupido de un monte "de naranjos.

"Al otro día, comió de las frutas que tenía a mano y, "como empezaba a clariar, caminó hasta cerquita de una "juente que había frente al palacio.

—"Dentro de un rato —dijo— va a venir el flamenco "pa librarse del encanto, que dura siete días y yo haré lo "que deba de hacer.

---

chauspe dice así: "En el gaucho, pese al aislamiento en que vivía, hubo un pronunciado sentimiento religioso... [que] era más abstracto que concreto, y [cuya] esencia le venía, probablemente por herencia ancestral, pues la mayor parte de los gauchos en su vida había visto una iglesia, ni siquiera un sacerdote... [E]n el rancho más humilde, era frecuente encontrar una lámina religiosa, una imagen, un crucifijo; el saludo del camino es un "¡Vaya usted con Dios!"; el viajero que llega a una casa, anúnciase con un "¡Ave María Purísima!", cuya respuesta obligada es el ritual "¡Sin pecado concebida!" Y el mismo fervor está en la bendición, pedida a los mayores con el sombrero en la mano y, a veces hasta rodilla en tierra; en el "¡Santa Bárbara bendita!" con que invoca la protección divina cuando la furia de terribles tormentas asuela el desierto, o en el "¡Cruz Diablo!", verdadero exorcismo contra el mal agüero que la superstición popular asignaba —y asigna aún— al chillido nocturno de las inofensivas y útiles lechuzas... Lo real es que el sentimiento religioso era en el gaucho de las pampas más instintivo que cultivado..." Agrega que el sentimiento religioso no tenía ni la profundidad ni el arraigo espiritual necesarios para servir de freno a sus pasiones e instinto, pero que debe considerársele "—por la órbita de su influencia, en razón de existir en acciones cotidianas del gaucho— como un factor moral de no escasa importancia" *(Reivindicación del gaucho,* Buenos Aires, Plus Ultra, 1968, 126-128).

"Ni bien concluyó estas palabras, cuando oyó el ruido "de un vuelo y vido caer a orillas de la fuente al flamenco, "grande como un ñandú y colorao como sangre'e toro.

"A gatas aguantó las ganas que tenía de echársele en-"cima, ahí no más, y se agazapó más bajo en su escon-"drijo.

"Para esto el pajarraco, parao en una pata a la orillita "mesma del agua, miraba pa'l lao que iba a salir el sol y "quedó como dormido. Pero Dolores, que no largaba su "frasquito, estaba sabiendo lo que sucedería.

"En eso se asomó el sol y al flamenco le dio un des-"mayo que lo tumbó panza arriba en el agua, de donde al "pronto quiso salir en la forma de un enano.

"Dolores, que no aguardaba otra cosa, echó mano a la "cintura, sacó el cuchillo, lo despatarró de un empujón al "mostruo, lo pisó en el cogote como ternero, y por fin "hizo con él lo que debía hacer, pa que aquel bicho indino "no anduviera más codiciando mujeres.

"El enano salió gritando pa la selva, con las verijas co-"loriando, y cuando Dolores jue a mirar el palacio, ya no "quedaba sino una humadera y un tropel de mujercitas "del grandor de un charabón de quince días que venía "corriendo en su dirición.

"Dolores, que muy pronto reconoció a su morochita del "Paraná, se arrancó el manojo de plumas que traiba colgao "al pescuezo, las roció de agua bendita y le dibujó a su "prenda una cruz en la frente.

"La paisanita empezó a crecer y, cuando llegó al altor "que Dios le había dao endenantes,[53] le echó los brazos al "pescuezo a Dolores y le preguntó:

—"¿Cómo te llamás, mi novio?

—"Dolores, ¿y vos?

—"Consuelo.

"Cuando volvieron del abrazo, se acordaron de las tris-"tes compañeras y el paisanito las desembrujó del mesmo "modo que a su novia.

[53] *endenantes*: *Am.* arc. rur. antes, hace poco tiempo.

"Después las llevaron hasta donde estaba el bote y, de "a cuatro, jueron cruzando el río hasta las cuatro últimas.

"Y ahí quedaron Dolores y Consuelo, mano a mano con "la felicidá que ella había ganao por bonita y él por "corajudo.

"Años después, se ha sabido que la pareja se ha hecho "rica y tiene en la isla una gran estancia con miles de "animales y cosechas y frutas de todas layas.

"Y al enano, hijo del Diablo, lo tiene encadenao al frasco "del encanto y nunca este bicho malhechor podrá escapar "de ese palenque, porque el corazón del caburé tiene el "peso de todas las maldades del mundo."

XIII

Después de dos días de marcha, sin peripecias, llegamos al pueblo de Navarro,[1] un domingo por la mañana.

Tomando una calle poblada, pasamos por la plaza frente a la iglesia petiza,[2] y nos bajamos en un almacén a hacer la mañana.[3]

Por ser día festivo, había gente a porrillo y un antiguo amigo de mi padrino se acercó a saludarlo, con muchos agasajos y recuerdos.

Nunca me gustaron amontonamientos y menos cuando el alcohol menudea, de suerte que me apreté la barriga

[1] *Navarro*: pueblo del centro de la provincia de Buenos Aires.

[2] *petiza*: *Arg., Bol., Chile, Par., Ur.* en el campo, se usa para designar al caballo de poca alzada. En la ciudad, para las personas de baja estatura. Güiraldes, aplica aquí a la iglesia el calificativo que un hombre de campo hubiera usado para destacar las reducidas dimensiones de la iglesia, creando así una adjetivación metafórica basada en una asociación de apariencias.

[3] *hacer la mañana*: *Arg., Chile, Méx., Par.* tomar algún trago como refrigerio durante la mañana.

contra el mostrador, a fin de ocupar poco sitio, y espié lo que sucedía en torno sin entreverarme.

Oí que el desconocido amigo de Don Segundo le hablaba de riñas de gallos,[4] instándolo a que fuera esa tarde testigo de una casi segura victoria suya sobre un forastero del Tandil.[5]

Una hora pasó para mí sin diversión, viendo entrar y salir al paisanaje endomingado, que nos miraba de soslayo, observando con disimulo el porte salvaje y rudo de mi padrino.

Para mí todos los pueblos eran iguales, toda la gente más o menos de la misma laya y los recuerdos que tenía de aquellos ambientes, presurosos e inútiles, me causaban antipatía.

Marcó el reloj el mediodía y, por un pasadizo angosto, pasamos del despacho de bebidas al comedor, más tranquilo.

En un lugar sombreado, nos sentamos a comer.

Habría en todo unas veinte mesas, con manteles manchados por violáceos recuerdos de vino. Los cubiertos eran de un metal dudoso y los tenedores tenían torcidas las puntas de tanto pegar contra las lozas rudas, en busca de algún bocado esquivo. Los vasos eran de vidrio espeso y turbio. En el vasto recinto bostezaba una desesperante atonía.

[4] *riñas de gallos*: una de las diversiones más populares entre los gauchos. Tenían lugar en un 'reñidero' (o 'gallera') que, en la Argentina era un espacio circular de tres metros y medio de diámetro, cercado de tablas acolchadas hasta unos 80 centímetros del suelo. Las riñas de gallos estaban sujetas a estrictas reglamentaciones y los animales eran sometidos a un complejo aprendizaje así como también se les prodigaban cuidados especiales y una dieta igualmente específica. Güiraldes tuvo la experiencia de la riña de gallos, no en la provincia de Buenos Aires, donde ya se habían prohibido, sino en un viaje al norte del país, en la provincia de Salta. De que el sangriento y cruel juego lo impresionó vivamente, da prueba la magistral recreación que hizo en este capítulo.

[5] *Tandil*: partido y ciudad del mismo nombre en el S.E. de la provincia de Buenos Aires.

El mozo nos saludó con una sonrisa de complicidad, que no alcanzamos a comprender. Tal vez le pareciera una excesiva calaverada para dos paisanos, eso de almorzar en la "Fonda del Polo".

—Sírvanos de lo que haya —ordenó Don Segundo.

Yo miraba a mi alrededor.

En un lugar central, tres españoles hablaban fuerte y duro, llamando la atención sobre sus caras de baturros o dependientes de tienda. Vecino a la entrada, un matrimonio irlandés esgrimía los cubiertos como lapiceras; ella tenía pecudas [6] las manos y la cara, como huevo de tero. El hombre miraba con ojos de pescado y su cara estaba llena de venas reventonas, como la panza de una oveja recién cuereada.

Detrás nuestro, un joven rosado, con párpados y lacrimales lagañosos de "mancarrón palomo",[7] debía ser, por su traje y su actitud, el representante de alguna casa cerealista.

—Yo he visto las romerías de Giles [8] —decía uno de los españoles— y no se diferencian en nada de las de aquí.

Otro, de la misma mesa, dialogaba con un vecino sobre el precio de los cerdos y el cerealista intervenía, opinando con gruesas erres alemanas.

Tratando de hacerse olvidar un momento, un hombre grande y gordo, solitario frente a su mantel cargado de manjares, callaba, comía y bebía. Sólo levantaba, de vez en cuando, la cabeza del plato, y parecía entonces llenarse de satisfacción el comedor aburrido.

Una vez se interrumpió para llamar al mozo, decirle quién sabe qué, a propósito de una botella, y palmearle el lomo con protección cariñosa.

[6] *pecudas*: pecosas.

[7] *mancarrón palomo*: *Arg.* animal vacuno o yeguarizo completamente blanco.

[8] *Giles*: San Andrés de Giles, pueblo del N. de la provincia de Buenos Aires, vecino a San Antonio de Areco.

En el rincón opuesto al nuestro, como empujados por el ruido, una yunta de criollos miraba en silencio. Uno de ellos tenía una hosca onda volcada sobre el ojo izquierdo y los dos estaban tostados de gran aire.

Comieron apurados. A los postres rieron sin voces, las bocas sumidas en sus servilletas.

Pero uno de los españoles relataba el suicidio de un amigo:

—Vino de una farra,[9] se sentó al borde de la cama en que su mujer dormía, tomó el revólver y delante de ella: ¡pafff!

El de las romerías seguía pesadamente sus comparaciones con Giles.

Con gran contento pagamos nuestra comida, aunque cara, y salimos al sol de la calle.

Al tranco fuimos para el reñidero, que Don Segundo conocía, y metimos los caballos a un corralón donde les aflojamos la cincha.

En el mismo corralón, había unas jaulas llenas de cacareos y el público, que como nosotros llegó temprano, comentaba la sangre y el estado de los animales.

Nos acomodamos en el redondel, como patos alrededor del bañadero.

Llegó el juez, que se sentó frente a una balanza colgada sobre la cancha. Vinieron los dueños con sus respectivos gallos, que se pesaron colgándolos envueltos en un pañuelo. Después se eligieron las púas,[10] se hizo el depósito de los quinientos pesos jugados, y cada cual salió a calzar su campeón.[11]

Don Segundo me explicó en cortas palabras las condiciones de la pelea.

Esperamos.

[9] *farra*: *Arg., Bol., Col., Chile, Ec., Par., Perú, Ur.* vulg. juerga, fiesta, jarana.

[10] *se eligieron las púas:* a los gallos de riña se les pone un espolón falso —púa— de plata con punta de acero, para hacer más sangrienta la pelea.

[11] *calzar su campeón*: poner la púa al gallo, encajándola bien en la pata del animal.

Un poco aturdido por el movimiento y las voces, miraba yo el redondel vacío, limitado por su cerco de paño rojo, y los cinco anillos de gente colocados en gradería, formando embudo abierto hacia arriba.

En el intervalo de espera, se discutieron las probabilidades en favor de ambos animales. Sería la riña, al parecer, un combate rudo y parejo. Los gallos eran de igual peso, de igual talla. Cada uno había pisado por tres veces la arena para salir vencedor.

El público enumeraba los detalles de la pesada, buscando algún indicio de superioridad. El bataraz [12] fallaba en el pico, levemente quebrado hacia la punta, del lado izquierdo, pero tenía no sé qué tranquilidad, que el giro [13] no compensaba con su mayor viveza.

La expectativa se hizo más tensa cuando los combatientes fueron depositados, en postura conveniente, por los dueños, en el circo.

Sonó la campanilla.

El giro había caído livianamente al suelo, ladeadas las alas como un chambergo de matón, medio encogido el pescuezo en arqueo interrogante, firme en el enemigo la pupila de azabache engarzada en un anillo de oro.

El bataraz, más burdo en alardes, se acercaba a pasos cortos, alta la cabeza agitada en pequeñas sacudidas de llama.

Se cerraron tres o cuatro apuestas sin importancia. La plata estaba al giro.

En un brusco arranque, los gallos acortaron distancias. A dos centímetros, los picos se trabaron en un rápido juego de fintas. Las cabezas temblequeaban, subiendo, bajando.

Y el primer tope sonó como guascazo [14] en las caronas.

[12] *bataraz*: *Arg., Par., Ur.* gallo o gallina de plumas grises, matizadas de blanco.

[13] *giro*: *Arg., Col., C.R., Cuba, Chile, Perú, P.R.* gallo con plumaje amarillo matizado de negro y rojo. Este tipo de plumaje es indicio de valor y fortaleza, según los aficionados a las riñas de gallos.

[14] *guascazo*: *Arg., Chile, Ur.* golpe dado con la *guasca,* lonjazo, latigazo. Cf. n. 1, Cap. III.

Aprovechando los revuelos, que desnudan al combatiente, juzgamos los cuerpos, los muslos, la respectiva capacidad de violencia o ligereza. Luego miramos en silencio, para traducir nuestra opinión en apuesta.

—¡Treinta pesos al giro!

—¡Doy cincuenta a cuarenta con el giro!

La usura me pareció un insulto de compadre [15] logrero,[16] que aprovecha una tara para envalentonarse. El bataraz sentía su defecto del pico. Espié minuciosamente.

El giro cargaba de firme, el buche pegado a su contrario, que le daba un poco el flanco, cruzando el pescuezo. Pero el bataraz, cuando se sentía picado en las plumas del cogote, zafaba el encontrón echando casi al suelo la cabeza, de modo que los puazos pasaran por encima, sin herirlo. Maldije del dueño que largaba al reñidero un animal tan noble, en condiciones desventajosas.

Brillaban las cabezas barnizadas de sangre. Afanosos los picos buscaban los verrugones de las crestas o un desgarrón de pellejo para asegurar el bote.[17]

Las apuestas, dando usura, caían con persistencia de gotera.

Veinte, treinta minutos pasaron angustiosamente, sin que variara el aspecto del combate. Mis simpatías estaban por el bataraz que, no habiéndose empleado a fondo, resistía las cargas del giro, incapaz de inferirle una herida grave. Pero ¿sabría mi favorito emplear su vigor en caso de tomar la ofensiva?

Mi atención se había hecho sutil. Mis ojos, como mis oídos, percibían hasta las fibras íntimas, las dos vidas que a unos pasos de mi asiento batallaban a muerte.

Pertinazmente el giro seguía empujando con el buche, agravando así el silbido de su respiración penosa, y noté que aflojaba en su juego de pico.

[15] *compadre*: *Arg., Ur.* fanfarrón, engreído, charlatán, pendenciero.

[16] *logrero*: *Arg., Col., Chile, Méx., Nic., Perú, Ur.* gorrista, persona inescrupulosa que se aprovecha de los demás con fines de lucro personal.

[17] *asegurar el bote*: asegurar la acometida.

—¡Quince a diez da el giro!

Nuevamente la usura me daba en el rostro su cachetada.

—¡Pago! —respondí.

—¡Veinte a quince al giro!

—¡Pago!

Y así, no sé cuántas veces, tomé posturas en que arriesgaba plata penosamente ganada en mis rudas andanzas. Algunos del público me miraron como se mira a un loco o a un sonso. Para ellos el giro no tenía más que insistir en su trabajo, acentuando su victoria hasta el anonadamiento del bataraz. Herido por esas miradas que me trataban de bisoño y, excitado por el empeño de mi dinero, me concentré en la pelea hasta identificarme con el gallo en quien había puesto mi cariño y mi interés.

Hice mi plan. Era necesario permanecer en la defensiva, evitando el golpe decisivo, salvado en media hora de resistencia, y tirar hacia abajo a cada picada del contrario. El bataraz parecía haberme entendido.

De pronto un murmullo de sorpresa sofocó al público. El giro se había despicado.[18] Un triangulito rojo yacía en la tierra barrida del reñidero.

—¡Se igualaron los picos! —no pude dejar de gritar, agregando con insolencia: —¡Voy treinta pesos derecho al bataraz!

Pero la plaza se había dado vuelta como guayaca [19] vacía.

—Treinta a veintinco contra el despicao —decía otro.

Me reproché con rabia no haber aprovechado la usura para jugar más. Desde ese momento, los partidarios del giro se harían ariscos.

Extenuados por cuarenta minutos de lucha, los gallos descansaban apuntalándose en el peso del enemigo.

[18] *despicarse*: *Arg., Par., Ur.* romperse el pico un gallo de riña.

[19] *guayaca*: *Am. Mer.* bolsa, talega. Voz quichua. Se usaba igualmente para guardar dinero y para los avíos de fumar. Se hacía con la vejiga de un animal o con el buche del ñandú porque se creía que este tipo de piel conservaba el tabaco fresco.

Con seguridad el bataraz tomó la iniciativa, se aferró a una picada de plumas sanguinolentas, golpeó dos veces, reciamente, sin largar.

El giro cloqueó como una gallina cascoteada y comenzó a dar vueltas de derecha a izquierda, el cuello lastimosamente estirado, la respiración atrancada en un ronquido de coágulos. En su cabeza carmínea y como verrugosa, había desaparecido el pequeño lente hostil de su mirada.

—¡Sta ciego y loco! —sentenció alguien.

En efecto, el animal herido, después de repetir sus círculos maquinales, como en busca de una mosca imaginaria, picoteaba el paño del redondel, dando la espalda al combate. En su cabeza como vaciada sólo vivía un quemante bordoneo,[20] cruzado de dolores agudos como puñaladas.

Pero ningún cristiano o salvaje es capaz de imaginar la saña de un gallo de riña. Ciego, privado de sentidos, el giro continuaba batiéndose contra un fantasma, mientras el bataraz, paciente, buscaba concluirlo en un golpe decisivo.

Sin embargo, el cansancio, fuerza incontrastable cuyo coma sentíamos caer en el reñidero, hacíase casi perceptible al tacto. Era algo que se enredaba en las patas de los combatientes, sujetaba sus botes, nos oprimía las sienes.

—¿La hora? —preguntó alguien.

—Faltan dos minutos —pronunció el juez.

Comprendí que el reloj se convertía en mi peor enemigo.

Mi gallo se agotaba, enredándose en las alas y la cola del giro. E inesperadamente éste se rehizo, situó a su adversario por el tacto, le dio un encontronazo que lo echó al suelo.

—¡Cincuenta pesos a mi gallo giro! —vociferó el dueño.

—¡Pago! —respondí, olvidado de mi lástima reciente.

Y el bataraz volvió sobre el golpe, fortalecido de rabia,

[20] *bordoneo*: *Arg.*, *Par.*, *Ur.* rasgueo de las tres cuerdas ('bordonas') que hacen los bajos en la guitarra. Aquí expresa, metafóricamente, una suerte de zumbido de dolor.

tomó una picada, clavó las espuelas certeras en el cráneo ciego y deforme.

El giro se acostó lentamente, en un entumecimiento de muerte, cloqueó apenas, estiró el cuello, clavó el pico roto.

Sonó la campanilla.

Los hombres enormes entraban al redondel.

El dueño del giro alzó una masa sangrienta y blanda.

El otro acariciaba un bulto de músculos aún hirvientes de rabia.

Hacia mí se estiraban manos cargadas de billetes, también como cansados. Hice un rollo voluminoso que guardé en mi tirador y salí al corralón.

Allí lo encontré a mi bataraz, asentado todavía en la mano de su dueño, que lo acariciaba distraídamente, alegando [21] con un grupo sobre las vicisitudes de la pelea.

Y vi que el gallo miraba curiosamente en derredor, volviendo a nacer a la calma de la vida ordinaria, después de un delirio que lo había poseído, tal vez a pesar suyo, como un irresistible mandato de raza.

Don Segundo me tomó el brazo y lo seguí para la calle, a la cola de la gente que se retiraba.

Una vez a caballo nos dirigimos, al caer de la tarde dorada, hacia un puesto de estancia, en que Don Segundo había parado en ocasión de algunos arreos.

Mi padrino me hacía burla por mi audacia en el juego, pretendiendo que en caso de pérdida no hubiera podido pagar las apuestas.

Saqué con orgullo el paquete de pesos de mi tirador y conté, apretándolos bien en una esquina para que no me los llevara el viento.

—¿Sabe cuántos, Don Segundo?

—Vos dirás.

—Ciento noventa y cinco pesos.

—Ya tenés pa comprarte una estancita.

—Unos potros sí.

[21] *alegando*: *Am.* discutiendo. Garzón sostiene que, con el significado de 'porfiar, altercar con calor y vehemencia', es argentinismo *(Dicc. arg.,* v. *alegar).*

XIV

Tusé mis caballos, chiflando de contento, y acomodé mis prendas con prolija satisfacción. Los pesos, que sentía hinchar mi tirador, me daban un aplomo de rico y pasé la mañana acomodando cuanto tenía para ponerlo todo a la altura de mi riqueza.

Iríamos a una feria, ruidosamente anunciada por los rematadores lugareños, y como allí encontraría mucha gente del reñidero, no quería desmerecer la fama adquirida con mis apuestas, exponiendo una pobreza desaliñada.

A las once salimos del puesto, despidiéndonos de nuestros amigos hospitalarios, y nos dirigimos cruzando el pueblo hacia los locales del remate.[1]

Tomamos una calle desierta. Pasamos al galope por la plaza principal y, a las dos cuadras, paramos frente a un almacén. A los costados de la entrada, cabalgando unos cuartos de yerba, lucían sus colores vistosos unos sobrepuestos bordados.

Atamos nuestros caballos en dos gruesos postes de quebracho,[2] pulidos por los cabrestos, y entramos, pues mi padrino quería hacer unas compras. Había olor a talabartería,[3] yerba y grasa.

El pulpero se agachaba para escuchar el pedido, como perro frente a una vizcachera.

—Dos ataos de tabaco "La hija'el toro" —dijo Don Segundo.

[1] *remate*: aquí esta voz se refiere a la subasta de hacienda, hecho común en la campaña bonaerense y que, con frecuencia, se hace simultáneamente con la realización de la feria lugareña.

[2] *quebracho*: *Arg., Bol., Par., Ur.* árbol de gran altura y madera muy resistente. Todas las veces que aparece en *DSS* (en el presente capítulo y en los Caps. XV y XIX), siempre se menciona esta característica.

[3] *talabartería*: *Am.* taller de guarniciones, arreos y correajes de caballerías y de vehículos a tracción animal.

—¿Picadura?

—¡Ahá!... Una mecha pa'l yesquero,[4] un pañuelo d'esos negros y aquella fajita que está sobre del atao de bombachas.

Nos sorprendió como un porrazo una voz autoritaria:

—¡Dése preso, amigo!

En la puerta se erguía la desgarbada figura de un policía, cuyas mangas subrayaban los escasos galones de cabo.

Haciéndose el desentendido, Don Segundo abrió los ojos para buscar en derredor al hombre en causa. Pero no había más que nosotros.

—¡A usté le digo!

—¿A mí, señor?

—Sí, a usté.

—Güeno —replicó mi padrino, sin apurarse—, espéreme un momento que cuantito el patrón me despache vi a atenderlo.

Atónito ante aquella insolencia, el cabo no halló respuesta. El patrón, en cambio, maliciando un barullo, desordenaba con manos temblonas sus trastos, completamente olvidado de los pedidos que se le habían hecho.

—La fajita está allí —decía mi padrino con paciencia—. Ese pañuelo floriao, no...; aquel otro negrito que tocó ricién.

Sintiéndose bochornosamente olvidado, el cabo volvió por sus cabales:

—¡Si no viene por las güenas, lo vi a sacar por la juerza!

—¿Por la juerza?

Don Segundo pensó un rato, como si de pronto le hubieran propuesto hacer encastar mulas con gaviotas.

—¿Por la juerza? —repitió revisando al cabo enclenque

[4] *yesquero*: *Arg.* recipiente comúnmente usado para hacer fuego fabricado con la cola del peludo. Tiene una tapa circular y contiene la 'yesca'. Almacena, asimismo, la piedra y el eslabón que producen la chispa que enciende la yesca. (Saubidet, *Voc.*, s.v). Sirve también como piedra de afilar.

con su mirada de hombre fornido. Y luego, pareciendo comprender:

—Güeno, vaya buscando los compañeros.

El cabo palideció sin dar seguimiento a una intención de paso.

Don Segundo arregló sin premura su paquete, salió, no sin despedirse del azareado bolichero, y montó a caballo. El cabo amagó un manotón a las riendas, que quedó a medio camino.

—No —dijo Don Segundo, como si se equivocara sobre los designios del cabo—. Déjelo no más, que dende el año pasao sé andar solito.

Lastimosamente, el policía sonrió, festejando el chiste.

En un gran salón desamueblado, frente a un enorme mapa de la provincia, estaba sentado el comisario panzón y bigotudo.

—Aquí están, señor —dijo el cabo, recobrando coraje.

—Aquí estamos, señor —repitió Don Segundo—, porque el cabo nos ha traído.

—Ustedes son forasteros ¿no? —inquirió el mandón.

—Sí, señor.

—¿Y en su pueblo se pasa galopiando por delante'e la comisaría?

—No, señor...; pero como no vide bandera ni escudo...

—¿Ande está la bandera? —preguntó el comisario al cabo.

—La bandera, señor, se la hemoh'emprestao a la Intendencia pa la fiesta'e el sábado.

El comisario se volvió hacia nosotros:

—¿Qué oficio tienen ustedes?

—Reseros.

—¿De qué partido son?

Como si no entendiera el carácter político de la pregunta, mi padrino contestó sin pestañear:

—Yo soy de Cristiano Muerto...; mi compañerito de Callejones.

—¿Y las libretas?

Lo mismo que había hecho un chiste con nuestra procedencia, Don Segundo inventó un personaje:

—Las tiene, allá, Don Isidro Melo.[5]

—Muy bien. Pa otra vez ya saben ande queda la comisaría y si se olvidan, yo les vi a ayudar la memoria.

—¡No hay cuidao!

Afuera, cuando estuvimos solos, Don Segundo rio de buena gana:

—Güen cabo... pero no pa rebenque.

La feria era para mí una novedad. Cuando llegamos, estaban concluyendo de clasificar la hacienda en lotes, disponiéndolos en los corrales. Aquello parecía un rodeo, dividido en cuadros por los alambrados como una masa para hacer pasteles. La peonada que llevaba y traía los lotes era numerosa y, tanto entre ellos como entre los peones de las estancias, se veían paisanos lujosos en sus aperos y su vestuario. ¡Qué facones, tiradores y rastras! [6] ¡Qué ca-

[5] *¿Y las libretas? —Las tiene allá, don Isidro Melo*: la libreta de enrolamiento atestigua la ciudadanía argentina, para el hombre. En ella se deja constancia de que el ciudadano ha votado, cumpliendo así con su deber cívico que, en la Argentina, es obligatorio. Hasta mediados de la década del 40 en el presente siglo, los caudillos provinciales se agenciaban, por medio de sus secuaces —el comisario, el juez de paz, el jefe de la guarnición militar— la posesión de las libretas de los paisanos a fin de hacerlos votar por el candidato que el caudillo propiciaba. Tener posesión de las libretas significaba, además, que los paisanos quedaban a merced del caudillo de la región, pues de querer mudar de 'pago', el documento les era necesario para establecer su identidad y para votar en las elecciones locales o nacionales. Los abusos fueron de tal magnitud que, frecuentemente, aun cuando sus dueños hubiesen muerto, las libretas votaban... Don Segundo, con suspicacia y experiencia, comprende de inmediato que el comisario quiere apoderarse de sus libretas. Por ello, al responder, no vacila en inventar un nombre que suena como importante, como de caudillo político.

[6] *rastra*: *Arg.*, *Ur.* adorno, generalmente circular, de plata muy trabajada que suele llevar las iniciales de su dueño o la marca del estanciero, y que se sujeta a los ojales del tirador por medio de monedas o botones de plata unidos a la *rastra* por cadenas o chapones. Algunas rastras pueden ser muy grandes y pesadas.

bezadas,[7] bozales, estribos y espuelas! ¡Si ya me estaba doliendo la plata en el tirador!

A la sombra de un ombú,[8] al lado del gran galpón del local, se asaba la carne para los peones y el pobrerío. Había cómo elegir entre los asadores que, aquí ensartaban un costillar de vaquillona, allá un medio capón [9] o un corderito entero, de riñones grasudos.

Los dueños de la feria, así como los estancieros y los clientes de consideración, tenían adentro acomodada una mesa larga, con muchos vasos y servilletas y jarras y frascos y hasta tenedores. Adentro, también, vecino al comedor, había un despacho de bebidas con sus escasos feligreses.

Con mi padrino, nos arrimamos a un cordero de pella [10]

[7] *cabezadas*: *Arg.* sogas que ciñen la cabeza y frente del caballo, manteniendo el freno. También lleva este nombre una de las partes del bozal.

[8] *ombú*: *Arg., Par., Ur.* árbol grande y frondoso característico de la pampa argentina. Alcanza hasta 15 metros de altura y es sumamente frondoso, extendiéndose, horizontalmente, sus ramas por largos trechos con lo que el árbol sirve para dar sombra. Botánicamente es una hierba gigante. Es voz guaraní *(umbú)*. Como justamente observa Becco *(DSS y su voc.*, 54), en *DSS* "aparece una sola vez, y el párrafo destaca más su utilidad —la sombra— que el árbol en sí". Desde que por vez primera Esteban Echeverría inmortalizó este árbol en su poema *La cautiva,* el ombú ha tipificado legendariamente la pampa. Para la leyenda sobre el origen del ombú, cf. Coluccio, *Dicc. folkl. arg.*, s.v.

[9] *entre los asadores... un medio capón*: *Arg.* el *asador* es una varilla de hierro chata, de un metro y medio de largo por dos centímetros de ancho que se usa para asar la carne, alimento por excelencia del campesino bonaerense. Posee un gancho en la parte superior y, en la inferior, una aguda punta para introducirlo en la carne y clavarlo luego en el suelo. En ocasiones como la que describe el reserito, los estancieros que enviaban hacienda a remate, ofrecían un asado no sólo para sus peones y capataces, sino también para el público en general ("el pobrerío", como lo denomina el narrador). En los distintos asadores se cocinan diferentes animales, tales como corderitos, *vaquillonas (Arg., Chile, Par., Ur.*=vaca nueva de dos a tres años que aún no ha parido) y *capones (Arg., Par., Ur.*=cordero castrado y, en general, cualquier animal castrado).

[10] *pella*: capa de gordura que cubre la carne del animal.

dorada por el fuego. ¡Carnecita sabrosa y tierna! "Lástima no tener dos panzas", decía con desconsuelo Don Segundo.

En seguida que sus mercedes [11] de la mesa se hartaron de embuchar, salió el rematador y su comitiva en un carrito descubierto y empezó la función. El rematador dijo un discurso lleno de palabras como "ganadería nacional", "porvenir magnífico", "grandes negocios"... y dio "principio a la venta" con un "lote excepcional".

Alrededor del carrito, a pie o montados en caballos de los peones de la feria, estaban los ingleses de los frigoríficos,[12] afeitados, rojos y gordos como frailes bien comidos. Los invernadores,[13] tostados por el sol, calculaban ganancias o pérdidas, tirándose el bigote o rascándose la barbilla. Los carniceros del lugar espiaban una pichincha,[14] con cara de muchacho que se va a alzar las achuras [15] de una

[11] *sus mercedes*: los señores, los patrones, la gente importante. Usado irónicamente. *Su merced* fue, hasta bien entrado el siglo XIX, fórmula de respeto particularmente en boca de los sirvientes.

[12] *frigoríficos*: *Arg., Par., Ur.* establecimientos donde se preparan las carnes para conservarlas o venderlas y en donde se industrializan los subproductos de la ganadería. Estos establecimientos estuvieron desde sus comienzos a fines del siglo pasado, en manos de los británicos quienes detentaron el monopolio del comercio de carnes con la Argentina hasta la segunda guerra mundial.

[13] *invernadores*: *Arg., Ur.* los que tienen campos de buenos pastos para engorde del ganado o 'invernada'. La voz se usa también para denominar el campo destinado a tal engorde.

[14] *pichincha*: *Arg., Bol., Par., Ur.* ganga, precio bajo que se paga por algo de más valor.

[15] *achuras*: *Arg., Bol., Chile, Par., Ur.* entrañas de la res sacrificada. En el Río de la Plata, durante la época colonial, las vísceras de las reses eran desperdicios que sólo se disputaban los pobres. (Cf. el comienzo del relato de Esteban Echeverría, "El matadero".) A partir de esa lucha por las *achuras,* el verbo 'achurar' llegó a significar matar alevosamente y así lo usa Martín Fierro *(La ida,* C. III, v. 600): "¡Pucha!..., si no traigo bolas, / me achura el indio ese día." En la actualidad una buena 'parrillada' argentina (asado a la parrilla) no está completa si no ofrece las *achuras,* esto es, intestinos, páncreas, criadillas, etc. Tiscornia (*Martín Fierro com. y an.,* 348) sostiene que la voz es de proce-

carneada. Y el público, formado por la gente de huella y de estancia, conversaba de cualquier cosa.

Sin alternativas pasó la tarde. La garganta del rematador no daba más de tanto gritar y mis orejas de tanto oírlo.

Empezaban a marchar las tropas.

Un hombre de los de la feria, que conocía a Don Segundo, nos habló para un arreo de seiscientos novillos destinados a un campo grande de las costas del mar. El paisano encargado de entregar el lote era un viejito de barba blanca, petizo y charlatán. Después de mostrarnos la hacienda, nos convidó a tomar la copa. Iba montado en un picacito overo,[16] que le había codiciado toda esa mañana viéndolo trabajar. De a poquito, mientras nos dirigíamos al despacho, fui tanteando la posibilidad de una compra, que las perspectivas del largo arreo hacían casi necesaria. Pero el hombre nos hablaba de los novillos:

—Güena animalada, señor, y bien arriadita.

Frente al galpón, se le descolgó al picazo por la paleta y sonó el lucido juego de botones de su tirador, cuando tocando el suelo, sus pies barajaron el peso del cuerpo con golpe sordo.

Entramos.

Nuestro hombre se encaró con un anciano medio ebrio:

—Aquí habías de estar vos, haciendo gárgaras como sapo en el barro.

—Con las copas que me pagás, ¿no? —respondía el viejo de sonrisa envinada y ojos vagos.

---

dencia española: 'asadura', por intermedio del andalucismo 'asaúra=*as(a)ura*', pero Corominas (*Dicc. crít.-etim.*, s.v.) sostiene que la transformación fonética que tal étimon demandaría, es imposible a no ser que la voz hubiera pasado a través del quichua. Este origen, por otra parte, está documentado desde principios del siglo XIX, y tanto Corominas como Morínigo (*Dicc. am.*, s.v.), Ciro Bayo (*Voc.*, s.v) y Segovia (*Dicc. arg.*), coinciden en el étimon quichua: *acúra*=porción de algo que se distribuye entre varios.

[16] *picacito overo*: *dim.* de *picazo. Arg.* caballo de pelaje oscuro con una mancha blanca en la cabeza, desde la frente al hocico. El *picazo overo* es el que también tiene manchas blancas en otras partes del cuerpo.

—¡Al propósito vine al mundo pa mantener borrachos!

—¿Por qué no dentrás de polecía, hermano?

Mientras tomábamos nuestras sangrías, volví a hablar del picazo:

—Es ponderao pa'l trabajo.

—Vea, señor, no es por decirlo, pero tengo unos pingos medio güenones. Éste que ando es uno de los más mejorcitos y corajudo pa'l porrazo. Vez pasada, cuando era redomón, traiba yo unas vacas por cuenta de un inglés Guales.[17] Venía cuidándolas por chúcaras, cuando cata aquí que, cruzando cerca de un puesto, se me atraviesa en el callejón una señora a salvar unos patitos. Ya se me entró a remolinar la hacienda. "Hágase a un lao, señora", le grité. "¿Que me haga a un lao?" "Sí, señora; se lo desijo [18] como un servicio". "¿Y a mí qué me importa de su hacienda?" Yo estaba cerquita della y me iba dentrando rabia de verla tan enteramente porfiada, cuando pa mejor comenzó a echarme con madre y todo a loh'infiernos. ¡Dios me perdone! Le cerré las espuelas al picazo y la alcé por los elementos.

Aunque la prueba fuera buena para el caballo, me pareció aquel proceder un tanto salvaje. Sin dar mi opinión sobre el tal suceso, siguiendo la plática, resulté dueño del picazo por cincuenta pesos.

De pronto el viejo borracho, olvidado por nosotros en su rincón, comenzó a observarlo muy sonriente a mi padrino. Con expresión de quien medita una picardía, lo interpeló:

—¿Cómo te va, Ufemio?

—¿Quién sos vos? —interrogó mi padrino, con un tono que me hizo comprender que no ignoraba la filiación del borracho.

—¿Ya no conocés a tuh'ermanos?

—Debe ser por los muy muchos que tengo en las pulperías.

[17] *Guales*: por *Wales*.
[18] *desijo*: por *exijo*. Véase *Adv. Lingüística*.

—¿Y me has de negar que soh'Ufemio Díaz?

—¿Días?... y algunos meses —consintió mi padrino.

—¡Gaucho pícaro! —dijo el borracho, adelantándose hacia nosotros—. Yo soy Pastor Tolosa, conocido por Lazarte, vecino viejo del Carmen de Areco...[19], y vos sos Segundo Sombra. ¿No te acordás? —insistió, mostrando la cicatriz de un tajo que le cruzaba la frente—. Yo era diablo pa'l cuchillo. Aura soy viejo y cualquier sonso me grita —señalaba con la barba a nuestro compañero de mesa—. En esos tiempos, sólo un toro como vos era capaz de cortarme.

El hombre se nos sentó en la mesa. Mi padrino lo miraba, sonriéndole como se sonríe a un recuerdo, y lo dejaba hablar.

—¿Y te acordás de las fiestas en lo de Raynoso, ande nos conocimos?

—Me acuerdo, ¡ahá!... Me mandaron que te cuidara porque eras medio aplicao al frasco [20] y de yapa [21] aficionao al barullo.

—¡Ahá!..., y me viniste a cuidar, gaucho sagaz..., y al último fuiste voh'el que metió el bochinche. Más de cuatro salieron cortaos y se apagaron las luces a ponchazos y el hembraje juia a los gritos..., y vos ni un arañón te agenciaste en el entrevero.[22] ¡Qué tiempos! Y un día por pro-

19 *Carmen de Areco*: pueblo del N.E. de la Provincia de Buenos Aires.

20 *ser aplicao al frasco*: gustarle la bebida.

21 *de yapa*: *Arg., Chile, Ur.* por añadidura, además. Voz quichua *(yaponi,* añadir). Es un modo adverbial que, en el Río de la Plata, es sumamente común en el lenguaje coloquial. Muy usado por los poetas gauchescos, particularmente Ascasubi.

22 *entrevero*: *Arg., Chile, Ur.* confusión, desorden. Es extensión del primitivo significado de esta voz en el Río de la Plata: mezcla desordenada del ganado. En tiempos de las luchas por la Independencia, en las tres repúblicas australes, *entrevero* designaba las escaramuzas entre cuerpos de caballería, en gran parte formados por gauchos. En el *Martín Fierro* aparece tres veces con la misma acepción *(La ida,* C. III, v. 561 y *La vuelta,* CC. X y XVII, v. 1396 y 2628).

barnos, jugando, me dejaste de recuerdo este pajarito que me canta todas las mañanas: ¡bicho-feo!, ¡bicho-feo! [23]

Nos reíamos todos.

Mi padrino se levantó y se dieron un gran abrazo con aquel viejo amigo, que quería seguir la charla de los años pasados. No teníamos tiempo. Trabajosamente nos despedimos. Nos entregaron la tropa, y marchamos con los demás peones a la caída de la noche.

Tropita mansa y linda. Un mes de arreo debimos contar, aunque sin mayores contratiempos. Los animales que llevábamos, eran flacos y dispuestos. Sin embargo, tres días antes de entregar el arreo, pasamos un mal rato. La hacienda venía sedienta, pues nos faltaban aguadas naturales y estancieros conocidos que nos sacaran del apuro.

Habíamos pasado una noche de pesadez tremenda, defendiéndonos de los mosquitos con un fueguito de biznaga por demás pobre. El campo sudaba por dondequiera, cuando salimos de mañana.

Después cayó un golpe de lluvia. Las reses se nos alborotaron. En los charcos que había dejado el chaparrón, se amontonaban ensuciando en seguida el agua, no chupando más que barro.

El capataz iba afligido con esa desesperación del animalaje, que para mejor no podía sino aumentar con el sol y el movimiento.

A eso de las diez enfrentamos una estancia.

No hubo nada que hacer. Los animales, después de olfatear con ansia, se largaron a correr por el callejón. Inútilmente quisimos apurarlos para que pasaran derecho. En una porfía incontenible, atropellaron los alambrados que primero resistieron haciéndolos caer. Hasta los enredados, no cejaban en su empuje a pesar de tajearse o caer de lomo. Y en seguida ¡qué habíamos de sujetarlos por el campo!

[23] *¡bicho-feo!*: *Arg., Ur.* ave llamada también benteveo. Voz onomatopéyica.

Las casas estaban cerca y, atrás de un potrerito alfalfado, había un cañadón[24] bordeado de sauces. Nos separaban de él otro alambrado y un cerco de cañas. Corríamos sin esperanza por delante de los brutos sedientos. El alambrado sufrió la misma suerte que el anterior y el cerco de caña no pudo sino crujir y quebrarse ante la avalancha ciega.

Las bestias se sumían en el agua bebiendo atropelladamente. Otros se echaban. Otros les pasaban por encima con peligro de ahogarlos. Nosotros no teníamos más tarea que la de impedir las montoneras y ordenar en lo posible aquel tumulto.

Los peones de la estancia, que habían oído el tropel o visto la disparada, nos ayudaban.

Vino el patrón y nuestro capataz, jadeante por las corridas y algo asustado, explicó la cosa, proponiendo pagar los daños.

Por suerte, el hombre tomó bien nuestro involuntario asalto y, lejos de incomodarnos, nos hizo acompañar con su gente después de saciada la sed de la hacienda.

Tuvimos que degollar un animal por demás estropeado en los alambres y curar algunos otros.

Salvo esto, todo siguió como antes, hasta llegar a destino.

XV

¡Qué estancia ni qué misa! Ya podíamos mirar para todos lados, sin divisar más que una tierra baya y flaca, como asonsada[1] por la fiebre. Me acordé de una noche

[24] *cañadón*: *Arg.* parte baja de un campo sin desagüe donde, cuando llueve mucho, el agua adquiere cierta profundidad (Morínigo, *Dicc. am.*, s.v.).

[1] *asonsada*: *Arg.* aturdida, atontada. Aquí puede entenderse como entorpecida, adormecida. Por *azonzada.*

pasada al lado de mi tía Mercedes (¡dale con[2] mi tía!). Los huesos querían como sobrarle el cuero y estaba más sumida[3] que mula de noria. Pero mejor es que lo sangren a uno los tábanos y no acordarse de esas cosas.

Habíamos dejado la tropa en un potrero pastoso, antes de que nos mandaran para la costa a hacer noche y descansar en un puesto.

¡Bien haiga el puesto! [4] Desde lejos lo vimos blanquear como un huesito en la llanura amarilla. A un lado tenía un álamo, más pelado que paja de escoba, al otro tres palos blancos en forma de palenque. La tierra del patio, despareja y cascaruda, más que asentada por mano de hombre parecía endurecida por el pisoteo de la hacienda que, cuando estaba el rancho solo, venía a lamer la sal del blanqueo.

Don Sixto Gaitán, hombre seco como un bajo salitroso y arrugado como lonja de rebenque, venía dándonos, de a puchitos,[5] datos sobre la estancia. Eran cuarenta leguas en forma de cuadro. Para el lado de la mañana, estaba el mar, que sólo la gente baqueana alcanzaba por entre los cangrejales.[6] En dirección opuesta, tierra adentro, había buen campo de pastoreo; pero eso estaba muy retirado del lugar en que nos encontrábamos.

[2] *dale con*: expresión coloquial que denota continuidad persistente o irritante. Cf. n. 7, Cap. VII.

[3] *sumida*: *Arg.* el lenguaje campesino usa esta voz en masculino para referirse al "[a]nimal entrado de vientre, de la hijada o del vacío, generalmente por haber estado mucho tiempo sin beber o por fatiga después de haber hecho un largo viaje" (Saubidet, *Voc.,* s.v.). Saubidet consigna seguidamente otro significado que es ampliación del anterior: "Persona de cara larga, chupada y muy delgada, como absorbida". Güiraldes usa en otra ocasión este calificativo (Cap. VII, p. 181), con igual acepción.

[4] *¡Bien haiga el puesto!*: ¡Bienvenido el puesto!

[5] *de a puchitos*: *Arg., Ur.* de a poco, en pequeñas cantidades. De *pucho.* colilla del cigarrillo. Del quichua, *puchu.*

[6] *cangrejal*: *Arg.* terreno húmedo y bajo donde se crían en abundancia cangrejos, muy peligroso y de difícil acceso por los hoyos hechos por los cangrejos y en los que se hunden las pisadas, apresando animales y hasta personas que perecen devorados por los voraces crustáceos.

Bendito sea si me importaba algo de los detalles de aquella estancia, que parecía como tirada en el olvido, sin poblaciones dignas de cristianos, sin alegría, sin gracia de Dios.

Don Sixto hablaba de su vida. Él pasaba temporadas en el rancho solitario. La familia estaba allá, en un puesto cerca de las casas. Tenía un hijito embrujado que le querían llevar los diablos.

Miré a Don Segundo para ver qué efecto le hacía esta última parte de las confidencias. Don Segundo ni mosqueaba.

Me dije que el paisano del rancho perdido debía tener extraviado el entendimiento y dejé ahí reflexiones, porque bastante tenía con mirar el campo y más bien hubiese deseado hacer preguntas acerca del mar y de los cangrejales.

Aunque el arreo sea bueno, y no le haya sobado al resero el cuerpo más que lo debido, siempre se apea uno con gusto de los apretados cojinillos para ensayar pasos desacostumbrados. El palenque, con sus postes blancos, llamó más mi atención de cerca, mientras desarrugaba a manotones el chiripá y aflojaba las coyunturas.

Don Segundo me dijo riendo:

—Son espinas de un pescao del que entuavía no has comido.

—Hace más de cincuenta años —explicó Don Sixto —que la ballena, tal vez estraviada, vino a morir en estas costas. El patrón se hizo llevar el güeserío [7] a las casas, "pa adorno", decía él. Aquí ha quedao este palenquito.

—Mirá qué bicho pa asarlo con cuero —dije, temeroso de que me estuvieran tomando por sonso.

—Éstas son tres costillas —concluyó Don Sixto, agregando para cumplir con su deber de hospitalidad—: Pasen adelante si gustan; en la cocina hay yerba y menesteres pa cebar...; yo voy a dir juntando unas bostas y algunos güesitos pa'l juego.

[7] *güeserío*: de *güeso*, por *hueso*. Se refiere al esqueleto de la ballena.

A la media hora de una conversación interrumpida por el lagrimeo y la tos que me imponía la humareda espesa de la bosta, gané el campo so pretexto de ver para dónde se había recostado mi tropilla.

Más vale el campo, por fiero que sea, que estar tosiendo a la orilla del fuego como vieja rezadora.

Mi tropilla se había alejado caminando con cautela de quien está revisando campo para comprar, despuntando los pastos, mirando a veces en derredor o a lo lejos, como buscando un punto de referencia. El picazo en que iba montado relinchó. La yegua madrina alzó la cabeza, desparramando un tropel de notas de su cencerro. Todos los caballos miraron hacia mí. ¿Por qué estábamos así, desconfiados y como buscando abrigo?

Casi entreverado con mis pingos, me dejé estar mirando el horizonte. La yegua Garúa olfateó hacia el mar y nos pusimos a seguir aquel rumbo, como una obligación.

—¡Campo fiero y desamparao! —dije en voz alta.

Íbamos por un pajal descolorido y duro que los caballos husmeaban despreciativamente, con algo de alarma. También yo sentía un presagio de hostilidad.

Cruzábamos unas lagunitas secas. No sé por qué pensé en lagunas, dado que ninguna diferencia de nivel existía con el resto de la pampa.

—¡Campo bruto! —dije otra vez, como contestando a un insulto imaginario.

De atrás de unos junquillales voló de golpe una bandada de patos, apretada como tiro de munición. El bayo Comadreja plantó los cuatro vasos, en una sentada brusca, y bufó a lo mula. Quedamos todos quietos, en un aumento de recelo.

Atrás de los junquillales, vimos azulear una chapa de agua como de tres cuadras. Volaron bandurrias,[8] teros reales y chajás. Parecían tener miedo y quedaron vichán-

[8] *bandurrias*: *Río de la Plata* ave acuática, zancuda, de plumaje negruzco y pico largo y afilado, semejante a la garza. Habita terrenos húmedos. Suele encontrarse en bandadas. Es arisca y emprende vuelo rápidamente.

donos[9] desde el otro lado del charco. Sabían algo más que nosotros. ¿Qué?

Garúa trotó dando un rodeo, seguida por Comadreja, y bajó hacia el agua. Nosotros quedamos a orillas del pajonal.

El barro negro que rodeaba el agua, parecía como picado de viruelas. Miles de agujeritos se apretaban en manada unos contra otros. Unos pocos cangrejos paseaban de perfil, como huyendo de un peligro. Me pareció que el suelo debía de sufrir como animal embichado.[10]

—¡Ahá! —dije—, un cangrejal —y me pregunté por qué me había dado ese día por hablar en voz alta.

Como si mi palabra hubiese sido voz de mando, voló de un solo vuelo la sabandija. Garúa y Comadreja, castigados por repentino terror, corrieron hacia nosotros. Dudé de mis ojos. Garúa había perdido sus cuatro patas y avanzaba apenas arrastrándose sobre el vientre. Y el barro se abría como un surco de agua. "Murió la yegua", me dije. Pero Garúa, tirada sobre el costillar, remaba con las cuatro patas, avanzando como si nadara, con tanta rapidez, que no daba tiempo a que la tierra, desmoronada en sinuosa herida, se juntara tras ella. Aquello hizo un ruido sordo y lúgubre, hasta que la yegua pisó firme. "Linda madrinita baquiana", murmuré con emoción y recordé que me había sido vendida por un paisano del Rincón de López. Sí, pero ¿y mi bayo?

Comadreja se había detenido ante la caída de Garúa. Dos veces intentó echarse al cangrejal, para vencerlo a lo

[9] *vichándonos*: *Arg.*, *Ur.* espiándonos, acechándonos. Morínigo trae dos verbos de significado similar: *vichar*=espiar, acechar, ver, divisar, derivado del portugués *vigiar*. Y *vichear* por *bichear* con la significación de observar, mirar con atención. // Otear. // Espiar. Corominas *(Dicc. crít.-etim.*, s.v.) da como étimon el portugués *vigiar*=espiar, atisbar. Lo considera un "brasileñismo argentino". Tiscornia afirma, acertadamente, que "[l]a influencia directa del Brasil explica que los paisanos adoptaran la voz, remendándola a la española, con independencia de *vista* que les había servido para su verbo *vistear*" *(Martín Fierro com. y an.*, 457).

[10] *embichado*: *Arg.* animal cuyas heridas se han agusanado; enfermo. A veces significa también embrujado.

bruto, pero tuvo que volver atrás, después de haberse perdido casi totalmente, salvándose a pura energía, con quejidos de esfuerzo.

Sin perder tiempo, arreé mi tropilla en su dirección, recordando el camino seguido hoy por la yegua. Me encomendé a Dios, para que no me dejara desviar ni un metro de la dirección que recordaba. En una atropellada alcancé con ansia el lugar en que estaba Comadreja, que se entreveró con sus compañeros, y al grito de " ¡Vuelva! ", salí, yegua en punta, para el lado del campo firme.

Pasado el apuro, seguimos como muchachos castigados, hinchando el lomo [11] y con las cabezas muy gachas.

Llegando al rancho pensaba: la casa es la casa, en cualquier parte que esté y por pobre que sea.

El rancho, antes tan miserable, me resultaba, al volver del paisaje, un palacio. Y sentí bien su abrigo de hogar humano, tan seguro cuando se piensa en afuera.

Aunque todavía fuese temprano, mi padrino y Don Sixto preparaban la comida en el patio. Me preguntaron por mi paseo.

—Lindo no más. Casi pierdo el bayo —contesté, e interrogado, relaté el percance.

[11] *hinchando el lomo*: la expresión se basa en la reacción del potro que, para deshacerse de su jinete, encorva el lomo y lo sacude manifestando, en suma, desagrado, disgusto. Este es uno de los muchos modismos en que el gaucho se inspiró en las costumbres del caballo, animal que era su complemento indispensable. Inchauspe destaca con certeza *(Más voces,* 209-210) que *hinchar el lomo, montar el picazo* y *perder los estribos* "forman una verdadera escala que gradúa las sensaciones y reacciones del enojo". Pablo Rojas Paz en el Vocabulario con que acompaña la edición de *DDS* publicada en Buenos Aires por Editorial Pleamar en 1943, atribuye la expresión "quizá" a "la manera de rebelarse que tienen los gatos que hinchan el lomo frente a los perros". Es explicación que no me parece acertada dado el importante papel jugado por el caballo en la vida del campesino ecuestre argentino y la extraordinaria simbiosis existente entre el jinete y su cabalgadura, que Güiraldes ha sabido aprovechar en los tropos de toda índole con que ha transmitido el mundo mental del gaucho. Esta expresión aparece con igual acepción en *Martín Fierro, La ida,* C. III, v. 428.

Don Segundo comentó a manera de consejo:

—El hombre que sale solo debe golver solo.

—Y aquí estoy —concluí con aplomo.

Atardecía. El cielo tendió unas nubes sobre el horizonte, como un paisano acomoda sus coloreadas matras para dormir. Sentí que la soledad me corría por el espinazo, como un chorrito de agua. La noche nos perdió en su oscuridad.

Me dije que no éramos nadie.

Como siempre, andábamos de un lado para otro, en quehaceres de último momento. Íbamos del recado al rancho, del rancho al pozo, del pozo a la leña. No podía dejar yo de pensar en los cangrejales. La pampa debía sufrir por ese lado y... ¡Dios ampare las osamentas! Al día siguiente están blancas. ¡Qué momento, sentir que el suelo afloja! Irse sumiendo poco a poco. Y el barrial que debe apretar los costillares. ¡Morirse ahogado en tierra! Y saber que el bicherío le va a arrancar de a pellizcos la carne... Sentirlos llegar al hueso, al vientre, a las partes, convertidas en una albóndiga de sangre e inmundicias, con millares de cáscaras dentro, removiendo el dolor en un vértigo de voracidad... ¡Bien haiga! ¡Qué regalo el frescor de la tierra del patio, al través de las botas de potro!

Y miré para arriba. Otro cangrejal, pero de luces. Atrás de cada uno de esos agujeritos debía haber un ángel. ¡Qué cantidad de estrellas! ¡Qué grandura! Hasta la pampa resultaba chiquita. Y tuve ganas de reír.

Comimos, sin decir palabra, en unos platos de cinc, una "ropa vieja" [12] en que la sal del charqui nos ofendía la boca. La galleta era como poste de quebracho y gritaba a lo chancho, cuando le metíamos el cuchillo. Para peor, no tenía sueño. Me quedé tomando mate en la cocina. El pabilo del candil, cansado de tanta grasa, quería caer por momentos y la llama chisporroteaba a antojo. Dos veces la enderecé con el lomo del cuchillo. Por fin la dejé, temien-

[12] *ropa vieja*: *Arg., Méx., Pan.* guiso de carne de vaca deshecha en fibras con el agregado de cebollas, tomates, pimientos, patatas, etc.

do que me entrara rabia y cediera a la tentación de fajarle al aparatito un planazo de revés, para que fuera a alumbrar a los demonios.

Don Segundo tendía cama afuera y Don Sixto estaba ya en el dormitorio, al cual había entrado mis jergas, creyendo así cumplir con el forastero.

¡Linda cortesía, hacerlo dormir a uno en un aposento hediondo y seguramente poblado por sabandija chica! [13]

Apagué el candil, volqué la cebadura en el fuego, que se iba consumiendo, y fui a echarme en mi recado, en la otra punta del cuarto de Don Sixto.

No hallaba postura y me removía como churrasco sobre la leña, sin poder dar con el sueño. Era como si hubiese presentido la extraña y lúgubre escena que iba a desarrollarse entre las cuatro paredes del rancho perdido.

Debió pasar algún tiempo. La luna volcó por la puerta una mancha cuadrada, blanca como escarcha mañanera. Vislumbraba los detalles del aposento: las desparejas paredes de barro, el techo de paja, quebrada en partes, el piso de tierra lleno de jorobas y pozos, los rincones en que negreaba una que otra cuevita de minero. [14]

Mi atención fue repentinamente llamada hacia el lugar en que dormía Don Sixto. Había oído algo como una queja y un ruido de caronas. Antes de que imaginara siquiera qué podía ser aquello, lo vi confusamente, de pie sobre las matras, en una postura de espanto.

Sentándome de un solo golpe, hice espaldas en la pared, desenvainé mi puñalito, que había como siempre alistado entre los bastos, puestos como cabecera, y encogí las piernas de modo conveniente para poderme erguir en un impulso.

Miré. Don Sixto dio con la zurda un manotón al aire. Fue como si hubiera agarrado algo. "No", dijo, ronco y amenazando, "no me lo han de llevar, so maulas". Con la

[13] *sabandija chica*: *sabandijas* eran para el gaucho todos los animales dañinos, fueren insectos o mamíferos. La *sabandija chica* designaba los insectos parásitos del hombre.

[14] *minero*: *Arg.* ratón.

ancha cuchilla que apretaba en su derecha, tiró al aire dos hachazos como para partir el cráneo de un enemigo invisible. Tuve la ilusión de que aquello que tenía aferrado con la mano izquierda, le asentaba un recio tirón. Trastabilló unos pasos. "No", volvió a gritar, como aterrorizado, pero firme en su propósito de no ceder, "angelito... no me lo han de llevar".

Con más saña, tiró puntazos en diferentes direcciones; después hachazos de derecha, de revés, con una violencia superior a sus fuerzas. Otro tirón lo llamó hasta la mitad del cuarto. Con más desesperación clamó: "M'hijo..., m'hijo no ha de ser de ustedes". Comprendí lo terriblemente angustioso de aquella alucinación. El hombre defendía a su hijo embrujado, con la desesperación del que no sabe si hiere. Pero, ¿cómo podía ser eso? Sin embargo, vi por tercera vez y claramente, los tirones y golpazos con que le hacían perder el equilibrio. Don Sixto caía al suelo, volvía a incorporarse y se esgrimía nuevamente contra el vacío, repitiendo su estribillo: "No, no me lo han de llevar".

La lucha inverosímil, de la cual yo sólo veía un combatiente, arreció en violencia. Los zamarreones aumentaban, las cuchilladas menudeaban a tontas y a locas, los gritos de desesperada negación se repetían con mayor frecuencia. Las fuerzas de Don Sixto disminuían, mientras el tono de la voz llegaba por su angustia a hacérseme intolerable. Quería ayudarle; pero una cobardía, un anonadamiento desconocido, se opuso a los esfuerzos que hice por levantarme. No podía siquiera hacer la señal de la cruz. El horror me tiraba los pelos para atrás de las sienes. Me debilitaba en un sudor copioso.

Pensé en Don Segundo y no pude llamarlo. ¿Cómo no oía? El pobre Don Sixto, ya exhausto, había caído cerca mío, a unas cuartas, y luchaba con una tenacidad que duplicaba mi desesperación.

Por fin la luz de la luna fue interceptada. Comprendí que mi padrino estaba ahí. Escuché su voz tranquila: "Nómbrese a Dios". Lo vi entrar; tomó a Don Sixto de un brazo haciéndolo poner de pie. "Sosiéguese güen hombre, ya no hay nada". También yo pude moverme y me acerqué a sostener a Don Sixto que, a pesar de no ser la luz suficiente para ver claro, aparecía demacrado como por varios días de enfermedad. "Sosiéguese", repitió mi padrino. "Acompáñeme pajuera; ya no hay nada". Como un ebrio lo sacamos a la noche.

Don Segundo lo acercó al recado en que él había estado durmiendo. El hombre cayó como desgarretado.[15] "Dejálo no más", me dijo mi padrino, "y vos sacá tus jergas y echáte a dormir".

Con recelo entré al cuarto, me santigüé, fui al rincón de mis pilchas y manoteé arrastrando lo que quiso venir conmigo. Ya Don Segundo dormía, con un cojinillo de almohada, sobre el piso del patio. El otro estaba tirado como potrillo muerto. ¿Dormir? ¡Como para dormir estaba por dentro! Nunca pensé que se pudiera tener tanto miedo junto. Recién al aclarar, cuando mi padrino incorporándose me dio la garantía de que todo no había muerto, pude cerrar los párpados.

Poco después desperté en un sobresalto. Ya el sol calentaba un tanto el cuerpo y un vientecito tierno se colaba entre la ropa.

Don Segundo había arrimado su tropilla y tusaba uno de sus caballos.

No vi ni señas de Don Sixto. Como el sol sabe barrer el miedo, no me quedaba de mi angustia nocturna más que un peso en los nervios.

Enderecé mis pasos hacia el pozo. El chirrido de la rondana, el culazo del balde en el agua, el canto de las goteras mientras recogía la soga, cuyos últimos tramos me enfriaron de agua las manos, me cantaban familiares

[15] *desgarretado*: con el garrón cortado para que el animal no pueda huir ni dar patadas. Así se lo acaba más fácilmente. La imagen resulta muy gráfica: el paisano se desplomó como si sus piernas no lo sostuvieran, tal como un animal al que se le han cortado los corvejones. Garzón es el único que sostiene *(Dicc. arg.*, s.v.) que no debe confundirse *desgarretar* con el verbo español *desjarretar* porque "cortar las piernas por el jarrete es distinto de cortarlas por el garrón".

palabras de optimismo. Me enjuagué bien la cabeza, el pescuezo, los brazos hasta el codo. En seguida sentí mejor el viento y el sol. Mi fuerza de siempre corría a grandes impulsos por mis miembros.

La mañana era linda, dorada, ágil. El desierto se alegraba de su descanso fresco. Unos teros pasaron, muy arriba, gritando su alegría. Se oyeron, lejos, unos balidos. Una nube de gaviotas, chimangos [16] y caranchos giraba como trompo de aire, sobre alguna osamenta, allá, para el lado de los cangrejales. ¡Qué diablos, la vida no afloja ni se aflige porque a un animal o a un hombre, la noche le haya traído un mal rato!

Como había preparado ya el mate, fui a convidarlo a Don Segundo.

—Güen día, padrino.

—Güen día.

Don Segundo rio mirándome:

—¿Ya te ha güelto el alma al cuerpo?

Me atreví a preguntar:

—¿Y Don Sixto?

—Se jue esta mañana a ver al muchacho que tiene enfermo. Quién sabe como lo halla.

—¿Por qué?... ¿Le han traído una mala noticia?

—¿Y qué más mala noticia querés que la de anoche?

—¡Avise, Don! [17]

Tuve que ir en busca de la pava para seguir la cebadura. No había conseguido mayores datos sobre el enigma del pasado suceso. ¿Por qué estaba tan seguro mi padrino de la gravedad del chico de Don Sixto? ¿Creía en brujerías? Inútil calentarme la cabeza; ya me había dado cuenta de que Don Segundo no me contestaría, esa mañana por lo

[16] *chimango*: *Arg., Ur.* ave de rapiña, de unos 40 centímetros de alto, más pequeña que el *carancho* (cf. n. 2, Cap. III), de color pardo oscuro y blancuzco acanelado. Su grito es agudo y desapacible y está reflejado en el nombre que es onomatopéyico. Se alimenta de carroña.

[17] *¡Avise, Don!*: ¿Qué quiere Ud. decir? ¿Se está burlando de mí? ¿Por quién me toma?

menos. Pero ¡qué hombre que no concluiría nunca de conocer! ¿Sabría también de magia? ¿Esos cuentos que contaba, los contaba en serio? Y yo ¿creía o no creía? Me parece que sí, por el miedo que me daban esas cosas y por mi poca voluntad de meterme a averiguaciones.

Monté el Picazo en pelo y fui a buscar mis caballos. De vuelta ensillé y echando unidas las tropillas por delante, marchamos hacia el potrero vecino, donde al día siguiente debíamos recoger hacienda alzada.[18] No pude dejar de despedirme del fatídico ranchito, que ya tomaba su aspecto de hueso perdido, y dándome vuelta sobre el recado le grité:

—¡Adiós, matrero[19] viejo. Quiera Dios que el pampero[20] te avente con tuito[21] el pulguerío y tus penas de bichoco y tus diablos y brujerías!

18 *hacienda alzada*: *Am.* ganado montaraz, cimarrón.

19 *matrero*: *Arg., Bol., Chile, Perú, Ur.* bandido, vagabundo que se interna a vivir en los montes, huyendo de la justicia. En la Argentina, la palabra tiene una historia íntimamente relacionada con la vida del gaucho, pues se denominó *matrero* al gaucho que, para huir de la policía o de la leva forzosa, se hacía gaucho 'alzado', esto es, huía a tierras de indios o vivía escondiéndose. Me resulta un tanto forzado el uso que de este adjetivo hace Güiraldes en esta parte de su narración. *Matrero* tiene connotaciones que no se avienen con un rancho en que el protagonista ha pasado una mala noche, poblada de temores supersticiosos. A menos que Güiraldes lo haya usado con la castiza acepción de 'engañoso', 'pérfido' *(Dicc. RAE,* s.v., 3.ª ac.). Es voz de amplio uso rural en América. Cf. Lerner *(Arc. léx.,* s.v.). Corominas da su origen como incierto aunque propone un étimon árabe: *mohatra*=venta fingida, engaño < *ar.* muḫâtra=venta usuraria *(Dicc. crít.-etim.,* s.v.).

20 *pampero*: Arg. viento frío y fuerte, proveniente de los Andes patagónicos, que sopla sobre la cuenca del Río de la Plata.

21 *tuito*: por *todito.* En el habla popular, el diminutivo —según ocurre en este caso y otros muchos— adquiere significación intensiva o bien ponderativa o afectiva. Cf. Amado Alonso, "Noción, emoción, acción y fantasía en los diminutivos" en *Estudios lingüísticos. Temas españoles* (Madrid: Gredos, 1954), 195-229.

XVI

Al caer la tarde, después de haber andado unas ocho leguas por la misma pampa triste y haber comido un resto de carne asada, que yo traía a los tientos, avistamos la gente de la población que hacía tiempo veníamos contemplando, gozosos por su verdor fresco. Allí siquiera había unos sauces, unos perros, un corralito y unos dueños de casa.

Otros paisanos llegaban ya para el trabajo del día siguiente. De lejos nos veíamos, entre nuestras tropillas, mudar de caballo, preparándonos lo mejor posible. Agarré mi Moro, [1] crédito para el rodeo, porque no quería andar fallando. Le acomodé el tuse, lo desranillé [2] y, habiéndole puesto los cueros, caí [3] al rancho cortando chiquito [4] al compás de la coscoja.[5]

Ya cruzábamos algunas palabras con los paisanos, en el palenque. Nos mirábamos los caballos ponderándolos cortésmente:

[1] *Moro*: caballo de pelo negro con algunos pelos blancos, con lo que resulta un matiz azulado. El gaucho apreciaba mucho este tipo de caballo porque solía ser manso, pero bravo. Véanse ejemplos de esta preferencia, en los poetas gauchescos, en Tiscornia *(Martín Fierro com. y an.*, 415-416).

[2] *desranillar*: Güiraldes da la siguiente definición de este verbo: "Cortar al caballo las ranillas, pelos que le crecen en las patas por la parte posterior, en la última coyuntura" (Vocabulario, en *Raucho, OC*, 238).

[3] *caer*: *Arg. llegar.* Tiscornia anota *(Martín Fierro com. y an.*, 362-363) que este significado es, sin duda, "una traslación del sentido general español, tomado en su efecto último, que los paisanos aislaron con valor absoluto, de su frase propia: 'dejarse caer del caballo'=*apearse.* Esta acepción criolla no la encontramos en otra parte". Aparece en Segovia *(Dicc. arg.*, 418). Lo usa profusamente Hernández en el *Martín Fierro* con el significado que damos.

[4] *cortando chiquito*: a pasos cortos.

[5] *coscoja*: *Arg.* ruedita metálica del freno que hace ruido cuando el caballo la mueve con su lengua.

—Lindo el bayito —dije a un hombre que se acababa de apear cerca mío—; ha de ser de conseguir, dentrando al pueblo.

—¡Azotes! —reía el paisano—. ¿Y su moro?

—Medio dispuesto p'al dentro.[6] Pero ¿qué va a hacer con una desgracia en el lomo?

—¿Ande está la desgracia?

—Un servidor —dije señalándome el pecho.

—Éste sí que es güeno —dijo un viejito flaco, acodillando su cebruno petizón, que no se movió más que un fardo de lana.

—¡Ahá!... ¡Ponderan la juria'el sapo! —rio el del bayo.

—No te fiés, muchacho..., no te fiés de los gallos qu'entran a la riña dando el anca[7] —aconsejó el viejo.

Un hombre achinado y gordo, que desembarraba con el lomo del cuchillo las paletas de su overo pintado,[8] arguyó señalando el espléndido alazán de Don Segundo:

—Ése es un pingo.

Todos lo miraron con un silencio de asentimiento.

Con su voz clara y tranquila, Don Segundo explicó a la gente callada:

—Lo cambié por unas tortas.

Cuando pasó la risa insistió imperturbable:

—El otro debía estar en pedo.

Era lo que habían pensado muchos sin animarse a decirlo. Don Segundo parecía querer recordar el hecho:

—Lo que no puedo acordarme es cómo estaba yo...

[6] *medio dispuesto p'al dentro*: *Arg.* muy dispuesto para cualquier acto.

[7] *¡Ponderan... dando el anca*: todo este diálogo es bien demostrativo de la manera indirecta con que el paisano bonaerense se expresaba. El viejito del cebruno lo señala como bueno aunque, al talonearlo, el caballo no responde. Por lo que el dueño del bayo considera que el del otro no es caballo digno de ponderación. Sin embargo, el viejito insiste aconsejando al reserito que no confíe en las apariencias.

[8] *overo pintado*: *Arg.* pelaje overo con manchas en forma circular. *Overo*: pelaje de yeguarizos y vacunos blanco 'remendado' con cualquier otro color (Saubidet, *Voc.*, s.v.).

Cierto que debía andar más fresco, al menos que ya hubiese llegao por la tranca a perder la vergüenza. Me parece acordarme de algo así como un barullo. La gente hasta pelió. Jue una linda divirsión. Al día siguiente el paisano no se acordaba bien del cambio, pero yo le refresqué la memoria.

¿Yo le refresqué la memoria? Bien se imaginaban los oyentes la energía de esa ayuda. Además, Don Segundo había dicho: "La gente hasta pelió. Jue una linda divirsión".

Ahora lo tasaban detallando su estatura, la reciedumbre de sus rasgos y, sobre todo, esa tranquilidad con que debía tomar las cosas, fueran como fuesen, como si le quedaran chicas. Yo sentía por una vez más esa fuerza de mi padrino, tan rápida para suscitar en el paisanaje, reservado e incrédulo, una incondicional admiración. Sabía desconcertar quedando impasible y, a la duda que por momento despertaba sobre su inocencia aparente o su profunda malicia, seguía de inmediato el respeto y la expectativa. Como otro arte suyo era saberse ir a tiempo, aprovechó la atención general para ponerse a hablar bajo con un hombre que estaba a su lado.

El paisano del overo me preguntó de dónde éramos.

—De San Antonio. [9]

—¿De San Antonio? —terció el del cebruno—. Yo he sabido trabajar allá, en los campos del General Roca. [10] Y este hombre —dijo señalando al del bayo— ha andao hace poco con arreo por esos pagos.

—¡Ahá! —contestó el aludido—, en una estancia de un tal Costa.

[9] *San Antonio*: de Areco, pueblo del N.O. de la Provincia de Buenos Aires en donde está situada la estancia "La Porteña", de propiedad de la familia Güiraldes.

[10] *General Roca*: General Julio A. Roca (1843-1914). Militar y hombre de gobierno argentino. Fue presidente dos veces —1880-1886 y 1898-1904—. Dirigió la campaña que empujó a los indios al sur del Río Negro, abriendo así vastos territorios a la colonización. Fue el autor de la federalización de Buenos Aires. Poseía vastas extensiones de campo en la provincia de Buenos Aires.

—Acosta —corregí.

—Eso es.

Nos fuimos arrimando al rancho. En el patio grande, abajo de los sauces, ardían los fogones lamiendo la carne de los asadores. ¡Lindo olorcito!

Habría entre todos unos veinte paisanos. Al aclarar del día siguiente llegarían unos diez más. Todos venían de distantes puestos. Decididamente, iba a ser nuestra recogida un trabajo bruto y grande.

No hubo, antes de echarnos a dormir, ni muchas bromas, ni una alegría muy visible, ni guitarra. A la gente de esos pagos no parecía importarle nada de nada. Uno por uno enderezábamos al asador, cortábamos una presa, nos retirábamos a saborearla en cuclillas. Los más salvajes y huraños desaparecían en lo oscuro, como si tuvieran vergüenza que los vieran comer o temieran que los pelearan por la presa. Como muchos, por tratarse de hacienda chúcara, habían traído sus perros, estábamos rodeados de una jauría hambrienta y pedigüeña.

Ya los fierros estaban desnudos.

Antes de acostarme dije a mi padrino:

—Lo que eh'esta noche, ansina llueva, naides me hace dentrar al rancho. Más que el abrigo'e las paredes con un loco adentro me gusta el amparo de Dios.

—¡Bien dicho, muchacho! —comentó mi padrino, y no supe si pensaba así o si quería simplemente que lo dejara en paz.

Antes de aclarar salimos. Me habían dado por compañeros dos mocetones de unos veinte años. Uno alto, aindiado, lampiño. El otro rubio y flaco, con ojos sesgados de gato pajero. [11] El rubio subió en un alazancito malacara [12] que, ni bien sintió el peso, se arrastró a bellaquear. El mo-

[11] *gato pajero*: *Arg.* gato que vive en los 'pajonales'=yerbales y, en general, todo sitio abundante en malezas, paja brava y vegetación similar que crece en lugares bajos y húmedos.

[12] *malacara*: *Arg., Par., Ur.* caballo de cuerpo rojizo con una franja blanca desde la frente hasta el hocico.

cito debía tenerse fe, porque a pesar de la oscuridad lo cruzó de unos rebencazos.

—Stas contento con la fresca —dijo después de sofrenarlo.

El campamento, que anoche parecía numeroso, desapareció en la noche y la pampa, disolviéndose en direcciones distintas, como un puñado de hormigas voladoras en el aire.

Mis compañeros me echaron al medio. El trigueño tenía un recadito que de corto parecía prestado por algún hermano menor. Su caballo era un azulejo overo zarco, [13] salvaje y espantadizo como pájaro de juncal. Las colas iban cortadas como una cuarta arriba del garrón. Los estribos, cruzados por delante, hacían grupa bajo los cojinillos: modas sureras. [14]

No decíamos palabra. Galopábamos por una huella que poco a poco se fue perdiendo, hasta dejarnos entregados al campo raso, sin más indicio de rumbo que el instinto de mis acompañantes. Pregunté, no sin recelo, por los cangrejales. El mocito del malacara me dijo que allí no había. En los cangrejales no podían aventurarse sino los que eran muy baqueanos y a nosotros nos habían dado un pedazo de campo limpio. Eso sí, tendríamos que cruzar los médanos y llegarnos hasta el mar, para de allí, por los arenales, echar hacia el lado del campo los animales matreros que sabían esconderse. [15]

[13] *azulejo overo zarco*: *Arg.*, *Ur.* caballo de color blanco azulado. Por *azulejo overo,* dice Saubidet *(Voc.,* s.v.), se entiende el azulejo de abundantes manchas menores, blancas y negras, de cuya combinación resultan reflejos azulados. Para *zarco,* cf. n. 6, Cap. II. Es muy evidente, en esta designación, el cuidado con que el paisano registraba los rasgos caracterizadores de su caballo.

[14] *modas sureras*: modas propias de las gentes del sur de la provincia. El lenguaje gauchesco prefería la terminación *—ero, a* en la formación de derivados que indicasen origen, ocupación, etc. La moda *sureña* a que se refiere el reserito, es la de cabalgar sin el auxilio de los estribos que practica uno de sus compañeros.

[15] *eso sí, tendríamos... esconderse*: se refiere aquí el narrador a la recogida de la hacienda dispersa. Los peones cabalgaban en pequeños grupos por leguas, a partir de un punto designado

Ramón Cisneros, uno de los peones nombrados en el prólogo y que acompañó a Güiraldes en su último viaje, aparece sosteniendo de la brida el caballo del escritor. (De la colección del Dr. Alberto G. Lecot.)

Vista general de la casa de la estancia "La Porteña". (De la colección del Dr. Alberto G. Lecot.)

Nuevas curiosidades para mí: los médanos, el mar. No quise pasar por chapetón y dejé mis preguntas de lado, como una vergüenza, esperando instruirme por mis cabales.

En el cielo, las primeras claridades empezaban a alejar la noche y las estrellas se caían para el lado de otros mundos. Orillamos un bajo salitroso y unas lagunas encadenadas, en que los pájaros, medio dormidos, se espantaron de nuestra presencia. Clareó más y comenzaron a vivir los animales de la pampa. Pasamos cerquita de una osamenta hedionda, que unos treinta caranchos aprovechaban, porfiando ganársela a la completa podredumbre.

¡Qué amabilidad la de esos pagos, que se divertían en poner cara de susto!

Al querer despuntar el sol, divisamos a contra luz la línea de los médanos. Era como si al campo le hubieran salido granos.

Varios vacunos trotaron por lo alto de una loma, nos miraron un rato y huyeron disparando. Mis compañeros iniciaron los clásicos gritos de arreo.

Pronto pisamos las primeras subidas y bajadas. El pasto desapareció por completo bajo las patas de nuestros pingos, pues entrábamos a la zona de los médanos de pura arena, que el viento en poco tiempo cambia de lugar, arreando montículos que son a veces verdaderos cerros por la altura.

La mañanita volvió de oro el arenal. Nuestros caballos se hundían en la blandura del suelo, hasta arriba de los pichicos. [16] Como buenos muchachos, retozamos, largándonos de golpe barranca abajo, sumiéndonos en aquel colchón amable, arriesgando en las caídas el quedar apretados por el caballo.

Satisfechos nuestros impulsos, nos decidimos a atender el trabajo. Andábamos torpemente, hamacados por el esfuerzo del tranco demasiado blando. Ni un pasto entre aquel color fresco, que el sol nuevo teñía de suave mansedumbre.

---

en la estancia por un señuelo o estaca clavada en la tierra, para recoger todos los animales que hubiera en la porción de campo que se les había asignado. El ganado era entonces dirigido hacia el señuelo y obligado a moverse alrededor de él.

[16] *pichicos*: *Arg., Bol., Ur.* falanges de los equinos o bovinos.

Me dijeron que en el ancho de una legua, entre tierra y mar, toda la costa era así: una majada monótona de lomos bayos,[17] tersos y sin quebraduras, en que las pisadas apenas dejaban un hoyito de bordes curvos. ¿Y el mar?

De pronto, una franja azul entre las pendientes de dos médanos. Y repechamos la última cuesta. De abajo para arriba, surgía algo así como un doble cielo, más oscuro, que vino a asentarse en espuma blanca a poca distancia de donde estábamos.

Llegaba tan alto aquella pampa azul y lisa que no podía convencerme de que fuera agua. Pero unas vacas galopaban por la costa misma y mis compañeros se precipitaron arena abajo hacia ellas. Me hubiera gustado quedar un rato, si más no fuera, contemplando el espectáculo vasto y extraño para mis ojos. Más vale no hacerse el gusto que pasar por pazguato, y arremetí también contra las bestias.

En la arena mojada de la orillita, dura como tabla, corríamos a lo loco. Mi Moro se hizo ver tomando la punta, descontando la ventaja que le llevaban.

Por momentos nos acercábamos. Los chúcaros corrían como gamas y, al verse apareados, se sentaban gambeteando[18] de lo lindo. Para mejor, estaban más delgados que parejeros. Errábamos los topes a porrillo. Por fin un toro, más haragán o más pesado, cayó entre el alazán y el overo. Lo paletearon[19] hasta echarlo por entre los médanos.

[17] *la costa era... una majada monótona de lomos bayos*: ejemplo característico en la prosa de *DSS* de trasposición léxica, con la que Güiraldes recrea la percepción del gaucho quien todo lo ve de acuerdo con su interés por la vida ganadera. *Majada* no es, sin embargo, la denominación más apropiada puesto que el gaucho la usaba sólo para el ganado lanar. Igual trasposición se da dos párrafos más adelante, cuando llama al océano "pampa azul y lisa".

[18] *gambetear*: *Arg., Bol., Perú, Ur.* hacer movimientos rápidos de un lado a otro. Del ital. *gamba. Gambetear* es, a su vez, derivado de *gambeta,* esguince, quiebro del cuerpo. Aparece ya en Quevedo. Cf. Corominas, *Dicc. crít.-etim.,* v. *gamba.*

[19] *paletear*: *Arg.* pegar el jinete, con el pecho de su caballo, en la paleta del toro (u otro caballo) para obligarlo a ir por donde él quiere.

Yo había seguido por detrás de una yaguanesa[20] y la llevaba cerca. Forzándola hacia el mar, cuyo ruido me sorprendía y achicaba, hice que se resistiera y así pude arrimarle el caballo. El Moro se le prendió como tábano en la paleta y allí íbamos con la vaca, afirmándonos uno con otro.

De repente entramos a pisar algo sonoro y resbaloso. Largué los estribos por las dudas. La yaguanesa, queriéndose caer, se atravesó, pero el Moro seguía echándola por delante con el impulso de la corrida. Y sucedió lo que debía suceder. Al salir del fragmento de roca resistente, encontrando la blandura de la arena, la vaca se tumbó. Sentí por el encontronazo que el Moro se daba vuelta por sobre la cabeza. "Con tal que no se quiebre", tuve tiempo de decirme, y me eché hacia atrás. Un momento se deja de pensar. El cuerpo cumple su deber por instinto. Sufrí en la planta de los pies el chicotazo[21] del suelo. Tuve que correr unos pasos para recobrar el equilibrio. Volví sobre mi caballo, que aún se esforzaba por ponerse de aplomo. La vaca, enderezándose, me amagó un tope. Lleno de audacia le crucé el hocico de un rebencazo y le saqué el cuerpo. Tomé mi caballo de las riendas. Por ahí cerca venían los compañeros. ¡Pobre Moro! Lo hice caminar. Bien. Le manoteé la arena del recado y las clines. Ya los dos muchachos estaban conmigo.

—¡Gran puta! —dije, y la palabra me sonó bien, aunque no fuera mal hablado—. Esta playa había sido como jeta'e comisario.

[20] *yaguanesa*: *Arg.*, *Ur.* ganado de pelo negro y lista blanca en el lomo. Voz guaraní (*yaguané*) que designa al zorrino. Es por el parecido con el pelaje de este animalito, que se designa de este modo a algunos vacunos. Este pelaje, frecuente en tiempos pasados entre el ganado rioplatense, es en la actualidad escaso ya que la mestización y selección de haciendas lo han modificado casi totalmente (Inchauspe, *Más voces,* 79).

[21] *chicotazo*: de *chicote*=*Am.* látigo. Por lo tanto, *chicotazo*=latigazo. De la voz marina *chicote,* trozo inútil de la cuerda de las velas (Morínigo, *Dicc. am.,* s.v.) y Lerner (*Arc. léx.,* s.v.).

Subí dispuesto al trabajo. Por los médanos se perdió la yaguanesa. Mis compañeros se enredaban en mil dicharachos conmigo.

Comprendí que empezábamos a ser amigos.

No hay desayuno mejor que un porrazo para envalentonar el cuerpo. Estábamos más decididos para la recogida.

Después de un pesado galopar y gritar por los médanos, salimos al campo. Nuestro trabajo y el de los demás, que por ahí andarían, iba surtiendo efecto. La pampa, antes sola, se poblaba de puntas de hacienda que corrían, en montón o en hilera, para el lado opuesto al mar; para el lado de la gente hubiera dicho yo. Muy lejos, unas polvaredas indicaban las partes más numerosas de la recogida.

Ya podíamos estar más tranquilos. Las puntas se buscaban entre sí, constituyendo masas cada vez más grandes. Las huellas insensiblemente marcaban rumbos al animalaje. No teníamos más que hacer una atropellada,[22] de vez en cuando, para que a muchas cuadras repercutiera en un apuro y hasta en huidas sin fin.

Íbamos dejando a un lado las vacas recién paridas, que nos miraban hoscas, con una cornada pronta en cada aspa. Vencíamos la distancia lentamente, por tener que ir de derecha a izquierda en una fatigosa línea quebrada.

Los balidos formaban como una cerrazón de angustia en el aire, angustia de las bestias libres agarradas por su destino de obedecer, aunque acostumbradas a no ver hombres sino a muy largas distancias y muy de tiempo en tiempo.

Allí, como a legua y media, sobre una lomada, se formó un centro de movimiento. Debía haber gente sujetando ese principio de rodeo.[23] Y, conforme íbamos andando, aquello

[22] *atropellada*: *Arg.* embestida, pique que se le hace dar al caballo. Se aplica también a la embestida de las personas. Así se usa en dos ocasiones, en el *Martín Fierro,* describiendo dos peleas: *La vuelta,* C. IX, v. 1313 y C. XVII, v. 2580.

[23] *rodeo*: *Am.* esta palabra designa, a la vez, el lugar —amplio y llano— donde se reúne el ganado mayor con diversos propósitos —inspección, recuento, aparte—, la acción de reunir el ga-

se agrandaba, empenachándose de una creciente nube de tierra, sumándose de todos los retazos de hacienda destinados a desaparecer allí, como llamados por una brujería.

Hacía un rato el campo estaba despejado; nosotros lo poblamos de vida, para luego irla barriendo hacia un punto, dejando el campo nuevamente solo.

Conservábamos la vista fija en el lugar del rodeo y deseábamos ya estar allí, pues poco que hacer y diversión encontrábamos en galopar atrás del vacaje cimarrón, que no se dejaba arrimar. Sin embargo, anduvimos, anduvimos.

El rodeo aumentaba de tamaño por los animales que llegaban y porque nos acercábamos. Ya el entrevero de los balidos se hacía ensordecedor, y empezamos a notar que aquello nos absorbía como única razón de ser posible, en el gran redondel trazado por el horizonte, dentro del cual todo lo demás parecía haberse anulado.

Llegamos. Algunos paisanos rondaban el tropel asustado de animales. Otros mudaban caballo. Otros, con la pierna cruzada sobre la cabezada del basto, liaban un cigarro o platicaban con tranquilidad. Los caballos sudados, con los sobacos coloreando de espolazos, o embarrados hasta la panza, delataban la tarea particular a que habían sido sometidos. Reconocía caras vistas el día anterior, observaba otras nuevas.

Contemplé el rodeo. Nunca había presenciado semejante entrevero. Debían de ser unos cinco mil, contando grande y chico. Los había de todos los pelos, todos los tamaños; pero esto no estaba hecho para asombrarme. Lo que sí llamaba mi atención, era el gran número de lisiados de todas clases: unos por quebraduras soldadas a la buena de Dios, otros a causa del gusano [24] que les había roído las

---

nado como así también al conjunto de ganado reunido. Lo que Don Segundo y su ahijado hacen en este capítulo, junto con los otros peones, es la *recogida*, esto es, juntar y arrear hasta el rodeo la hacienda dispersa. El rodeo propiamente dicho tiene lugar en el Cap. XVII, tal como lo denuncia la frase que lo abre.

[24] *gusano*: *Arg.* enfermedad producida en los animales por una mosca.

carnes dejándoles anchas cicatrices. Esos animales nunca fueron curados por mano de hombres. Cuando un aspa creciendo se metía en el ojo, no había quien le cortara la punta. Los embichados morían comidos o quedaban en pie, gracias al cambio de estación, pero con el recuerdo de todo un pedazo de carne en menos. Los chapinudos [25] criaban pezuñas con más firuletes que una tripa. Los sentidos del lomo [26] aprendían a caminar arrastrando las patas traseras. Los sarnosos morían de consunción o paseaban una osamenta mal disimulada en el cuero pelado y sanguinolento. Y los toros estaban llenos de cicatrices de cornadas, por las paletas y los costillares.

Algunos daban lástima, otros asco, otros risa. Los sanos y jóvenes, que eran los más, porque la pampa al que anda trastabillando muy pronto se lo traga, demostraban un salvajismo tal, que se llevaban por delante, afanados en alejarse cuanto fuera posible.

Un lujo de toros de toda laya, hacía del rodeo un peligro. Ya varios andaban buscando enojarse solos.

Los atajadores [27] tenían que quedar a cierta distancia, haciendo rueda, cosa que ocupaba a mucha gente. Más afuera, las tropillas con sus yeguas maneadas formaban el último círculo.

—¿Compañero, no ha visto el venao? [28] —me interpelaba un paisano, bien montado en un oscurito [29] escarceador, refiriéndose a que estábamos en ayunas.

A la verdad, nuestra hambre bien nos podía hacer ver cualquier cuadrúpedo comible, pues eran las diez y, desde

[25] *chapinudos*: animales de vaso (o pezuña) excesivamente crecido.

[26] *los sentidos del lomo*: los que tenían lastimado o dolorido el lomo.

[27] *atajadores*: los encargados de detener a los animales ya separados que pretendían escaparse. Se mantenían alrededor de los animales haciendo rueda y listos a salir en persecución de los rebeldes.

[28] *¿no ha visto el venao?*: *Arg.* ¿no ha desayunado? La expresión campera es 'andar venao'.

[29] *oscurito*: *Arg.* caballo de pelaje casi negro. El caballo en que Martín Fierro huyó de las tolderías, era un *oscuro tapao.*

las dos de la madrugada, no habíamos "matao el bichito" [30] más que con unos cimarrones. [31]

Miré para el lado de los carneadores, que ya llevaban a medio asar la vaquillona de año que esa mañana habían volteado para el peonaje.

—¿Por qué no noh'arrimamos —pregunté— a tomar unos amargos si mal no viene?

No faltaban, de rodeos anteriores y anteriores carneadas, buenas cabezas de osamenta, guampudas, [32] en que asentar el cuerpo. Después mudaría caballo. Por el momento le aflojé la cincha al Moro y me ocupé de mí mismo.

Como la noche anterior, comimos y mateamos en silencio. Decididamente esa gente me daba gana de estar solo y, como tenía tiempo antes de empezar el trabajo, dejé mate y compañía para tardarme mudando caballo, hasta que el aparte empezara. Además, me alejaba un poco de esa baraúnda de balidos que ya me estaba hinchando la cabeza. ¿Por qué —me pregunté— esa luna [33] repentina?

Me dejé estar, ensillando el bayo, que elegí por más corajudo y duro para el trabajo. Acomodé bien matra por matra. Emparejé como tres veces los bastos. Sirviéndome de mi alesna, [34] que llevaba siempre a los tientos, con la punta clavada en un corcho para defenderla, corregí la costura de la asidera que estaba zafada en un tiento. Acomodé los cojinillos como para ir al pueblo. Desenrollé el lazo para volverlo a enrollar con más esmero. Y como ya no tenía qué hacer, lié un cigarrillo que, por el tiempo que puse en cabecearlo, parecía el primero de mi vida.

[30] *matar el bichito*: Saubidet da como significado: beber bebidas alcohólicas; tomar la copa (*Voc.*, s.v.). Pero, en el texto, parece evidente que debe entenderse como que no han comido.

[31] *cimarrones*: *Arg.*, *Ur.* mates amargos. Ésta es la única acepción de esta voz que registran los diccionarios de argentinismos de Garzón, Granada y Segovia.

[32] *guampudas*: *Arg.*, *Bol.*, *Ur.* vacunos de cuernos grandes. Formado sobre *guampa*, cuerno, asta. Voz quichua, *huampuru* a través del mapuche *huampar*.

[33] *luna*: *Am.* mal humor, rabia.

[34] *alesna*: *Arg.* lezna. Instrumento pequeño de fina punta de hierro y mango de madera, usado para agujerear el cuero.

En eso oí un griterío y vi que un toro venía en mi dirección, corrido por unos paisanos.

Me le enhorqueté [35] al Comadreja proponiéndome sacarme pronto el mal humor.

Los dejé acercarse. A breve distancia me coloqué bien a punto para llevar a cabo mi intento. Cuando calculé por buena la distancia, grité:

—Con licencia señores—. Y cerré las piernas al bayo. Mi pingo era medio brutón para el encontronazo. Por mi parte había calculado bien. A todo correr, el pecho del bayo dio en la paleta del toro. Ayudé el envión con el cuerpo. Quedamos clavados en el lugar del tope. El toro saltó como pelota, se dio vuelta por sobre el lomo.

Había hecho una cosa peligrosa entre todas. Agarrar un animal, en toda la furia, a la cruzada, es un alarde que puede costar el cuero si la velocidad de cada animal no está calculada con toda justeza.

¡Buen principio que me comprometía para el trabajo bruto iniciado!

XVII

Empezó el torneo bárbaro. Como éramos muchos, hacíamos varias cosas a un tiempo. Para un lado, hacia el señuelo, se paleteaban las reses. Para otro se arreaban a cierta distancia, campo afuera, a fin de voltearlas a lazo y curar, descornar, capar, o simplemente cuerearlas, después del obligado degüello, si estaban en estado de enfermedad incurable.

[35] *enhorquetarse*: *Ant., Arg., Méx., Ur.* montarse al caballo y sentarse con una pierna a cada lado. De *horqueta,* parte donde se juntan las ramas del árbol. La elección que Güiraldes ha hecho de este verbo subraya el gesto decidido del reserito y su unión con el caballo —como la de la rama con el tronco—, de fundamental importancia para tener éxito en su enfrentamiento con el toro.

En yunta con el mocito rubio, compañero de recogida esa mañana, nos dedicamos al aparte. Las reses eran escasas, pues se elegían toros jóvenes que, después de ser largados en un potrero pastoso y capados, se invernarían. ¿Qué iba a salir de bueno, para el engorde, de esa extraña reunión de patas largas y lomos a lo boga? [1] Él en un gateadito [2] liviano, yo en mi bayo, formábamos una pareja luciente y ligera. Afanados por demostrar las habilidades de nuestros pingos, sacábamos de golpe los animales apretados entre los dos. Era inútil que quisieran buscar el campo o sentarse; iban como dulce de alfajor entre sus tapas de masa y ni siquiera pensaban en zafarse. No nos habían ni averiguado el nombre, que ya estaban con el señuelo.

El rubio resultó medio travieso, de modo que tenía yo que andar alerta para que no me venciera de salida, echándome los animales encima. Pero el bayo, antes se quebraría los pichicos empujando que ceder en el envión. Volviendo del señuelo al tranquito, dejábamos resollar los caballos. De paso teníamos tiempo de ver el trabajo de los otros y gritarles algo, como ellos lo hacían con nosotros.

Cada cual se esforzaba en lucir su crédito, su conocimiento y su audacia, con ese silencio del gaucho, enemigo de ruidos y alardes inútiles. Mi padrino había hecho pareja con el viejito del petizo cebruno. Era de verse su baquía para colocarse y vencer al vacuno, imponiéndole la dirección debida en un porrazo. Formaban con Don Segundo y su alazán una yunta brava y ya los miraban, de frente o reojo, según carácter, como maestros en el floreo [3] y la eficacia del trabajo.

[1] *lomos a lo boga*: flacos, puntiagudos.

[2] *gateadito*: *dim.* de *gateado. Arg., Chile, Méx., Par., Ur.* caballo de pelo rubio con una mancha negruzca en el lomo. Es pelaje en el que el paisano argentino tiene gran confianza, como lo demuestra el refrán: gateao, antes muerto que cansado.

[3] *floreo*: como *florear*: "Hacer ostentación de su habilidad o talento en cualquier cosa" (Segovia, *Dicc. arg.*, 216). También: "Preludio en la guitarra, antes de comenzar a tocar o cantar. // Apronte del caballo parejero. // Carrera falsa" (Guarnieri, *Nuevo voc.*, s.v.).

No hay taba sin culo ni rodeo sin golpeados. Un paisano que me había llamado la atención por su fisonomía taimada, tomó una vaca al cruce y la raboneó.[4] No tuvo tiempo de zafarse;[5] su zaino patas blancas se pialó en los garrones de la vaca y cayó como planazo sobre el costillar izquierdo. Corrimos en su dirección. El paisano no se levantaba. Entre dos, tomándolo de las piernas y los sobacos, lo sacaron a la orilla del rodeo y lo sentaron. El hombre respiraba bien y miraba a su alrededor.

—No es nada —dijo.

Le tantearon el cuerpo, preguntándole si sentía algún dolor. Se tocó la pierna izquierda. Aceptó un frasco de caña que le alcanzaban y tomó un trago como para unos cuantos. Luego sacó la tabaquera y empezó a armar un cigarrillo. Nos volvimos al rodeo.

—¡La pucha![6] —dije al rubio—, ¡qué golpazo!...; si le ha apretao la pierna y lo ha hecho chicotear[7] contra el suelo con todo el cuerpo.

—Yo no sé —comentó mi compañero—. Es como macho'e dos galopes.[8] Cuanto hay una trampa en que ensartarse, allá va él. Si algún día lo conchaban en un campo alambrao, se va a andar pelando la cabeza contra los postes.

Nos reímos.

Como si hubiera sentido la oportunidad que le brindaba nuestra distracción de un momento, el animalaje remolineó en un aumento de instinto chúcaro y formó punta

[4] *la raboneó*: la arrojó a tierra empujándola por la cola hacia un costado. De esta manera, la vaca pierde el equilibrio y cae sobre su cabeza y hombros.

[5] *zafarse*: *Arg., C.R., Nic.* esquivar el golpe; en este caso, el encuentro. También escaparse.

[6] *¡La pucha!*: *Am.* eufemismo por ¡la puta! Aquí denota asombro.

[7] *chicotear*: de *chicote* (cf. n. 21, Cap. XVI). Aquí el verbo se aplica no a la acción de golpear con el *chicote* sino a los resultados de la acción: el hombre ha vibrado con todo su cuerpo al caer, como vibran las carnes por el latigazo. Para el origen francés de *chicote,* cf. Corominas, *Dicc. crít.-etim.,* s.v.

[8] *ser como macho'e dos galopes*: ser muy resistente.

por donde menos resistencia se le ofrecía. Primero se llevaron por delante, atravesándose en chorros dirigidos a distintas partes, pero, muy pronto de acuerdo, se empeñaron para un solo lado con una decisión y una ligereza incontenibles.

Fue un entrevero brutal. Los toros, enceguecidos, cargaban por derecho, a pura aspa. Los terneros gambeteaban con la cola alzada. Los demás, medio perdidos, arremetían a la buena de Dios. El paisanaje se desgañitaba gritando. Los ponchos se levantaban en lo alto flameando. Sonaban los rebenques contra las caronas. Las atropelladas y los golpes llegaron a su máximo. No faltó quien se hiciera rueda por el suelo, en una confusión de novillo, caballo y hombre.

Un toro barroso se empeñaba con más tesón que ninguno, en porfiar para el lado de los médanos. Le asenté fuertes porrazos pero no cedía. El bayo, excitado, hacía fuerza en la boca hasta cansarme los brazos. Lo largué por tercera vez contra el toro, que tomó demasiado adelante, pasando de largo. Haciendo peso para atrás con el cuerpo, para sujetarlo, no pude ver el peligro. Cuando volví la mirada, la cabeza aspuda estaba ya encima. Apreté las espuelas. Inútil. El caballo se me caía, golpeado de atrás, y lo di vuelta tan ligero como pude, para que el toro pasara olvidándonos. Así fue, pero Comadreja rengueaba. Lo aparté un trecho y me desmonté. El pobre animal tenía rajado el cuero del anca en un tajo como de dos cuartas. Revisando la herida vi que era honda. Estaba furioso de que ese bicho mañero me hubiera agarrado en un descuido. ¡Quedar de a pie cuando el alboroto y la diversión estaban en lo mejor!

Ya muy lejos, la montonera de hacienda iba alargándose y eran los gritos un eco reducido. Llevando de tiro al bayo, me fui para el lado de las tropillas, que miraban fijo, con todas las orejas apuntadas en dirección de las corridas. ¡Qué silencio! En un montón escaso, quedaba el señuelo con su principio de tropa y los tres hombres que los cuidaban. El rodeo estaba desierto. Sólo el paisano golpeado quedaba tal cual, fumando siempre, pues se le veía de vez en cuando escupir su nubecita de humo. Pensé que el vacaje, volviendo enceguecido, podía pisotearlo. Pero tenía hasta entonces tiempo suficiente para mudar caballo.

Ya en mi lobuno [9] Orejuela, volví al rodeo, me largué al suelo cerca del lastimado y prendí un cigarrillo en las brasas del fogón agonizante.

—¿Cómo va ese cuerpo?

—Bien no más.

—¿Estará quebrao?

—No creo...; machucadito no más.

—¿No se puede enderezar?

—No, señor. No siento la pierna.

—Y... mejor no moverse.

—Pasencia, nos dejaremos estar no más.

Miré allá, y colegí que los paisanos vencerían en la lucha con los animales. Ya los habían doblado por la punta [10] y pronto correrían en nuestra dirección. Subí en el Orejuela y esperé.

El rodeo abandonado tenía un curioso aspecto. En un círculo extenso, alrededor del palo,[11] el piso negreaba, rociado por los orines y la bosta del vacuno, cuyo pisoteo había machucado el todo convirtiéndolo en resbaloso barrito chirle, que guardaba el retrato de las pezuñas impreso en miles de moldecitos desparejos.

Para el lado del señuelo, las apartadas habían rastrillado el piso y largos rastros de resbaladas, recordaban posibles golpes.

Quedaban también los cadáveres de siete enfermos cuereados, carnes secas apenas capaces de disimular el hueso, pobres cosas rojizas, lamentablemente estiradas a breve

[9] *lobuno*: *Arg.* pelo de yeguarizo semejante al del lobo, aunque más claro. Suele tener una franja casi negra de la cruz a la cola.

[10] *los habían doblado por la punta*: se obligaba a la columna de animales a formar una "U" con el extremo abierto en dirección al señuelo. Los animales fugitivos eran empujados hacia el fondo de esa "U".

[11] *alrededor del palo*: se trata del palo o estaca que marca el lugar de la estancia en que debe concentrarse el ganado.

distancia del redondel, sobre las que se asentaban peleando gaviotas y chimangos. Y había sobre nosotros miles de estos pájaros, entreverando sus revuelos como humareda sobre el fuego, largándose de tiempo en tiempo contra las miserables reses, para arrancarles pedazos de carne sufrida, por la que después se atacaban haciendo gambetas y trenzas en el aire.

A todo esto, la animalada se acercaba en tropel mudo. Era una cosa de verse. Cinco mil chúcaros dominados por unos treinta hombres, dispuestos en hilera a sus flancos. Avanzaban. Por los caballos y el modo, reconocíamos a la gente. No había ya porfiados ni eran necesarios grandes ataques. Aquello se venía como un solo e inmenso animal, llevado por su propio impulso en un sentido fijo. Oíamos el trueno sordo de las miles y miles de pisadas, las respiraciones afanosas. La carne misma parecía surtir un ruido profundo de cansancio y dolor. Ya llegaban.

Recordé al paisano caído y, ni bien los primeros animales pisaron el rodeo, los atropellé para imprimirles un movimiento de rotación. Volvieron a menudear golpes y alaridos, hasta que, al fin dominada, la hacienda optó por girar sobre el redondel de barro pisoteado, como si ya hubiera perdido la razón de ser de su carrera.

Por un lado la ganábamos porque la fatiga los domaba. Por otro la perdíamos, pues muchos toros embravecidos entorpecerían la libertad de correr, con alguna arremetida.

El rubio traía un pañuelo atado en la cabeza y, acercándome, noté que tenía ensangrentada la frente y la blusa sobre el hombro. Me explicó riendo:

—Andamos en la mala, cuñao.[12] A usté le cornean el pingo y a mí viene y se me corta el lazo.

Ver sangre humana alborota la propia. Al fin, casi teníamos derecho de rabiar.

—Más bien no acordarse —comenté.

El rubio comprendió mi sentimiento y me miró con simpatía.

[12] *cuñao*: por *cuñado*. Es fórmula amistosa de tratamiento, similar a *hermano* (cf. n. 13, Cap. III).

—Ansina es —sonrió.

Como había hecho yunta con él y su caballo estaba cansado, esperé que lo mudara.

El trabajo proseguía más empeñoso y enérgico.

Volvimos con mi compañero a las mismas, sañudamente.

Algunas bestias se empacaban;[13] les poníamos el lazo y, quieras que no, allí iban donde debían ir.

Inesperadamente, nos dijeron que el trabajo había concluido. La tropa no sería más que de unos doscientos animales. ¿Para eso tanta bulla? Pero en esos pagos, que con todo me sorprendían, era mejor no averiguar cosa alguna ni interesarse por nada.

Ahí quedamos todos un rato, como pan que no se vende.[14]

El rodeo no comprendía su libertad. Los primeros en irse caminaban despacio husmeando alrededor. Así descubrieron las osamentas y se arremolinearon en un ataque de furia y de llantos. La lengua, chorreando baba, se les hamacaba en la jeta, los ojos se les blanqueaban de terror y saltaban bufando en torno a los carcomidos cadáveres de los compañeros. Tuvimos que atropellarlos repetidas veces para que se fueran.

Al paisano caído se lo llevaron al puesto en un carrito de pértigo. El rubio se apeó junto al fogón, pidió el frasco

[13] *empacarse*: *Arg., Bol., Chile, Ec., Par., Perú, Ur.* resistirse a andar, plantarse las bestias. Del quichua *paco* y *paca*. *Paca* es un animal de carga que, con frecuencia, se echa con ella, resistiéndose a andar (Morínigo, *Dicc. am.*, s.v.). También cf. Corominas, *Dicc. crít.-etim.*, v. *alpaca.*

[14] *como pan que no se vende*: *Arg.* "Estar en un sitio a disgusto o como fuera de su centro natural" (Morínigo, *Dicc. am.*, s.v.). "Sin despertar interés de nadie" (Saubidet, *Voc.*, s.v.). "Secos y arrumbados" (Tiscornia, *Martín Fierro com. y an.*, 135). "De un lado para otro" (Borges y Bioy Casares, comps., *Poesía gauchesca,* II, 782). Creo que, en nuestro texto, Güiraldes usa la expresión para denotar que los reseros se quedaron sin saber qué pensar, desorientados y, hasta cierto punto, abandonados. Es decir, que podemos enriquecer la expresión con los significados aducidos en los diferentes vocabularios y ediciones anotadas. Martín Fierro usa esta expresión para explicar cómo se sentían, él y Cruz, durante su vida entre los indios (*La vuelta,* C. III, v. 432).

de caña, con el que mojó el pañuelo que volvió a atarse. Pude ver la herida corta de labios hinchados. El ojo también se le iba poniendo gordo. Después quiso curarlo a mi bayo. Juntos le revisamos la cornada y me dijo:

—Pa llevarlo va a andar mal. Si es de su idea venderlo, yo se lo compro, siempre que noh'arreglemoh' en el precio.

Miré para el campo. Ya el rodeo se iba perdiendo en la distancia. Recordé los cangrejales. ¡Abandonarlo al pobrecito Comadreja, así, herido, en esas pampas de rechazo!

—Vea, cuñao. Pa qué vi'a mentirle. Yo al mancarrón le tengo cariño y... ¡dejarlo en esta tristeza!

El rubio me explicó que no era de allí. Él se llamaba Patrocinio Salvatierra y vivía como a unas ocho leguas de distancia, en una tierra linda y pareja. No tenía yo más que ver su tropilla de gateados. Era cierto y le dije que le contestaría esa noche.

—Si es su voluntá —agregó— también le compro el lobuno.

—Allá veremos.

Me quedé cabizbajo. El día anterior casi había perdido al Comadreja y ahora me veía obligado a venderlo.

—Está de Dios —dije— que no me había de ir con el bayo. Hoy me lo cornean, ayer por poco no deja el cuero en el cangrejal.

—¿Qué andaba haciendo?

—Curiosiando.

—¿Curiosiando? ¡Por bonitos que son!

—Pa'l que nunca ha visto.

Calló un rato para en seguida ofrecerme:

—Si quiere ver toito el cangrejerío rezando a la puesta'el sol, puedo llevarlo aquí cerca. Son cangrejales grandes. Los que usté vido ayer no alcanzan a ser más que retazos.

Acepté el ofrecimiento y nos fuimos galopando, rumbo a los médanos, hacia un lado distinto del que a la madrugada habíamos seguido para la recogida.

Ya el campo había vuelto a su calidad de desierto. Del rodeo no quedaba casi recuerdo ni en la llanura, ni en mi memoria. Parecía haber sido una pura imaginación, que negaba el vacío de los pajonales. Vacío que tenía algo de eternidad.

De lejos ya, vimos negrear las largas franjas de barro. Arrimándonos las veíamos agrandarse, y era algo así como si el mundo creciera. Pero, ¡qué mundo! Un mundo muerto, tirado en el propio dolor de su cuero herido.

Por unas isletas de pajonal, Patrocinio me fue conduciendo de modo que también sentí el cangrejal a mis espaldas.

—Aura verá —me dijo.

Se bajó del caballo, a orillas de un cañadón de bordes barrosos y negros, acribillados como a balazos por agujeros de diversos tamaños. De diversos tamaños, también, eran unos cangrejos chatos y patones que se paseaban ladeados, en una actitud compadrona [15] y cómica. Esperó que, cerca, un bicho de esos saliera de la cueva y hábilmente, le partió la cáscara con un golpe del cuchillo. Pataleando todavía, lo tiró a unos pasos sobre el barro. Cien corridas de perfil, rápidas como sombras, convergieron a aquel lugar. Se hizo un remolino de redondelitos negruzcos, de pinzas alzadas. Todos, ridículamente, zapateaban un malambo [16] con seis patas, sobre los restos del compañero. ¡Qué restos! Al ratito se fueron separando y ni marca quedaba del sacrificado. En cambio, ellos, sobreexcitados por su principio de banquete, se atacaban unos a otros, esquivaban las arremetidas que llegaban de atrás, se erguían frente a frente con las manos en alto y las tenazas bien abiertas. Como nosotros estábamos quietos, podíamos ver algunos de muy cerca. Muchos estaban mutilados de una manera terrible. Les faltaban pedazos en la orilla de la cáscara, una pata... A uno le había crecido

[15] *compadrona*: *Arg.* ostentosa, vanidosa.

[16] *malambo*: *Arg., Chile, Ur.* zapateo típico gaucho entre dos hombres quienes lucen su agilidad y resistencia en el *escobillado* y la improvisación de *mudanzas* (cf. nn. 11 y 14, Cap. X). Es un contrapunto en que gana el más original. El *malambo* es, en el baile, lo que la 'payada' es en el canto.

una pinza nueva, ridículamente chica en comparación de la vieja. Lo estaba mirando, cuando lo atropelló otro más grande, sano. Éste aferró sus dos manos en el lomo del que pretendía defenderse y, usando de ellas como de una tenaza cuando se arranca un clavo, quebró un trozo de la armadura. Después se llevó el pedazo al medio de la panza, donde al parecer tendría la boca. Dije a mi compañero:

—Parecen cristianos por lo muy mucho que se quieren.

—Cristianos —apoyó Patrocinio—, ahá...; aurita va a ver los rezadores.

A unas cuadras más adelante, nos detuvimos frente a un inmenso barrial chato.

Así fue. El sol se ponía. De cada cueva salía una de esas repugnantes arañas duras, pero más grandes, más redondas que las del cañadón. El suelo se fue cubriendo de ellas. Y caminaban despacio, sin fijarse unas en otras, dadas vuelta todas hacia la bola de fuego que se iba escondiendo. Y se quedaron inmóviles, con las manitos plegadas sobre el pecho, rojas como si estuvieran teñidas en sangre.

¡Aquello me hacía una profunda impresión! ¿Era cierto que rezaban? ¿Tendrían siempre, como una condena, las manitos ensangrentadas? ¿Qué pedían? Seguramente que algún vacuno o yeguarizo, con jinete, si mal no venía, cayera en aquel barro fofo minado por ellos.

Levanté la vista y pensé que por leguas y leguas, el mundo estaba cubierto por ese bicherío indigno. Y un chucho me castigó el cuerpo.

Había oscurecido. Nos volvimos despacio, callados. A lo lejos divisamos la pequeña arboleda del puesto. Pero estaba todavía tan lejos, que bien podía ser engaño. Teníamos que cruzar un juncal tendido. Entramos en él. De pronto y, gracias a Dios, vi cerca un bulto oscuro. Digo gracias a Dios porque el verlo me salvó de algo peor que lo que había de sucederme. El toro, medio enredado en los juncales, me miraba. Yo también lo miraba a él. ¿Era el barroso que me había corneado el bayo? No concluía de reconocerlo cuando me atropelló. Había arrancado con tanta violencia que apenas logré evitar el bote. Me pareció, sin embargo, que por segunda vez me tocaba el caballo. ¡Dios me perdone! Me agarró una de esas rabias que le nublan al hombre el entendimiento. Abrí el caballo hasta un claro, entre los juncos, porque no hay que entrar así, ofuscado, en la lucha.

—Fíjese si me ha corniao —pregunté al rubio.

Patrocinio se puso detrás de mi lobuno.

—Una nadita. A gatas le ha alborotao el pelo. Debe haberlo tocao con el costao del aspa. ¿Qué va a hacer? —me preguntó viéndome armar el lazo.

—Quebrarlo [17] —contesté.

Aunque fuera temeridad mi intento y él tuviera cierta responsabilidad con el dueño de la hacienda, no me dijo nada. Un hombre en la pampa sabe mirar a otro hombre y comprende lo irreparable de ciertas decisiones.

Por mi parte, la rabia se había asentado en mí, tomando cuerpo de una resolución decidida a ir hasta el fin. Me había propuesto quebrarlo al toro y lo quebraría.

Patrocinio armaba también su lazo.[18] ¡Lindo! En la voluntad de matar que ya estaba en nosotros, nacía el sentimiento de una amistad fuerte. Dos hombres suelen salir de un peligro tuteándose, como una pareja después del abrazo.

Unas cuantas veces invité con el ademán y el grito al toro, para que me atropellara y, como era voluntario, conseguí sacarlo a un abra. [19] Le ladeé el caballo, [20] lo dejé tomar distancia y, con buena puntería, la suerte ayudando, le cerré la armada en las mismas aspas. Estábamos prendidos uno a otro, imposibilitados para huirnos, como dos paisanos que van a pelear atados pie con pie.

[17] *quebrarlo*: domeñarlo rompiéndole el espinazo.

[18] *Patrocinio... lazo*: Patrocinio estaba levantando el lazo, que sostenía con su mano derecha, por encima de su cabeza. La mano izquierda sostenía el resto del lazo. Véase n. 6, Cap. IX.

[19] *abra*: *Arg., Méx., Par., Ur.* Espacio de campo ancho y despejado en que no crecen árboles ni arbustos. Es uno de los tantos términos náuticos que en América variaron su significación.

[20] *Le ladeé el caballo*: antes de enlazar al animal era necesario poner el cuerpo del caballo del reserito en la misma dirección en que éste iba a tirar el lazo.

Tenía yo una confianza absoluta en la resistencia de mi lazo. El primer tirón lo hizo sentar al toro sobre los garrones. Aunque era ya oscuro el atardecer, nos veíamos bien. El barroso, sintiéndose sujeto, se enderezó furioso. También él se afirmaba en su voluntad de matar. Miró para todos lados, a mí, a Patrocinio que se mantenía listo. Parecía más alto y más liviano. Y arrancó contra mí a lo bruto. Era lo que yo quería. Lo esperé, confiado en la agilidad de mi Orejuela. Fue rápido. Llegaba, le quité el pingo y boleé el lazo por sobre la cabeza, para quedar aprestado al cimbrón.[21] Pasó el barroso con tanta furia que Patrocinio, aunque supiera mi intento, no pudo evitar la exclamación:

—¡Cuidao!

Yo tuve tiempo de pensar dentro de mi saña: "Cuanto más te apurés, mejor te vah'a quebrar".

Casi junto con el grito de Patrocinio, oí un ruido como de cachetada.[22] "Tomá", me dije, pero el lazo se había cortado. El lobuno, llamado por el tirón, se me iba de entre las piernas. Quise abrirle; una espuela se me trabó, enredada en el cojinillo. Y nos fuimos, como boleados, contra el suelo. ¡Qué golpe! No importaba; yo no quería pensar sino en el toro. Tenía que estar quebrado. Quería que estuviese quebrado. A unos metros lo vi intentando enderezarse. Estaba como pegado por el tren trasero en tierra. Me miraba fijamente.

—Lo ha de haber quebrao del espinazo —decía Patrocinio.

El lobuno se levantó, sin dar señas de estar estropeado. Era manso y podía dejarlo así, rienda abajo.[23] Yo sentía el brazo derecho completamente caído y el hombro me hormigueaba como cangrejal. Comprendí lo que me pasaba. Me

[21] *quedar aprestado al cimbrón*: estar preparado para el tirón.
[22] *cachetada*: *Am.* bofetada.
[23] *rienda abajo*: cuando el animal ensillado es dejado en libertad, sin ataduras, con las riendas sueltas, calzadas por sus extremos superiores en el cinchón o en la parte trasera del recado. Segovia trae la expresión usada por Güiraldes, pero 'rienda arriba' es la citada por Inchauspe, Saubidet y Tiscornia y la que aparece en *Martín Fierro* y *Santos Vega*.

había quebrado la eslilla[24] y... tal vez tuviera el brazo sacado. Entretanto, Patrocinio le había puesto el lazo al toro. Me acerqué. Pensaba con pesadez en mis caballos golpeados... Tenía que luchar contra un embotamiento progresivo. Patrocinio, que sabía lo que había que hacer, estiró su lazo y la cabeza del toro quedó contra el suelo, quieras que no.

—¡Sos malo! —le dije. Y saqué con la zurda el cuchillo. Creí que me iba a caer. Puse una rodilla en tierra. Sin embargo, tenía que concluir.

—Esta carta te manda el bayo —le dije al toro, y le sumí el cuchillo en la olla,[25] hasta la mano. El chorro caliente me bañó el brazo y las verijas. El toro hizo su último esfuerzo por enderezarse. Me caí sobre él. Mi cabeza, como la de un chico, fue a recostarse en su paleta. Y antes de perder totalmente el conocimiento, sentí que los dos quedábamos inmóviles, en un gran silencio de campo y cielo.

XVIII

—...después se deja estar tranquilo.

Hice un gran esfuerzo para comprender lo que quería decir aquello. Vislumbraba que era algo para mí y que debía escuchar. Pero, ¿qué quería decir? y ¿qué era esa cara de hombre, rubia, por cierto conocida, y esa otra de mujer en que dejaba estar mis ojos con placer, recordando un sentimiento borroso de gratitud tal vez? Una luz me hacía daño y todo me parecía hostil, menos la expresión de esos dos rostros.

¡Oh, el dolor de no poder comprender y la sensación de estar hombreando un mundo de pesos vagos que, sin

[24] *eslilla*: *Arg.* clavícula. *Eslilla* es deformación fonética de la voz castellana *islilla* (que significa sobaco y clavícula).
[25] *olla*: *Arg.* cavidad intertorácica entre la garganta y el hueso del pecho, por donde se puede herir el corazón.

embargo, aparecían como míos! ¿Qué era cierto? Hacía un rato vivía en un mundo liviano y me lo explicaba todo:

Estábamos en la estancia de Galván, bajo los paraísos del patio; el patrón, poniéndome una mano sobre el hombro, me decía:

—Ya has corrido mundo y te has hecho hombre, mejor que hombre, gaucho. El que sabe los males de esta tierra por haberlos vivido, se ha templao para domarlos.

Andá no más. Allí te espera tu estancia y, cuando me necesités, estaré cerca tuyo. Acordáte...

Cerca nuestro había un rosal florecido y un perro overo me husmeaba las botas. Yo tenía el chambergo en la mano y estaba contento, muy contento, pero triste. ¿Por qué? Me habían sucedido cosas extraordinarias y sentía casi como si fuera otro..., otro que había ganado algo grande e indefinido, pero que tenía asimismo una impresión de muerte.

Pero bien suponía que eso no era cierto. Verdad era mi abrumador estado de incomprensión y la lucha matadora en que me empeñaba para despojarme de esa torpe ignorancia. La luz me atribulaba; más lejos, había sombras y algo se movía en ellas, haciéndome presumir que debía concentrar mi atención en su sentido.

—...después se deja estar tranquilo.

Llegué a un recuerdo, como a un abra en el monte:

—¡Patrocinio!

—Déjese estar no más y no se mueva.

Me dolía todo el lado derecho del cuerpo y la cabeza, también del lado derecho.

—¿Qué tengo?

—Se ha quebrao la eslilla y se ha lastimao la cabeza. Parece que el costillar lo tiene machucao.

Recordé: el toro, el tirón... Y entré claramente en la comprensión de lo sucedido y lo actual.

Pedí un vaso de agua y miré alrededor.

Estaba en una prolija pieza de rancho, acostado en un catre. Patrocinio, sentado en un banquito bajo, me espiaba de vez en cuando. Una muchacha desconocida, bonita, entró con un jarro de agua y me ayudó a enderezar la cabeza para beber. Por amor propio hubiera querido desenvolverme solo, pero por el placer que me daba su mano, soliviándome la cabeza, y un extraño sentimiento de gratitud para con su sonrisa afectuosa, me callé.

El inútil y brutal esfuerzo por comprender, había desaparecido. Estaba contento. No podía moverme.

—¡Bien haiga! —dije—. Entoavía la osamenta no se me ha desnegao pa vivir.

Patrocinio reía. Yo también. Me sentía tan agradablemente inútil que me dormí.

Al despertar fue lo más amargo.

Sin acordarme de mi mal, quise incorporarme y todo el cuerpo me gritó de dolor.

—No se mueva, compañero —me advirtió una voz.

En un rincón del cuarto, aclarado por el amanecer, vi al paisano que en el rodeo había caído raboneando una vaca. Sentado sobre una matra, con la espalda apoyada en la pared, fumaba despacito, echando sus nubes de humo. Comprendí que no había dormido y pensé que estaba en la misma postura desde el día anterior a eso de las doce. "Gaucho duro", dije en mis adentros, y me prometí aguantar sin queja mi parte de dolor.

—¿No se halla mejor? —le pregunté.

—Igual no más.

—¿Durmió?

—Hasta aurita, no más.

De golpe, y por primera vez, me agobiaron las ligaduras con que me habían inmovilizado el brazo. Una lonja de cuero de oveja, con lana para adentro, me sujetaba, pasada en ocho bajo el sobaco derecho y sobre el hombro izquierdo, toda la parte superior del pecho y la paleta. La lonja tendría unos cuatro dedos de ancho y apretaba que era un contento.[1]

—Me han maniao de lo lindo —dije en voz alta.

—El otro pajuerano ha sido —explicó el lastimado—; ése que vino con usté.

[1] *que era un contento*: *Arg.* muchísimo.

Tomé confianza porque lo hecho por Don Segundo, bien hecho debía de estar. ¿Qué más quería? Quebrado de la eslilla, con los costillares machucados y un golpe en la cabeza, no podía hallarme como de baile.

Patrocinio trajo una pava caliente, se sentó en medio de la pieza, y nos estuvo cebando dulces más de una hora. Para que pudiera yo dormir, me colocó unos pellones atrás de la cabeza. Al cabo de aquel momento de tranquilidad y conversación, cayó una curandera del pago. Era una viejita seca como tasajo y arqueada del espinazo. Vino para mi lado, me saludó con tanto cariño como si me hubiera parido, me revisó las vendas, me dijo sin desvendarme que estaba quebrado en el mismo medio de la eslilla, que tenía unos raspones en el costado derecho, y que el tajo de la cabeza iba a cerrar muy pronto. Después preguntó quién me había arreglado como estaba y dijo que no era necesario cambiar nada. Yo la miraba con cada ojo como patacón boliviano,[2] no comprendiendo cómo sabía tan bien todo sin siquiera revisarme. Me puso la mano sobre la cabeza y me dijo:

—Que Dios te bendiga, hijo. Dentro de tres días, con licencia'e la Virgen, vendré a verte. Te podéh'enderezar si así es tu gusto, porque estás vendao por alguien que sabe y no tenés peligro ninguno.

Sin darme tiempo para responder, se fue arrastrando las alpargatas a curar al otro hombre. Le hizo alzar el calzoncillo más arriba de la rodilla, le dijo a Patrocinio que trajera un cabestro o un correón y le pidió a uno de los paisanos, que por curiosidad se habían agolpado en la puerta, que se arrimara a ayudarla.

—Está sacao[3] —dijo.

La viejita hizo que Patrocinio se colocara atrás del enfermo, pasándose el maneador por debajo de los brazos, sobre el pecho, y aguantara cuando el otro paisano tirara del pie, en el momento que ella avisaría.

[2] *patacón boliviano*: *Arg.* moneda grande, de plata, usada por los gauchos para adornar cintos y rastras.

[3] *estar sacao*: por *sacado,* dislocado.

"Lo van a estaquear",[4] pensé con angustia.

—¡Aura! —dijo la viejita y, en el momento en que tiró del pie el paisano y Patrocinio hacía fuerza para atrás, se apoyó con las dos manos sobre la rodilla enferma. El dolor debió ser medio regular, porque de zaino que era[5] el herido, se puso más amarillo que patito recién salido del huevo.

—Sta güeno —dijo la curandera, y aconsejó que al hombre se lo llevaran para su rancho, en algún carrito o zorra, porque tendría para unos veinte días de no moverse. Dicho esto lo vendó con unos trapos y después de agraciarlo con un "Dios te ayude", habiéndole puesto la mano sobre la cabeza, se fue, quebradita del espinazo como había entrado.

No bien la curandera se despidió, vi entrar a la muchacha que, hacía pocas horas, me había ayudado a tomar agua. En seguida se puso a andar de un lado para otro, risueña, acomodándolo al compañero golpeado, para que pudieran llevarlo. Por mi parte no la perdía de vista ni un momento. ¡Qué chinita más linda y armadita! Era de un altor regular, tenía una cara desfachatada y alegre como un canto de jilguero, y cada movimiento del cuerpo me insultaba como un relámpago los ojos. Adivinando mi intención, me miró de soslayo y se rio. ¿Sería de las casas? ¡Qué a tiempo me había quebrado! Con tal que la convalecencia durara siquiera medio mes.

[4] *estaquear*: *Arg., Bol., Par., Ur.* castigo que consistía en estirar al reo, en el suelo, abierto de brazos y piernas y atarlo a cuatro estacas clavadas en la tierra con tiras de cuero. Cuando éstas se encogían, levantaban el cuerpo en vilo causando agudos dolores y dislocamientos de brazos y piernas. Magariños Cervantes (*Caramurú,* 4.ª ed., Buenos Aires, 1865, 135) explica que era suplicio inventado por los indios. Lo sufre Martín Fierro (*La ida,* C. V, v. 876-889) y aparece también en Ascasubi. *Estaquear* es, además, en Am. Central y Meridional, estirar entre estacas el cuero del animal para trabajarlo.

[5] *zaino que era*: es decir, de tez morena. Otra de las muchas instancias, que se vienen señalando, en que la visión esencialmente ganadera del paisano bonaerense determina una trasposición léxica, ya que *zaino* es el caballo de pelaje oscuro.

Al poco rato, lo sacaron al paisano, colocándolo sobre un cuero de vacuno soliviado por dos hombres. Me levanté en el cuarto solo y fui hasta la puerta, para presenciar su partida. En un carrito de pértigo (el de las carneadas), lo acomodaron, con la espalda afirmada contra uno de los bastidores.

—¡Que se mejore! —le grité.

—Igualmente —contestó—. ¡Aura vamos lindo no más! —y echó las necesarias nubecitas de humo, para convencernos de que siempre era el mismo.

Se fue el carrito y la gente que lo despedía entró a la cocina, a matear, seguramente. Yo también quería ir; dolor no sentía ninguno y como no me habían desnudado, me eché el pañuelo al pescuezo, mordí una punta para poder hacer el nudo, me reí de mi inhabilidad de manco y me aponté para enderezar a la cocina, que estaba en otro rancho más chiquito, haciendo escuadra con la casa. Antes de llegar a la puerta para salir, me topé con la mocita risueña.

—¿Ande va tan güeno? —me preguntó.

—...¿güeno?... Güeno soy no más. Manquera tengo pa un rato cuanti más y ya la estoy sintiendo.

—¿Andará por enlazar otra vez?

—No... pero las muchachas me van a buscar plaito en viéndome ansina, tan incapaz.

—Pobrecito. Verdá que no está como pa alzar mozas en l'anca.

En medio de su burla había un arrimo. Yo no quería dejarme tomar por infeliz, pero ya me estaban entrando ganas de buscarle el lado tierno. Serio le pregunté:

—¿Es de acá usté?

—Soy de ande más me gusta.

—¿Y por dónde le gustaría?

—Acasito no más.

—¡Bien haiga! ¡También yo sería de acasito mientras usté lo juera!

—¡Dios me ampare!

—¿Dios me ampare? ¿Seré tan desgraciao y de tan mala presencia que ni una lastimita me tenga?

En el juego de tire y afloje nos habíamos seguido sonriendo. Ella se puso seria y me dijo cordialmente:

—Siéntese en ese banquito. Yo vi'a trair un mate pa cebarle, así no anda caminando por ahí más de lo que debe.

Se fue, obedecí sentándome en el banco y esperé unos diez minutos.

Llegó con una pava, el poronguito y una yerbera, se acomodó en una silla petiza y, con gran seriedad, como si de pronto hubiese perdido el habla, se concentró en los preparativos de la cebadura.

Yo la miraba con un hambre de meses y con la emoción de todo paisano, que solamente por rara casualidad queda frente a frente con una mujer bonita. ¡Vaya si era bonita! Y sus ademanes hábiles y las muecas coquetas de flor de pago [6] que se sabe admirada. Y las delicadezas de las manos hacendosas. Y el cambiar de posturas, de puro vicio, para ver de marearme mejor y tenerme sujeto a su vida como cinta de sus trenzas.

El tiempo pasaba.

—Sta seria la cosa —dije con malicia.

—No. Si todo va a ser chacota.

—¡Amalaya! [7]

Cambió de tema, siempre burlona:

—¿Durmieron bien en el rancho' el bajo?

Pensé que el rancho del bajo debía ser el del embrujado.

—¿Qué hombre eh'ése? —pregunté, recordando la flacura seca de Don Sixto Gaitán.

—Un hombre güeno. Pobre..., aurita hemos tenido noticias dél. La noche que estuvieron ustedes en el rancho, se le murió un hijo que tenía enfermito.

[6] *flor de pago*: *Arg.* la muchacha más hermosa del lugar.

[7] *¡Amalaya!*: *Arg., Bol., Par., Perú, Ur.* ¡ojalá! En su adaptación americana, la expresión castiza *¡ah mal haya!* ha perdido por completo su sentido imprecatorio, su carácter de maldición, para cargarse de resonancias positivas. Cf. Tiscornia, *La lengua de Martín Fierro, BDH,* III (Buenos Aires, Instituto de Filología, 1930), 152, y también Ángel Rosenblat, "Notas de morfología dialectal", en *BDH,* II (Buenos Aires, Instituto de Filología, 1946), 204-206.

—¿Qué me dice?

—Lo que oye. A cualquier hombre se le puede morir un hijo.

Entonces, asustado con aquella coincidencia y mi recuerdo, le conté la locura de Don Sixto.

La chica se santiguó. Me acordé del fin de aquella relación que dice:

Quisiera darte un besito
Donde decís enemigos.

—Pero ¿por qué milagro —exclamé— ha nacido una flor en un pago tan tioco?

Admitiendo con naturalidad el piropo, me explicó:

—Yo no soy de aquí. He venido con mi hermano Patrocinio pa ayudar, estos días. Aquí hay tres mujeres que, ¡si las viera!, no andaría gastando saliva en una pobrecita olvidada de Dios como yo.

—No ser Dios —comenté— pa poderla olvidar tan fácil cuando me vaya.

—¡Zalamero! —me dijo sin risa ni aparente emoción.

—No sé si...

En eso entró Patrocinio.

—¿Cómo va ese cuerpo, cuñao? —interpeló.

¿Cuñao? Yo lo había llamado así todo el día anterior, sin saber qué privilegio eso significaba.

—¿Sabe que va lindo? —le dije—; ni siquiera me acuerdo'el porrazo.

—¡Y yo que craiba que llegaría finao! Como tres veces se me desmayó por el camino. ¿Se acuerda del trabajo que tuvimos pa alzarlo en el caballo?

—Y ¿cómo vi'acordarme, si he venido muerto todo el camino?

—No, señor. Si a trechos se componía y cuando le puse el maniador pa sujetarle el brazo, usté me ayudaba y me decía: "Mah'arriba..., aura va bien..., ansinita."

Hice todo lo posible por recordar aquello pero fue inútil. Habría hablado dormido. ¡Qué larga mi pérdida de conocimiento!

Patrocinio se dirigió a la hermana:

—Andá, pues, Paula, que en la cocina te andarán necesitando.

Sometidamente, la prenda alzó sus cachivaches y se fue. Patrocinio se sentó y volvió a hablarme de mis caballos:

—¿Y, cuñao, cerramos trato?

—¿Cómo anda el bayo?

—Rengo no más.

—¿Y tiene tanto apuro por cambiarlo'e dueño?

—Le vi a decir, cuñao. Yo mañana me güelvo pa'l rancho.

"Adiós", pensé. "Se me va el amigo y la moza, y yo tengo que quedar como peludo de regalo [8] en estas casas, donde ni conocidos tengo." Con razón dice el refrán que "no hay golpeado que dé con las casas". [9] Asonsado por la noticia, ni se me ocurrió remedio a la desgracia y me largué a muerto. [10]

—Y güeno. Lléveselos.

—Tenemos que arreglarnos por el precio.

—Será lo que usté diga.

—¿Ochenta pesos por el bayo y el lobuno?

—Son suyos.

Patrocinio quedó un rato como pensativo; luego despidiéndose con un "hasta aurita", me dejó solo.

Me levanté y di unos pasos por el cuarto, rocé un banco con la pierna y rabioso lo aventé de una patada.

Salí para afuera. Pasé cerca de Paula y me hice el que no la veía. Por detrás de las casas crucé la sombra de los paraísos, y me acodé sobre un poste del alambradito que cercaba el patio, mirando para el campo. Manco o no manco, rengo y aunque fuera sin cabeza, yo también me iría al día siguiente. Ya estaba recansado de esa tierra desco-

[8] *como peludo de regalo*: *Arg.* inesperado y molesto.

[9] *no hay... las casas*: versión gauchesca del refrán "ir de mal en peor". No lo he encontrado registrado en los refraneros, por lo que habrá que pensar en una creación (o recreación) de Güiraldes.

[10] *largarse a muerto*: *Arg.* perder toda esperanza, dejarse llevar por la situación.

medida y no habría diablo que me sujetara, así tuviera un facón de tres brazadas.

Me saqué el sombrero, me rasqué la cabeza y me puse a silbar un estilo:

Yo me voy, yo me despido,
Yo ya me alejo de vos,
Quedá, mi rancho, con Dios
....

A lo lejos vi que Patrocinio arrimaba mi tropilla. Al día siguiente, pensé, me iría con ella. No hay querencia mejor que el lomo de sus caballos para un resero, ni cama más acomodadita que sus jergas y sus pellones. "No necesito mah'embras que mis pulgas", me dije.

La voz de Paula me increpó juguetonamente:

—Oiga, mozo. Se le van a asolear los recuerdos.

Poniéndome el chambergo, me encaminé hacia ella, deseoso de volcarle encima mi despecho.

—Y usté, no va a tener tiempo pa acomodar sus adornos pa mañana.

—¿Estamos de baile?

—¿Y cómo no? De algún modo hemos de festejar la despedida.

—¿Quién se va? ¿Usté? No lo veo tan garifo [11] como pa que lo conchaben.

Su voz se había puesto a tono con la mía. Por primera vez le observé un gesto de agria altanería.

—Por mal compuesto que esté —repliqué, no queriendo cejar—, me he de ir cuantito ustedes se hayan ido.

—¿Ustedes?

Los brazos se me cayeron como alones de avestruz cansado. No comprendía y juzgué que debía tener un aspecto regularmente sonso.

—¿No se va con Patrocinio? —pregunté.

[11] *garifo*: *Arg.*, *Bol.* vivo, jovial, rozagante, listo. *Garifo* es la forma que adoptó en el Río de la Plata la voz española *jarifo*. Cf. Corominas, *Dicc. crít.-etim.*, v. *jarifo*.

Encogiéndose de hombros y fruciendo despreciativamente los labios, me retó:

—Entoavía no tengo dueño que me ande mandando.

XIX

En un par de días, tuve tiempo para conocer los habitantes del rancho.

Con la partida de los paisanos que habían venido a ayudar, quedaron las casas como eran siempre.

Comíamos en la cocina los hombres: Don Candelario, dueño de casa, Fabiano, un mensual, y Numa, un muchachote tioco, de mi edad. Nos servía la mujer de Don Candelario, Doña Ubaldina, alcanzándonos galleta y unos platos que casi nunca usábamos, pues cortada nuestra presa del churrasco, comíamos a cuchillo, tajeando los bocados sobre la misma galleta.

Eran los únicos momentos de reunión, salvo los del mate mañanero.

El puestero era hombre afable, aunque de pocas palabras. Interrogaba siempre con tono suave y comentaba las respuestas con exclamaciones de admiración: "¡Ah, pero qué bien!", "¡no le digo!", "¡ahahá!". Subía las cejas agrandando los ojos para expresar su sorpresa, con lo que corregía la indiferencia de sus bigotes caídos y ralos.

Hablando con él, tenía uno la sensación de estar diciendo siempre cosas extraordinarias. Preguntaba:

—Son campos güenos los de por allá. ¿No?

—Muy güenos, sí, señor. Campos altos y pastosos.

—¡Fíjese! (los ojitos se le asombraban).

—De lo que saben sufrir es de la seca.

—¡Pero vea!

—¡Ah, sí! Cuando dentra a no querer llover, puede ir arriando la hacienda.

—¡Hágase cargo!

—Y a veces no hay más que ir cueriando[1] por el camino.

—¡Qué temeridá!

Doña Ubaldina, chusca, enterrada en la grasa, era una chinaza afecta a la jarana, y solía pimentar sus bromas con palabrotas, que tiraba en la conversación como zapallos[2] en una canasta de huevos.

Fabiano, que no decía nunca palabra, reía entonces con una alegría de niño y la miraba como el perro mira a la res volteada. Su contento solía llevarlo hasta el escándalo de golpearse con el puño las rodillas, exclamando: "¡Aura sí, aura sí que la junción se ha puesto güena!", y los demás hacíamos coro a sus carcajadas.

Numa era un pazguato sin gracia, con una cara a lo bruto. Nunca estaba en nada y si no perdía las alpargatas en su lento andar de potrillo frisón,[3] era porque se olvidaba de perderlas.

Además de esta gente, estaban las tres muchachas de la casa, de las que ya Paula me había hablado burlonamente: "¡Si las viera!... no andaría gastando saliva en una pobrecita olvidada de Dios, como yo". Si Dios se había acordado de ellas, debió ser en un día de mal humor. Eran unas tarariras[4] secas y ariscas que nunca salían de la pieza. Cuando uno las sorprendía en la puerta, como lechuzas en la boca de la cueva, se llevaban por delante afanadas por disparar, o contestaban el saludo con una mueca de susto. Comían en su rincón y Paula con ellas. Pero Paula luego salía, siempre hacendosa y risueña, para alegrar el patio

[1] *ir cueriando*: *Arg., Ur.* ir sacando el cuero a los animales muertos por la sequía, que se encuentran en los campos.

[2] *zapallos*: *Am. Mer.* nombre genérico de las calabazas comestibles y de las plantas que las producen. Del quichua *sapallu* (Morínigo, *Dicc. am.*, s.v.).

[3] *frisón*: caballo de Frisia o de esa casta. Tiene los pies anchos y fuertes (*Dicc. RAE,* s.v.), de allí su andar lento. Aplicada a Numa, la comparación refuerza la imagen de un muchachote grande, pesado, sin gracia.

[4] *tarariras*: *Arg., Ur.* peces negruzcos, de río. Del guaraní *tararí,* removerse.

del rancho con su andar cadencioso, sus saludos, bromas y retruques con todos. Que Paula y las otras se llamaran igualmente mujeres, era una verdad que no entraba en mis libros.

No había tardado, ¡cómo había de tardar!, en darme cuenta de que Numa le arrastraba el ala [5] a mi prenda. El asunto resultaba más bien ridículo. ¡Qué rival! Yo le guardaba rencor a Paula por haber inspirado amor a semejante gandul, que andaba como sonso rodeándola por dondequiera, para mirarla con ojos de ternero enlazado, suplicante y húmedo de ternura. Me reía por no saberlo hacer mejor.

Nos topábamos a cada salida o entrada en el rancho, a cada vuelta de pared. Le rogué a Paula que espantara a ese mosquito, pero sólo conseguí que me reconviniera en son de burla:

—Había sido celoso hasta de lo que no es suyo.

No digo menos; pero ¿por qué entonces esa baquía para encontrarme abajo de los paraísos, al caer la tardecita, y los cabeceos de flor en el viento, cuando le arrimaba algún requiebro halagüeño sobre su donosura, y los reproches cuando por prudencia evitaba estar demasiado tiempo con ella?

—Se ha hecho chúcaro como guayquero... [6]; tal vez está estrañando la flor de su pago y anda por ahí mandándole las cartas que no le sabe escrebir.

La mujer bonita es coqueta y buscadora, eso lo sabe todo paisano, pero a veces por poner trampas se sabe quedar enredada.

Y para no mentir, yo presumía de que Paula no me miraba con disgusto.

El pobre guachito iba bebiendo el veneno como agua bendita. Aprendía poco a poco a mirar en lo que siempre desconoció y su corazón se mareaba en esas cosas que sólo había oído mentar: cariño de mujer, gusto de no hacer

[5] *arrastrar el ala*: *Arg.* hacer la corte.

[6] *guayquero*: *Arg.* caballo salvaje que reacciona o mordiendo o pateando.

nada sino remover pensamientos de amor, tranquilidad larga de convalecencia.

¿Qué puede hacer un hombre en tal situación, y para qué sirve un gaucho que se deja ablandar por esas querencias? Tras de todo veía mi libertad, mi fuerza. Sin embargo, me disculpaba con argumentos de circunstancia. Me era imposible partir antes de componerme y, en mi estado, todo trabajo remataría en nuevas dolencias. Todavía me anulaban dolorosos insomnios. Soñaba que me metían en un pozo, como poste de quebracho, y que apisonaban la tierra, haciéndome crujir los costillares y cortándome el aliento.

La viejita curandera volvió al tercer día de mi quebradura, según su promesa, y me trajo el alivio de aflojarme las vendas, dando con esto mayor juego a mi cuerpo. Pero ¡qué poca cosa para el amor es un pobre manco, que ni siquiera puede suponer un abrazo sin el consiguiente "¡ay!" de dolor! De abrazos, a pesar de esto, tenía llena la imaginación cuando conversábamos con Paula detrás del rancho.

A los diez días de tal tratamiento, me sentía sano del brazo y enfermo del alma. Estaba todavía maneado por las lonjas que me servían de vendas. Mis juegos de tome y traiga con Paula ya se servían de grandes palabras, y la antipatía entre Numa y yo, amenazaba reventar con algún rebencazo.

Esto último se resolvió de golpe.

No tuve duda de que Numa se envalentonaba viendo mi manquera. Aquel pavote se animaba a reír mirándome, aunque ninguna frase de burla acudiera en su ayuda. Me miraba y se reía.

Una tarde, lo hizo mejor que las demás y yo lo tomé peor que de costumbre, a fuerza de hartazgo. Lo mandé a que fuera a la cocina, para aprender cómo se despluman batituses. [7]

[7] *bàtituses*: *Arg.* pl. vulg. de *batitú,* ave zancuda de ríos, bañados y lagunas. En el Vocabulario que adicionó a *Raucho,* Güiraldes explica que el *batitú* es un "[a]ve muy apetecida por la exqui-

Un bruto nunca hace las cosas bien. Numa embestió más que nunca la expresión de su cara.[8] Hizo unos pasos hacia nosotros.

—¿Estaré en la escuela pa que me den liciones? —decía—. ¿Estaré en el colegio? ¿Ahá? ¿Estaré en el colegio pa que me den liciones?

Su desplante pareciéndole bueno, lo repitió hasta cansarse. Entonces, a pesar de la inquietud de Paula, me reí a mi vez con convicción. Numa se puso furioso. ¡Qué confianza no le daría mi manquera! Sacó el cuchillo y se vino derecho. Hice un paso de costado, lo que debió parecerle inverosímil dado el tiempo que puso en rectificar la dirección de su atropellada. Tres veces se repitió la misma maniobra y ya empecé a ver, yo también, la posibilidad de concluir la jugarreta en sangre. Pero el opa[9] de Numa daba lástima, tan sonsamente perdía el rumbo.

—Státe quieto —le dije amenazando—, sosegáte, no te vah'a llevar por delante un cuchillo.

Paula también le gritaba, pero ya nada era válido para aquella porfía. Presumí lo que iba a suceder, visto que Numa me acorralaba cada vez con más empeño.

Lo dejé venir cerca. Al tiempo que me tiraba, de abajo, un puntazo de mala intención, saqué el puñal y, de revés, mientras esquivaba el bulto, le señalé la frente para acobardarlo. Así fue. Numa dejó caer el cuchillo al suelo y quedó con la piernas abiertas y la cabeza baja, esperando su susto. La herida, un rato blanca, se llenó como manantial, de sangre y empezó a gotear, luego a chorrear abundantemente. El infeliz estaba blanco como un papel y, largando un quejido como para escupir la entraña, se abrazó la cabeza y salió para el lado del rancho. Iba des-

---

sitez de su carne, de unos 10 cm de largo, color pardo claro y que es llamada así imitando su grito; es de patas más bien altas, anda en bandadas y es muy sabrosa en la época en que semilla el cardo" (*OC,* 237).

[8] *embestió... de su cara*: volvió su expresión más bestial que nunca. El verbo es invención de Güiraldes en su afán de transmitir el total desprecio del reserito por Numa.

[9] *opa*: *Arg., Bol., Perú, Ur.* tonto, idiota. Del quichua *upa,* tonto.

pacio. Metódicamente gruñía su "¡ay!" de idiota, mientras dejaba un rastro rojo tras de su paso. Paula se fue con él.

Me quedé solo, sin saber en qué pararía aquello. Confusamente experimentaba lástima; ¿pero era mi culpa? ¿No había sido una cobardía su ensañamiento en atropellar a un hombre que creía inválido? Al fin de cuentas me daba rabia. Me habían forzado la mano y también a Paula la sentía culpable. ¿Por qué no había espantado de su vecindad a ese embeleco pegajoso? "Si tiene gusto —me dije— en andar con ese tordo [10] en el lomo, que le aproveche". Y decidiéndome a una acción rápida, enderecé a la cocina, donde debían estar los mayores.

Al pasar frente a la pieza en que dormí la primer noche, vi al hembraje amontonado. Ahí debía estar el herido. Seguí para la cocina donde encontré a Don Candelario y a Fabiano. Este último era el hombre que necesitaba.

—Güenas noches —saludé.

—Güenas noches —me contestaron.

—Me va a hacer un favor, cuñao —dije a Fabiano—. Écheme la tropilla pa este lao, que algún día, si la ocasión se presienta, le devolveré el servicio.

El silencioso Fabiano salió con un gesto de aceptación y quedé solo con Don Candelario.

—Siéntese —me dijo éste y me alcanzó un mate.

—Le vi a pedir disculpa —empecé— por lo que ha sucedido. A mí me han atendido por demás bien en esta casa y vengo a pagarle con un dijusto. Sta mal sindudamente; pero, válgame Dios, que yo no he buscao el plaito ..

[10] *tordo*: *Am. Cen., Arg., Col., Chile,* pájaro pequeño de plumaje negro. Guillermo E. Hudson observa que los tordos son *parásitos* en sus hábitos de cría y que, careciendo de asuntos domésticos propios que atender, llevan una *vida ociosa* y *vagabunda* (apud Becco, *DSS y su voc.*, 63). Las palabras que expresamente he destacado, convienen al personaje Numa en lo que hace a su actitud con respecto a Paula. Además, como lo ha especificado certeramente Becco *(ib.)*, la comparación de Numa con el tordo se ajusta a la realidad, pues este pájaro suele posarse sobre el lomo de los animales. Para la leyenda sobre el origen de su color, cf. Coluccio, *Dicc. folkl. arg.*, s.v.

—Deje estar —me interrumpió suavemente Don Candelario—. ¿Piensa dirse?

—Dentro de un rato, sí, señor. He faltao [11] a la casa y quiero que me olviden cuanto antes.

—¡Pero si usté no lleva culpa!

—No le hace, Don. A lo hecho, pecho. Graciah'a Dios ya estoy güeno.

Decidido, corté con el cuchillo las lonjas que me sujetaban el brazo quebrado. Hice unos movimientos con prudencia y vi que andaba bien. Don Candelario me miró sacudiendo la cabeza.

—Cada hombre —dijo— sigue su destino. Si ha de ser el suyo dirse, Dios lo habrá dispuesto. Lo que es por mí, puede quedarse si gusta, que nadie dirá que en mi rancho no sé ofrecer lo que pueda al que anda de mala suerte. Soy mayor que usté, mocito y, eso sí, puedo darle el consejo de que se cuide de andar peliando por hembras.

—Así es —cerré, sin querer entrar en explicaciones.

Entró Doña Ubaldina.

—Güenas noches.

—Güenas noches.

Dirigiéndose a su marido, dijo la puestera gorda:

—Ya lo hemos vendao y ha parao la sangre. No ha de morir por tan poco —sonrió mirándome— ni ha de dejar de encandilarse con las polleras.

De pronto sentí que de la estúpida aventura podía quedar un comentario sucio para Paula. Agaché la cabeza y, Dios me perdone, me sentí hondamente triste.

Salí para el patio a ver si la cruzaba para hablarla. ¡Si me la hubiera podido llevar! Creo que no hubiese dudado un momento. Estaba en estado de olvidarlo todo. Al cabo cruzó a unos metros de donde yo estaba:

[11] *faltar*: *Arg., Méx., Ven.* tratar con desconsideración a quien —por ser superior, por ser mujer, o por edad— merece respeto. En este caso, el reserito debía respetar la hospitalidad que tan generosamente se le había ofrecido. Así lo pedía el 'código de honor' de los paisanos. El verbo, suprimido el complemento directo —respeto—, absorbe el sentido completo de la expresión (Kany, *Sem. hipanoam.*, 221).

—Paula, quisiera hablarla.

Me miró por sobre el hombro:

—No sé de qué —me respondió, sin detenerse.

¿Así que se iba a hacer la farsa de que yo era el solo y único culpable? ¿Era un criminal por haberme defendido?

Entré a la cocina mal dispuesto. Si un hombre cargara con palabras como las de Paula, "pitaríamos del juerte" [12] juntos.

Al rato cayó Fabiano.

—Ahí están sus caballos.

—Gracias, cuñao.

Fabiano me ayudó a juntar mis pilchas, mi ropa, y a ensillar.

¡Qué sola me parecía la noche en que iba a entrar! Siempre, hasta entonces, lo tuve a mi padrino y con él me sentí seguro. Hasta alcanzarlo, en el puesto en que estaba trabajando, siete u ocho horas de camino, me encontraría perdido ante las sorpresas tristes que me habían deparado esos pagos de mal agüero.

Volví. Cenamos los de siempre menos Numa. Junto con el asado, mascaba yo mi despecho al que no quería dar salida.

Al concluir la cena, me despedí de los presentes. Don Candelario me acompañó hacia afuera. En el rancho de las mujeres, pegó unos puñetazos contra la puerta:

—¡Se va este mozo y quiere despedirse!

Salieron las tres tarariras flacas y Paula. Les di la mano, una por una, diciéndoles adiós. Paula fue la última.

—Siento —le dije— lo que ha pasao. No he tenido intención de agraviarla.

—No me gusta —retó nerviosa y encabritada— la gente ligera pal cuchillo.

[12] *pitaríamos del juerte*: *Arg.* esta expresión nació con referencia al tabaco negro brasileño que resultaba demasiado fuerte para muchos. La común expresión está usada aquí con su habitual significación: si se tratara de un hombre, el castigo sería duro. La usan Hidalgo, Ascasubi y Hernández.

—Tampoco —respondí— me gustan a mí las mujeres que andan haciendo engreír a la pobre gente.

Lo decía mucho por Numa y un poco también por mí. Últimamente no quería discutir y agregué:

—Le encargo muchos recuerdos pa mi amigo Patrocinio.

—Serán dados —concluyó secamente.

Ya al lado de mi caballo, me despedí de Don Candelario y Fabiano, que me deseaban buena suerte.

Le boleé la pierna al Picazo. ¡Qué lindo andar bien montado y estar libre! Mi brazo derecho, aún dormido, me servía, sin embargo. Me habían indicado el camino. La silbé a la madrina Garúa y eché los caballos a su cola. Lo de siempre. Pero nunca había hecho tan noche sobre mí.

Aunque el trecho que me separaba del puesto, en el que encontraría a mi padrino, era un tanto largo, me puse a andar al tranco. Llegaría recién al amanecer, ¡qué importaba!; tenía ganas de pensar o tal vez de no pensar, pero seguramente sí de que los últimos acontecimientos se asentaran en mi memoria. Además, no quería abusar de mi brazo, por el que corrían tropelitos de cosquillas.

Miseria es eso de andar con el corazón zozobrando en el pecho y la memoria extraviada en un pozo de tristeza, pensando en la injusticia del destino, como si éste debiera ocuparse de los caprichos de cada uno. El buen paisano olvida flojeras, hincha el lomo a los sinsabores y endereza a la suerte que le aguarda, con toda la confianza puesta en su coraje. "Hacéte duro, muchacho", me había dicho una noche Don Segundo, asentándome un rebencazo por las paletas. A su vez, la vida me rebenqueaba con el mismo consejo. Pero qué mal golpe que me aflojaba la voluntad hasta los caracuses, sugiriéndome la posibilidad de volver hacia atrás con un ruego de amor para una hembra enredadora.

Contrariando mi debilidad, miraba adelante, firme.

Crucé unos charquitos llorones, que quién sabe qué dijeron bajo los vasos del caballo. También el barro se pega en las patas del que quiere caminar.

Pobre campo sufridor el de estos pagos y tan guacho como yo de cariño. Tenía cara de muerto.

La noche me apretaba las carnes.

Y había tantas estrellas, que se me caían en los ojos como lágrimas que debiera llorar para adentro.

XX

Junto con la noche, terminó mi andar. A la madrugada, según mis previsiones, llegué a un puesto aseadito, en el que encontré a mi padrino disponiéndose a salir con un hombre en quien, por las primeras palabras de conversación, reconocí al encargado de aquel potrero.

Don Segundo no se extrañó de mi presencia, pues habíamos quedado en que, una vez sano, iría yo a buscarlo para seguir viaje hacia el Norte. Mi brazo desvendado explicaba mi venida y evitaba las burlas posibles a propósito de mi ridícula historia. Me guardé muy bien de desembuchar mis sinsabores.

Un día quedamos en aquella población, para partir a la mañana siguiente.

Dos veces hicimos noche: una a campo raso, otra en el galpón de una chacra.

Cuanto más distancia dejábamos a nuestra espalda, entre nosotros y aquella costa bendita, más volvía en mí la confianza y la alegría, aunque en el fondo me quedara el resabio de un trago amargo.

Traspuesto que hubimos unas cuarenta leguas, pude sonreír mal que mal [1] ante lo sucedido. Lindo me resultaba el rendimiento de cuentas: un brazo quebrado, un amorío a lo espina, un tajo a favor de un tercero por cuestión de polleras, fama de cuchillero, el lazo cortado y dos caballos vendidos a la fuerza. Lo que menos sentía era esto último,

[1] *mal que mal*: *Arg., Chile, Par., Perú, P.R.* aunque mal, aunque con dificultad, no del todo bien.

pues si bien es cierto que perdía con el Orejuela y el Comadreja un par de pingos seguros, ganaba una jineta[2] de sargento para mi orgullo. ¿Hay mejor prueba de buen domador que el que le salgan a uno compradores para sus caballos, después de un rodeo? Contaba también el hecho de que los vendidos fueran mis dos primeras hazañas de jinete.

Además, se me presentaba la ocasión de cumplir con un deseo largo tiempo acariciado: aviarme de tropilla de un pelo.[3] ¿No disponía, como base para ello, del dinero ganado en la riña de gallos? Podía golpearme el tirador para sentir el bulto de los pesos, enrolladitos en sus bolsillos.

Si bien es cierto que nunca faltan encontrones cuando un gaucho se divierte, también sucede que en sus tristezas le salga al cruce alguna diversión.

A los seis días de marcha, caímos a un boliche, donde se debían de correr esa tarde unas carreras.

En medio del callejón, del que habían elegido un trecho bien parejo, clareaban dos andariveles[4] emparejados a pala-ancha.

[2] *jineta*: *Arg.* insignia militar cosida en las mangas de la chaqueta.

[3] *tropilla de un pelo*: *Arg.* grupo de caballos de igual pelaje. Era un orgullo para la gente de campo por la dificultad que presentaba su formación. "Hasta el año 1895 poco más o menos nuestros viejos ganaderos, ajenos a las ventajas de la mestización, sólo se preocupaban de la conservación y reproducción del caballo criollo, estimado mucho por sus condiciones de fortaleza y resistencia. El ganadero ponía el mayor cuidado en que su manada de yeguas fuera de un mismo pelo para formar luego la tropilla de caballos de un solo color, lo que daba categoría al estanciero y le brindaba grandes posibilidades de negocios. Rozas (sic) prohibió a sus mayordomos que en sus campos hubiera animales de distinto pelaje. Hernández, con posterioridad al poema, recomienda animales de un solo pelaje *(Instrucción del estanciero*, 263 y 264)". (José R. Liberal, *Don Segundo Sombra de Ricardo Güiraldes. Comentado y anotado. Estudio del vocabulario y fraseología,* Buenos Aires, Francisco A. Colombo, 1946, 99).

[4] *andariveles*: *Arg.* en las carreras de campo, cuerdas o alambres sujetos a estacas o postes, que separan dos huellas de 50 a 60 centímetros, con una distancia de dos metros entre ambas.

Ya un gringo había instalado una carpa con comida, masas y beberaje.

Una china pastelera paseaba sus golosinas en dos canastas, perseguidas por las moscas y alguno que otro chiquilín pedigüeño. Un viejo llevaba de tiro un tordillo enmantado, ofreciendo números de rifa. Y, tanto la carpa como la pulpería, tenían ya su "mamao" por adelantado.

Yo conocía esas cosas desde chico, y me movía en ellas como sapo en el barro.

Empezaba a caer gente. Dos parejeros eran centro de un grupo de paisanos. Grupo muy quieto y misterioso, que se secreteaba por lo bajo.

Almorzamos en la pulpería. Al "mamao", que en seguida se nos pegó dándonos latosos informes sobre la carrera grande de la tarde, le di un peso a condición de que se fuera a "chuparlo" a la carpa.

Comimos primero unos chorizos, que empujamos con un vino duro, después un pedazo de churrasco, después unos pasteles.

El gentío aumentaba por momentos en el mostrador, así como afuera crecía en número la caballada. ¿Qué paisano no se trae el más ligerito de la tropilla, con la esperanza de ensartar uno más lerdo? Visto que mi Moro era de buena pinta y trotaba como amartillado [5] para una partida, algunos me lo filiaban [6] de paso. ¡No había cuidado que me hiciera pelar de vicio, con un caballo que traía una semana de camino!

Mi padrino encontró dos amigos, ¿cómo había de ser? Ellos también tenían oficio de reseros y, como es natural, nos pegamos unos a otros, con esa súbita familiaridad de los ariscos cuando se encuentran medio apampados [7] por

---

Este tipo de carreras se inició hacia el año 1864. En general, las carreras de caballos fueron introducidas en la provincia de Buenos Aires por los ingleses, a principios del siglo XVIII. (Cf. Enrique Rapela, *Cosas de nuestra tierra gaucha.* Buenos Aires, Edic. Syndipress, s.a.)

[5] *amartillado*: preparado, entrenado.

[6] *filiar*: *Arg.* mirar con detenimiento, de arriba abajo.

[7] *apampados*: *der.* de *pampa*=indio pampa. *Arg.* aturdidos como después de un golpe.

el ruido y la gente. Eran hombres de unos treinta años, curtidos y risueños; nos preguntaron qué sabíamos de las carreras. Mi padrino les repitió una parte de los datos del "mamao":

—Son dos pingos que hay que velos, amigo, que hay que velos. ¡El colorao tiene ganadas más carreras aquí!... Entuavía no ha perdido nenguna, más que una que le ganaron como por siete cuerpos... ¡Qué animal ese escuro que trajeron de los campos de un tal Dugues [8]! De entrada no más lo sacó al colorao como cortando clavos con el upite... [9] y ya se acabó. ¿Creerá, cuñao?... Ya se acabó...; sí, señor... Pero el colorao, hay que velo, amigo...; si parece como que se va tragando la tierra... Pero ahí tiene, a mí más me gusta el ruano [10] que train de pajuera. Ahí tiene...; la manito del lao de montar es media [11] mora... No vaya a creer... A mí me gusta el ruano; ahí tiene...

—Y yo —dijo Don Segundo— le vi a jugar al ruano por hacerle el gusto a un hombre en pedo, porque el hombre que se mama ha de ser güen hombre.

—Aura sí que está lindo... y ¿por qué? —preguntó uno de los paisanos que, conociéndolo a mi padrino, colegía algo sabroso detrás de esa sentencia.

—Porque el hombre que se mama sabe que va a hablar por demás y al que tiene mala entraña no le conviene mostrar la hilacha. [12]

—¿Sabés que es cierto, hermano? —dijo el paisano, volviéndose hacia su compañero.

—¡Claro!..., como que aurita no más le vah'a dentrar a pegar al frasco.

[8] *Dugues*: por Hughes.

[9] *como cortando clavos con el upite*: rápida, súbitamente. *upite=Arg.* ano de las aves y, por extensión, de otros animales y de las personas. No he encontrado esta expresión en diccionarios o vocabularios de gauchismos y/o argentinismos.

[10] *ruano*: *Arg., Par., Ur.* caballo alazán con crines y cola blancas.

[11] *media*: por *medio*.

[12] *mostrar la hilacha*: *Arg., Par., Ur.* descubrir involuntariamente flaquezas y defectos. Descubrir la hilaza.

Y echamos afuera toda la risa, con esa nerviosidad del gaucho que, cuando anda entre gente, parece como si sintiera que le sobra la vida.

A todo eso iba a empezar la función y yo estaba con ganas de desquitarme de mis disgustos.

La paisanada, a caballo, se había desparramado a lo largo de los andariveles en forma de boleadoras de dos, es decir, un poco amontonada en el lugar del pique y el de la raya [13] y raleando a lo largo de la cancha.

Esperamos con paciencia de quien no está acostumbrado a esperar. Casi diría que ese momento de inacción era lo que más me gustaba en las fiestas, porque ya había tiempo todos los días para que sucedieran cosas y era bueno, de vez en cuando, saber que por largo rato nada cambiaría.

¿Los corredores se andarían pesando? Y bueno. ¿Los dueños estarían discutiendo los últimos detalles de las partidas, del lado, del peso? [14] Y bueno.

Ya veríamos los animales cuando entraran a la cancha, destapados, y podríamos alcanzar una o dos partidas, para luego colocarnos en el sitio menos cargado de gente, a media distancia, donde por lo general se define la carrera, a no ser que resulte muy parecida. Lo mejor era informarnos un poco, y así lo hizo Don Segundo, interpelando a un paisano que pasaba cerca nuestro.

[13] *el lugar del pique y el de la raya*: *Arg. pique*=arranque instantáneo del caballo acicateado por el jinete; *raya*=*Arg., Par., Ur.* límite visible donde termina la carrera. Toda la expresión, pues, usada por Güiraldes indica el lugar de largada y llegada de la carrera.

[14] *detalles de las partidas, del lado, del peso*: *Arg.* antes de largarse la carrera solían hacerse ensayos —*partidas*—, para probar los caballos y acostumbrarlos a largar al mismo tiempo. Comenzada la carrera, el caballo que sacaba ventaja se colocaba dando el anca para el lado de la cancha, mientras que el otro quedaba de frente a ella (o sea, que uno miraba para atrás y el otro de frente). Esta era la 'carrera cara vuelta' que se largaba de 'parado' al 'vamos' del 'abanderado' (Cf. Inchauspe, *Voces*, art. *carreras de campo)*.

—No somos de acá, señor, y quisiéramos saber algo pa poder rumbiar [15] en la jugada.

El hombre explicó:

—La carrera es por dos mil pesos. Cuatro cuadras a partir dellas, igualando peso. Si uno de los corredores se desniega a largar después de la quinta partida, han convenido los dueños poner abanderao. [16]

—Ahá.

—Parece que los dos bandos train plata y que se va a jugar mucho de ajuera.

—Mejor pa'l pobre.

—Ocasión han de hallar.

—Y ¿son de aquí los dos caballos?

—No, señor. El ruano lo train de p'ajuera. Lindo animalito y bien cuidao. El colorao es destos pagos. Si quieren jugarle en contra, yo tomo una o dos paradas de diez pesos.

—Graciah'amigo.

—Güeno, entonces vi a seguir, con su licencia.

—Es suya y gracias, ¿no?

El hombre se fue. Don Segundo comentó:

—Medio desconfiao el paisano. Nos quería jugar porque estaba maliciando que éramos de los que han venido con el ruano.

—Le tiene fe al colorao —insinué, tentado.

—¡Bah! —dijo mi padrino—, la ganancia está en las patas de los caballos.

Lo cierto era que me sobraban ganas de comprometer mis pesos y que, estando en perfecta ignorancia en cuanto

[15] *rumbiar*: *por rumbear. Arg., Bol., Chile, Méx., Perú, Ur., Ven.* orientarse, dirigirse, tomar rumbo.

[16] *poner abanderao*: *Arg.* se daba este nombre al juez porque él bajaba la bandera iniciando así la carrera, cuando no se conseguía hacerlo al '¡Vamos!' o 'al convite', como corrientemente se usaba entre los paisanos. Las carreras que presencian Don Segundo y el reserito son evidentemente *cuadreras,* es decir, en línea recta y corridas por *cuadras* y no por metros. Para este tipo de carreras, Inchauspe da una lista de nueve diferentes tipos de largadas *(Voces,* art. *largadas de carreras cuadreras).*

al mérito de los caballos, tenía que proceder arbitrariamente. La plata me andaba incomodando en el bolsillo. Calculé el monto de mi fortunita. De la riña de gallos, ciento noventa y cinco pesos. Del último arreo cincuenta, van doscientos cuarenta y cinco. Sesenta pesos, que tenía antes de la riña, van trescientos cinco. Y ochenta de Patrocinio por mis pingos; total, trescientos ochenta...

Don Segundo me sacó de mis cálculos, anunciando la venida de los parejeros. Los vimos sin mudar de sitio.

El colorado pasó, ya montado, braceando impaciente. Era alto y fuerte, de buenos garrones y con un ojo chispeador de bravo. ¡Qué pingo! Pensaba yo: ¿cuándo podría tener uno igual? Seguramente cuando fuera Coronel, por lo menos, porque no de otro modo pegaría [17] andar en semejante chuzo.

El ruano también era bonito. Lo traía el corredor de tiro y venía tranqueando largo, sobrando como de una cuarta el rastro de la mano con el de la pata. Parecía enaceitado de lustroso y era fino como galgo.

—Vaya uno a saber —dijo mi padrino—; pero yo voy a cumplir con el mamao no más.

El corredor del colorado era un tipo flaco de bigote entrecano. Se había puesto vincha [18] y miraba para todos lados, como si le fueran a pegar un cascotazo. El que traía de tiro al ruano, no era más alto que un muchacho de doce años, hocico pelado y hosco como un pampa. [19]

Los vimos partir dos veces. El borracho tenía razón al decir que el colorado quería como tragarse la tierra. En cambio el ruano picaba de costado, medio salido del andarivel.

Ganamos nuestro sitio. Las apuestas menudeaban por

[17] *pegaría*: *Am.* sentaría, vendría bien, sería indicado.

[18] *vincha*: *Arg., Par., Perú, Ur.* faja angosta o cinta de tela que se lleva sobre la frente para sujetar el cabello. Del mapuche *huincha.* Fue un uso que los gauchos imitaron de los indios.

[19] *pampa*: indio pampa. Era el indio araucano o tehuelche que, como nómade, habitó la pampa argentina hasta su exterminio, hacia fines del siglo XIX.

ambos bandos. Iba a largarse la carrera y yo no había jugado. Un perudo panzón se dirigió a mí:

—¿Vamos veinte pesos? Yo juego al ruano.

—Pago —respondí.

Se quedó mirándome, insatisfecho.

—¿Vamos cuarenta?

—Pago —volví a responder.

—¿Vamos sesenta? —propuso.

Algunos nos miraban, curiosos. ¿Hasta cuándo seguiría subiendo?

—Pago —le acepté sonriente.

—¿Vamos ochenta? —su voz se hacía cada vez más suave.

Los curiosos espiaban mi decisión. Sin quitarle la vista, propuse a mi vez, imitando su cortesía:

—¿Por qué no vamos cien?

—Pago —accedió.

Ya la gente se hacía montón, como si nosotros fuéramos los caballos de la carrera. Pasado un rato, propuse con una voz imposible de superar en tono de dulzura:

—¿Vamos ciento cincuenta?

El hombre rio de muy buena gana y, ya con voz natural, cerró la broma:

—No, gracias; estoy jugao.

—¡¡Ellos y se vinieron!! [20] —gritó uno de los mirones.

Ras con ras, sin aventajarse de un hocico, llegaban, pasaban delante nuestro, se iban para el lado de la raya. Nos agachamos sobre el cogote de nuestros caballos. El paisanaje invadió la cancha. Alcanzamos a ver que los dos corredores castigaban. Esperábamos el grito que anuncia el resultado; ese grito que viene saltando de boca en boca, haciendo de vuelta la cancha en la décima parte de tiempo que los caballos.

—¡¡Puesta!! [21] —oímos—. ¡Puesta! ¡No se pagan las jugadas! —Pero ni bien quiso entablarse el obligatorio

[20] *¡¡Ellos y se vinieron!!*: ¡¡Largaron!!

[21] *¡¡Puesta!!*: *Arg., Par., Ur.* exclamación que indicaba que la carrera había sido empatada.

comentario, vino la contravoz, dando el fallo verdadero:

—¡¡El ruano, pa todo el mundo!! ¡¡El ruano, por un pescuezo!!

—Está entrampada —trajo otro como noticia—, está entrampada y parece que van a peliar.

Pero la voz, que en seguida se reconoce como la verdadera, insistía en todas las bocas:

—El ruano, por un pescuezo.

Di vuelta el tirador, conté hasta cien pesos, en billetes de diez y de cinco, y se los alcancé al perudo, que esperaba cortésmente sin mirar para mi lado.

—Tome, Don.

—Gracias.

En cambio mi padrino embolsaba cincuenta.

—Voy —me dijo, fingiendo salir al galope —a ver si hallo otro mamao.

Yo tenía rabia. ¿Hasta en el juego me pelarían?

Nos recostamos contra el alambrado del callejón, donde menudeaban los comentarios.

—Tiene pa ganarle a dos como el caballo de aquí —aseguraba un viejo, montado en un zaino aperado de plata— ... pa ganarle fácil —puntualizó.

El paisano con quien iba la discusión, retobado [22] y huraño, decía despacio pero claro:

—Fácil, es la palabra.

—No, señor. No son palabras. Y si tienen con qué correrle, ahí está el hombre pa que lo hablen.

—Yo no tengo con qué.

—Pero esos otros, pues, que parece que no ven, cuando la ocasión se presienta.

—¡Bah! No hay que ir muy lejos. Ahí está el tordillo de los Cárdenas.

[22] *retobado*: *Arg., Col., Chile, Perú, Ur.* receloso. Ascasubi le atribuye un significado parecido en nota a "Paulino Lucero" en sus *Trovos*: adusto, ceñudo como enojado (Borges y Bioy Casares, comps., *Poesía gauchesca*, I, 186). Para su etimología, cf. Corominas, *Dicc. crít.-etim.*, v. *boto* y para su historia y significados. Tiscornia, *Martín Fierro com. y an.*, 443-444.

—¡Qué va a hacer con eso! Poco lo conozco al mentao. Tres veces lo han quebrao de lo lindo en mi presencia y, si no le dijusta, yo mesmo lo he tenido cuidando y le he tomao el tiempo.

—¡Ahá!

—Sí, señor, y le he tomao el tiempo con los dos reloses que tenía: uno rigular y el otro de sacarlos ligeros a los caballos, y con nenguno me dio más que cualquier matungo.[23]

El paisano callado no debía entender de relojes porque, sin entrar en más controversias, hizo caminar su malacara hacia gente menos doctora.

Oímos un tropel y una gritería. Nos arrimamos para la cancha. Acababan de correr una carrerita de dos cerradas[24], entre caballos camperos. El paisano ganador, montado en un picacito overo, pasó delante nuestro fatigado y sonriente. Ya estaban partiendo con un rabicano pampa[25] y un zaino pico blanco. En cada pique, el zaino se despatarraba, desesperado por correr. Pero, cerca mío, un grupo de gente rica, bien montada, hablaba de una de las carreras depositadas. El que parecía más al corriente que los demás, explicaba:

—Yo no sé cómo Silvano se ha metido a correr con el mano blanca de los Acuña; su alazancito es un animal nuevo, muy bruto. Ustedes verán que es capaz de asustarse con la gente y cambiar de andarivel...

En eso pasó un muchacho, ofreciendo treinta a veinte, contra el rabicano que estaba partiendo. Tomé la parada porque sí.

—¡Se vinieron! —gritó el mismo muchacho.

La gente corría para el lado de la largada. Unos decían: "se ha muerto"; otros aseguraban que el pico blanco, des-

[23] *matungo*: *Ant., Arg.* caballo viejo, flaco, con mataduras; mancarrón.

[24] *carrerita de dos cerradas*: *Arg.* carrera de dos dimensiones especificadas.

[25] *rabicano pampa*: *Arg.* caballo de cualquier pelaje y cerdas blancas en la cola.

bocado, se había llevado por delante como siete hombres de a pie. Resultó finalmente que el caballo, embravecido por los repetidos piques, había hecho carretilla,[26] atropellando el alambrado y haciéndose pedazos en él. El corredor salvó, por milagro, con unos chichones y peladuras en la cabeza.

Gané treinta pesos casi sin haberlo pensado.

El mozo, que explicaba los defectos del alazancito del tal Silvano, señaló con el cabo del rebenque:

—Ahí vienen.

—¿Vamoh'a verlos? —propuse a mis compañeros.

¡Qué pintura el alazancito de Silvano! Mientras lo contemplábamos, repetí lo que había oído.

Pasó el mano blanca. Un veterano tranquilo, más bien feo, de pelo zaino oscuro. Empezaron a jugarle dando usura. Los seguimos para verlos partir.

El alazancito lo sobró en dos piques y la plata se puso a la par.

El perudo que me había ganado los cien pesos, me hizo una entrada:

—¿Y mocito? ¿Cuánto va al mano blanca?

—...

—Le doy desquite de los cien.

—Pago.

Ya el corredor del alazán había convidado dos veces, sin resultado, y llevaban seis partidas. Se veía que el del mano blanca quería salir de atrás para rebalsarlo.[27] El del alazán, muy confiado, reía. Ambos parecían decididos a hacer efectiva la carrera cuanto antes.

Se vinieron juntos. En un abalanzo, el alazán descontó distancia. "¡Vamos!", convidó su corredor, soliviándolo en la boca. De atrás, el mano blanca lo alcanzaba. La parti-

[26] *había hecho carretilla*: *Arg.* había endurecido la boca y mordido el freno. Esto permite al caballo vencer la presión de las riendas y desbocarse. En *Arg., Chile, Par. carretilla*=quijada.

[27] *rebalsar*: *Arg., Chile, Ur.* desbordar las aguas el embalse que las contiene.

da lo iba a favorecer. Imprudentemente, o tal vez por sobra de confianza, el del alazán volvió a convidar:

—¿Vamos?

—¡¡Vamos!![28]

El mano blanca tomó ventaja, como de medio cuerpo.

—¡Ahá! —rio el del alazán y, cediendo rienda, adelantando el cuerpo, se apareó al contrario, lo venció, le hizo tragar tierra, le sacó dos cuerpos, tres... ¡qué sé yo! El del mano blanca levantó su caballo a media carrera.

—¡Buena porquería el mentao de los Cárdenas! —grité.

El perudo sonrió:

—Anda en la mala.

Le pagué los cien pesos.

—Vamos a ver —le dije, caliente— si nos topamos en otra.

—Aquí estaremos a su servicio —me contestó, embolsando mi dinero—, siempre que no nos guste el mismo caballo.

Pero, ¿qué desquite iba a encontrar esa tarde?

Jugué en una cuadrera. De a posturas[29] chicas, comprometí setenta pesos. Llevaba las paradas en el puño y, de entre mis dedos, salían los papeles como espinas de un abrojo. Una por una, tuve que entregar las paradas.

Me fui un rato a la carpa, con mis compañeros, donde tomamos unas cervezas y ensartamos pasteles en la punta del cuchillo. Don Segundo perdía cincuenta pesos. En cambio, entre los dos reseros amigos juntaban ciento setenta y dos de ganancia. A uno de esos suertudos le entregué cien para que me los jugara. Me los perdió en la primera ocasión, quedándome sólo cinco como todo capital. ¿Ah, sí?

[28] —*¿Vamos?*

—*¡¡Vamos!!*: *Arg.* a este intercambio entre los contendientes se le llamaba 'largar el convite', "[l]o que hacen los jinetes al largarse las carreras cuadreras en que, puestos en marcha los caballos, cuando están a la par, *se convidan.* Uno dice: *¡Vamos!* y el otro le responde con la misma expresión, entonces parten" (Saubidet, *Voc.*, v. *convite).*

[29] *postura*: *Arg., Par.* suma de dinero que se apuesta en el juego.

Pues, perdido por perdido, fui a ver a mi contrario perudo, que por su parte, de entrada, me ofreció desquite.

—No tengo con qué pagar —le dije—; pero si usté quiere, le doy en prenda cinco caballos que usté podrá ver aurita si gusta.

El hombre aceptó y, para mostrar liberalidad, me dejó elegir caballo en la carrera siguiente. Con una fidelidad de borrego guacho, me ensarté con el perdedor.

¡Muy bien! Me dedicaría a mirar.

La gente parecía cansada y caía la tarde. Algunos, por haber ganado o por desplumados, se volvían a sus pagos. Don Segundo no me sacaba el rebenque de sus bromas y, lo que era peor, yo me quedaba atufado,[30] sin responder.

No sé cuánto duró la tarde, ni si fueron muchas o pocas las carreras que se vieron. Los grupos se despedían, dándose la mano. Para los dos lados del callejón, iban dos hileras de gente a caballo. Frente a los despachos de bebida, los borrachos eran como unos diez o doce.

Lejos, se veían algunas polvaredas de los que se habían retirado primero.

Poco a poco nos fuimos quedando solos. Al hombre que me había ganado casi toda la plata le mostré mi tropilla y, quedando conforme, se llevó los cinco animales, dejándome con dos y el Moro.

Nos despedimos de nuestros compañeros. Nosotros seguiríamos viaje, haciendo noche donde ésta nos tomara. Cambié de caballo. Me quedaban Garúa, el Vinchuca, el Moro y el Guasquita, en que iba montado.[31]

[30] *atufado*: *Arg.* enfadado, enojado.

[31] En el párrafo anterior, el reserito ha afirmado que, una vez entregados los cinco caballos al hombre que le había ganado en las carreras, le quedan "dos y el Moro". Pero ahora nos dice que, en verdad, le han restado tres —Garúa, Vinchuca y Guasquita— además del Moro. No podemos interpretar que quisiera decir que le quedaron dos caballos además del Moro y del que montaba, pues, sin lugar a dudas, él montó en Guasquita sólo después de mudar de caballo, ya que durante las carreras anduvo en el Moro (p. 315). Insiste en esos tres caballos al principio del capítulo XXII y luego en el capítulo XXIV (p. 362), se olvida

—¿Vamos? —me dijo mi padrino, remedando a los corredores.

—¡Vamos! —le contesté.

Y salimos al galope corto, rumbo al campo, que poco a poco nos fue tragando en su indiferencia.

XXI

Del día ya no quedaba más que una barra de nubes iluminadas en el horizonte, cuando, por una lomada, enfrentamos los paraísos viejos de una tapera.[1]

Don Segundo, revisando el alambrado, vio que podía dar paso en un lugar en que dos hilos habían sido cortados. Tal vez una tropa de carros eligió el sitio, con el fin de hacer noche, aprovechando un robito de pastoreo para sus animales. No se veía a la redonda ninguna población, de suerte que el campo era como de quien lo tomara y los arbolitos, aunque en número de cuatro solamente, debían haber volteado alguna rama o gajo, que nos sirviera para hacer fuego.

Hicimos pasar nuestras tropillas al campo y, luego de haber desensillado, juntamos unas biznagas secas, unos manojos de hojarasca, unos palitos y un tronco de buen grueso. Prendimos fuego, arrimamos la pavita, en que volcamos el agua de un chifle para yerbear[2] y, tranquilos, armamos un par de cigarrillos de la guayaca, que prendimos en las primeras llamaradas.

Como habíamos hecho el fogón cerca de un tronco caído, de tala,[3] tuvimos donde sentarnos y ya nos decíamos

---

de Garúa. Es pena que Güiraldes no haya subsanado este olvido o confusión.

[1] *tapera*: *Arg., Ur.* rancho ruinoso, abandonado. Del guaraní *taperé*. Es voz muy común en los gauchescos.

[2] *yerbear*: *Arg., Ur.* rural. Tomar mate.

[3] *tala*: *Arg., Bol., Par., Ur.* árbol frondoso, alto y de madera espinosa, blanca usada como leña ('leña fuerte') y para postes de rancho, ejes de carretas y para el cabo del rebenque.

que la vida de resero, con todo, tiene sus partes buenas como cualquiera. Creo que la afición de mi padrino a la soledad, debía influir en mí; la cosa es que, rememorando episodios de mi andar, esas perdidas libertades en la pampa me parecían lo mejor. No importaba que el pensamiento lo tuviera medio dolorido, empapado de pesimismo, como queda empapada de sangre la matra que ha chupado el dolor de una matadura.

De grande y tranquilo que era el campo, algo nos regalaba de su grandeza y su indiferencia. Asamos la carne y la comimos sin hablar. Pusimos sobre las brasas la pavita y cebé unos amargos. Don Segundo me dijo, con su voz pausada y como distraída:

—Te vi'a contar un cuento, pa que se lo repitás a algún amigo cuando éste ande en la mala.

Cebé con más lentitud. Mi padrino comenzó el relato:

—"Esto era en tiempo de nuestro Señor Jesucristo y sus Apóstoles."

Quedé un rato a la espera. Don Segundo nos dejaba caer, así, en un reino de ficción. Íbamos a vivir en el hilo de un relato. Saldríamos de una parte a otra. ¿De dónde y para dónde?

—"Nuestro Señor, que asigún dicen jue el creador de la "bondá, sabía andar de pueblo en pueblo y de rancho en "rancho, por Tierra Santa, enseñando el Evangelio y curan- "do con palabras. En estos viajes, lo llevaba de asistente "a San Pedro, al que lo quería muy mucho, por creyente "y servicial.

"Cuentan que en uno de esos viajes, que por demás "veces eran duros como los del resero, como jueran por "llegar a un pueblo, a la mula en que iba Nuestro Señor "se le perdió una herradura y dentró a manquiar.[4]

—"Fijáte —le dijo Nuestro Señor a San Pedro— si no "ves una herrería, que ya estamos dentrando al poblao.

"San Pedro, que iba mirando con atención, divisó un "rancho viejo de paredes rajadas, que tenía encima de la

[4] *manquiar*: por *manquear*. *Arg., Méx., Ur.* cojear los animales por heridas en las patas.

"puerta un letrero que decía: «ERRERIA». Sobre el pu-
"cho,[5] se lo contó al Maistro y pararon delante del co-
"rralón.

—" ¡Ave María! [6] —gritaron. Y junto con un cuzquito
"labrador, salió un anciano harapiento que los convidó a
"pasar.

—"Güenas tardes —dijo Nuestro Señor—. ¿Podrías
"herrar mi mula que ha perdido la herradura de una
"mano?

—"Apiensén y pasen adelante —contestó el viejo—. Voy
"a ver si puedo servirlos.

"Cuando, ya en la pieza, se acomodaron sobre unas si-
"llas de patas quebradas y torcidas, Nuestro Señor le
"preguntó al herrero:

—"¿Y cuál es tu nombre?

—"Me llaman Miseria —respondió el viejo, y se jue
"a buscar lo necesario pa servir a los forasteros.

"Con mucha pasencia anduvo este servidor de Dios,
"olfatiando en sus cajones y sus bolsas, sin hallar nada.
"Acobardao iba a golverse pa pedir disculpa a los que
"estaban esperando, cuando regolviendo con la bota un
"montón de basuras y desperdicios, vido una argolla de
"plata, grandota.

—"¿Qué hacéh'aquí vos? —le dijo, y recogiéndola se
"jue pa donde estaba la fragua, prendió el juego, reditió
"la argolla, hizo a martillo una herradura y se la puso a
"la mulita de Nuestro Señor. ¡Viejo sagaz y ladino!

—"¿Cuánto te debemos, güen hombre? —preguntó
"Nuestro Señor.

"Miseria lo miró bien de arriba abajo y, cuando concluyó
"de filiarlo, le dijo:

—"Por lo que veo, ustedes son tan pobres como yo.

[5] *sobre el pucho*: *Arg., Bol., Ur.* loc. adv. temp., al instante, sin pérdida de tiempo. Del quichua *puchu,* sobrante.

[6] *¡Ave María!*: abr. de *¡Ave María Purísima! Arg., Ur.* exclamación para saludar y pedir permiso para entrar a una casa cuyo dueño, entonces, solía contestar: *Sin pecado concebido* e invitaba al visitante a entrar.

La tumba de Don Segundo Sombra en el cementerio de San Antonio de Areco.

Sombra me repetí. Después pensé (casi violentamente) en mi padre adoptivo. ¿Pegar? ¿Dejar sencillamente fluir mi tristeza? No sé cuántas cosas se amontonaron en mi soledad. Pero eran de esas cosas que un hombre jamás se confiesa.

Centrando mi voluntad en la ejecución de los pequeños hechos, di vuelta mi caballo y lentamente me fui para las casas.

Me fui como quien se desangra.

Última página autógrafa de *Don Segundo Sombra*.

"¿Qué diantre les vi'a cobrar? Vayan en paz por el mundo, "que algún día tal vez Dios me lo tenga en cuenta.

—"Así sea —dijo Nuestro Señor y, después de haberse "despedido, montaron los forasteros en sus mulas y salieron "al sobrepaso.[7]

"Cuando iban ya retiraditos, le dice a Jesús este San "Pedro, que debía ser medio lerdo:

—"Verdá, Señor, que somos desagradecidos. Este pobre "hombre nos ha herrao la mula con una herradura'e plata, "no noh'a cobrao nada por más que es repobre, y nohotros "nos vamos sin darle siquiera una prenda de amistá.

—"Decís bien —contestó Nuestro Señor—. Volvamos "hasta su casa pa concederle tres Gracias, que él elegirá "a su gusto.

"Cuando Miseria los vido llegar de güelta, creyó que se "había desprendido la herradura y los hizo pasar como en-"denantes. Nuestro Señor le dijo a qué venían y el hom-"bre lo miró de soslayo, medio con ganitas de rairse, medio "con ganitas de disparar.

—"Pensá bien —dijo Nuestro Señor— antes de hacer "tu pedido.

"San Pedro, que se había acomodao atrás de Miseria, "le sopló:

—"Pedí el Paraíso.

—"Cayáte, viejo —le contestó por lo bajo Miseria, pa "después decirle a Nuestro Señor:

—"Quiero que el que se siente en mi silla, no se pueda "levantar della sin mi permiso.

—"Concedido —dijo Nuestro Señor—. ¿A ver la se-"gunda Gracia? Pensála con cuidao.

—"Pedí el Paraíso —golvió a soplarle de atrás San "Pedro.

[7] *sobrepaso*: *Arg., Chile, Guat., Méx., Par., Perú, P.R., Ur.* marcha del caballo entre el paso y el trote peculiar porque el animal levanta, a la vez, la mano y la pata del mismo lado. Es más rápido que el paso común y confiere al andar del caballo un movimiento suave y acompasado. Güiraldes lo conceptúa un paso "alargado y rápido, muy cómodo para el jinete" (Vocabulario en *Raucho, OC,* 239).

—"Cayáte, viejo metido —le contestó por lo bajo Mise-"ria, pa después decirle a Nuestro Señor:

—"Quiero que el que suba a mis nogales, no se pueda "bajar dellos sin mi permiso.

—"Concedido —dijo Nuestro Señor—. Y aura, la ter-"cera y última Gracia. No te apurés.

—" ¡Pedí el Paraíso, porfiao! —le sopló de atrás San "Pedro.

—"¿Te querrás callar, viejo idiota? —le contestó Mise-"ria enojado, pa después decirle a Nuestro Señor:

—"Quiero que el que se meta en mi tabaquera no pueda "salir sin mi permiso.

—"Concedido —dijo Nuestro Señor y, después de des-"pedirse, se jue.

"Ni bien Miseria quedó solo, comenzó a cavilar y, poco "a poco, jue dentrándole rabia de no haber sabido sacar "más ventaja de las tres Gracias concedidas.

"También, seré sonso —gritó, tirando contra el suelo "el chambergo—. Lo que es, si aurita mesmo se presen-"tara el demonio, le daría mi alma con tal de poderle pedir "veinte años de vida y plata a discreción.

"En ese mesmo momento, se presentó a la puerta'el ran-"cho un caballero que le dijo:

—"Si querés, Miseria, yo te puedo presentar un contrato, "dándote lo que pedís. Y ya sacó un rollo de papel con "escrituras y numeritos, lo más bien acondicionao, que "traiba en el bolsillo. Y allí las leyeron juntos a las letras "y, estando conformes en el trato, firmaron los dos con "mucho pulso, arriba de un sello que traiba el rollo."

—¡Reventó la yegua el lazo! [8] —comenté.

—Aura verás, dejáte estar callao pa aprender cómo sigue el cuento.

Miramos alrededor la noche, como para no perder contacto con nuestra existencia actual, y mi padrino prosiguió:

[8] *¡Reventó la yegua el lazo!*: versión gauchesca del refrán " ¡La codicia rompió el saco! "

—"Ni bien el Diablo se jue y Miseria quedó solo, tantió "la bolsa de oro que le había dejao Mandinga, se miró "en el bañadero de los patos, donde vido que estaba mozo, "y se jue al pueblo pa comprar ropa, pidió pieza en la "fonda como Señor, y durmió esa noche contento.

" ¡Amigo! había de ver cómo cambió la vida deste hom-"bre. Terció con príncipes y gobernadores y alcaldes, juga-"ba como nenguno en las carreras, viajó por todo el mundo, "tuvo trato con hijas de Reyes y Marqueses...

"Pero, bien dicen que pronto se pasan los años cuando "se emplean de este modo, de suerte que se cumplió el "año vegísimo y, en un momento casual en que Miseria "había venido a rairse de su rancho, se presentó el diablo "con el nombre del caballero Lilí, como vez pasada, y peló[9] "el contrato pa esigir que se le pagara lo convenido.

"Miseria, que era hombre honrao, aunque medio tristón, "le dijo a Lilí que lo esperara, que iba a lavarse y ponerse "güena ropa pa presentarse al Infierno como era debido. "Así lo hizo, pensando que al fin todo laso se corta y que "su felicidá había terminao.

"Al golver lo halló a Lilí sentao en su silla, aguardando "con pasencia.

—"Ya estoy acomodao —le dijo— ¿vamos yendo?

—" ¡Cómo hemos de irnos —contestó Lilí— si estoy "pegao en esta silla como por un encanto!

"Miseria se acordó de las virtudes que le había conce-"dido el hombre'e la mula y le dentró una risa tremenda.

—"¡Enderezáte, pues, maula, si sos diablo! —le dijo a "Lilí.

"Al ñudo éste hizo bellaquiar la silla. No pudo alzarse "ni un chiquito [10] y sudaba, mirándolo a Miseria.

—"Entonces —le dijo el que jue herrero—, si querés "dirte, firmáme otros veinte años de vida y plata a dis-"creción.

[9] *peló*: *Arg.* sacó. El gaucho usaba este verbo generalmente aplicado a la acción de desenvainar el cuchillo. Así aparece en Hernández, Ascasubi, del Campo y Lussich.

[10] *ni un chiquito*: *Arg., Ur.* ni un poco, nada.

"El demonio hizo lo que le pedía Miseria, y éste le dio "permiso pa que se juera.

"Otra vez el viejo, remosao y platudo, se golvió a correr "mundo: terció con príncipes y manates, gastó plata como "naides, tuvo trato con hijas de Reyes y de comerciantes "juertes...

"Pero los años, pa'l que se divierte, juyen pronto, de "suerte que, cumplido el vegísimo, Miseria quiso dar fin "cabal a su palabra y rumbió al pago de su herrería.

"A todo esto Lilí, que era medio lenguaraz [11] y alcahuete, "había contao en los infiernos el encanto'e la silla.

—"Hay que andar con ojo alerta —había dicho Luci- "fer—. Ese viejo está protegido y es ladino. Dos serán los "que lo van a buscar al fin del trato.

"Por esto jue que al apiarse en el rancho, Miseria vido "que lo estaban esperando dos hombres, y uno de ellos "era Lilí.

—"Pasen adelante; sientensén —les dijo— mientras yo "me lavo y me visto, pa dentrar al Infierno como es "debido.

—"Yo no me siento —dijo Lilí.

—"Como quieran. Pueden pasar al patio y bajar unas "nueces, que seguramente serán las mejores que habrán "comido en su vida de Diablos.

"Lilí no quiso saber nada pero, cuando se hallaron solos, "su compañero le dijo que iba a dar una güelta por debajo "de los nogales, a ver si podía recoger del suelo alguna nuez "caída y probarla. Al rato no más golvió, diciendo que "había hallao una yuntita y que, en comiéndolas, naide "podía negar que jueran las más ricas del mundo.

"Juntos se jueron p'adentro y comenzaron a buscar sin "hallar nada.

"Pa esto, al diablo amigo de Lilí se le había calentao "la boca [12], y dijo que se iba a subir a la planta pa seguir

[11] *lenguaraz*: *Arg.* charlatán, que habla en exceso, chismoso. Por ampliación del significado inicial de 'intérprete'.

[12] *se le había calentao la boca*: se le había despertado la gula. El origen de esta expresión gauchesca reside en un viejo refrán

"pegándole al manjar. Lilí le alvirtió que había que des-
"confiar, pero el goloso no hizo caso y subió a los árboles,
"donde comenzó a tragar sin descanso, diciéndole de tiem-
"po en tiempo:

—" ¡Cha que son güenas! ¡Cha que son güenas!

—"Tiráme unas cuantas —le gritó Lilí, de abajo.

—" Allá va una —dijo el de arriba.

—"Tiráme otras cuantas —golvió a pedirle Lilí, ni bien
"se comió la primera.

—"Estoy muy ocupao —le contestó el tragón—. Si que-
"rés más, subíte al árbol.

" Lilí, después de cavilar un rato, se subió.

"Cuando Miseria salió de la pieza y vido a los dos dia-
"blos en el nogal, le dentró una risa tremenda.

—" Aquí estoy a su mandao —les gritó—. Vamos cuando
"ustedes gusten.

—"Es que no nos podemoh'abajar —le contestaron los
"diablos, que estaban como pegaos a las ramas.

—"Lindo —les dijo Miseria—; entonces firmenmén otra
"vez el contrato, dándome otros veinte años de vida y plata
"a discreción.

"Los diablos hicieron lo que Miseria les pedía y éste
"les dio permiso pa que bajaran.

"Miseria golvió a correr mundo y terció con gente cope-
"tuda y tiró plata y tuvo amores con damas de primera...

"Pero los años dentraron a disparar, como endenantes,
"de suerte que al llegar al año vegísimo, Miseria, queriendo
"dar pago a su deuda, se acordó de la herrería en que
"había sufrido.

"A todo esto, los diablos en el Infierno le habían contao
"a Lucifer lo sucedido y éste, enojadazo, les había dicho:

—" ¡Canejo! [13] ¿No les previne de que anduvieran con
"esmero, porque ese hombre era por demás ladino? Esta
"güelta que viene, vamoh'a dir toditos a ver si se nos escapa.

---

español: "El viejo y el horno, por la boca se calientan: el uno con vino y el otro con leña".

[13] *¡Canejo!*: *Arg.* exclamación eufemística que vale por ¡caramba! Se la encuentra en *Martín Fierro, La ida,* C. III, v. 518, y C. XII, v. 2030.

"Por esto jue que Miseria, al llegar a su rancho, vido "más gente riunida que en una jugada'e taba. Pero esa "gente, acomodada como un ejército, parecían estar a la "orden de un mandón con corona. Miseria pensó que el "mesmito Infierno se había mudao a su casa y llegó, mi-"rando como pato el arriador, [14] a esa pueblada de diablos. "Si escapo désta —se dijo—, en fija [15] que ya nunca la "pierdo." Pero haciéndose el muy templao, preguntó a "aquella gente:

—"¿Quieren hablar conmigo?

—"Sí —contestó juerte el de la corona.

—"A usté —le retrucó Miseria— no le he firmao con-"trato nenguno, pa que venga tomando velas en este en-"tierro.

—"Pero me vah'a seguir —gritó el coronao—, porque "yo soy el Ray de loh'Infiernos.

—"¿Y quién me da el certificao? —alegó Miseria—. Si "usté es lo que dice, ha de poder hacer, de fijo, que todos "los diablos dentren en su cuerpo y golverse una hormiga.

"Otro hubiera desconfiao, pero dicen que a los malos los "sabe perder la rabia y el orgullo, de modo que Lucifer, "ciego de juror, dio un grito y en el momento mesmo, se "pasó a la forma de una hormiga, que llevaba adentro a "todos los demonios del Infierno.

"Sin dilación, Miseria agarró el bichito que caminaba "sobre los ladrillos del piso, lo metió en su tabaquera, se "jue a la herrería, la colocó sobre el yunque y, con un "martillo, se arrastró a [16] pegarle con todita el alma, hasta "que la camiseta se le empapó de sudor.

"Entonces, se refrescó, se mudó y salió a pasiar por el "pueblo.

"¡Bien haiga, viejito sagás! Todos los días, colocaba "la tabaquera sobre el yunque y le pegaba tamaña paliza

[14] *mirando como pato el arriador*: mirando con desconfianza, con temor. Cf. n. 9, Cap. VI.

[15] *en fija*: *Arg., Ur.* con entera seguridad, indudablemente.

[16] *arrastrarse a*: comenzar de improviso a hacer algo.

"hasta empapar la camiseta, pa después salir a pasiar por "el pueblo.

"Y así se jueron los años.

"Y resultó que ya en el pueblo no hubo peleas, ni plaitos, "ni alegaciones. Los maridos no las castigaban a las mu-"jeres, ni las madres a los chicos. Tíos, primos y entenaos "se entendían como Dios manda; no salía la viuda, ni el "chancho; [17] no se vían luces malas y los enfermos sana-"ron todos; los viejos no acababan de morirse y hasta los "perros jueron virtuosos. Los vecinos se entendían bien, "los baguales [18] no corcoviaban más que de alegría y todo "andaba como reló de rico. Qué, si ni había que baldiar "los pozos porque toda agua era güena."

—¡Ahahá! —apoyé alegremente.

—Sí —arguyó mi padrino—, no te me andéh'apurando.

"Ansina como no hay caminos sin repechos, no hay "suerte sin desgracias, y vino a suceder que abogaos, pro-"curadores, jueces de paz, curanderos, médicos y todos los "que son autoridá y viven de la desgracia y vicios de la

[17] *no salía la viuda ni el chancho*: no sucedía nada desagradable a nadie. En *Arg., Ec., Perú, la viuda* significa la fantasma que "se aparece en medio de la noche, vestida de blanco, envuelta en una sábana y generalmente en zancos. Representa el 'ánima de la viuda', y al confuso viajero que la enfrenta lo desvalija de todo lo que lleva encima. A veces aparece bajo la forma de un potrillo o ternero y aun de un perro. También se le llama 'La Llorona'" (Coluccio, *Dicc. folkl. arg.*, s.v.). *Aparecérsele la viuda,* para el gaucho, era ser sorprendido por un mal o percance inesperado.

[18] *baguales*: *Arg., Bol., Chile, Ur.* potros a medio domar. Se originó en el nombre del cacique querandí *Bagual,* que vivió en la pampa bonaerense de 1582 a 1630 y fue famoso por su resistencia a la vida sedentaria a que se le quería obligar. La primera documentación de esta voz con este significado data de 1696. Antes, en la Argentina, se usaba, con igual significación, *cimarrón.* Corominas descarta las etimologías araucana y guaraní que algunos han asignado a la palabra *(Dicc. crít.-etim.,* s.v.). Cf. también Coluccio, *Dicc. folkl. arg.,* s.v., y Enrique R. del Valle, *Comunicaciones,* Academia Porteña del Lunfardo, n. 174, 1967 (apud Teruggi, *Panorama,* 155). Se dice también del caballo cimarrón.

"gente, comenzaron a ponerse charcones [19] de hambre y "jueron muriendo.

"Y un día, asustaos, los que quedaban de esta morralla "se endilgaron pa lo del Gobernador, a pedirle ayuda por "lo que les sucedía. Y el Gobernador, que también den- "traba en la partida de los castigaos, les dijo que nada "podía remediar y les dio una plata del Estao, alvirtién- "doles que era la única vez que lo hacía, porque no era "obligación del Gobierno el andarlos ayudando.

"Pasaron unos meses y ya, los procuradores, jueces y "y otros bichos iban mermando por haber pasao los más "a mejor vida, cuando uno dellos, el más pícaro, vino a "maliciar la verdá y los invitó a todos a que golvieran a lo "del Gobernador, dándoles promesa de que ganarían el "plaito.

"Así jue. Y cuando estuvieron frente al manate, el pro- "curador le dijo a Sueselencia que todah'esas calamidades "sucedían, porque el herrero Miseria tenía encerraos en su "tabaquera a los Diablos del Infierno.

"Sobre el pucho, el mandón lo mandó trair a Miseria y, "en presencia de todos, le largó un discurso:

—"¿Ahá, sos vos? ¡Bonito andás poniendo al mundo "con tus brujerías y encantos, viejo indino! Aurita vah'a "dejar las cosas como estaban, sin meterte a redimir culpas "ni castigar diablos. ¿No ves que siendo el mundo como "es, no puede pasarse del mal y que las leyes y lah'enfer- "medades y todos los que viven d'ellas, que son muchos, "precisan de que los diablos anden por la tierra? En este "mesmo momento vah'al trote y largás loh'Infiernos de "tu tabaquera.

"Miseria comprendió que el Gobernador tenía razón, "confesó la verdá y jue pa su casa pa cumplir lo mandao.

"Ya estaba por demás viejo y aburrido del mundo, de "suerte que irse dél poco le importaba.

"En su rancho, antes de largar los diablos, puso la taba-

[19] *ponerse charcones*: adelgazar. Formado sobre *charcón*, del quichua *charqui*=*Arg.*, *Bol.*, *Ur.* animal flaco y, por extensión, persona enjuta.

"quera en el yunque, como era su costumbre, y por última "vez le dio una güena sobada,[20] hasta que la camiseta "quedó empapada de sudor.

—"¿Si yo los largo van a andar embromando por aquí? "—les preguntó a los mandingas.

—"No, no —gritaban éstos de adentro—. Largános y te "juramos no golver nunca por tu casa.

"Entonces Miseria abrió la tabaquera y los lisenció pa "que se jueran.

"Salió la hormiguita y creció hasta ser el Malo. Comen- "zaron a brotar del cuerpo de Lucifer todos los demonios "y redepente, en un tropel, tomó esta diablada por esas "calles de Dios, levantando una polvadera como nube'e "tormenta.

"Y aura viene el fin:

"Ya Miseria estaba en las últimas humiadas del pu- "cho,[21] porque a todo cristiano le llega el momento de en- "tregar la osamenta y él bastante la había usao.

"Y Miseria, pensando hacerlo mejor, se jue a echar sobre "sus jergas a esperar la muerte. Allá, en su piecita de "pobre, se halló tan aburrido y desganao, que ni se levan- "taba siquiera pa comer ni tomar agua. Despacito no más "se jue consumiendo, hasta que quedó duro y como secao "por los años.

"Y aura es que, en habiendo dejao el cuerpo pa los bi- "chos, Miseria pensó lo que le quedaba por hacer y, sin di- "lación porque no era sonso, el hombre enderezó pa'l Cielo "y después de un viaje largo, golpió en la puerta déste.

"Cuantito se abrió la puerta, San Pedro y Miseria se "reconocieron; pero al viejo pícaro no le convenían esos "recuerdos y, haciéndose el chancho rengo,[22] pidió per- "miso pa pasar.

[20] *sobada*: paliza.

[21] *estaba en las últimas humeadas del pucho*: estaba llegando al final de sus fuerzas. *Pucho,* en la Am. Mer., equivale a colilla de cigarrillo. Cf. n. 5 del presente capítulo.

[22] *hacerse el chancho rengo*: *Arg., Bol., Ec., Par., Perú, Ur.* hacerse el desentendido, no darse por enterado, disimular, fingir. Tiscornia *(Martín Fierro com. y an.,* 83) aclara que esta expresión

—"¡Hm! —dijo San Pedro—. Cuando yo estuve en tu "herrería con Nuestro Señor, pa concederte tres Gracias, "te dije que pidieras el Paraíso y vos me contestaste: "Ca-"lláte, viejo idiota". Y no es que te la guarde, pero no pue-"do dejarte pasar aura porque, en habiéndote ofrecido tres "veceh'el Cielo, vos te negaste a acetarlo.

"Y como ahí no más el portero del Paraíso cerró la "puerta, Miseria, pensando que de dos males hay que elegir "el menos pior, rumbió pa'l Purgatorio a probar cómo "andaría.

"Pero, amigo, allí le dijeron que sólo podían dentrar las "almas destinadas al cielo y que, como él nunca podría "llegar a esa gloria, por haberla desnegao en la oportunidá, "no podían guardarlo. Las penas eternas le tocaban cum-"plirlas en el Infierno.

"Y Miseria enderezó al Infierno y golpió en la puerta, "como antes golpiaba en la tabaquera sobre del yunque, "haciendo llorar los diablos. Y le abrieron pero, ¡qué rabia "no le daría, cuando se encontró cara a cara con el mesmo "Lilí!

—"¡Maldita mi suerte —gritó—, que ande quiera [23] he "de tener conocidos!

"Y Lilí, acordándose de las palizas, salió que quemaba, "con la cola como bandera'e comisaría, y no paró hasta "los pieses mesmos de Lucifer, al que contó quién estaba "de visita.

"Nunca los diablos se habían pegao tan tamaño susto "y el mesmito Ray de los Infiernos, recordando también "el rigor del martillo, se puso a gritar como gallina culeca, "ordenando que cerraran bien toditas las puertas, no juera "a dentrar semejante cachafaz. [24]

---

es el resultado de una contaminación entre la frase española 'hacer la de rengo' (aparentar, fingir) y la argentina 'ser un chancho'. Es un modismo muy popular en la Argentina que aparece en todos los escritores gauchescos y nativistas.

[23] *ande quiera*: por *donde quiera*. En cualquier lugar, en todas partes.

[24] *cachafaz*: *Arg., Chile, Par., Ur.* pillo, sinvergüenza, pícaro. Ciro Bayo considera que es derivado de *caifás* (*Voc.* criollo, s.v.).

"Ahí quedó Miseria, sin dentrada a ningún lao porque "ni en el Cielo, ni en el Purgatorio, ni en el Infierno lo "querían como socio y dicen que es por eso que, dende "entonces, Miseria y Pobreza son cosas de este mundo y "nunca se irán a otra parte, porque en ninguna quieren "almitir su esistencia."

Una hora habría durado el relato y se había acabado el agua. Nos levantamos en silencio para acomodar nuestras prendas.

—¡Pobreza! —dije estirando mi matra donde iba a echarme.

—¡Miseria! —dije acomodando el cojinillo que me serviría de almohada.

Y me largué sobre este mundo, pero sin sufrir, porque al ratito estaba como tronco volteado a hachazos.

XXII

Sintiéndome merecedor de los mismos apodos que el herrero viejo, ensillé a la madrugada uno de mis tres caballos. Poca cosa para un resero. ¿Cómo me iba a ganar la vida? Nadie querría conchabarme en tal estado de inutilidad. Un gaucho de a pie es buena cosa para ser tirada al zanjón de las basuras.

La mañana no decía ni palabra. El vacaje que debía haber en esos campos, vista su riqueza en pastos, no había comenzado a vivir todavía y a gatas unos pajaritos cantaban bajito, como una canilla que gotea.

Un cielo gris, arrugado como las arenas de la playa que conocí en los malos pagos de mis aventuras, anunciaba tormenta. La tormenta que sentíamos en la blandura de los correones, las riendas y la lonja del rebenque, más floja que moco de pavo.

Pero ¡qué descanso más lindo el de esa noche, y qué gusto moverse en el aire grande que nos caía de todos lados en el cuerpo, como cariño!

Allí íbamos, siempre por el callejón o cortando campo, a la cola de nuestros pingos, acostumbrados a curiosear novedades con las orejas paradas.

Llegamos, después de cuatro días de marcha, a una estancia nueva.

La arboleda tierna asomaba apenas unas varas del suelo y las casas blanqueadas, frescas, parecían grandes con su mirador pretencioso y sus caminos y canteros, lucientes como ropa de Domingo.

El patrón era joven. Andaba bien montado y su trato con el paisanaje daba confianza.

Nos dijo que tenía unos potros bayos, por si queríamos darles los primeros galopes, y que siendo doce, regalaba dos por la amansadura.

Antes de que mi padrino tomara cartas en el asunto, me ofrecí para la changa. ¡Qué diablos! Era fuerte y me tenía fe. Ya mis primeras pruebas estaban hechas y, aunque sería ése mi estreno de domador, me sacudiría el polvo [1] sobre los bastos, como si fuese acostumbrado. La necesidad, dicen, tiene cara de hereje y no andaba yo en trances de mostrarme más delicado de lo que era. ¿No vería el otro lado, el de la suerte? La ocasión se presentaba como la había esperado durante mucho tiempo. Dos bayos son principio de una tropilla de bayos y aquella coincidencia con mis deseos me infundió audacia.

Cuando quedamos solos, mi padrino me filió de reojo, sonriendo. Aguanté con indiferencia aquel principio de burla y, como viera mi padrino que no salía de botaratada sino de necesidad mi compromiso, me dijo que él podía

[1] *me sacudiría el polvo*: me desempeñaría, actuaría. La expresión aparece usada por Hernández en el *Martín Fierro (La vuelta,* C. X, v. 1425-1426) y Tiscornia (*Martín Fierro com. y an.,* 175) le da el mismo significado que atribuyo a la del reserito. Además, explica que "Fierro usa en forma refleja, para decir que es probado jinete y no ha menester caballo manso, un modismo español de forma oblicua y significado diferente, pues 'sacudir a uno el polvo' es azotarlo, como quiere Covarrubias *(Tesoro,* II, folio 145, v.)". Similar explicación trae Liberal *(DSS,* 98).

aliviarme del trabajo, tomando por su cuenta cinco de los doce baguales.

Por suerte fue así. Los siete potros me dieron suficiente quehacer.

Los ensillaba apurado, como en un sueño, siguiendo al pie de la letra los consejos de Don Segundo que, al lado mío, ya alcanzándome alguna pilcha, ya apadrinándome, me guiaba paso a paso, sapientemente. Agarrábamos uno por turno y, aunque me tocara el primero y el último, tenía la ilusión de una tarea por partes iguales, sin contar la ventaja de descansar entre animal y animal.

Éramos cuatro en el corral de palo a pique.[2] El patrón, a caballo entre nosotros, no nos perdía pisada, ni desperdiciaba ocasión de ayudarnos con alguna broma. ¿Cómo sería él para un apuro?, me preguntaba en mis adentros.

¡Qué susto tenía cuando ensillé el primero! Las piernas se me escapaban de abajo del cuerpo y me atoraba con los detalles, que por suerte eran todos previstos por mi padrino.

El más viejo de los hombres que nos ayudaban, montado en un tostado retacón,[3] enlazaba los potros que nosotros volteábamos de un pial,[4] para embozalarlos y enriendarlos en el suelo. Después los embramábamos [5] en un palo, con dos o tres vueltas de maneador, y les poníamos

[2] *corral de palo a pique*: "Corral hecho de puros postes clavados a manera de empalizada, de modo que se toquen unos con otros" (Güiraldes, Voc., *Raucho,* en OC, 239). Se usa con esta acepción en *Arg., Col., Par., Ven., Ur.* En algunos diccionarios se especifica que los postes van unidos por alambres, en otros no.

[3] *tostado retacón*: *Arg.* caballo más pequeño que el petizo, de pelaje marrón. *Retacón*: *Arg., Par., Perú, Ur.*=rechoncho, retaco.

[4] *pial*: *Am. Cen., Arg., Col., Chile, Méx., Ur.* lazo para enlazar los animales por las patas. Designa también el tiro del lazo (Saubidet, *Voc.,* s.v.). Es voz muy usada en el Río de la Plata junto con todos sus derivados —*pialar, pialador, pialarse*—. Es arcaísmo. Cf. Lerner, *Arc. léx.,* s.v.

[5] *embramar*: *Arg., Chile,* atar al animal, con lazo corto, al palenque ('bramadero').

los cueros.[6] Por mi parte, no perdía los potros de vista, espiando indicios que pudieran anunciarme algún peligro: ¿sería flojo de cincha, se me bolearía?[7] Entretanto, mientras ensillaba, tenía que cuidarme de coceadas, manotones, abalanzos y caídas.

Todo está en comenzar bien, porque muy luego el optimismo crece y uno se amaña con mayor empeño, siempre que no se quiera sobrar.[8]

—No los busquen —había dicho el patrón—; pero, al que corcovee, ¡leña hasta que afloje!

¿Por qué entonces había de buscarlo al clines blancas, que me tocó de estreno? Lo dejé correr, sin gastarme de entrada, y lo rematé de vuelta con unos tirones bien sentidos.

—Ganaste una —me dijo el patrón.

Y aunque no respondí nada, me sentí como abochornado. Me creía en verdad capaz de ganar algunas que no se me presentaran tan fáciles.

Por cierto, los bayos resultaron menos duros de pelar de lo que podían haber sido, mediando peor suerte. Corcoveaban por derecho o sin mayor empeño y ya casi me estaba dando vergüenza y ganas de buscarles pleito, cuando uno, el quinto, vino a desantojarme en tanto cuanto podía pedir.

[6] *les poníamos los cueros*: los ensillábamos.

[7] *¿se me boliaría?*: *Arg., Ur.* "Empinarse el potro o redomón parándose sobre las patas y, al perder equilibrio, caerse para atrás" (Saubidet, *Voc.,* s.v.). De hecho, enredarse el animal solo como si estuviera sujeto por boleadoras. Tiscornia añade que es voz usual "entre los paisanos para designar el lance más peligroso de los de la doma de potros. No lo conocen, sin embargo, los diccionarios argentinos" *(Martín Fierro com. y an.,* 361). Aparece en Inchauspe, *Voces,* 171-172. En *Martín Fierro* está usado con igual acepción que en Güiraldes: "¡Ah, tiempos!... si era un orgullo / ver jinetiar un paisano— / cuando era gaucho vaquiano, / aunque el potro se boliase, / no había uno que no parase / con el cabresto en la mano" (*La ida,* C. II, v. 181-186).

[8] *siempre que no se quiera sobrar*: siempre que uno no confíe excesivamente en su destreza.

El patrón se sonreía.

Dado que el bicho era uno de los que servían de pago por el trabajo, malicié una celada. ¿Cómo, si no tenía algún defecto o maña de chúcaro, lo habían elegido para deshacerse de él, siendo el de mejor presencia?

No queriendo pasar por sonso, dije fuerte al hombre del tostado:

—Éste es el de probar los forasteros, ¿no?

El paisano no respondió sino meneando la cabeza y el patrón conservó su sonrisa. Muy bien. ¿Querían a la bruta?..., pues a la bruta andaríamos. Pero la jugada estaba hecha verdaderamente con picardía, pues siendo el potro uno de los que iban a quedar en mis manos, no quería estropearlo con una rebenqueada mayor.

Se dejó ensillar sin muchas cosquillas. Mal olor le iba tomando yo al negocio.

Todos estábamos como en misa.

Mientras lo sacaban a la playa y lo agarraban de la oreja,[9] me resbalé las botas, para poder con más firmeza sostener los estribos, y me ajusté bien la vincha, no fuera que el pelo viniera a enceguecerme en lo mejor.

Cuanto le boleé la pierna, sentí que tenía el lomo arqueado como el de un barril y me acomodé lo más fuerte que pude. Coligiéndome bien fijo, dije despacio, sin ostentación, pues no estaba el asunto como para compadradas:

—Lárguelo no más.

Maliciaba detrás mío la sonrisita del patrón, pero no era cosa de perder la cabeza. En un segundo de tiempo pensé cruzarle de un lonjazo el hocico y deseché tal propósito, pues con ello me pondría a disposición de cualquier antojo del animal. Mejor era estudiarle los vicios. Por suerte mi padrino tomó la iniciativa.

—¡Afirmáte! —me dijo y le envolvió al potro las patas de un arriadorazo.

[9] *lo agarraban de la oreja*: mientras el domador se baja las botas y ajusta la vincha, otro gaucho sofrena el caballo por las orejas para distraer la atención del animal.

El animal se abalanzó, manoteando el aire, y se trabó en dos corvocos duros, para volvérseme, en un cimbrón, sobre el lado del lazo, con lo que perdió pie. Quise abrirle, pero alcanzó a apretarme el tobillo por un momento, pues en seguida se enderezó, quedando a la espera como al principio. Sin embargo, algo había yo perdido y es que sentía dolorido el pie; algo también había ganado y es que, a pesar de tratarse de un reservado,[10] no pudo en su astucia y baquía desacomodarme ni un chiquito.

Mi mejor ganancia estaba en que Don Segundo ya había visto de qué se trataba. Lo comprendí porque me dijo:

—No le bajés el rebenque.

Por segunda vez lo azotó por las patas y el bayo se abalanzó. La partida le iba a resultar más dura, pues mandado por mi padrino, le crucé el hocico de un rebencazo y, cuando como anteriormente se clavó a corcovear, le menudeé azotes por la cabeza sin darle alce.[11] Ni bien quiso pararse, Don Segundo lo apuró a lazazos para quitarle la maña de volverse sobre el corcovo.[12] Entrando en el juego, aumenté la dosis de lonja, cosa que me permitía charquear en el rebenque al par que abatatar[13] al bruto. Y viendo mi resistencia a los sacudones, se me calentó el cuerpo y empecé a aporrearlo al bayo, al compás, repitiendo como un estribillo el dicho del patrón:

[10] *reservado*: *Arg.* caballo manso en apariencia, pero mañero cuando se lo monta. Corcovea de manera brutal. Se lo llama así porque se lo *reserva* para mostrarlo en las 'jineteadas' —montar un potro y resistir sus violentos movimientos—. Es una demostración de habilidad gaucha cuyo interés radica en que el potro corcovee mucho, pues así se ponen a prueba la baquía y resistencia del jinete. La 'jineteada' es un espectáculo, una diversión. Cf. Inchauspe, *Más voces,* 171-172 y Tiscornia, *Martín Fierro com y an.*, v. *jinetear.*

[11] *sin darle alce*: *Arg.* sin darle tregua, ventaja, sosiego. Igual expresión usa Martín Fierro: "En cuanto me enderecé / nos volvimos a topar— / no se podía descansar / y me chorriaba el sudor— / ... / Tampoco yo le daba alce, / como deben suponer—..." / (*La vuelta,* C. IX, v. 1267-1270 y 1273-1274).

[12] *volverse sobre el corcovo*: darse vuelta hacia la derecha.

[13] *abatatar*: *Arg., Par., Ur.* turbar, intimidar. De la voz taína arauaca *batata,* papa dulce.

—Al que corcovee, ¡leña! y ¡leña! y ¡leña!

Y salimos por la playa, ya sin sentadas ni vueltas, arrastrados por una bellaqueada furiosa.

No hubo nada que hacerle, la habíamos ganado desde el primer tirón y la seguimos ganando hasta el fin. Las riendas no me servían para afirmarme, porque el bruto sacudía tanto la cabeza, que llegaba a golpearme los estribos. Pero en el compás mismo de la rebenqueada había yo encontrado una base de equilibrio, que no perdí hasta volver a la puerta misma del corral, donde de un tirón lo hice sentar al bayo sobre los garrones. Y ya le bajé los cueros.

El patrón se acercaba a nosotros de a caballo. Con satisfacción vi que no sonreía ya, pasando, por lo contrario, una mano pensativa sobre su bigote.

Con un tono de elogio me dijo:

—¡Qué padrino tenés, muchacho!

—Y —contesté— no ayudándome el cuerpo, con algo debía contar pa un apuro.

—No es que te falte con qué desempeñarte —rearguyó—; pero aquel hombre —insistió, aludiendo a Don Segundo— no me parece ser como cualquiera de los muchos que somos.

En silencio, concluimos nuestra tarea. El último de los baguales algo se sacudió pero, después de lo pasado, me pareció un juguete.

Dejando los doce animales palenqueados con fuertes sogas, nos fuimos para la estancia.

El oficio de domador tiene sus descansos, gracias a Dios, y aunque la peonada anduviera en sus tareas de campo y no fueran más que las diez de la mañana, nosotros teníamos el derecho de matear o arreglar nuestras lonjas y recados en las casas, sin recibir órdenes de nadie.

Como tenía el tobillo un poco hinchado y dolorido, a causa del apretón, me fui hasta un pozo, cerca de la cocina, tiré un balde de agua y, con un jarrito, después de haberme descalzado, me puse a refrescarme la parte golpeada.

Aliviadito por el agua y con el cuerpo medio desencuadernado a causa de la doma, me quedé sin más pensamiento que bañarme el dolor un rato largo.

Miraba el galpón grande, la huellita que de él arrancaba hasta el pozo, los corrales un poco retirados, las cabeceadas que daban al viento unas casuarinas [14] nuevas que señalaban el principio del monte, un casalito [15] de cabecitas negras [16] que venía a beber en el surco de agua nacido seguramente de las baldeadas...

El hombre que nos había ayudado a la mañana enlazando los potros, vino del lado del galpón por la huellita, hasta parárseme enfrente:

—Tengo un encargue pa usté —me dijo.

—Usté dirá.

—¿Es del oficio?

—¿Qué oficio?

—Domador.

—No, señor; soy resero. Solamente así, cuando la ocasión se ofrece de ganar una changa...

—Y ¿no sería gustoso de quedarse aquí, de domador? Me manda el patrón pa que le ofresca el trabajo. Yo ya estoy viejo y llevo trainta años en el oficio. Aquí vienen domadores po'l [17] tiempo de la amansadura, y se van. El patrón, hasta aurita, no ha querido conchabar nenguno pa que se quede.

Nos fuimos caminando hasta el galpón. Me halagaba la propuesta, pero el vivir separado de mi padrino me parecía imposible.

—¿Pa mí solo es el encargue?

—Pa usté solo.

[14] *casuarinas*: árbol cuyas ramas producen, al ser movidas por el viento, un sonido casi musical.

[15] *casalito*: *dim.* de *casal. Arg., Par., Ur.,* pareja de animales de distinto sexo. Se dice también de las personas.

[16] *cabecitas negras*: *Arg.* pájaro de cabeza pequeña con plumas negras. El resto del cuerpo es amarillo o verde. Ordinariamente anda en bandadas.

[17] *po'l*: *por el*=durante, hacia, para.

Bajo el alero del galpón, me puse a desparramar mis pilchas a fin de que se orearan. Don Segundo no estaba. El patrón vino al rato y, mirando al hombre del tostado, preguntó:

—¿Y?

—No me ha contestao entuavía. Yo le he dao el parte.

—¿Cómo te llamás? —me preguntó el patrón.

—Quisiera saberlo, señor.

El patrón frunció el ceño.

—¿No sabés de dónde venís tampoco?

—¿De ande vendrá esta matrita? —comenté como para mí.

—¿De modo que ni tus padres quedrás nombrar?

—¿Padres? No soy hijo más que del rigor; juera de ésa, casta no tengo nenguna; en mis pagos algunos me dicen "el Guacho".

El patrón se tiró los bigotes, después me miró de frente. Nunca nadie me había mirado tan de frente y tan por partes.

—Razón de más —me dijo— pa que te quedés conmigo.

—Siento en deveras,[18] señor; pero tengo compromisos que no puedo dejar de cumplir. Usté me disculpará... y muchas gracias de todos modos.

El hombre se fue.

Nos sentamos con el domador, bajo el alero. Parece que el día estaba especial para los consejos, pues mi compañero, después de haber golpeado el suelo pensativamente con el rebenque durante un tiempo, me dijo:

—Vea, mocito. No es que yo quiera meterme en suh'asuntos, pero no rechace la oferta antes de pensarla. El patrón, aunque es medio mandón pa'l trabajo, es servicial cuando quiere. Más de un hombre ha salido del campo con su tropilla o su majada... y, hasta yo mesmo, aunque trabajando juerte, es cierto, he conseguido asegurar mi tranquilidá pa mi vejez y mis cachorros. Don Juan es generoso en la ocasión. Sabe abrir la mano grandota y es fácil que se le refalen unos patacones.

[18] *en deveras*: por *de veras*. De verdad.

—Vea, Don —contesté sobre el pucho—, no es que yo quiera desmerecer a nadie, ni que inore lo que vale una voluntá; pero, ¿ve aquel hombre? —dije, señalando a Don Segundo que venía del corral, trayendo despacio su chiripá, familiar para mí, su chambergo chicuelo y unos maneadores enrollados—. Güeno, ese hombre también tiene la mano larga... y, Dios me perdone, más larga cuando ha sacao el cuchillo...; pero igual que su patrón, sabe abrirla muy grande y lo que en ella se puede hallar no son patacones, señor, pero cosas de la vida.

El domador se levantó, me palmeó la espalda y se fue, de pronto enmudecido. Yo me quedé muy blandito.

—Y ¿qué diablos me había venido a mí de golpe, para que quisieran que me quedara y me palmearan el lomo y me anduvieran con miramientos?

XXIII

Cierto que el bruto del reservado me dio trabajo y que, con mi pie hinchado, vi más de una vez el negocio en mal camino. Pero el contento de salir airoso de la prueba a que me había sometido el patrón, tanto como el llevar mi doma con acierto, fueron cosas que me pusieron en estado de cargar con aquellos rigores.

Parece, según me dijeron algunos, que con doblarlo al cabos negros [1] había conseguido yo algo que muchos y muy buenos intentaron sin suerte. No digo que tuviera un amor propio desmedido, ni que fuera por demás accesible al elogio, ¿quién no lo es más o menos?, pero el hecho de vencer, grande y continua tarea gaucha, me llenaba de un vigor descarado a fuerza de confianza.

[1] *cabos negros*: *Arg.* se aplica a los caballos que tienen oscuras todas sus porciones extremas —crin, cola, punta de las orejas y parte baja de los remos— (Saubidet, *Voc.*, sv.).

¡Qué voluntad de dominio no tendrá el hombre para que, por un rato de gozarla, emplee largas horas de perseverante empuje! Salir con la suya en una bellaqueada y embozalar las propias dudas y temores con el logro de un intento, lleva aparejado toda una ristra de horas de tensión. Al lado del lucido momento de la jineteada, está la tarea pacienzuda de guerrear los animales durante la amansadura, sin dejarles tomar vicios y corrigiendo los que traen por instinto.

Yo era casi un instrumento en manos de mi padrino, que me guiaba en cada gesto, lo cual no quita que era el instrumento quien aguantaba los pesados trotes de los baguales, sus sentadas brutas, la rigidez desobediente de sus cogotes sonsos y chapetones, sus intenciones de cocear, sus cabezazos al enriendarlos, sus sustos torpes al subir y desmontarse uno, sus repentinas rebeliones en una espantada que remataban corcovos o abalanzos.

Y en todo aquello me parecía ir como dormido. Ideas fijas me perseguían como un deber. Las oía en la voz de mi padrino. Frases imperativas representaban hechos menudos, en que yo debía seguir por mía aquella voz. Hasta en horas de descanso, las enseñanzas me zumbaban en la cabeza, como un avispero demasiado grande para el nido en que buscaban acomodarse. Sentía mi pasividad y me hubiese molestado, de no haberme dicho mi propio deseo de independencia: "Dejá no más, que al correr del tiempo todo eso será tuyo."

Conforme los animales se fueron amansando, íbamos haciendo más largos los galopes, de suerte que llegábamos a una pulpería, distante una legua y media de la estancia, sobre un callejón, a la vera de un arroyo que allí daba paso.

Entretanto, en las casas, me había hecho de un amigo. Antenor Barragán era un pedazo de[2] muchacho grandote y delgado, dueño de una agilidad y una fuerza extraordinarias. Lo conocían en todo el pago como un visteador invencible y hacía gala de tal en cuanta ocasión se le

[2] *pedazo de*: equivale a *muy grande*. Es fórmula enfática.

presentaba. Su ocupación era cualquiera, porque lo mismo le daba lucirse en un redomón macaco,[3] en una faena de horquilla, o trabajando de a pie en el corral. Saltaba cualquier animal limpito y alzaba al hombro cualquier peso. Su cara morena, fina y alegre, le valía simpatías inmediatas y su bondad amistades verdaderas. Eso sí, entre juguete y juguete, solía dejar a sus compañeros sentidos de un cachetón. Me hacía contar mis andanzas de vagabundo, en las que encontraba gusto para su fantasía, relatándome en cambio sus fechorías nunca mal intencionadas. Le gustaba meterse en apuros, para probarse. A los pocos días ya nos tuteábamos, tratándonos de hermanos. ¡Pobre Antenor! ¿Dónde andará ahora?

Cuando dejamos por mansos y ya enfrenados nuestros baguales y salimos del escritorio de la estancia, con el tirador dueño de unos cuantos pesos más, y nos despedimos del patrón así como de los mensuales, era día domingo. Por costumbre, y también para cumplir con nuestros deberes de cortesía, nos fuimos al boliche del arroyo. Había bastante gente. La cancha tenía buena concurrencia y en el despacho no faltaba clientela.

Algunos conocidos nos saludaron. Mi padrino pidió permiso para ausentarse un momento, a fin de visitar a su amigo el pulpero. Debo decir que nunca el patrón nos había servido en el despacho, haciéndonos pasar por una pequeña puerta hasta adentro, con lo que significaba una especial atención.

Uno de los paisanos nos previno que no sería ese día prudente conducirse como siempre, pues el pulpero estaba "tomao" [4] y era hombre de "mala bebida".[5] Aunque otros

[3] *macaco*: *Arg.* mañero (cf. n. 13, Cap. IV). Se dice del caballo y también de las personas.

[4] *estar tomao*: por *tomado*. *Arg., Bol., Par., P.R., Ur.* estar embriagado, borracho.

[5] *ser hombre de mala bebida*: *Arg., Col., Par., P.R., R.D., Ur.* ponerse molesto y pendenciero. Se usa también con el verbo *tener*. Güiraldes usó esta expresión como título de un cuento: "De mala bebida", en *Cuentos de muerte y de sangre* (*OC*, 101-103).

opinaran de igual manera, Don Segundo alegó compromisos de amistad y golpeó en la puerta pequeña. Yo pasé detrás. Un chico nos dijo, mirándonos asombrado por tanto atrevimiento:

—Voy a avisarle al Tata.[6]

Se apareció el Tata, con una cara de Juicio Final, y ni contestó el saludo.

—¿Ustedes qué quieren? —preguntó con voz de toro.

Don Segundo avanzó hacia aquella fiera y, sin quitarle la vista de los ojos, que el otro tenía brillantes y lacrimosos, le dijo con su burlona cortesía:

—Yo quisiera una caña.

Con una frente de topazo, el pulpero largó su ofensa:

—¿De cuál? ¿De ésa que toma la gente?

Don Segundo me miró divertido y acercándose, hasta ponerse casi pecho a pecho con el matón, lo corrigió sonriente, como si rectificara un simple error:

—No, no, déme de ésa que toma usté no más.

Fue suficiente. El pulpero de "mala bebida", guardó para mejor ocasión sus compadradas y nos sirvió dos copas. Don Segundo, siempre cortés, impuso:

—Usté va a tomar con nosotros.

Al tiro [7] brindamos por nuestra futura felicidad, haciendo nuestras las cañas de un sorbo.

Saliendo hacia donde estaba la paisanada, mi padrino comentó:

[6] *tata*: *Am. Cen., Arg., Méx., Par.* padre. Forma cariñosa, anticuada hoy, pero normal en la Argentina para designar y llamar al padre hasta el siglo XIX. Conservada aún por personas de mucha edad, en familias tradicionales de Buenos Aires y el interior (Cf. Weber, "Fórmulas...", *RFH,* III, 2 (abr.-jun. 1941), 110; Angel Rosenblat, "Notas de morfología dialectal" en *BDH,* II (Buenos Aires, Instituto de Filología, 1946), 125-130 y Lerner, *Arc. léx.,* s.v.). Se solía decir también a personas de edad o por quienes se sentía mucho respeto.

[7] *al tiro*: *Am. Cen., Col., Chile, Ec., Perú,* de inmediato, al punto.

—Pobrecita la señora; seguro que aura este hombre malo le va a encajar[8] una paliza.

Una de las primeras personas que vi al salir, fue Antenor. Me convidó a tomar la copa y nos arrimamos al enrejado del despacho. Le estaba yo contando la reciente escaramuza de mi padrino con el pulpero, cuando un desconocido se nos acercó, nos dio la mano y comenzó a hablar en voz alta con todo el mundo. Sería como de cincuenta años de edad, vestía a la usanza gaucha y llevaba a la cintura un facón largo, con cabo y puntera de plata. Al hombro traía un ponchito bayo y, tanto por la tierra de sus botas de potro, sudadas en la parte baja, por el caballo, como por el aspecto y modo de caminar, aparentaba ser un hombre que venía de lejos.

Convidó a todos los presentes, entre bromas de buen humor, y logró al rato, como parecía quererlo, ser centro de la atención general.

De pronto, le habló a Antenor como si lo conociera; hizo alusión ponderativa a su destreza física y a su habilidad para el visteo. No se sabía bien lo que querría, entre tantas vueltas como las que daba en sus elogios, cuando con neta intención de pendenciero dijo:

—Yo me pregunto: ¿no se le helará la sangre al mocito si llega a encontrarse frente a un cuchillo?

Como si todos nos preguntáramos lo mismo, miramos a Antenor. Éste estaba pálido y agachaba la cabeza. Sospechamos que tenía miedo.

—También me he tenido fe en mis mocedades —continuó el hombre de bigote canoso—. ¡Y vean! —concluyó—, toavía me tendría la mesma fe pa señalarlo al mocito por dondequiera.

Antenor levantó la cabeza y, dándonos siempre la penosa impresión de su blandura, respondió:

—Señor, yo soy un hombre tranquilo y si por juguete sé vistear, no es porque quiera toparme con naides, ni para que naides me pelee.

[8] *encajar*: *Arg.* dar, suministrar, propinar.

—¡Oiganlé! —rio burlonamente el provocador—. Había sido como carne'e paloma.[9] Y eso —dijo, dirigiéndose a todos— que no tengo intención de estropiarlo, sino cuanti más de que nos sangremos un poco pa probar la vista. O ¿será que se le ha ñublao de golpe?

—¿Me permite? —terció inesperadamente mi padrino.

—Cómo no —accedió el forastero.

Don Segundo se dirigió a Antenor:

—Mirá, muchacho —dijo mientras todos, y yo más que ninguno, lo mirábamos con asombro—. Mirá, muchacho, que el señor ya hace un rato que te está convidando con güenas maneras y voh'estás desperdiciando la ocasión de divertirte un poco.

¿Qué diría el paisano peleador?

Un minuto quedó en silencio y, ya más serio ante una posible bifurcación del pleito, dejó sospechar el fondo del asunto:

—Divertirse es presumir de gallo y meterse en travesuras, cuando uno cree llevársela de arriba.[10]

Comprendimos que, bajo las bravuconerías del gaucho provocador, había habido un resentimiento.

¿Qué diría Antenor?

Antenor se levantó de una pieza,[11] miró al forastero y comprendimos otra cosa más: que sabía de qué y de quién se trataba.

—Yo era una criatura —dijo ceñudo— y ella una perra

[9] *ser como carn'e paloma*: tierno, blando; en suma, cobarde. En *Martín Fierro* (*La ida*, C. XI, v. 1998) se usa la misma expresión y Tiscornia explica (*Martín Fierro com. y an.*, 100) que ella está relacionada con el modismo español 'es una paloma sin hiel' que, según Covarrubias, se aplicaba a personas mansas. El gaucho usaba también otras expresiones para indicar algo inferior, despreciable: 'carne de perro', o 'de cogote', o 'de gallina'. Usaba, asimismo, la voz de germanía 'palomo' como equivalente de cobarde.

[10] *llevársela de arriba*: *Arg., Bol., Par., Ur.* de balde, gratis. Aquí significa que él estaba allí decidido a pelear y a no permitir que Antenor lo eludiera.

[11] *de una pieza*: con entereza, firmemente.

que a cualquier palo le hacía punta.[12] En el pago la conocíamos por "la de aprender".

Furioso, el forastero quiso atropellar. Algunos lo sujetaron al tiempo que Antenor, siempre pálido, pero tal vez de rabia, decía:

—Ajuera vamoh'a tener más lugar—. Y salió.

Los seguimos. El forastero se quitó, al lado de la puerta, las espuelas, se arrolló el poncho en la zurda y sacó con lentitud el facón. Como si hubiera olvidado su reciente extravío, compadreó risueño:

—Aura verán cómo a un mocoso deslenguao se le corta la jeta.

En el patio de la pulpería había una carreta. Contra una de sus grandes ruedas, Antenor había hecho espaldas y esperaba. El forastero se acercó y, confiado, como quien juega con un chico, tiró a su contrario una cachetada con los flecos del poncho. Antenor hizo un imperceptible movimiento y el poncho pasó sin tocarlo. El quite fue de una precisión admirable; ni un dedo más ni un dedo menos de lo necesario. Creo que todos debimos pensar a un tiempo: ¡pobre paisano viejo, su compadrada le iba a salir amarga! El hombre atropelló. Antenor, firme, con una cu chilla de trabajo contra un facón de pelea, sin poncho para meter el brazo, salvaba toda arremetida sacando el cuerpo. De pronto estiró la mano armada y, con un salto, ganó distancia. El paisano del facón tenía un tajo desde el bigote hasta la oreja. Antenor reculaba, dando por concluida la reyerta. Unos apartadores quisieron intervenir.

—Ladeensén —dijo el forastero—, uno de los dos ha de quedar.

Antenor dejó de buscar la carreta, donde se había dado el lujo de pelear a pie firme. Listo sobre las piernas, parecía dispuesto a concluir con furia la pelea que comenzó por fuerza.

No tardó mucho. Un encontrón y vimos al forastero le-

[12] *una perra que a cualquier palo le hacía punta*: una mujer que aceptaba a cualquier hombre que la buscaba.

vantado hasta la misma altura de Antenor, para ser tirado de espalda como un trapo.

Se acabó. Lo levantamos para sentarlo en el suelo, con las espaldas apoyadas contra la pared de la pulpería. Se desangraba por el pecho a borbollones.[13]

Hicimos un arco de expectativa en torno suyo. Con inútil angustia presenciábamos el inevitable avance de la muerte, que en cada inspiración se le entraba en el cuerpo para expulsar la vida en un chorro de sangre y de calor. Un momento se detuvo el baldeo trágico. El moribundo, terroso de haberse vaciado en aquel espasmo, alcanzó a decir muy bajo:

—Aura va a venir la policía a buscarlo a ese hombre. Ustedes son testigos todos de que yo lo he provocao.

Antenor, a caballo, huía.

Bañado el vientre y las piernas en sangre, el forastero comenzaba a ponerse duro. Un paisano repetía furioso:

—Porquería..., nos alabamos de ser cristianos y a lo último somos como perros..., sí, como perros.

Otro, más tranquilo y más pensativo, alegaba:

—Nos mata el orgullo, amigo. Cuando un hombre nos insulta, lo mejor que podríamos hacer es llamarnos Juan. Pero tenemos nuestro orgullo, que nos hace querer hablar máh'alto, y una palabra trai otra y al fin no queda más que el cuchillo.

—... Sí, señor; como perros somos y muy conformes estamos por llamarnos cristianos...

—Yo —dijo mi padrino— he tenido más de muchas de estas diferencias con hombres que eran o se craiban malos y nunca me han cortao..., ni tampoco he muerto a naide,

[13] Si Antenor, al acuchillear al forastero, lo levantó a su misma altura y lo arrojó de espaldas, ello quiere decir que lo ensartó por el vientre. Sorprende, por lo tanto, que el hombre se desangre de una herida en el pecho. Güiraldes, o no visualizó bien la escena antes de describirla, o tuvo demasiado presente la muerte del indio a manos de Martín Fierro: "Al fin de tanto lidiar / en el cuchillo lo alcé / en peso lo levanté / aquel hijo del desierto— / ensartado lo llevé, / y allá recién lo largué / cuando ya lo sentí muerto." (*La vuelta*, C. IX, v. 1346-1352).

porque no he hallao necesidá. Con todo, el mocito que se ha desgraciao [14] no lleva culpa. La pelea en güena ley, asigún el mesmo desafío del finao, debió concluir donde lo cortaron.[15]

—Y por hembras, señor —decía otro—, por una hembra que yo he conocido y que era una perra, como dijo el mocito...; y después de añazos tal vez. Pero, qué quiere, es el destino y ese hombre traiba el empeño de que se cumpliera.

El muerto quedaba allí, de testigo, con los ojos abiertos y el cuerpo ya sin necesidades. Le echaron encima una cobija vieja, para que no lo aqueresaran [16] las moscas.

A las cansadas,[17] cayó la policía con un médico, que avanzó hacia el finado y lo descubrió ante nosotros y los dos "latones" [18] que lo acompañaban.

Después de revisarlo, el de ciencia dijo palabras que guardé en mi memoria y cuyo significado cabal sólo supe años después:

14 *desgraciarse*: *Arg., Par., Ur.* matar a alguien o cometer un delito grave penado por la justicia. El paisano *se desgraciaba,* casi siempre, más por las circunstancias —como en este caso— que por su premeditada decisión de matar al contrincante. En este tipo de duelo gaucho, a lo que se tendía era a 'marcar' al enemigo en la cara, a menos que se hubiera declarado la intención de llegar hasta el fin. Es evidente que si Antenor escapa, estamos ya en la época en que tales duelos eran ilegales. Su huida indica también la poca fe del paisano en la justicia, pues existían suficientes testigos como para asegurar que había matado en defensa propia.

15 *Yo... cortaron*: la actitud de Don Segundo en este capítulo no parece muy consistente. Antes intervino (p. 353) al parecer instando a Antenor a que aceptara el desafío y demostrara sus cualidades ("estás desperdiciando la ocasión de divertirte un poco"). Lo que dice ahora, cuando todo ha concluido, parece un poco superfluo y hasta pedante. Más en consonancia con el carácter del personaje hubiera sido el que interviniera para detener la lucha, luego que Antenor había marcado al hombre que lo había desafiado.

16 *para que no lo aqueresaran*: de *quereza.* Cf. n. 1, C. XI.

17 *a las cansadas*: *Arg., P.R., Ur.* después de mucho tiempo.

18 *latones*: el gaucho llamaba *latón* al sable de la policía —a causa de su tamaño y peso— y, por extensión, al policía mismo.

—¡Qué puñalada! Cuando yo era practicante, y no fui débil, sudaba media hora para abrir así un tórax.

El pulpero malo no había salido.

Dejamos a los hombres de aquella escena preparar los primitivos medios de transportar el cadáver, y nos despedimos.

XXIV

Largas cavilaciones me atrajo el hecho brutal que había presenciado. Que un hombre tranquilo y alegre como Antenor se hubiera visto obligado primero a pelear, después a matar, me resultaba algo en verdad asustador. ¿No se es dueño entonces de nada en la propia persona? ¿Un encuentro inesperado puede presentarse, así, en forma de destino, para desbaratarlo a uno en su propio modo de ser? ¿Somos como creemos, o vamos aceptando los hechos a manera de indicaciones que nos revelan a nosotros mismos?

Revisaba mi vida, la de mi padrino, la de cuanta gente conocía. Sólo Don Segundo me daba la impresión de escapar a esa ley fatal que nos cacheteaba a antojo, haciéndonos bailar al compás de su voluntad.[1] ¡Qué hubiera sido de mí, si en lugar de cortarlo a Numa en la frente acierto

[1] El reserito expresa aquí la filosofía de vida que Güiraldes había atribuido a los gauchos en su artículo "Notas sobre *Martín Fierro* y el gaucho": "El gaucho dentro de sus medios limitados es un tipo de hombre completo. Tiene sus principios morales y esto lo prueba diciendo como elogio entre los elogios: 'es un gaucho de ley', tiene su filosofía casi religiosa en que admite potencias superiores encarnadas por el 'destino', la 'suerte' y lo 'que está escrito'. Dios interviene en el mismo sentido que los conceptos anteriores, como fuerza incontrastable a la cual se somete. También admite una ley individual, especie de destino que lleva a cada hombre por su camino especial..." (*OC,* 732).

a degollarlo? ¿Y si Paula acepta mis amores? Y allá más lejos, ¿si no paso por una encrucijada de callejones, en mi pueblo, al mismo tiempo que Don Segundo?

¡Suerte, suerte! ¡No hay más que mirarte en la cara y aceptarte linda o fea, como se te dé la gana venir!

Por su bien, el resero tiene la vida demasiado cerca para poder perderse en cavilaciones de índole acobardadora. La necesidad de luchar continuamente, no le da tiempo para atardarse en derrotas; o sigue, o afloja del todo, cuando ya ni un poco de poder le queda para encarar la vida. Dejarse ablandar por una pasajera amargura, lo expone a tomar el gran trago de todo cimarrón que se acoquina: la muerte. Una medida grande de fe le es necesaria, en cada momento, y tiene que sacarla de adentro, cueste lo que cueste, porque la pampa es un callejón sin salida para el flojo. Ley del fuerte es quedarse con la suya o irse definitivamente.

¿Por qué, si no por una absoluta confianza, era tan tranquilo mi padrino en las peores emergencias? Sin inmutarse, por darla de antemano toda perdida, sonreía con razón ante las dificultades.

"Del suelo no voy a pasar", suele decir el domador, respondiendo a las bromas de los que pronostican un golpe, entendiendo con ello que a todo hay un límite y que, al fin y al cabo, el poder está en no asustarse ante él. "De la muerte no voy a pasar", parecía ser el pensamiento de mi padrino, "y la muerte ni me asusta, ni me encuentra arisco".

Cuando todos estaban de ida hacia la muerte, él venía de vuelta. El dolor, según aprecié más de una vez, era como su pan de cada día, y sólo la imposibilidad de mover algún miembro herido o golpeado, le sugería una protesta. "La osamenta", como solía llamar a su cuerpo, no debía "desnegarse" al empleo que se le quisiera dar.

Pero todos esos pensamientos míos, no pasaban de ser más que conjeturas. Verdad era su absoluta indiferencia ante los hechos, a quienes oponía comentarios irónicos.

¡Quién fuera como él! Yo sufría por todo, como un agua sensible al declive, al viento, al sol y a la hojita del sauce llorón que le tajea el lomo. Y también tenía mis mojarras [2] en la cabeza, que a veces coleaban haciéndome sonar la orillita del alma.

Siguiendo el hilo de los hechos, diré que una semana anduvimos sin trabajo. Al cabo de ella, nos conchabaron para peones de un arreo de seiscientos novillos, que un estanciero mandaba a corrales. Según la gente baqueana de aquellos caminos, teníamos para doce días de marcha, poniendo a nuestro favor el buen tiempo y la buena salud de la tropa.

Salimos al atardecer de un día por demás caliente y tormentoso. De ensillar no más sudábamos, y no había cosa en el campo que no esperara uno de esos chaparrones, que primero lo apampan a uno por su violencia, para después dejarlo derechito como un pastizal naciente.

Ya, antes de salir, dos aguaceros nos castigaron de soslayo, muy de paso, dejando la tierra fofa de los callejones, corrales y limpiones [3] como con sarpullido. Lo grueso de la tormenta nos esperaba, sin embargo, agazapada en nubes, hecha montón para el lado del Sur. Como podía refrescar fuerte, nos preparamos una actitud de resistencia ante el posible viaje bravo.

Después de cenar, entrada ya la noche, de un momento de calor pesado salió un viento fuerte. Hacía rato ya, los refucilos [4] grietaban las nubes renegridas del horizonte Sur. La hacienda, nerviosa, se iba asustando por grados. La mancarronada relinchaba con desasosiego y, nosotros mismos, sentíamos la desazón del tiempo como nuestra. ¡Linda noche para perder animales! Cada relámpago nos mostra-

[2] *tenía mis mojarras*: tenía mis quimeras, mis sueños. Es expresión común en Buenos Aires, equivalente a tener pajaritos en la cabeza. Las *mojarras* son peces pequeños, abundantes en los ríos de la provincia. Cf. Corominas, *Dicc. crít.-etim.*, v. *moharra.*

[3] *limpiones*: espacio libre en un campo en que el ganado ha pisoteado y destruido el pasto. Cf. Corominas, *Dicc. crít.-etim.*, v. *limpio.*

[4] *refucilos*: *Arg.* relámpagos. Cf. Corominas, *Dicc. crít.-etim.*, v. *fusil* y Tiscornia, *Martín Fierro com. y an.*, 442-443.

ba, en tintes lívidos, un campo impasible en que marchaba alborotada nuestra tropa, vigilada de cerca por los reseros. Arriba, algo informe, oscuro, acabaría por caérsenos encima, de un momento a otro. Bajo los golpes de luz, percibíamos en un chicotazo las cosas demasiado claras, y los novillos blancos, como también los rosillos plateados y las manchas de los overos se nos metían en los ojos. Después, quedábamos perdidos en la noche, con la visión rápida encajada en la memoria como una cicatriz en el cuero. Y andábamos hasta otro relámpago. Al viento siguió calma. En el cielo había grandes charcos y ríos plateados, sobre un fondo de chatos remansos negros. Sin embargo, veíamos avanzar, en toda carrera, largas hilachas de nubes grises, perdidas de rumbo como yeguada cimarrona ante el incendio de un pajal.

El capataz nos mandó no descuidar la hacienda, que remolineaba también perdida en su susto. Un rayo cayó con estampido que, de seco, pareció rajarnos las carnes. Me dije que el viento venía de bajo tierra.

La tropa se partió en puntas, como una tosca que se desmorona en el agua. Recordábamos que teníamos que pasar por el cauce de un zanjón hondo y, previendo un cataclismo de animales cayendo, quebrándose, empantanándose en el fondo aquel, corríamos, mal que mal, a impedir que así sucediera. Yo no veía nada. Las puntas del pañuelo me golpeaban la cara; el ala del chambergo se me pegaba en los ojos; el viento me impedía castigar el caballo que, sin embargo, corría porque sí tal vez, habiendo perdido el norte como la hacienda.

Me llevé un bulto por delante. Comprendí que era el caballo de algún charré sorprendido por la ventolina. ¿Hombres, mujeres? ¡Que Dios les alivie el susto! Seguí mi apuro hasta dar con el mancarrón, de pecho, contra un montón de vacunos.

Caía agua a chorros y mermó el viento. Oí gritar a uno de mis compañeros y me acerqué al grito. Juntos peleamos para impedir que las bestias, precipitándose unas contra otras, siguieran cayendo en la zanja. Mi caballo resbaló con las patas traseras y me fui, me fui como chupado por los infiernos, sin saber adónde. Paró la resbalada sin que, por suerte, el animal se me diera vuelta. Tuve tiempo de ver que mi redomón, al levantarse sobre los garrones, pisoteaba un novillo caído. No había caso de sujetar. El terror lo abalanzaba adelante. Cayó sobre el costillar derecho, apretándome un poco la pierna contra un gran terrón de la barranca. Se afirmaba afanoso en la punta de los vasos. Volvía a veces para atrás, patinando sobre el anca. Se iba de hocico. Se tendía, todo voluntad, hacia arriba, donde al fin llegamos.

A todo esto, la tormenta había pasado como un vuelo de halcón sobre un gallinero.

Pudimos más o menos vernos y juntar, a duras penas, los novillos dispersos. Di parte al capataz de mi encuentro en el fondo del zanjón. Si había pisado un novillo, tenía motivos para presumir que otros se hallaban, allí, caídos de manera tal que no podían salir. Así era: y con excepción de los que quedaban guerreando con la tropa, bajamos todos a lo hondo de la grieta, donde forcejeamos a lazo y hasta a mano, para enderezar a los caídos y cuartear a los embarrancados. En un barro machucado por el pisoteo, los mancarrones pisaban en falso, buscando los desniveles apropiados para apoyar sus vasaduras; y había que saber abrirse a tiempo en la caída y la costalada, en las que, al menor descuido, se deja un hueso, en una quebradura que suena como gajo que se astilla dentro de una bolsa.

Salimos de barro hasta los ojos. Cinco vacunos agonizaban en el fondo oscuro.

Mientras reanudábamos la marcha, se mandó un chasqui [5] para el pueblo, a fin de que viera al carnicero y le ofreciera en venta, por lo que quisiera pagar, las reses quebradas. El mismo chasqui debía a su vez mandar un hombre al patrón, dándole parte del incidente. Como el

[5] *chasqui*: o *chasque*. *Arg.*, *Bol.*, *Col.*, *Chile*, *Perú*, *Ur.* del quichua *chasqui*, mensajero. El mensajero incaico era un indio a pie, mientras que el *chasqui* criollo fue un correo de urgencia y de a caballo.

pueblo quedaba cerca de la estancia, muy pronto el patrón sabría los detalles.

Obligados por la bravura de la hacienda, alborotada con la tormenta, tuvimos que rondar por cuartos. La noche seguía calurosa y pesada. Nada en bien nos había valido el aguacero bruto, los rayos y los remolinos de viento.

Una madrugada barcina[6] nos permitió seguir la huella, entre vahos de humedad, después que el capataz hubo contado sus animales. En el día, no paramos más que para el almuerzo, la comida y la cena. Acobardados por la infeliz salida, íbamos todos de mal talante y, como los animales porfiaran, siempre rebeldes, les dimos camino hasta hartarlos, a ver si en algo se sosegaban.

Otra vez rondamos.

Aparte de las preocupaciones generales, yo tenía las mías. Llevaba sólo tres caballos mansos: el Moro, el Vinchuca y el Guasquita, restos de mi antigua tropilla, y los dos baguales que recibí como pago de la doma de los bayos. No podía contar por seguro al reservado; en cuanto al otro, le tocaría un aprendizaje al cual no podía prever si respondería.

Nuestra tercer jornada de arreo nos regaló una buena refrescada. A la mañana, nos tocó cruzar un campo abierto, donde se nos desparramó la tropa.

Traíamos, como mal elemento, unos treinta torunos[7] chúcaros, que a cada dos por tres peleaban, armando un griterío de matones en una fiesta. Un bayo bragado[8] era

[6] *barcina*: nublada, oscura. Es calificativo que se aplica al pelaje de los animales: rojizo con manchas transversales negras o negruzcas. Aquí el gaucho usa metafóricamente el adjetivo que le es familiar y que resulta sumamente descriptivo. Es voz arcaica muy común en América (cf. Lerner, *Arc. léx.*, v. *barcino).*

[7] *torunos*: *Arg., Par., Ur.* macho con un solo testículo, por defecto de castración, rebelde al amansamiento y que aún busca encelar a las vacas. Cf. Tiscornia, *Martín Fierro com. y an.*, 454.

[8] *bragado*: *Arg., Ur.* pelaje tostado o zaino con manchas blancas en las ingles.

el peor y ya, unas cuantas veces, se nos había trenzado[9] con un palomo, obligándonos a separarlos a argollazos. El bayo no entendía de obediencia y, una vez caliente, se nos venía de un hilo.

Aprovechando el desparramo de la tropa, los torunos se toparon de firme. Como moscas, nos les prendimos sin darles cuartel. En una vuelta de mala suerte, un tal Demetrio se pasó de largo al tiempo que el bragado, habiendo conseguido doblarle el cogote a su contrario, ponía todas sus fuerzas en un envión. El palomo se arqueó como víbora, mezquinando el flanco, y el otro, sobrándose, fue a dar contra el caballo de Demetrio. Aunque el toruno no tuviera del lado derecho más que un pedazo de aspa quebrada y gruesa, se la encajó al mancarrón por las verijas, bajándole las tripas. Mientras entre tres lo enlazaban y alejaban al bicho bravo, caímos como caranchos sobre la víctima, que el dueño tuvo que degollar, y yo por las botas, otros por las lonjas,[10] hicimos negocio dejándolo pelado al finadito en un santiamén.

Para la noche, marchamos por unos callejones, pero con tan mala suerte que nos cruzamos con dos tropas, lo que nos obligó a rondar por tercera vez.

Y ya empezamos a cansarnos en serio.

No estaba yo en mis tribulaciones de bisoño. Sabía que si en gran parte se resiste por tener hecho el cuerpo a la fatiga, más se resiste por tener hecha la voluntad a no ceder. Primero el cuerpo sufre, después se asonsa y va, como sin tomar parte, a donde uno lo lleva. Después, las ideas se enturbian; no se sabe si se llegará pronto o no se llegará nunca. Más tarde las ideas, tanto como los hechos, se van mezclando en una irrealidad que desfila burdamente por delante de una atención mediocre. A lo último, no que-

[9] *trenzarse*: *Arg.* trabarse en pelea cuerpo a cuerpo. Cf. *Martín Fierro, La ida,* C. VIII, v. 1301 y Corominas, *Dicc. crít.-etim.*, n. 7 a *trenza.*

[10] *y yo por las botas, otros por las lonjas*: es decir, que cada uno tomó una parte del cuero del caballo con la que podían fabricarse lo que más deseaban: botas, lonjas, etc.

da capacidad vital sino para atender a lo que uno se propone sin desmayo: seguir siempre. Y se vive nada más que por eso y para eso, porque todo ha desaparecido en el hombre fuera de su propósito inquebrable. Y al fin se vence siempre (al menos así me había sucedido) cuando ya a uno la misma victoria le es indiferente. Y el cuerpo cae en el descanso, porque la voluntad se separa de él.

Seis días más anduvimos, entre fríos y mojaduras, rondando casi todas las noches nuestro arreo, siempre matrero, cruzando barriales y pantanos, juntando cansancio de a camadas y apilándolo en nuestros nervios. Mi reservado me costó un día de lucha, bellaqueando al menor descuido bajo el lazo, en una atropellada, por cualquier motivo. Pero no le bajé ni los cueros ni el rebenque, hasta que lo rindiera el rigor. ¿Se me podía pasmar? Paciencia. No era con él un asunto de cortesías.

Veníamos todos como indios de desarrapados, barrosos y taciturnos. Demetrio, el hombre más grandote y fuerte de los troperos, parecía anonadado por el cansancio. ¿Quién podía jurar que estaba mejor? Por fin alcanzamos un lugar en que el reposo sería seguro. Había un potrerito donde dejar la hacienda, sin peligro de que se fuera, y un galpón donde dormir al abrigo.

Llegamos temprano en la tarde. Echamos los animales al potrero y nos volvimos al tranquito para el lado de las casas. Demetrio iba adelante. Al llegar al palenque, el mancarrón se le espantó a lo bruto. Demetrio cayó como un cuarto de yerba, sin volver a levantarse ni intentar un movimiento. Se había golpeado la cabeza. ¿Una de esas terribles y repentinas quebraduras de nuca? Arrimándonos, vimos que respiraba con tranquilidad. Don Segundo rio:

—Venía cansadazo...; se ha dormido sobre del golpe.

Le desensillamos el caballo, le tendimos el recado a la sombra y lo colocamos encima.

Ahí quedó, sin darse cuenta siquiera que el sueño lo había agarrado a traición, en el suelo, donde tal vez, a pesar del golpe, sintió que aflojar el cuerpo y no querer más nada es algo maravilloso.

Los demás mateamos un poco. Teníamos por delante la seguridad de una noche tranquila y eso nos volvía alegres y dicharacheros.

Dimos agua a nuestros caballos, los bañamos, arreglamos nuestras prendas de trabajo, injiriendo un lazo aquél a quien se le había cortado, cosiendo éste un maneador, el otro acomodando sus bastos o un bozal. Y esperamos con calma que se nos fuera acercando la noche, poco a poco, como una cosa grande y mansa en la que nos íbamos a ir suavecito, de costillas, como un río que va gozando su carrerita de olvido y comodidad.

XXV

Nos levantamos medio tarde, a la salida del sol. Demetrio había dormido doce horas, nosotros ocho. Era suficiente para desentumirnos y, aunque nos enderezáramos con gran disgusto del cuerpo, nos hallábamos, después de matear, listos para otra patriada.[1]

El inconveniente por mí previsto, se agrandaba. Mis tres caballos estaban más que cansados; el reservado trasijado después de nuestra lucha; el redomón no me parecía por demás garifo. ¿Qué hacer? Que el capataz me entregara mis pesos, dándome de baja, era una vergüenza. Mi padrino podía prestarme uno de sus caballos o dos, pero quedaría entonces tan desplumado como yo.

En tan malas cavilaciones me encontraba cuando, ya alta la mañana, pasamos por las quintas de Navarro.

[1] *patriada*: *Arg.*, *Ur.* hazaña, acción arriesgada. El sustantivo se originó durante las luchas de la independencia. Se designó entonces así un movimiento armado. Luego se aplicó a los alzamientos de facciones políticas contra malos gobiernos con el fin de 'salvar la patria'. Finalmente, por extensión de significado, designa toda acción arriesgada, altruista y hasta quijotesca.

Dejé mis tristezas para atender mis recuerdos. ¡Qué curioso!, los mismos lugares que me veían abatido y pobre, habían presenciado mi más gran optimismo y mi mayor riqueza. Por allí mismo pasé, orondo y ladino, sentado medio al sesgo sobre el bayo Comadreja, que sabía "cortar chiquito", pulsando la suerte que, en las riñas de gallos, me había llenado el tirador de papeles de a diez.

¡Qué día aquel! ¡Qué gallo el bataraz pico-quebrado! ¡Cómo había peleado sin flojeras durante una hora, esperando su momento, y cómo había sabido aprovecharlo cuando vino! Me reía solo, evocando mi audacia para ofrecer y tomar posturas, mi fe en que no perdería, mi desfachatez de mocoso engreído al recibir el pago de las apuestas. ¿No había creído entonces que ése era mi destino y que la suerte me pertenecía? Recordé también nuestro almuerzo en la fonda. Había unos gringos groserotes y charlatanes, ¿de qué nación?, y un gallego hablaba de romerías.

Que un recuerdo traiga otro, es natural. Pero que un recuerdo traiga a un hombre, es cosa extraordinaria. Alguien hablaba a mi padrino y, no sé por qué, supuse se trataba de mí. Era un conocido, muy conocido. ¿Cómo no?, si era Pedro Barrales. Sin embargo, no tenía yo la alegría que hubiera sido natural y, cuando, aunque cohibido, me acerqué con cordialidad a estrechar la mano del compañero, éste se tocó con incomprensible respeto el ala del chambergo, agraciándome con un "¿cómo le va?" que no entendí.

—¿Qué te pasa, hermano? —dije algo encrespado en mi incertidumbre—. Si tenés algo contra de mí decílo, que no es güeno andarse mezquinando la cara como las mujeres.

Pedro lo miró a Don Segundo, indeciso e interrogante. Mi padrino intervino:

—Empezá por no enojarte ni andar atropellando, que más bien necesitás de tu tranquilidá. Pedro te trai una noticia. Ahí tenés un papel que te va a endilgar[2] en lo cierto mejor que muchas palabras. Graciah'a Dios no sos mujer

[2] *endilgar*: guiar, encaminar, informar. Cf. Corominas, *Dicc. crít.-etim.*, s.v.

ni te has criao a lo niño pa andar espantándote por demás. Tomá, ya estáh'alvertido.

El sobre decía:

"Señor Fabio Cáceres."

—¿Y qué tengo que ver? —grité casi.

—Abrí —me respondió mi padrino.

La carta estaba firmada por Don Leandro Galván y decía:

"Estimado y joven amigo:

"No dudo de la sorpresa que le causarán estas líneas. Tal vez le resulten un tanto bruscas, pero, a la verdad, no tenía a mano ningún modo de comunicarme con Vd.

"Su padre, Fabio Cáceres, ha muerto y deja..."

Vi muchas cosas de golpe: mis paseos, mis petizos, mis tías... ¡eran en verdad mis tías! Miré alrededor; Pedro y mi padrino se habían alejado. La tropa también. Un extraño sentimiento de soledad me apretaba el alma, como si hubiera querido limitarla a algo chico, demasiado chico. Me bajé del caballo y, contra el alambrado del callejón, seguí leyendo:

"Su padre, Fabio Cáceres, ha muerto y deja en mis manos la difícil e ingrata tarea de llevar a cabo lo que él siempre pensó..."

Salteé unas líneas: "...soy, pues, su tutor hasta mayoría de edad..."

Volví a montar a caballo. El campo, todo me parecía distinto. Miraba desde adentro de otro individuo. Un extraño tropel de sentimientos, en mí intactos, se me arremolineaban en la cabeza: ternura, tristeza. Y de pronto, una ira ciega de hombre insultado de un modo rebajante, sin razón. ¡Qué diablos! Tenía ganas de disparar o de embestir contra cualquier cosa, para inferir sangre de carne por la sangre de alma que sentía chorrear dentro mío.

Alcancé a Don Segundo y a Pedro. Mi padrino me dijo que, siendo ya imposible para mí seguir con la tropa, había arreglado con el capataz, proponiéndole reemplazarme por otro peón.

—¿Y usté? —interrumpí con brusquedad.

—Yo te acompaño —fue su contestación tranquila.

Sintiendo aquel cariño a mi lado, la rabia se me transformó en congoja. Realicé que era un chico, un guacho desamparado, y que de golpe perdía algo a lo cual había vivido aferrado. Me encaré con mi padrino:

—Don Segundo, hágame el favor de decirme que ese papelito miente. Yo no soy hijo de nadie y de nadie tengo que recibir consejos, ni plata, ni un nombre tan siquiera...

La imagen de Don Fabio ocupó un momento toda mi atención interrogante:

—¿Y cómo era ese finao mi padre mentao, que andaba de güen mozo por los puestos, sin mucha vergüenza...?

—Despacio, muchacho —interrumpió mi padrino—, despacio. Tu padre ni andaba de florcita [3] con las mozas, ni faltaba de vergüenza. Tu padre era un hombre rico como todos los ricos y no había más mal en él. Y no tengo otra cosa que decirte, sino que te queda mucho por aprender y, sin ayuda de naides, sabrás como verdá lo que aura te digo.

—¿Y mi mama?

—Como la finada mi madre, ánima bendita.[4]

No pregunté más nada, pues me pareció que, con lo dicho, mi madre no podía ser sino una mujer digna de admiración. En cuanto a mi padre, no había más mal en él que el de haber sido rico. ¿Qué mal era ése? ¿Quería decir mi padrino que yo por mí mismo, con la nueva situación que me esperaba, conocería ese mal? ¿Había un desprecio en su augurio?

De pronto, como si me recuperara, me dio vergüenza haber cedido a mis dudas infantiles y resolví callarme. Más vergüenza me dio pensar que Pedro me miraba ya como a un extraño, y recordar su tratamiento de "usté" volvió a hacerme perder los estribos.

[3] *andar de florcita*: *Arg.* andar desocupado, de fiesta en fiesta, galanteando a todas las mujeres y siempre bien arreglado.

[4] *ánima bendita*: equivale a 'que Dios la tenga en los cielos' o 'que en paz descanse'. Era fórmula piadosa usada por el gaucho unida a la mención de un muerto querido. La contestación de Don Segundo parecería, pues, indicar que la madre del reserito ha muerto.

—¿Y vos —le dije, arrimando mi caballo al suyo—, no tenés más que hacer que tratarme de usté y tocarte el sombrero porque soy un "niño" con unos cuantos pesos y tal vez pueda, con mi plata, hacerte un favor o un daño?

Palideciendo al insulto, Pedro tomó el rebenque por la lonja para asestarme por la cabeza el cabo. ¿Morir de una puñalada, allí, en el callejón? Todo me parecía bien, salvo el falso respeto y distanciamiento de mis amigos.

—Mejor, bajáte —le dije, echando pie a tierra y mano a mi cuchillo. Pero me encontré frente a mi padrino, que me tomó de un brazo diciéndome:

—Si es que te has caido, yo te puedo ayudar a subir.

Comprendí que una resistencia de mi parte se encontraría con una paliza y me alegré de un modo que tal vez otros no hubieran comprendido. Para Don Segundo yo seguía siendo el mismo guachito y quise significarle mi gratitud, dándole un título que nunca, hasta entonces, se me había ocurrido:

—Sta bien, Tata.

—Si soy tu Tata, le vah'a pedir disculpas a ese hombre que has agraviao.

—¿Me perdonáh'ermano? —dije estirando la mano a Pedro que rio de buena gana, como declarándose vencido:

—No al ñudo te has criao como la biznaga.[5]

Resueltos así mis primeros pleitos, correspondientes a la situación que una vida nueva me creaba, me propuse callar con empeño a fin de pensar. Pero, ¡qué pensar! ¿Acaso era dueño de la tropelía que me arrebataba el juicio con variados disparates, tan pronto aparecidos como reemplazados por otros? No encontraba, en mí, razón ni palabra. Imágenes eran las que saltaban ante mi esfuerzo, con increíble rapidez. Me veía frente a Don Leandro, rehusando con altanería mi herencia. "Si en vida del finao —decía yo— no ha sabido reconocerme como hijo, yo aura lo desconozco como padre". Me encontraba en mis posesiones

[5] *No al ñudo..., biznaga*: no en vano te has criado salvajemente. *Biznaga*=mala hierba.

con un hombre de ley,[6] dictándole mis propósitos de hacer picadillo de aquellas tierras, para repartirlas entre el pobrerío. Me imaginaba disparando de mi nueva situación, como Martín Fierro ante la partida...[7] ¿Qué diablos iba a sacar en limpio de todo ese bochinche?

Gracias a Dios, me cansé de tales ejercicios. Entonces mis ojos cayeron sobre el tuse[8] de mi caballo. Del tuse pasé al cogote tranquilo del animal, distraído en su tranco. Del cogote a las orejas, atentas a no sé qué ruido; detrás de las orejas miré el fiador del bozal, las cabezadas; después el recado, mis ropas. La rastra, apoyada entre mis ingles, era mi única prenda de riqueza. ¡Qué raídas por el trabajo, las lluvias y el sol estaban mi blusita y mis bombachas! ¿Tiraría todo eso?

Parece mentira; en lugar de alegrarme por las riquezas que me caían de manos del destino, me entristecía por las pobrezas que iba a dejar. ¿Por qué? Porque detrás de ellas estaban todos mis recuerdos de resero vagabundo y, más arriba, esa indefinida voluntad de andar, que es como una sed de camino y un ansia de posesión, cada día aumentada, de mundo.

A pedido mío, fuimos hasta donde estaba la tropa, a despedirnos de los compañeros. En los sucesivos apretones de mano, era como si me dijera adiós a mí mismo. Llegando al último, sentí que me acababa. Por fin nos retiramos dándoles la espalda. Todas las penas que me había dado para ser un resero de ley, quedaban en mi imaginación como una montonera de huesitos de difunto.

El mismo rancho, el mismo hombre que nos albergaron aquel día de la riña, nos vieron llegar con el propósito de hacer noche.

Todo fue cordial, menos mi silencio. Por momentos, mientras adelantaba la oscuridad, me iba perdiendo de lo de-

[6] *hombre de ley*: abogado.

[7] *como Martín Fierro ante la partida*: referencia a uno de los episodios del famoso poema gauchesco de José Hernández, publicado en 1872 y 1879 (*La ida,* C. IX, v. 1391-1686).

[8] *tuse*: o *tuso. Arg.* crines recortadas del yeguarizo.

más, como si se me fuesen quebrando una serie de dolorosas coyunturas que me unían al mundo. En la misma charla de los tres hombres, me sentía ajeno.

Algo incomprensible pesaba sobre mi entendimiento.

Mi noche fue una sucesión de pesadillas y pensamientos, que siempre orilleaban las mismas imágenes de llegada a lo de Don Leandro, de rechazo de mis mal heredados bienes, de huida. Cansado en mis ideas, daba vuelta a la misma matraca, rompiéndome los oídos con su bullanga, sin ver salida útil a tales desvaríos.

La madrugada me encontró flojo como una lonja mojada. Me levanté, por dejar de sufrir sobre el recado, y empecé a ensillar para irme, con la sensación de que dejaba el alma por detrás, perdida campo afuera.

Don Segundo y Pedro también ensillaban. Hacíamos los mismos ademanes y, sin embargo, éramos distintos. ¿Distintos? ¿Por qué? De pronto había encontrado, en esa comparación, el fondo de mi tristeza: "Yo había dejado de ser un gaucho". Esa idea dejó mi pensamiento inmóvil. Concretaba en palabras mi angustia y por esas palabras me sentía sujeto al centro de mi dolor.

Concluí de ensillar. El sol salía. Fuimos a la cocina a tomar unos verdes.[9] Todo eso nada importaba.

Cuando, silenciosos desde hacía un rato, chupábamos por turno la bombilla, dije como para mí:

—Así que aura galopiamos hasta lo de Don Leandro Galván. Allí me saluda la gente como a un recién nacido. Después me entregan mis bienes y mi plata..., ¿no eh'así?

Sin comprender bien a dónde iba a parar con mi discurso, Pedro asintió:

—Así es.

—Más tarde me hago cargo del establecimiento: me cambeo de ropa pa vestirme como un señor; dentro a mandar a la gente y me hago servir como un manate..., ¿no eh'así?

—Ahá.

—Y eso quiere decir que ya no soy un gaucho, ¿verdá?

[9] *verdes*: *Arg., Ur.* mates.

Mi padrino me miró fijo. Por primera vez me parecía verlo sorprendido de verdad, o tal vez curioso.

—¿Qué más te da? —interrogó.

—Cierto es..., ¿qué más me da?... Pero yo hubiera desiao más bien que los caranchos me hicieran picadillo las carnes..., o entregar la osamenta a Dios en la orilla de una aguada, como cualquier animal arisco..., o perderme en la pampa a lo matrero. Más que las lindezas con que hoy me agracia el destino, me valdría haber muerto en la ley en que he vivido [10] y me he criao, porque no tengo condición de víbora p'andar mudando pelechos [11] ni mejorando el traje.

Don Segundo se levantó, en señal de partida. Sujetándolo de un brazo lo interrogué ansioso:

—¿Es verdá que no soy el de siempre y que esos malditos pesos van a desmentir mi vida de paisano?

—Mirá —dijo mi padrino, apoyando sonriente su mano en mi hombro—. Si sos gaucho en de veras, no has de mudar, porque, andequiera que vayas, irás con tu alma por delante como madrina'e tropilla.

XXVI

Tanto las yeguas como los caballos viejos olfatearon el camino de la querencia. Yo también sentía contenidamente esa aproximación a mis pagos, de donde tan desplumado y

[10] *más me valdría haber muerto en la ley en que he vivido*: el gaucho, afirma Güiraldes, "admite una ley individual, especie de destino que lleva a cada hombre por su camino especial; 'murió en su ley', dice del que ha muerto según parecía destinado a morir según su idiosincracia" ("Notas sobre *Martín Fierro* y el gaucho", *OC,* 732).

[11] *pelechos*: *Arg.* piel vieja que mudan las víboras. También se aplica a las personas cuando progresan económicamente o cambian, mejorando su vestimenta (Saubidet, *Voc.*, s.v.). Compuesto de *pelo* y *echar*. Cf. Corominas (*Dicc. crít.-etim.*, v. *pelo*).

dolorido había salido, jurando en mi interior no volver. Pago es patria chica y, por más que nos independicemos, nos quedan metidas dentro cuñas de goce o de dolor ya hechas carne con el tiempo.

Sin querer apurar el galope, llegamos esa noche a Luján.[1]

Al día siguiente partimos, y mis ojos empezaron a acostarse en lo conocido, como en un sueño evocado de intento. El olor particular de los pastos y de algún arroyo, se me metían en el pecho como en su casa.

Hicimos noche en la pulpería de "La Blanqueada", ¡qué de recuerdos!, donde el pulpero nos agasajó, sin dejar de decirme, al fin, palmoteándome las espaldas:

—Y ahora estoy yo a tu disposición, pa que saqués de mi casa lo que quieras, y me pagués enseguidita como yo te pagaba los bagres.

¡Muy bien! ¿Me recibirían todos así, o me mostrarían un respeto tan falso como repugnante?

Con gusto, pues, dormí esa noche en el patio de la pulpería.

Al día siguiente, como no íbamos a ver a Don Leandro sino a la tarde, tuve ocasión de espiar qué intenciones había en el trato de la gente.

El peluquero me saludó como si me hubiese presentado con el traje que los príncipes usan en los cuentos de magia. Me llamó "Señor" y "Don", hasta cansarse, y ni se acordó de mi pasada indigencia, ni de mi actual ropa, ni de las propinitas con que supo pagarme algún servicio menudo.

El platero me ofreció sus vidrieras; tampoco se acordó de haberme errado un escobazo un día en que, acompañado por algunos vagos como yo, le había preguntado si la plata que empleaba en sus trabajos ya había aprendido a andar sola, o si necesitaba entreverarse con otros amigos.

Los copetudos, que tantas veces divertí con mis audacias de chico perdido, se mostraron más cariñosos que nun-

[1] *Luján*: ciudad y partido del N.O. de la provincia de Buenos Aires.

ca y colegí que algunos me miraban como si me vieran la cara remendada con patacones.

Juré que ni el peluquero me cortaría el pelo, ni el platero me vendería un pasador,[2] ni los copetudos me pagarían una copa. Por otra parte, hacía años les había hecho la cruz y me quedaría en mis veinte.[3]

A mediodía, comimos con Don Segundo en "La Blanqueada", donde menudearon las bromas y los recuerdos y los proyectos. Don Pedro era por cierto el pulpero más gaucho del mundo y, antes que hablarme de riquezas, me hizo mil preguntas sobre mi larga ausencia, queriendo saber si me había hecho jinete, qué tal era para el lazo, cuántas mudanzas de malambo había aprendido y si sabía descarnar bien las botas de potro.[4]

De paso, me robó una tabaquerita bordada que llevaba en el bolsillo de la blusa y, después de concluir de comer, se fue a atender su negocio, sin más cumplimiento que el de pedirnos disculpas por no tener dependiente en el despacho.

Un rato más tarde, tomábamos el callejón rumbo a lo de Galván.

Como fuéramos por llegar, comenzó a preocuparme mi vestuario. Nada había mudado de mis pilchas; sólo quise renovar mi chiripá, mis botas, mi chambergo, una camisa y el pañuelo del pescuezo, para estar paquete,[5] eso sí, pero conservando mi traje de paisano.

Olvidando el buen rato pasado con Don Pedro, volvió a acongojarme mi situación.

[2] *pasador*: *Arg.* anillos, virolas o tubitos de plata con que se adornan las riendas, el bozal, etc., del recado de montar.

[3] *me quedaría en mis veinte*: me mantendría en mi actitud. Expresión tomada de un juego de naipes.

[4] *descarnar las botas de potro*: la tarea de descarnar la pata del animal sacando el cuero entero, cortándolo en redondo, era una de las más difíciles y que demandaba mayor pericia de entre todas las que el gaucho realizaba. De allí el orgullo con que ostentaba las botas de potro hechas por él mismo, el aprecio en que tales botas eran tenidas. Cf. n. 16, Cap. XI.

[5] *paquete*: *Am.*, vulg. compuesto, acicalado. Cf. Corominas, *Dicc. crít.-etim.*, v. *paca,* II.

Antes, es cierto, fui un gaucho, pero en aquel momento era un hijo natural, escondido mucho tiempo como una vergüenza. En mi condición anterior, nunca me ocupé de mi nacimiento; guacho y gaucho me parecía lo mismo, porque entendía que ambas cosas significaban ser hijo de Dios, del campo y de uno mismo. Así hubiese sido hijo legítimo, el hecho de poder llevar un nombre que indicara un rango y una familia, me hubiera parecido siempre una reducción de libertad; algo así como cambiar el destino de una nube por el de un árbol, esclavo de la raíz prendida a unos metros de tierra.

Volví a pensar en que iba a ver un hombre rico y que yo era lo que los ricos tienen por la deshonra de una familia.

¡Malhaya! [6]

Nos apeamos en el palenque de los peones, entramos a la cocina donde no había nadie. Un chico apareció, diciéndome que el patrón me esperaba en el patio de los paraísos. Sabía de antes el camino y lo encontré a Don Leandro como cuando le cebaba mate.

—Arrímese, amigo —me dijo cuando me vio.

Me acerqué descubierto y tomé de lejos la mano que me ofrecía. Me miró con un cariño que me turbaba.

—Te has puesto mozo y grande —me dijo—. No tengás vergüenza. Me has conocido como patrón, pero ahora soy tu tutor y eso es casi como quien dice un padre, cuando el tutor es lo que debe ser. Veo que estás cansado —continuó, como haciendo que se equivocaba sobre mi palidez—. No es cosa de aburrirte ahora con detalles ni consejos. Tenemos mucho tiempo por delante, si Dios quiere.

Dejé de oírlo un momento. La voz continuó:

—Ya has corrido mundo y te has hecho hombre, mejor que hombre, gaucho. El que sabe de los males de esta tierra, por haberlos vivido, se ha templado para domarlos...

[6] *¡Malhaya!*: aquí la expresión está usada como equivalente de '¡Maldito sea!' Cf. n. 7, C. XVIII.

¿Qué significaban esas palabras oídas? Yo había vivido aquello en un mundo liviano.[7]

Cerca nuestro había un rosal florecido y un perro overo me husmeaba las botas. Yo tenía el chambergo en la mano y estaba contento, pero triste. ¿Por qué? Me habían sucedido cosas extraordinarias y sentía casi como si fuera otro..., otro que había ganado algo grande e indefinido, pero que tenía asimismo una sensación de muerte.

—Te irás de aquí cuando quieras y no antes —siguió la voz—. Allá te espera tu estancia y, cuando me necesités, estaré cerca tuyo...

Dando la conversación por terminada, Don Leandro llamó hacia el lado de la cocina de los peones:

—¡Raucho!

Me sentía bien a pesar de mi crisis moral. Tenía una extraña sensación de existencia nueva.

Un muchachote, vestido a lo paisano, vino y se paró a mi lado. Don Leandro le ordenó:

—Llévelo a este mozo a que largue su caballo y muéstrele su cuarto y acompáñelo en lo que necesite y a ver si se hacen amigos.

—Sta bien, padre.

Mientras íbamos caminando para el lado del palenque, miré a mi futuro amigo. Era más grande que yo, aunque no acusara más edad; parecía curtido por la vida de campo; me daba una impresión de fortaleza, de confianza en sí mismo y de alegre simpatía. Tenía una linda cabeza de facciones finas y una expresión de inteligencia franca. En conjunto, un paisanito perfecto. No pude dejar de preguntarle:

—¿Usté es hijo'el patrón?

Risueño me respondía:

—Así dicen y dice él.

Llegamos al palenque. Subió en un coloradito de rienda:

[7] *¿Qué significaban... en un mundo liviano*: recuérdese que en el Cap. XVIII, el reserito, después de su accidente, al despertar en el puesto de Don Candelario, había tenido una visión premonitoria en la que había oído estas mismas palabras.

un redomón. Otra vez pregunté, como siguiendo mi interrogatorio reciente:

—¿Y usté mesmo se doma los caballos?

Tuteándome, como a veces se hace de primera intención entre muchachos, respondió burlón:

—Hasta aura que has venido vos.

Le miré otra vez la cara simpática, el traje, el recado.

—¿Qué me estás filiando? —preguntó a su vez.

Deseando devolverle su cordialidad bromista, le dije:

—¿Sabés lo que sos vos?

—Vos dirás.

—Un cajetilla[8] agauchao.

—Iguales son las fortunas de un matrimonio moreno —rio—. Yo soy un cajetilla agauchao y vos, dentro'e poco, vah'a ser un gaucho acajetillao.

Nos reíamos.

Después de haberme mostrado su tropilla, volvimos para las casas, desensillamos y largamos los caballos.

Me llevó para el que debía ser mi cuarto. Miré la cama, las paredes empapeladas, el lavatorio. Lo miré a Raucho.

—¿No te hallás?[9] —me preguntó.

—Me parece —le dije— que me vi'a pasar la noche almirando las florcitas del papel.

Le hablaba con confianza, fraternalmente, como no lo hubiera hecho con ningún otro rico. Me propuso:

—Si querés tender el recao, allá por el galpón, yo te acompaño.

—¡Lindo!

Por Raucho conseguí permiso para comer en la cocina de los peones. Don Leandro debió comprender mi timidez y mandó a su hijo a que me acompañara.

[8] *cajetilla*: *Arg., Ur.* nombre de matiz despectivo que el campesino da a las gentes atildadas. Güiraldes trae esta definición: "Niño gótico; persona muy cuidadosa en el vestir; dícese generalmente a los puebleros" (Vocabulario en *Raucho, OC,* 237). Para los comienzos de su uso y derivación, véase Enrique R. del Valle, *Lunfardología,* Buenos Aires: Ed. Freeland, 1966, 197.

[9] *no hallarse*: *Arg., Par.* no encontrarse a gusto, cómodo.

Tomamos unos mates con Don Segundo y con Valerio, que mostró gran alegría de verme. Yo me encontraba conmovido con los recuerdos y, como los modos y el traje de Raucho me hacían olvidar mi cambio de situación, lo llevé por donde más podía encontrarlos.

—Aquí dormí la primer noche. Estos chiqueros los barría antes de la salida'el sol. ¿Vive entuavía el petizo Sapo? ¡Vierah'ermano, qué contento me puse cuando volví de lo de Cuevas con el Cebrunito! ¿Está siempre Cuevas?

Me quedé suspenso, esperando la respuesta. Sentía la boca seca.

—Hace mucho que no está.

Largas horas nos pasamos, esa noche, conversando con mi nuevo amigo. No recordaba haber hablado nunca tanto y hasta me parecía que, por primera vez, pensaba con detenimiento en los episodios de mi existencia. Hasta entonces no tuve tiempo. ¿Cómo mirar para atrás ni valorar pasados, cuando el presente siempre me obligaba a una continua acción atenta? ¡Muy fácil eso de pensar, cuando minuto por minuto hay que resolver la vida misma! ¡Vaya uno a ser distraído con un redomón arisco bajo el cuerpo y saque quien pueda la cuenta de sus placeres y dolores, cuando de la claridad de la atención depende el cuero y la derrota! Cierto, había pensado mucho, mucho, pero siempre enfocando las vicisitudes de cada segundo. Había pensado como el hombre que pelea, con los ojos bien abiertos hacia el peligro, y toda la energía pronta para ser empleada, allí mismo, sin dilaciones ni mermas.

¡Qué distinto era eso de barajar imágenes de lo pasado! Yo había vivido como en una eterna mañana, que lleva la voluntad de llegar a su mediodía, y entonces, en aquel momento, como la tarde, me dejaba ir hacia adentro de mí mismo, serenándome en la revisión de lo que fue.

Como un arroyo que se encuentra con un remanso, daba vueltas y me sentía profundo, lleno de una pesada quietud.

Me cansé de hablar y de removerme el alma. Callé un rato largo.

Mi compañero se había dormido. Mejor. Ahí estaba la noche, de quien me sentía imagen.

Morirme un rato...

Hasta que la raya de luz de la aurora, viniera a tajearme a lo largo los párpados.

XXVII

La laguna hacía en la orilla unos flequitos cribados. Por la parte media, en unos juncales ralos, gritaban los pájaros salvajes.

Una fatiga grande pesaba en mi cuerpo y en mis pensamientos, como un hastío de seguir siempre en el mundo sembrando hechos inútiles.

Iba a pasar un momento triste, el momento que en mi vida representaría, más que ningún otro, un desprendimiento.

Tres años habían transcurrido desde que llegué, como un simple resero, a trocarme en patrón de mis heredades. ¡Mis heredades! Podía mirar alrededor, en redondo, y decirme que todo era mío. Esas palabras nada querían decir. ¿Cuándo, en mi vida de gaucho, pensé andar por campos ajenos? ¿Quién es más dueño de la pampa que un resero? Me sugería una sonrisa el solo hecho de pensar en tantos dueños de estancia, metidos en sus casas, corridos siempre por el frío o por el calor, asustados por cualquier peligro que les impusiera un caballo arisco, [1] un toro embravecido o una tormenta de viento fuerte. ¿Dueños de qué? Algunos parches de campo figurarían como suyos en los planos, pero la pampa de Dios había sido bien mía, pues sus cosas me fueron amigas por derecho de fuerza y baquía.

Está visto que en mi vida el agua es como un espejo en que desfilan las imágenes del pasado. A orillas de un

[1] *arisco*: *Arg.* animal receloso que huye o se oculta al aproximarse el hombre. También el animal que no sufre que se le toque (Morínigo, *Dicc. am.*, s.v.).

arroyo resumí antaño mi niñez. Dando de beber a mi caballo en la picada de un río, revisé cinco años de andanzas gauchas. Por último, sentado sobre la pequeña barranca de una laguna, en mis posesiones, consultaba mentalmente mi diario de patrón.

Si al recibir mi campo de manos de Don Leandro hubiera seguido mi sentir, andaría aún dejando el rastro de mi tropilla por tierras de eterna novedad. Dos cosas me decidieron entonces a cambiar de parecer: los consejos de mi tutor, apoyados en claras razones, y el refuerzo que de éstos me llegaba por boca de mi padrino. Más sólido argumento fue recibir de Don Segundo la aceptación de quedarse en el campo.

Casi de más está decir que, los dos primeros años, viví en el rancho de mi padrino. Desde mi llegada, por cierto, no miré la casa principal como residencia de elección. Conservaba yo muy vívido un instinto salvaje, que me hacía tender cama afuera y escapar de todo encierro. También continué levantándome al alba y acostándome a la caída del sol, como las gallinas.

La casa grande y vacía, poblada de muebles serios como mis tías, no me veía más que de paso. Seguían sus vastos aposentos siendo del otro hombre, cuya memoria no podía acostumbrarme a encarar como la de un padre. Y, además, me parecía que también ella se iba a morir, significando su presencia sólo un recuerdo frío. De haberme atrevido, la hubiera hecho echar abajo, como se degüella, por compasión, a un animal que sufre.

Como el potrero a cargo de Don Segundo quedaba lindando con el campo de los Galván, nos reuníamos frecuentemente con Raucho. Nuestra amistad se había sellado muy pronto, ofreciéndonos como prenda de simpatía el gusto de intercambiar potros: él me dio los primeros galopes a unos bayos, que me regaló para entablar la tan deseada tropilla de ese pelo. Yo le correspondí de igual modo y en igual cantidad con unos alazanes. Mutuamente nos servimos de padrinos durante la amansadura. Nuestro compañerismo, por cierto, no podía haberse cimentado mejor ni de modo más gaucho. Para dos muchachones que andaban a caballo, de sol a sol, era una forma de estar siempre presentes el uno para el otro.

Nuestro trato era frecuente en lo de Don Segundo, sin contar los días en que Don Leandro nos llamaba a su lado, para enseñarnos el manejo de un establecimiento. Pero en casa de mi padrino pasábamos los mejores ratos, mano a mano, con el mate o una guitarra por medio, mientras el grande hombre nos contaba fantasías, relatos o episodios de su vida, con una admirable limpidez y gracia que he tratado de evocar en estos recuerdos.

Fue a raíz de estas charlas que Raucho acertó a influenciarme con aficiones suyas. Sabía una barbaridad en cuanto a lecturas y libros. Prestándome algunos me hablaba largamente de ellos. Pero, ¡qué diferencia! Mientras yo me veía limitado no sólo por el idioma sino por mi falta de costumbre, él leía con extraordinaria facilidad lo mismo en francés, italiano y en inglés, que en español. Al lado de esto, Raucho me parecía a veces una criatura libre de dolores, sin verdadero bautismo de vida. Otro motivo de su conversación era el de sus aventuras y diversiones. ¿Qué creía que iba a encontrar? La vida, a mi entender, estaba tan llena, que el querer meterle nuevas combinaciones se me antojaba lamentablemente infantil. Mis argumentos simples nada podían contra su fantasía y, al fin, lo dejaba desfogarse a su gusto. Mi nacimiento, por otra parte, me impedía encarar ningún amorío como una diversión.

A todo eso, poco a poco, me iba formando un nuevo carácter y nuevas aficiones. A mi andar cotidiano sumaba mis primeras inquietudes literarias. Buscaba instruirme con tesón.

Pero no quiero hablar de todo eso, en estas líneas de alma sencilla. Baste decir que la educación que me daba Don Leandro, los libros y algunos viajes a Buenos Aires con Raucho, fueron transformándome exteriormente en lo que se llama un hombre culto. Nada, sin embargo, me daba la satisfacción potente que encontraba en mi existencia rústica.

Aunque no me negara a los nuevos modos de vida y encontrara un acerbo gusto en mi aprendizaje mental, algo inadaptado y huraño me quedaba del pasado.

Y esa tarde iba a sufrir el peor golpe.

Miré el reloj. Eran las cinco. Monté a caballo y fui para el lado del callejón, donde hallaría a mi padrino. Resultaba ya imposible retenerlo, después de tanta insistencia inútil. Él estaba hecho para irse, siempre, y tres años de permanencia en un lugar lo habían saturado de inmovilidad. Demasiado sentía yo en mí la sorbente sugestión de todo camino, para no comprender que en Don Segundo huella y vida eran una sola cosa. ¡Y tenerme que quedar!

Nos saludamos como siempre.

A la par, tranqueando, hicimos una legua por el callejón. Entramos a un potrero, para cortar campo, y llegamos hasta la loma nombrada "del Toro Pampa", donde habíamos convenido despedirnos. No hablábamos. ¿Para qué?

Bajo el tacto de su mano ruda, recibí un mandato de silencio. Tristeza era cobardía. Volvimos a desearnos, con una sonrisa, la mejor de las suertes. El caballo de Don Segundo dio el anca al mío y realicé,[2] en aquella divergencia de dirección, todo lo que iba a separar nuestros destinos.

Lo vi alejarse al tranco. Mis ojos se dormían en lo familiar de sus actitudes. Un rato ignoré si veía o evocaba. Sabía cómo levantaría el rebenque, abriendo un poco la mano, y cómo echaría el cuerpo, iniciando el envión del galope. Así fue. El trote de transición le sacudió el cuerpo como una alegría. Y fue el compás conocido de los cascos trillando distancia: galopar es reducir lejanía. Llegar no es, para un resero, más que un pretexto de partir.

Por el camino, que fingía un arroyo de tierra, caballo y jinete repecharon la loma, difundidos en el cardal. Un momento la silueta doble se perfiló nítida sobre el cielo, sesgado por un verdoso rayo de atardecer. Aquello que se alejaba era más una idea que un hombre. Y bruscamen-

[2] *realicé*: anglicismo. Me di cuenta, comprendí.

te desapareció, quedando mi meditación separada de su motivo.

Me dije: "Ahora va a bajar por el lado de la cañada. Recién cuando cruce el río, lo veré asomar en el segundo repecho". El anochecer vencía lento, seguro, como quien no está turbado por un resultado dudoso. Unas nubes tenues hacían largas estrías de luz.

La silueta reducida de mi padrino apareció en la lomada. Pensé que era muy pronto. Sin embargo, era él; lo sentía porque a pesar de la distancia no estaba lejos. Mi vista se ceñía enérgicamente sobre aquel pequeño movimiento en la pampa somnolente. Ya iba a llegar a lo alto del camino y desaparecer. Se fue reduciendo como si lo cortaran de abajo en repetidos tajos. Sobre el punto negro del chambergo, mis ojos se aferraron con afán de hacer perdurar aquel rezago. Inútil, algo nublaba mi vista, tal vez el esfuerzo, y una luz llena de pequeñas vibraciones se extendió sobre la llanura. No sé qué extraña sugestión me proponía la presencia ilimitada de un alma.

"Sombra", me repetí. Después pensé casi violentamente en mi padre adoptivo. ¿Rezar? ¿Dejar sencillamente fluir mi tristeza? No sé cuántas cosas se amontonaron en mi soledad. Pero eran cosas que un hombre jamás se confiesa.

Centrando mi voluntad en la ejecución de los pequeños hechos, di vuelta mi caballo y, lentamente, me fui para las casas.

Me fui, como quien se desangra.

FIN

La Porteña, Marzo de 1926.

ÍNDICE DE PALABRAS Y EXPRESIONES ANOTADAS

VARIANTES

Organización de las variantes

Se consigna el número de página, seguido por el número de la línea y la sigla del documento(s). Si hay más de una variante por línea, no se repite el número de ésta. En cada línea, para cada documento, se sigue el orden de las palabras tal como aparecen en el texto. El punto de inserción de la variante, cuando no es obvio, se ubica citando la palabra que precede o sigue. Entre corchetes se consignan tachaduras (*tach.*), agregados (*agr.*), enmiendas *enm.*) y dudas de RG (*escr. enc.*), y también se indica cuando comienzan y/o se interrumpen las *Pr*, así como el párrafo aparte (*párr. ap.*).

Criterios ortográficos

— En la acentuación se ha seguido la norma actual.

— En la puntuación se respeta siempre la del *TB*, a menos que se trate de errata evidente, en cuyo caso se corrige. No he creído necesario modernizar la puntuación, en primer lugar, porque RG no usó una puntuación tan anticuada que obstaculice la lectura y comprensión del lector actual; y luego porque la puntuación es rasgo intencional y caracterizador de la expresividad del autor que obedece a su ritmo inetrior y a su manera de construir las frases, y ambos fueron sometidos por RG a un intenso escrutinio. Un editor que se ciña estrechamente a los dictados de la gramática, corre el riesgo de producir un texto preceptivamente correcto pero no aquél que el escritor quiso. Ya notamos en la Biografía que Lugones recomendó a Güiraldes ser cuidadoso en la puntuación. Pienso que el escritor pecó por exceso en esto, y que aquella recomendación de Lugones no lo abandonó nunca pues las *Pr* revelan preocupación y cuidado en el puntuar.

— Se ha respetado el uso de las mayúsculas tal como las trae el *TB* ya que, en prácticamente todas las instancias, esas mayúsculas constituyen formas de relieve estilístico, i.e., tienen una carga semántica que, implícitamente, las vuelve significativas.

Corrección de erratas

— En *TB* se produjeron los siguientes errores de imprenta que, por supuesto, se subsanan en esta edición: puzazos por *punzazos* (IX, 200, l. 10); remolineo por *remolineó* (XI, 214, l. 23) y cigarrilos (también en *EP*) por *cigarrillos* (XXI, 326, l. 23).

— Cuando la forma que aparece en *TB* es distinta de la de todos los documentos, se la considera una errata, se la corrige y se la apunta en la lista de variantes. Hay una errata que llegó al *TB* desde *EP*: *sólo* por *solo* (XI, 221, l. 3), y otra que fue el resultado de una suerte de ultracorrección producida en *EP*: *—Te has lastimao* (IX, 200, l. 7) en *BN*, se transforma en *—Te'as lastimao* en *EP* y, peor aún (ya que no hay aspiración después de *Te*), en *—Teh'as lastimao* en *TB*. En ambos casos se ha adoptado la forma de los mss.

— Las formas que aparecieron correctamente en *BN* y/o *F* y que luego se convirtieron en formas incorrectas, incompletas o algo diferentes (a partir de *Pr* o *EP* por razones de las que no podemos estar seguros), aparecen en esta edición restauradas a su forma inicial ya que esas formas responden a pautas observadas en RG que él trató siempre de mantener. Estos casos se anotan como erratas en el aparato crítico.

Hay que mencionar aparte, entre este tipo de formas, dos: *esa maula* (VII, 186, l. 34) y *titubeó* (XII, 232, l. 15). En el primer caso, RG había escrito *esa mierda* (*BN*) pero, deseoso de huir de un tipo de vocabulario que su mismo personaje afirma que no usa, en *F* cambió *mierda* por *maula* aunque olvidando corregir el género del demostrativo. De este olvido nació la errata que aquí se subsana. En el segundo caso, *BN* y *F* traían *tutubió* que en *EP* (no hay *Pr*) aparece como *titubió* muy probablemente porque RG sintió *tutubió* como exageradamente gauchesca, digamos, decidiéndose por lo que quizá era común entre los paisanos de la región *—titubiar—*, asignándole la terminación de la fonética popular. En la imprenta, al componer el *TB*, los hábitos lingüísticos cultos del editor llevaron a *titubear* que no se oye ni en el habla rural ni aun en la culta bonaerense pero coloquial.

— En el discurso del narrador culto son obvios algunos errores gramaticales y sintácticos que, sin embargo, escaparon al celo corrector de RG. Esos errores aparecen enmendados en la presente edición. Se consignan en el aparato crítico como enmiendas.

Estos errores, así como formas galicadas de construcción y hasta de lenguaje, son atribuibles al hecho de que RG habló, antes que el castellano, francés y alemán. Recuérdese que cuando empezó a escribir, su inseguridad lo hizo regresar al estudio de la lengua nativa con Toro y Gisbert (cf. Biografía). En la mayor parte de los casos, él se autocorrigió pero algunos errores se le escaparon. Dado que tenemos testimonio, en las correcciones que se advierten en los documentos manejados, de que él buscaba la expresión gramaticalmente justa, es por lo que se practican estas enmiendas. Por el contrario, algunas construcciones que no responden a los dictados de la preceptiva se dejan porque obedecen, casi siempre, a una pronunciada animización de las cosas y elementos que es dable observar en toda la prosa de RG.

— Como narrador culto, RG fue muy cuidadoso en el mantenimiento de las numerosas formas verbales con hiato de los verbos en *-ear* pero, en 14 ocasiones, se le deslizaron las formas populares diptongadas (en *-iar*). Estas 14 formas han sido enmendadas en la presente edición teniendo en cuenta, además, que ocho de ellas fueron corregidas por RG en el ejemplar de la AAL aunque allí él no advirtió seis de esos deslices a pesar de que, en un caso, se trataba de la misma voz (*bolié,* corregida en los Caps. XIX y XXII pero no en el XVII).

— El texto presenta algunas instancias que pueden ser objeto de debate. Veamos primero aquéllas que esta edición ha dejado tal como aparecen en el *TB*:

1. "la tierra dura *aparecía...*" (IX, 203, l. 7) se lee en *BN*. En *F,* Adelina copió mal y puso *parecía* forma a la que RG agregó una *a* voladita que, evidentemente, no fue percibida en la imprenta ya que *parecía* se lee en *EP* y *TB*. No existen *Pr*. No se corrige pues es dable pensar que RG, si se apercibió del error, prefirió dejarlo ya que se evitaba así la cacofonía que se produce por la contigüidad de las dos vocales abiertas del adjetivo y del verbo.

2. "luego dio vuelta *con silla,* dejándolo a su espalda" (XI, 215, l. 31). Así aparece en *BN, Pr, EP* y *TB* pero en *F,* copia que RG escudriñó detalladamente y en donde se dan los mayores cambios al ms. original, RG tachó *con* y escribió encima *su.* A pesar de la claridad con que hizo la corrección, *con* reapareció desde *Pr* (¿por elección del autor o por error del editor que tenía —como se dijo— *BN* y *F* delante?), y se mantuvo ya siempre. La construcción es defectuosa pero un retorno a la corrección hecha por el escritor tropieza con la dificultad que supone la proximidad del otro posesivo idéntico.

3. "—¡Veinte a quince al bataraz! gritaba uno" (XIII, 245, l. 27) en *BN*. Pero esta línea no fue copiada en *F* ni repuesta en los subsiguientes documentos. Se considera, entonces, que RG parecería no haber sentido nunca la necesidad de tal reposición y, por ello, no se agrega a esta edición. La acotación que se hace a *otro* grito de apuesta, no resulta inapropiada por cuanto la exclamación del reserito es lo que se ha consignado antes, es decir, que él ha pasado a ser el *uno* del diálogo.

4. "me *tocó* el brazo..." (XIII, 247, l. 20) en *BN* y *F* pero *tomó* desde *Pr*. Otra instancia de un cambio que RG parece haber aceptado, ya que tampoco lo corrigió en el ejemplar de la AAL. Es, además, evidente que la nueva forma otorga más relieve a la acción del padrino. No tenían más nada que hacer en el reñidero; había que marcharse.

5. "Para que pudiera yo *tomar,* me colocó unos pellones..." (XVIII, 297, l. 7) en *BN,* pero *dormir* desde *F*. Si RG hubiera querido mantener *tomar,* el verbo *colocar* debió ir en pret. perf.: *"Para que pudiera yo tomar, me había colocado unos pellones...". Se trata, en cambio, de acciones sucesivas: Patrocinio trajo el mate, le cebó por una hora y luego le arregló los pellones, preparándolo así para que descansara cosa que no sucedió pues llegó la curandera, etc.

6. "propósito *inquebrable*" (XXIV, 364, l. 4). Así aparece en todos los documentos manejados. En *OC* fue corregido y convertido en *inquebrantable*. Creo que es un cambio innecesario pues el artista puede acuñar sus propios neologismos. *Inquebrable,* por lo demás, es más rotundo y confiere mayor fuerza a la expresión.

7. "Todo me parecía bien, salvo el falso respeto y distanciamiento de mis amigos" (XXV, 369, 1. 8) en *BN*. En *F,* RG agregó, a un agregado a mano, el artículo *el* antes de "distanciamiento". Pero esa corrección no fue tenida en cuenta. Como no hay *Pr* no sabemos si la eliminación la hizo RG o fue error de la imprenta. Pero, desde EP, no hay artículo. Si bien la construcción no es —gramaticalmente— correcta, rítmicamente se justifica. No es, por otra parte, una construcción desusada.

8. En *BN* y *F* y en las ediciones modernas de Kraft, Losada y *OC,* se lee: "Antes, es cierto, fui un *gaucho,* pero en aquel momento era un hijo natural..." (XXVI, 375 l. 1). Desde *Pr,* sin embargo, el texto ha sido: "fui un *gaucho*...". La oposición que esta versión enfatiza es clara: el reserito 'guacho' había vivido antes como 'gaucho', esto es, como ser totalmente libre que no necesita un nombre o un rango social legales. En la tarde en que se presenta ante don Leandro Galván, su tutor, no es sino un 'bastardo'. La categoría social de su ex-patrón, su nueva situación de estanciero, lo colocan dentro unos límites legales que, en su anterior vida de gaucho, él no necesitaba obedecer. El cambio producido es importante y parece muy improbable que, no ya RG no lo haya visto, sino hasta su mujer cuando preparó, con intenso cuidado, la edición holandesa de Stols, en 1929.

9. "él leía... lo mismo en francés, *italiano,* y en inglés, que en español (XXVII, 381, l. 18). En *BN* se lee "en italiano", pero la preposición fue luego descartada en las *Pr* (¿corrección del mismo RG?) y no reapareció. Dado el carácter intensamente rítmico de la prosa güiraldiana, se deja esta versión por considerarla la más adecuada a ese carácter.

Pasemos ahora a la instancia que se ha corregido: "Creo que la afición a la soledad de mi padrino..." (XXI, 327, l. 2-3). Esta construcción anfibológica que traen todos los documentos, aparece corregida por RG sólo en el ejemplar de la AAL. Las modernas ediciones de Losada, Kraft y *OC* tomaron, evidentemente, en cuenta esa corrección e imprimieron la versión gramaticalmente correcta. Aunque dicha corrección no pasó al *TB*, la presente edición la acepta ya que responde a la tendencia de RG de proveer a su narrador culto de una lengua lo más saneada posible, gramaticalmente hablando.

* *Pág. 115*
1. [Dedicatoria: no aparece en *BN*. En *F* aparece escrita a mano, pero sin el título]
2. F: A Don Segundo [parece título, pues va centrado]
3-4. F: A la memoria de los finados —Nicasio Cano, José Hernández.
5 a 8. F: A los domadores y reseros —Víctor Taboada, Ramón Cisneros, Ciriaco Díaz, Pedro Brandán, Mariano Ortega, Esteban Pereyra, Pablo Ojeda y Gregorio López.
6. EP: Don Pedro Brandán,
8. EP: Ojeda y Mariano
9-10. [no aparecen en *F*]
* *Pág. 117*
2. BN: su arco potente por sobre el río
F: su arco potente sobre el río
* *Pág. 118*
4. Pr: [comienzan]
8. BN: dirían por ahí y me sentía ansioso de romper ligaduras antipáticas.
10. BN: con sus casas chatas
12. BN, F, Pr, EP: o verticales
15. BN: Blanco Cáceres
16. BN: estas preguntas,
18 a 20. BN: contestación a estas preguntas, sabiendo que nada con ello sacaría en claro; pero era una obsesión cada vez más tenaz y no resistí a ella.
21. BN: siete u ocho años?
23. BN: debía de ir
27. BN: me llamaban
27-28. BN: yo decirles "Tía Asunción" y "Tía Mercedes".
32. BN: palabras de cariño.
* *Pág. 119*
4. BN: Don Blanco Cáceres
5 a 7 y
* *Pág. 120.*
1. BN: Conocía la casa pomposa como no había ninguna en el pueblo y que me imponía un respeto silencioso como la Iglesia a la que mis tías me llevaban sentándome
4. BN: Don Blanco me llevó al gallinero,
5-6. BN: y me llevó por el campo en "sulqui" a mirar
12. BN: Don Blanco;
15. BN: los Domingos y hacerme resar el rosario de noche.
16. BN: me encontraba yo
19. BN: al colegio y para decir verdad no recuerdo
20-21. BN: Un día me dijeron mis tías que no fuera más y comenzaron
22. F: vivir [tach.: *continuamente.* Reap. desde *EP]* en la calle.
24-25. BN: me trataron con cariño.
25. BN: Empecé a conocer gente que toda me sonreía y nada exigía de mí.

* *Pág. 121*
2. BN: sentimientos afectuosos;
2-3. BN: consuetudinaria mas- morra;
5-6. BN: lo que comencé
7. BN: para mi casa.
11. BN: las noticias del día
13. BN, F: ni "guasada"
15. BN: con algún punzazo
* *Pág. 122*
3. BN: relojero Pichetti
5-6. F: existía [tach.: *también.* Reap. a partir de *EP*]
7-8. BN: con haber encontrado, en la calle,
11-12. BN: mis tías encontraba en mí una indiferencia mayor y la audacia que había encontrado
18. BN: parecíame a mí,
21-22. BN: Como me daban fama de vivaracho hice oficio de ello y satisfacía con cruel inconciencia
24. F: Sosa [escrito encima: *Soria.* Reap. en *EP*]
* *Pág. 123*
2. BN: se sentaron
5. F: Soria
9. BN, F: al travéz
18. F: Soria [escrito encima de *Sosa]*
18-19. BN: Juan Sosa levantó la mano para darme un bife pero "puissant" corage en
19 y
* *Pág. 124*
1. BN: no me moví
4. BN: ruempás
5. BN: los perdularios
7. F: Soria [escrito encima de *Sosa*]
8. BN: miraba con ojos maliciosos a
10. BN: [falta esta línea que aparece agregada en *F]*
12. BN, F: pasao.
13. BN: diciéndome
14. BN: si te vas
18. F: Soria [escrito encima de *Sosa*]
19. BN: pasáme un peso
21. BN: mi hombre entregaba el peso
24. BN: una cerveza.
28. BN: el alazán de los Melo, la pelea de Muchacho Malo con
* *Pág. 125*
1. BN: gringo Chafardini
2. BN: diez pesos
3. BN: Abrahamovich
9. BN: me llevaron
12. F: [tach.: *sus]* malas jugadas. "Mayo" [escrito encima de *Pencho]*
14. BN, F: "de tripas corazón"
* *Pág. 126*
5. BN: Don Blanco
6. BN: y venía a verme
8. BN: de alguna ropa
* *Pág. 127*
2. BN: sería pasagero. Don Blanco
4. BN: Candal
6. BN: fue mayor
10 a 12. BN: Lechuza célebre nadador y zambullidor que a pesar de sus quince años estaba completamente sordo
15-16 BN: habíanme traído a los momentos presentes.
15. F: habíanme traído
17. BN, F: esta misma idea
* *Pág. 128*
9. BN: los rojos en violeta.
13. BN: dirigí mis pasos
17. BN: y zarandeando
20. BN: no sumirme inesperadamente en el barro
* *Pág. 129*
1. BN: Sin pensamientos [tach.: *voy siguiendo]* seguí
2. BN: iba [tach.: *van]*
* *Pág. 130*
4-5. BN: y quien me atajara podía cuanto más conseguir que
7. BN: habíase ya hecho calle,

11-12. BN: las primeras casas míseramente silenciosas y alumbradas por la endeble luz de las velas o lámparas
F: silenciosos, alumbrados
12. EP: de velas
* *Pág. 131*
6. BN: yo un paso [agr.: *dar]*
8. BN: se rompió [escrito encima: *despedazó]*
10. BN, F: Vamoh, [con esta grafía las tres veces que se repite]
* *Pág. 132*
1. BN: Inmóvil vi alejarse
3 a 5. BN: una enorme sombra, algo que pasa y es más una idea que un ser; algo que me atrae como la corriente de un río sorbida por el remanso.
F: una sombra, algo que pasa y es [el resto, tach.]
9. BN: sentía el deseo
17 y 19. BN: Muchacho Malo
21. BN: Ahi
F: Ay [escrito encima de *Ahi*]
23. BN: un cacho
* *Pág. 133*
7. BN: —Y te has quedao galguiando.
9. BN: ahi tenés
F: Ay [tach.: *ahi*]
11. BN: Muchacho Malo
12. BN, F: "las ganas".
16. BN: un forastero.
18. BN: volviendo del río.
20. BN: [tach.: *del pueblo]*
26. BN: Como si hablara de
29. BN: —El mismo —dije sin saber porque y sintiendo
31. BN: gigantesca de
* *Pág. 134*
1. BN: —¿Lo conocés bos? —preguntó Don Pedro a Muchacho Malo
4. BN: otra caña, patrón?
5. BN, F: —¡Hm!—
7 y
* *Pág. 135*
1-2. BN: El es de San Pedro. Se ha cambiao de apellido y se hace nombrar Ramírez porque tuvo en otros tiempos una mala partida con la pulecía.
5. BN: Muchacho Malo
6. BN: angosta de tape,
7. BN: de hombre cuchillero menoscabara la suya.
9-10. BN: la pulpería, el [tach.: *un]* chistido persistente que usan [tach.: *para calmar]*
14 a 16. BN: —¿Cómo le va Don Segundo?
—¿Bien y usté Don Pedro?
—Viviendo sin demasiadas penas gracias a Dios.
* *Pág. 136*
1. BN: a expresión de fuerza que emanaba
8. BN: ala corta,
9. BN, F: clin
* *Pág. 137*
4. BN: el pie [tach.: *corto y]* carnudo.
10. BN: en lo de Lacarra
14. BN: Pereyra
17-18. BN: a [tach.: *buscar*] hacer encargos. El sabe pasar por aquí.
19. BN: si [tach.: *yo]* puedo
22. BN: —dice Don Segundo,
24. BN: está dicho.
25. BN: aquieta
BN: Muchacho Malo se sirve
26. BN: están lacrimosos
27. BN: me dice
30. BN: subraya
31. BN: mira
* *Pág. 138*
1. BN: —agrega—
4. BN: le mira
5-6. BN: conocemos a Muchacho Malo y sabemos que no hay nada que hacer
6. BN: se apodera

8 a 10 BN: Don Segundo parece no haberse apercibido de la alusión, conservando frente a su sangría un aire de perfecta distracción.
10-11. BN: Muchacho Malo vuelve a reirse falso, como contento de su comparación. [Con esta or. comienza un nuevo párr.]
11. F: de su comparación.
BN: Yo quisiera hacer
13. BN: canturrea.
BN: pasa
14-15. BN: no ha entendido y no parece
17. F: Barroso
BN: repite
19. BN: cuentan [tach.: *dicen*]
25 a 27. BN: Don Segundo levanta esta vez la voz y como si recién se apercibiera de que a él se dirigen los decires de Muchacho Malo dice tranquilo:
25. F: levantó esa vez
26. F.: díceres
28. BN: estoy por creer
31. BN: hace
* *Pág. 139*
1. BN, F: toma
BN: se siente
2. BN: vuelve
5. BN: Yo soy un hombre
7-8. BN: con tres días
9 a 11. BN: hemos podido contener la risa apesar del asombro que nos causa esta tranquilidad que llega a la inconsciencia.
9-10. F: apesar del asombro que nos causó
11. BN: a vuelto
12. BN: Es el "tapao"
15. BN: Muchacho Malo paga sus cañas y sale murmurando amenazas.
16. BN: Tras él he corrido hasta la puerta y me he apercibido que queda agazapado.
17. BN: se prepara
18. BN: se despide
19. BN: delata
19-20. BN: asesine al hombre que tiene ya
20-21. BN: hago como
21. BN: [tach.: *diciendo*] para advertir
23-24. BN: Luego vuelvo a sentarme en el umbral y espero con el corazón que se me sale por la boca el fin de esta [escrito encima: *la*] inevitable pelea.
25. BN: Don Segundo se ha detenido un momento en la puerta y mira
26. BN: Yo sé que está habituando
28. BN: se dirige [tach.: *encamina en dirección a*]
* *Pág. 140*
1. BN: Muchacho Malo sale
2. BN: asegurar su hombre, tírale
F: asegurar su hombre, tirole
3. BN: Yo he visto la hoja
5. BN: quita
6. BN: se quiebra en
F: se quebró en
8. BN: Muchacho Malo hace atrás dos pasos y espera
10. BN: reluce
11-12. BN: Pero ataque esperado no se produce.
12-13. BN: se ha alterado se agacha, recoge
14. BN: dice:
15. BN: —Tome amigo. Hágala
17. BN: conserva [tach.: *guarda*]
18. BN: guarda
BN: vuelve a ofrecer
21. BN: se acerca
24. BN: se encoge de hombros y va hacia
25. BN: Muchacho Malo lo sigue.

* *Pág. 141*
1-2. BN: va a irse hacia la noche pero el borracho se aproxima y parece por fin
2. F: pero el borracho
4. BN: dice
5. BN: viven
7. BN: no cree poder hacer más
F: poder hacer más
8. BN, F, Pr, EP: o la de otro.
10. BN: —¡Comonó! —concede Don Segundo
F: —¡Comonó!—
11. F: Ay [tach.: *Ahí]*
13. BN: se va
14. BN: parece
16. BN: mantiene
17. BN: voy caminando
18. BN: me pregunta
21. BN: medio travieso
Pr: [se interrumpen]
22-23. BN: De paso, camino a la fonda donde iba a comer, Don Segundo se separó de mí frente a casa dándome la mano.
* *Pág. 142*
1. BN, F: que eso
BN, F: se cuidara
3. BN: había previsto en el camino
6-7. BN: Las miré con indiferencia. Tía Mercedes
8. BN: abruptamente
10. Pr: [recomienzan en *la que*]
11. BN: con más denuedo.
11-12. BN: a quien a cada cual correspondía
13. BN: esta tarde.
16. BN: la secreta esperanza
* *Pág. 143*
1. BN: le pasaría
2. BN: y que yo como hoy le advertiría del peligro.
3-4. BN: sucedería tres, cuatro o cinco veces hasta que el hombre me aceptaría como amuleto.
4-5. BN: sería porque me descubría un parentesco
6. BN: Ultimamente que me tomaba afecto
7-8. BN: como protegido.
9 BN: Lacarra? Pues bien
11-12. BN: el pensar no para por lo general en nada práctico:
13. BN: decíame
F: me decía
15. BN: para preparar mi fuga.
16. BN: somnolente
23. BN: enrolladitos
29. BN: el cariñoso ponchito, regalo de Don Blanco
31. BN: diome corage
31-32. BN, F: hacia el fondo, dejando
33. BN: un miedo,
* *Pág. 144*
2-3. BN: en que los ratones
7. BN: Cerré la puerta y a la luz insegura de la pequeña llama junté
8 y
* *Pág. 145*
1. BN: pellón, cincha, sobrepuesto, y cinchón. Ajustando
2. BN: y volví a mi cuarto donde junté
4. BN: dejeme caer
6. TB: toda la ligadura [errata. *BN, F, Pr, EP: toda ligadura*]
9. BN: un tanto anquilosada de su incómoda posición.
11. BN: estar preparado a toda eventualidad.
12. BN: Como un lingera heché al hombro recado y ropa.
18. BN, F: cochería
19. BN: me entregaran
20. BN: Candal
* *Pág. 146*
8. BN: —Ahi
F: Ahí [escrito encima y luego tach.: *Ay*]
9. BN: hacérmelo decir
14. BN: Lacarra
15. BN: Don Blanco
* *Pág. 147*

3. *BN:* púseme
5. *BN:* Cuando había hecho unas [tach.: *más*] dos leguas
8. *BN:* Sentíame preso de
9. *BN:* espolvoreaba [escrito encima: *empolvaba*]
F: chorreaba [tach.: *espolvoreaba, empolvaba*]
10. *F:* como esmaltados [tach.: *de color nuevo.* Reap. desde *EP*]
10-11. *BN:* En derredor, vasto el campo nacía en silencio, chispeante de rocío,
16-17. *BN:* empapándome de madrugada que me parecía
19. *BN:* [tach.: *Primero*] Receloso enderecé
20. *BN:* arrimándose a [tach.: *cerca de*]
23. *BN:* gritó [tach.: *echó*] a los perros
24. *F, EP, TB:* unos [errata. *BN: uno*]
* *Pág. 148*
5. *BN:* llamando al almuerzo.
11. *BN:* mirándome atentamente.
12. *BN:* iba decir
13-14. *BN:* Los peones me [tach.: *miraban*] observadan. Un [tach.: *viejo*] muchachón
16. *BN:* para
19. *BN:* a bos.
22. *BN, F:* pestañié
Pr, EP: pestañé
25. *BN:* Ser [tach.: *diablo*] despierto aunque sea pasando
27. *BN:* Goyo me llamó diciendo
30-31. *BN:* agua. Ni bien nos encontramos afuera, solos, me dijo
32. *BN:* —Bos te has juido e'el pueblo.
* Pág. 149
1. *Pr, EP:* digas
2. *BN:* ¡mirá qué traza!...
6. *BN:* un Inglés agauchado
8. *BN, F:* dijo el hombre bajando
9. *BN:* pa almorzar?
16. *BN, F, Pr, EP:* —Vd.
17. *BN:* Don Patricio.
23. *BN:* el recao
26. *BN:* ande
* *Pág. 150*
3. *BN:* un [tach.: *viejito*] gringuito
9. *BN, F:* Me di cuenta que
14. *TB:* cuidado [errata. *BN, F, Pr, EP: cuidao*]
15. *BN:* vaya a ser
21. *BN:* Una carcajada
22. *BN:* concluido [escrito a continuación: *terminado*]
25-26. *BN:* Sos muy cachorro y me parece que ya estás queriendo miar
* *Pág. 151*
2. *BN:* y esta vez agaché la [tach.: *palabra]* cabeza
3. *Pr:* [se interrupen al final de esta línea]
9. *BN:* cinco cuadras
11. *F:* cargada [escrito encima: *clavada*]
12. *BN, F:* venía sonajeando
13. *BN:* las [tach.: *maderas]* tablas
18. *BN:* me habían acomodado
20. *BN:* poco [tach., *acogedor*] amable
21. *BN:* echéme
BN: sobre la arpillera
F: arpillera [escrito encima: *lona*]
* *Pág. 152*
1. *Pr:* [recomienzan]
3. *BN:* mi día anterior:
5-6. *BN:* Lacarra, la recepción de Goyo, [tach.: *y su*] la presentación que de mí hizo éste [estas cinco últimas pal. aparecen agr.]
7. *BN:* el incidente de la mesa

y otros detalles que se [tach.: *presentaban*] sucedían en formas diversas.
8-9. BN: de tintes áureos las nubes de levante,
11. BN: los [tach.: *piernas*] pies
12. BN: aún blandas
BN: rasqueme
13-14. BN: que si de ellos hubiera colgado una paleta de buey y me encaminé
14. F: mangangaces
17. BN: ya casi
* *Pág. 153*
1. BN: unos amargos
3. BN: uno [tach.: *de los*] y
8. BN: en verdad hacer correr
10-11. BN: pero me sentía orgulloso. Hacía
11-12. BN: con esmero, con cariño diciéndome que por él ganaba mi vida y era libre como los hombres mayores.
13. BN: los colores, sorbidos
* *Pág. 154*
1. BN: al almuerzo
2. BN: miré
3. F: adivinar [tach.: *en los rostros*. Reap. desde *EP*]
4. BN: El domador era
4-5. BN: callado pero risueño:
7-8. F: aprovechado [tach.: *cada uno*. Reap. desde *EP*]
10. BN: hasta dejar [tach.: *dejando*]
12. BN: la olla grávida,
14. BN: que cuando mi llegada
17. BN: unas gruesas riendas
* *Pág. 155*
1 a 3. BN: del domador saludó a alguien, invitándolo a pasar y tomar unos mates.
4-5. BN: —¿Cómo le va Valerio?
—Bien ¿y Vd. Don Segundo?
—Bien, gracias.
—¿Pasiando?
7. BN, F: Vd.
8. BN: pasar
10. BN: Los dos hombres entraron.
18. BN: Silverio que'es medio maniero
20-21. BN: arrimo una pava al fuego, activo las brasas y lleno el poronguito en la hierbera.
* *Pág. 156*
3-4. BN: un poco más afectuoso.
11-12. BN: púsose a mirarme
13. BN, F, Pr, EP, TB: había esperado [enm.: *hubiera*]
15. BN: Súbitamente púseme rojo y comprendí.
27. BN: la hierba.
* *Pág. 157*
4. F: trabajan [tach.: *numerosos*. Reap. desde *EP*] muchachos
6-7. BN: hizo cancha, riendo, a estos dos cachorros acostumbrados
6. F: dos mocetones
9 a 11. BN: maulas! —gritó uno de los mirones y los visteadores pasaron cada uno su índice sobre la panza de la olla.
10. F: ambos [tach.: *visteadores*] por turno, pasaron sus dedos [tach.: *índice*]
13. BN: rápidos desplazamientos
F, Pr, EP, TB: el brazo adelante [err. *BN: el brazo izquierdo adelante*]
14-15. BN: la diestra movediza en [tach.: *rápidas*] cortas fintas
19. BN: —Sos muy dormido pa mí —decía Goyo.
20. BN: —Qué querés cuñao... no hemos de ser güenos pa todo pero se me hace que me despertaría con tu hermana.
* *Pág. 158*
3. BN: Ambos salieron
5-6. BN: se había arreglado con

el patrón y que agarraría las yeguas esa misma tarde.
7. BN: a echarlas
8. BN: sufrieran menos los animales.
10. BN, F: ofresca
12-13. BN: pensando cómo haría
18. F: fierros [escrito encima: *h*]
21. TB: Adivino [err. *BN, EP: Advino.* En *F,* RG tachó la *-i-* de Adivino]
* *Pág. 159*
2. BN, F, Pr: corcovió
4. BN: la suerte
8. BN: el contragolpe brusco [siguen cinco palabras tach., ilegibles]
9. BN: está [corr. *estaba*]
10. BN, F: broncina dice [corr.: *decía*]
11. BN: jadea [corr.: *jadeaba*]
13. BN: ¡no la chupe!... ¡aura sí!... ¡déjela que se desaugue!
14 a 17. BN: [Güiraldes usó, primeramente, verbos en presente *—trata, tenga, grita, calla—* que luego cambió al pasado]
17. BN: estuvieran
F: estuvieran [corr.: *estuviesen*]
21. BN, F: "ablandarle la boca".
25. BN: haber estrangulado [tach.: *haberse cerrado sobre*]
28. BN: para despejar
28-29. BN: de sentirse aún grávidos de dominio.
* *Pág. 160*
2. BN: la cabeza para siempre esclavizada jadeaba
5. Pr: [se interrumpen]
6. BN: con asombrada
8 a 12. BN: [Güiraldes usó, en un primer momento, verbos en presente *—recuerdo, hace, tembleque a—* que luego cambió al pasado]
8. BN: "Sapo"
15. BN, F, EP: el Señor
15 a 21. BN: [Güiraldes usó, primeramente, verbos en presente *—manda, cebe, tengo, entrega, hace, va, ve, acuerdo—* que luego cambió al pasado]
17. F: tuve [tach.: *tenía*]
17-18. BN: de adentro y la cocinera.
21-22. BN: servirán
22. BN: diviertan
23. BN: son fieras
24. BN: andan
* *Pág. 161*
1. Pr: [recomienzan en *tenía*]
5. BN: edá
11. BN: mucha alegría
12-13. BN: Mañana sería Domingo y la gente iría al pueblo.
15. BN: esa noche misma
16-17. BN: Los habitantes del campo mismo tal vez se decidieran también a ir para hacer
18-19. BN: en los puestos "haciendo cebo"
22. BN: Algunos protestaban
27. BN: trabajo brutal aunque
28. BN: Absorto por las lecciones que escuchaba, balanceábame hacia atrás
* *Pág. 162*
4. BN: La sensación me era agradable [no se comienza nuevo párr.].
5-6. BN: sentía con placer mi empeine apretado por el tosco cordaje de la alpargata.
7. BN: hubiesen
7-8. BN: insólito entretenimiento
12-13. BN: comprimieron desagradablemente un manojo [agr.: *montón*] de leña
15-16. BN: estaban ya mansas

las yeguas de Don Segundo. Hombre
16. BN: aquel gaucho sabía
17. BN: Todas las mañanas las pasaba
20-21. BN, F: tuzándolas
22. BN, F: abrazándolas
24 a 26. BN: compromisos de su oficio y lo [tach.: *ahora*] lo veíamos ya abrir las tranqueras y hasta arriar algunos novillos con sus redomonas.
* *Pág. 163*
3-4. BN: Don Ramón Lacarra —sígalas no más unos días
4. BN: Vd.
5. BN: Después de mis dos semanas
6. BN: Zapo
8-9. BN: me querrían obligar
10. BN: estaba ya
10-11. BN: me zamparía a
11-12. BN: estropiar por los cimarrones que reintegrar domicilio.
11. F: estropiar [escrito encima de —i—: *e*]
14. F: un hombre [tach.: *libre.* Reap. desde *Pr*]
15. BN, F: alzao
16-17. BN: entre faldas hedientas de sahumerio
* *Pág. 164*
1. BN: inusitada actividad
4. BN: sinó
4-5. BN, F: "aparte" y luego "arreo"
6-7. BN: el destino me daba la solución ansiada.
F: [tach.: *la*] una solución [tach.: *ansiada*]
7-8. BN: ¿No me decidí hacía unos días a escapar por haberme marcado el camino el paso de Don Segundo?
9. BN: esta vez
11. BN: ¿Quiénes la conducirían?
14. BN: cuatrocientas
F: era [tach.: *sería.* Reap. desde *Pr*] de quinientas [tach.: *cuatrocientos, dos mil*]
F: tres [tach.: *dos.* Reap. desde *Pr*]
15. BN: Don Ramón.
18. BN: Pedro Falcón y yo,
20. F: parco [tach.: *aún.* Reap. desde *Pr*]
21. F: y yo [tach.: *no sabía.* Reap. desde *Pr*] ignoraba.
23. BN, F: "las casas"
24. F: dir [tach.: *yo.* Reap. desde *Pr*]
29-30. F: [tach.: *su.* Reap. desde *Pr*] tal insistencia.
* *Pág. 165*
12. BN: mis ansias
13. BN: Don Patricio
BN: bondadoso conmigo,
16. BN: —Hacéle el pedido a Valerio. El te dirá si te quiere yevar.
18-19. BN: que le iba a hablar al patrón pidiéndole permiso para llevarme.
25. BN: y salí corriendo, poseído de la más grande emoción que había tenido en mi vida.
* *Pág. 166*
1. BN: ir
2. BN: la tropilla —dijo Valerio.
* *Pág. 167*
13. BN: de experiencia para la vida
F: [tach.: *de experiencia.* Reap. desde *Pr*] para la existencia
14. BN: me habían sacado
15. BN: y me habían llevado
* *Pág. 168*
1. BN: de chico había aprendido a dejarlos
F: de [escrito encima: *desde*] chico

2-3. BN: bailaría porque no había más quehacer
4. BN: ¿No había yo solo querido huir
7. BN: cerca mío.
12. BN: sin admirarme, como yo había creído que lo haría.
15. BN: dije pensando
19. F: ninguno [corr.: *nenguno.* Reap. desde *Pr*]
20. BN, F: —Comonó,
21. BN: de Cuevas vas a hallar
22. BN: sus buenos datos
23. BN: mofándose de mí.
* *Pág. 169*
1. BN, F, Pr: eucaliptus
2. BN: gajos [tach.: *secos*]
3. BN: en algún
F [tach.: *a veces.* Reap. desde *Pr*] en algún
3-4. BN: a la "lisière" de la arboleda
4. BN: asentando [tach.: *en una hue-*]
5-6. BN: y poco a poco fui acercándome del rancho, cruzando un maizalito
13. BN, F: orilleando
15. BN: instintivo salto
BN: el sembrado verde
20-21. BN: Estaba frente
22. BN: techado de esparto
* *Pág. 170*
7. BN: me miraba
8. BN, F: la ligera
11. BN, F: —Ahi
BN: doce
13. BN: —Comonó...
14-15. BN: dado la emoción que me daba mi rol importante,
27. BN: el paso [tach.: *donde me*] hasta
* *Pág. 171*
1-2. BN: salió del maizal a unos veinte metros y púsose
3. BN: lleva atado
5. BN: púseme
8. BN: diose
10. BN: ojos largos [escrito encima: *anchos*]
12-13. BN: están acostumbradas a juegos más serios pero esta vez
14. BN: una nerviosidad incómoda
19. BN: zorro
21. BN: zorros
24. BN: —Puede venir uno de pajuera.
26 BN: de cristiano.
27 BN: La provocación era dura e hirió
BN: Maquinalmente extendí
33-34. BN: los largos tallos verdes
* *Pág. 172*
7. BN: —Te gusta.
F, Pr, EP: —Me querés, prendita.
9. BN: en pie.
14. BN: impaciencia. Volverme a encontrar con la vida, tal como la había dejado, fue como si hubiese recuperado una joya perdida. Cuando
19. BN: para que estuviera cerca del palenque.
20. BN: [tach.: *que tenía*] reservado
BN: en el corralón
23. BN: se encontraban apiladas
* *Pág. 173*
1. BN: llevaba un paquete
3. BN: me juzgué [escr. a continuación: *sentí*] feliz
4-5. BN: de este primer viaje habían sido fáciles
6. BN: quince
7. BN: mi potrillo
10-11. BN: y bozales, su manea, tientos y lonjas;
* *Pág. 174*
1. BN: Concluido mi inventario al tiempo que sujetaba [escrito encima: *anudaba*]

3. BN: cuartucho
5-6. BN: me reservaban
7-8. BN: Las dos mudas envueltas en el poncho, salí
8-9. BN: y ahí me detuve
14. BN: sentime
16. BN: juntando los animales.
17. F: no daban [tach.: *aún.* Reap. desde *Pr*] señales
BN: tosca vida
18. BN: la presencia cercana de quinientos
F: quinientos [tach.: *cuatrocientos, dos mil*]
19. BN: unos caballos a lo lejos; un cencerro
20-21. BN: parecían expandirse
22. BN: algún cuerpo denso.
24. BN: Solitarias aquellas tímidas expresiones de vida diurna amplificaban
26-27. BN: Mi petizo estaba en el corralón, algo inquieto por aquel [escrito encima: *el*] inusitado correr de sus [agr.] compañeros libres [siguen tres tach. ilegibles].
28. BN: En los ladrillos de un chiquero oí
* *Pág. 175*
6 a 10. BN: —Ahá... una manea.
—¿Cuál?
—La gruesa.
—Está en el cuarto hermano, contra del baúl.
—Vi a alzarla.
9. F: baul
Pr, EP: contra del baúl.
13-14. BN: Goyo fue a buscar su manea, ensillé chiflando [tach.: *con calma*] mi petizo que dormitaba con las orejas gachas,
17. BN: Pedro Falcón
20. BN: a fuerza de desperezos.
22. BN: —Dejame no más cuñao que le estoy sacando las arrugas al cuerpo.
24. BN, F, Pr, EP: se calzó de un brillante
25-26. BN: el fogón en silencio y el mate comenzó a pasar de mano en mano [escrito encima: *a hacer sus visitas*].
32. BN: se adivinaban ya los caminos de mañana.
* *Pág. 176*
2. BN, F: resero
3. BN: las de ayer, [en *BN* y *F* esta cláusula y las ss. forman parte del párr. ant. No así en *Pr*]
3 a 5. BN: más rústico, más práctico cada trapo de sus indumentarias decían los movimientos venideros.
6. BN: Sentí la rudeza
7. BN: por timidez o respeto
9. BN: Afuera los caballos relincharon extrañados de estar en el palenque tan a deshoras.
13-14. BN: Lentamente huntó [tach.: *largo?*] el cuero grueso con la pasta [tach.: *blanca*] que a las dos pasadas [tach.: *pronto*] perdió su blancura.
15. BN: que colocó
17. BN: Pedro Falcón
19. F: el sol va a hacer
27. BN: sacando las tropillas
28-29. BN: andá con Goyo. Ya es güeno que nos vamos moviendo.
* *Pág. 177*
1. BN: había dado
3. BN: Falcón
6. BN: salir los caballos
7-8. BN: cencerro es la voluntad de la tropilla.
11-12. BN: un gran orgullo de ser tropero, el más macho de los oficios.
17 a 19. BN: reírme de las co-

rridas que un silvido y un "vuelva pingo" cortaban de cuajo.
18. BN: cortaban
19. BN: sabiéndome dócilmente seguido.
20-21. BN: en marcha. Era un rumor
23. BN: acercaba [tach.: *pronto*] aumentando en volumen
24. BN: pesado oscilamiento de
25. BN: tropa y al poco andar formábamos una sola
27. BN: la luz iba
* *Pág. 178*
2. BN: de todas las expresiones
3-4. BN: ¿Sería por un pasajero momento de duda y porque corrían el albur
5-6. BN: No conociendo todavía lo que era
8. BN: ¿Y qué tenía que ver yo con eso?
9. BN: en el ajetreo
11-12. BN: sino en el compartimiento
12. BN, F: dado
14. BN: reculó [escrito encima: *retrocedió*]
15. BN: estas horas
16-17. BN: anoche en el maizal?
21. BN: pensar en otra cosa.
23. BN: vibración dorada.
26. BN: mis últimos dos días
F: últimas horas
30. BN: esta vez hosca.
Pr: [se interrumpen al final de esta línea]
* *Pág. 179*
4. BN, F: maiz
7. F: vi a acordar
EP: via acordar
11. BN: Ese día
BN: al apartarme de ella
14-15. BN: nuestro último día pero [tach.: *eso*] no se lo dije por cierto y ahora me parecía que su [tach.: *última*] sonrisa de despedida [agr.] debía haberse mudado en llanto.
20. BN: hasta que salimos
21. Pr: [recomienzan en *bombachas*]
22. BN, F: [este párr. va unido al ant.]
23. BN: era un hombre gozoso de vida libre.
F: era un hombre gozoso
26. Pr: [se interrumpen]
29. BN: habíamos cruzado
* *Pág. 180*
3. BN: más tranquilo
4-5. BN: Sujetando a mi petizo me coloqué a la orilla del alambrado y esperé la pasada de Goyo
5. F: la pasada de Goyo
7. BN: —Ya no tenés necesidad de ir adelante —díjome éste— si querés volvete patrás.
9. BN: seguí dejando pasar
BN: iban caminando
13. BN: Al pasar frente mío las bestias
14-15. BN: mirándome desconfiadamente. Algunas [en *F*, RG cambió a *Muchos* cuyo final es poco legible. Es error. Debió ser *Muchas* pues su antec. es *bestias*]
16. BN: levantadas en mi dirección olfateando
18. BN: esperé el paso de los troperos.
22. BN: de bromas y chuscadas.
23. BN: Pedro Falcón
F: reía Barrales.
25. BN: contestaba
29. BN: el fresco.
—No se metan con él —decía Don Segundo— miren que se está enojando y nos va a castigar.
30. BN: dejenme
33. BN: iban menudeando porrazos

* *Pág. 181*
3. BN: Froilán Luna.
4. BN: Si parecía que andaba buscando floriarse
9. BN: decía el loco como
13. BN: por un momento, callados, saboreando
14-15. BN: del oficio?
18. BN, F: tajante
19. BN: y [tach.: *el cansancio*] las cobardías del cansancio.
20. BN: repetí in mente el decir
* *Pág. 182*
1-2. BN: el futuro pero por el momento
3. BN: me habría
4. BN: de ceder
6. BN: me sentí que juré ensillar,
8. BN: bien de frente.
10. Pr: [recomienzan en sílaba *-lla* de *aquella*]
11. BN: Afirmándome en mi resolución
13-14. BN: amueblada de un par
15. BN, F: alambrado.
16. BN: por una reja de hierros gruesos
F: fierro
18. BN: policromadas de variadas botellas, frascos y tarros.
20. BN: todas formas,
21. BN: mil otros artículos usuales.
22. BN: el patrón
23. BN: por [tach.: *aquel*] el angosto
24. BN: "las copas"
27. BN: material [tach.: *que;* corr.: *sujetaba* por *sujetando*]
* *Pág. 183*
5. BN: teníamos una lasitud
6. BN: seis
8. BN: un fogón trajeron leña y prepararon
10. BN, F: Giñebra
12 BN: a pedir?
14. BN, F: guarguero [en *Pr:* *garguero.* RG corr.: *guarguero*]
16-17. BN: En silencio tomamos nuestras copas.

Sólo Pedro Falcón se había quedado vigilando la hacienda de modo que nos turnamos en el trabajo hasta completa cocción de la carne encargada a Goyo.

Por turnos también comimos y yo
17. F: tumbiamos
20-21. BN: ensilló un precioso redomón bayo que todos le codiciaban
21. Pr, EP, TB: lo codiciaban [errata. *BN, F: le codiciaban*]
23-24. BN: —Qué pingo —decía Pedro Falcón.
26-27. BN: quien sabe si no me hace una travesura cuando lo toque con lah'espuelas.
26. F: aurita, cuando
29. BN: Así hubo concluido de subirlo y como lo tocara
* *Pág. 184*
1-2. BN: El bayo se alzó "como leche hervida" y se clavó en un corcovo trabado, singularmente duro.

Nunca había visto yo una cosa más bonita.
4. BN: a maravilla los bajos
BN: sabia de vueltas
5 a 7. BN: cimbrones, su poncho acompasaba el enojo del bayo más bonito y elegante en su furia que nunca. Cada corcovo tenía la gallardía de un salto de dorado.
8. BN: temblorosos de energía.
9-10. BN: sostenía como un pedestal la cimbreante dominación de su ginete.
11. BN, F, Pr, EP: puso fin
14. BN: —comentó Pedro en chanza—
* *Pág. 185*

1. BN: que se me hace bellaco pa siempre.
3. BN: Alentado por el espectáculo, enardecido por [tach.: *mis*] las dos cañas
5. BN: de hoy.
11-12. BN: —Si querés —dijo Horacio— yo te ayudo pero me parece que esta noche vamoh'a tomar café en el velorio.
15. BN, F, Pr, EP: al potrillo
20. BN: zebrunito. *F:* zabrunito. *Pr:* se cambia z- por c-: cabrunito que pasa a *EP* y *TB* [err.: *cebrunito*]
21. BN: iba [escrito encima: *iría*] a salir
27. BN: —¡Largalo no más!
30. BN: sentí
* *Pág. 186*
5. BN: Al mismo tiempo experimenté
6-7. BN: Instintivamente eché
9. BN: se propagó
10. BN: [*Abrí*... comienza nuevo párr.]
20. BN: de la grupa y me sentí perdido.
21. BN: suspendido
25. BN: en pie.
27. BN: se había apartado
33. BN: —¿Pa que lloremos
34-35. BN: esa mierda que lo vi a hacer [desde *F,* en que RG cambió *mierda* por *maula* pero sin corr. el demostr., se perpetuó *esa maula,* errata]
35. F: hacer cagar
* *Pág. 187*
5. Pr: [se interrumpen en síl. *man-* de *mandar*]
7. BN: Candal
8. Pr: [recomienzan]
9. BN: la plenitud
13. BN: era parecido
14. BN: invioladamente azul
23-24. BN: parecían preocupados por una única idea fija:
* *Pág. 188*
2. BN: vaivén isócrono
4. BN: como un mandato de quietud.
5. BN: el cuero del lomo me daba
10. BN: pesados. Dolíame
11. BN: marchaban más [tach.: *despacio*] pesadamente.
12. F: embrutecedora [tach.: *insistente*]
13. BN: miraba [tach.: *disminuir*] la sombra de mi petizo que disminuía
F: desesperantemente
15. BN: todos íbamos
18. BN: comenzaban
20. F, Pr, EP, TB: salábanle [errata. *BN: salábanles*]
20-21. BN: [tach.: *Daban,* escrito encima: *Tenía yo*] ganas de dormirse [corr.: *dormirme*]
21. BN: en un embrutecimiento total.
22. BN: de Don Feliciano Ochoa.
24. BN: [tach.: *Diéronnos*] Dieron permiso a Valerio para echar
25. BN: con aguada
27 a 29. BN: desmaniados nos fuimos a la cocina, con pasos pesados que entorpecían aún las espuelas.
Allí saludamos
31-32. BN: nuestra carne de reseros
* *Pág. 189*
1. BN: sinó en comer
6. BN: y caminaremos un poco [agr.]
8. F: ¡Qué placer [tach.: *indescriptible.* Reap. desde *Pr*] me dio
10. BN: delicioso y todo mi buen humor volvió
15. BN, F: que ya se va gastando.

18. BN: ir
19. BN: —replicó Pedro Falcón en una carcajada.
20. BN: un potrillo y iba
20-21. BN: que entuavía no le quería
24. BN: Tomá un dulce
27. BN: tal vez juera mejor
30. BN: quince
* *Pág. 190*
1. BN, F, Pr, EP: a intervenir
4-5. BN: Antes se le va hinchar la trompa que lo dejen callao. Tiene más charla que loro barranquero y más leyes que un gallego.
4. F: va a hinchar
11. BN: observaba
F: observé [tach.: *yo.* Reap. desde *Pr*]
12. BN: No había más, aquella ingenua
13. F: [tach.: *admirativa.* Reap. desde *Pr*]
BN: mi bautismo de resero
Pr: [se interrumpen al final de esta línea]
14. BN: mi siesta, el mismo chico
15. BN: un lugar fresco
15-16. BN: tan grato casi
16. F: tan [tach.: *como casi*] agradecido como
EP: casi como
20. BN: me sentía refrescado
21-22. BN, F, EP: con una bolsa.
* *Pág. 191*
2-3. BN: arrancar unos buenos bocados
5. EP: Teníame
7. F: esperanza [tach.: *fundada.* Reap. desde *EP*]
14-15. BN: y me transmitió la orden de Valerio.
24. [falta en *BN;* agr. en *F*]
31. BN, F, EP: despojo
32. BN: en derredor del hueso,
* *Pág. 192*
1. BN, F: de cabresto
3. BN: de la cual le ayudé a tirar hasta que
11. BN: para yevar
F: pa yevar
20. BN: mascando mi rabia.
22. F: resero [tach.: *y.* Reap. desde *EP*];
24. BN: ese era el que veía sólo
F: eso lo veía
25. BN: se topó con
28. BN: [pertenece al párr. ant.]
* *Pág. 193*
4. BN: Desconsoladamente, ante
8. BN: Acobardado de mi soledad
12. BN: [tach.: *nos*] dio [agr.: *a nuestros semblantes*]
13. BN: de [tach.: *bronce*] cobre
14. BN: de silenciosa espera.
18. BN: cantaban [escrito encima: *croaban*] las ranas
* *Pág. 194*
7. BN: saber sufrir
9. BN: al paso de la tropa
11. BN: [desde este párr. y hasta fin cap., RG cambió todas las formas verbales del pres. al pas.]
BN: el cielo profusamente estrellado
12 a 14. BN: Cada movimiento propagaba un sufrimiento por mis músculos.
18-19. BN: El movimiento desarticulado del [tach.: *esa*] enorme [tach.: *masa*] conglomerado me mareaba y [tach.: *cuando miro*] si miraba
20-21. BN: la cabeza curiosa, parecíame que el suelo todo se movía [corr.: *moviera*]
29. BN: se avistaba aún.
* *Pág. 195*
1 a 4. BN: [forman un párr.]
2. BN, F: oí decir. De mí nadie hizo caso.

5-6. BN: tropillas saqué el recado y desenfrené mi petizo.
5. F, EP, TB: voltié [enm.: *volteé*]
7-8. BN: y sin hacer arreglos me les dejé caer encima,
10. BN: Un rebencazo [tach.: *que*] casi [tach.: *ni siento*] insensible
15-16. BN: la prueba del peludo
21-22. BN: mi posición vertical.
* *Pág. 196*
4. TB: —¡Afá! [err. *BN, F, EP:* —¡Afa!]
10. BN: enorme esfuerzo
25. BN: divirsión [sigue, casi ilegible: *a, e?*] la gente. Aquí nadies
27. BN: —Comonó,
28. BN: de su caballo lo vi sacar
* *Pág. 197*
1 y 10. BN: el cabresto
* *Pág. 198*
6. BN: ponía el "bocao" y desataba al zebrunito
9. EP, TB: zonzo [err. ¿ultrac. de *Pr*? *BN, F: sonso*]
BN: [tach.: *La*] De la gente
10. BN: aura [tach.: *son*] muchos han sido
11. BN: [tach.: *con*] ajuerza de
14-15. BN: —Ahá.
—Lo charquiás no más de entrada y echah'el cuerpo patrás.
—Ahá.
—Güeno.
F: [no aparece]
20. BN: "trampiando".
21-22. BN: cautelosamente en mi potrillo no sin
* *Pág. 199*
4. BN: de subir
F: a subir
6. BN: estuviese
8. BN, F: se echó
11-12. BN: a mi invitación a los que resistí
18. EP, TB: a orilla [errata. *BN, F: a orillas*]
19. BN: y manifestaciones de [tach.: *asombro*] aplauso
23. BN: de firme no más.
Y yo me cebaba
26-27. BN: del atravezaño del bozal
27. TB: para cair [errata. *BN: pa caer. F, EP: pa cair*]
* *Pág. 200*
2. BN: Pedro Falcón
7. TB: —Teh'as. *EP:* —Te'as [err. *BN, F: —Te has*]
8-9. BN: yo lo vi a desensillar.
11-12. BN: Con un pañuelo me envolví la herida que Pedro
16. BN: unos cimarrones que
17. BN: Con indescriptible emoción
19-20. BN: los elogios, las palmadas y la yerba [tach.: *hierba*]
31. BN: Mirando el cielo conocimos
F, EP, TB: al cielo [err. *BN: el cielo*]
33. BN: a oler intensamente.
* *Pág. 201*
1. BN: parecían esperar
11. BN, F.: su marcha.
12-13. BN: a pechazos con
F: a pechasos entre
18-19. BN: requinté el ala bajándola
26. BN, F, EP, TB: los cegaba [enm.: *la cegaba*]
* *Pág. 202*
2. BN: pechazos [escrito encima: *sopapos*] y rebencazos.
3. BN: obligándome [agr.: *esto*]
5. BN: [tach.: *y que*] lo cual
8. BN: pero luchaba aún
F: luchara [tach.: *aún*. Reap. en *EP*]
11. BN: dos hojas [escrito encima: *huellitas*]
12. BN: hecho "sopas".
13. BN: teníamos

14. BN: y aunque a su impulso
15. BN: se [tach.: *hiciera*] volviese
15-16. BN: para que pensáramos en un próximo fin.
* *Pág. 203*
5. F: masticación rumiante. [Errata que no prosperó]
7. BN, F: aparecía
11. BN, F: eran como una fiebre
22. BN: Los postes, los alambres, los cardos, los pastos lloraron
F: los pastos lloraron
27. BN: el [tach.: *sol*] calor
* *Pág. 204*
11. BN: me coloqué medio sentado sobre una tosca; aflojé
15. BN: aún arisco
17. BN: estaba seguro que pronto
19. BN: de enorme pulso por su "guarguero".
F: "garguero".
21. BN, F: pronto quedó estirado
25 a 28. BN: Al rato habíase tranquilizado y comía glotonamente recogiendo entre los labios movedizos un manojo de pasto que luego arrancaba haciendo crujir las pequeñas hierbas.
28. F: [tach.: *tronquillos*] pequeños [tach.: *gajos*] tallos
* *Pág. 205*
1. BN: se volvió hacia el río
2. BN: cerca mío un pequeño hoyo,
4. BN: De pronto evoqué
6. BN: tres
7. BN: hice
BN: de mi [tach.: *infancia*] vida
9. BN: de un pueblo, a la vera de un [tach.: *río*] arroyo
12. BN: Qué distintos recuerdos podía evocar en mi nueva situación.
15. BN: Bendito sea [tach.: *aquel*] el momento
17. BN: Con íntima gratitud pensé en Don Segundo Sombra
18-19. BN: un abrojo prendido
20. BN: Tres
20-21. BN: separáramos un solo día
21 a 24. BN: Tres años de esos forman un paisano, sobre todo si se ha tenido la suerte de vivirlos al lado de Don Segundo Sombra.
* *Pág. 206*
1 a 3. BN: el aparte, las pechadas, y el hacer parar la tropilla a mano en el campo hasta poder
4. BN: ducho
6-7. BN: encimeras. También aprendí a injerir lazos y colocar argollas o presillas.
8. BN: Me hice médico
10-11. BN: el moquillo labrando un fiador con trozos
**Pág. 207*
3. BN: De la vida aprendí la resistencia
6. BN: la desconfianza ante las mujeres
8 F.: [tach.: *a*. Reap. desde *EP*] un maestro
10. BN: Por él aprendí estilos
12. F.: a [tach.: *poder*. Reap. desde *EP*] escobillar
BN: y bailar
* *Pág. 208*
2. BN: en mi memoria para hacer
4-5. BN: Pero todo esto no era sinó un resplandorcito del saber de Don Segundo y mi admiración se mantenía intacta de verlo renovarse continuamente.
8. BN: Tenía tanto ascendiente

11. BN: no le servía, pareciendo por lo contrario fatigarlo
F: fatigado
* *Pág. 209*
1. F: amaba [tach.: *sobre todo.* Reap. desde *EP*] el andar
3. BN: por su espíritu ambulatorio
4 a 6. BN: Capilla, Pilar, Giles, San Antonio, Pergamino, Rojas, Mercedes, Navarro, Lobos, Saladillo, Monte, Las Flores, Chascomús, Dolores, Tapalqué y muchos otros pueblos nos vieron
8-9. BN: Paz, López, Ocampo, Urquiza, Castex y los campos de
10-11. BN: "El Tordillo", y muchos otros en que habíamos parado, trabajando por día en los intervalos de nuestro oficio.
12. BN, F: Una nueva virtud de mi protector habíame sido revelada
14-15. BN: daba nuevo prestigio ante mis ojos a
F: nuevo prestigio a
26. BN: y casi me quita
28. BN: Seguí su mirada y vi [en *BN, F,* 28-29 forman parte del párr. ant.]
30. BN: hubiese
31. BN: astuto que parecía reír de mis abstracciones.
32 y
* *Pág. 210*
1. BN: de mi recado, enfrené el caballo
5. BN: La estancia de Polvaredas
7. BN: como nunca había visto.
8-9. BN: y ahora, día de Navidad,
17. BN: No sería malo
23. BN: con luz.
24. BN: y mis ojos
* *Pág. 211*
1. BN: Falcón
4 a 7. [faltan en *BN;* se agr. en *F*]
6. EP, TB: extrañao [errata. *F: estrañao*]
8 a 10. BN: Con qué gusto veía y mi bueno y viejo amigo, compañero de primer arreo y cuya alegría había dejado en mi memoria la [tach.: *alegría*] resonancia de un cencerro [tach.: *campero?*].
12. BN: lo acaecido
15-16. BN: alrededor del asador rodeado de unos treinta hombres.
18. BN: como precursiones [prevenciones?] de fiesta
19. BN: Adivinábamos a lo lejos risas
21. BN: unos alegres otros taimados.
22. F: se [tach.: *había amontonado*] amontonaba
23. F: salón de [tach.: *del.* Reap. desde *EP*]
25. BN: recinto ayer
BN: cueros, hoy
26-27. BN: candiles, banderitas e imágenes santas
29. BN: intimidaba [tach.: *como una*] y atraía
31. BN, F: había [tach. en *BN: algunas*] mujeres de todas edades.
32. BN: faldas, que asustados
* *Pág. 212*
5. BN: algún féretro.
7. BN: entra
11. BN: que debían esconder
17. BN: —Llenos me parecen más bien.
18. BN: —De viento será.
20. BN, F: moso.
21. BN: nadie
F: naide
24. BN, F: mosas.
* *Pág. 213*

1. BN: Vd. compañero
4. BN: volvimos, a arreglarnos un poco.
7. BN: Las sillas del salón estaban ocupadas casi en su totalidad por las mujeres. En camino de luz
F: En camino de luz [comienzo del cap.]
9. F: me echó [tach.: *echaba*]
21. BN, F: Una acordeón
* *Pág. 214*
1. BN: [tach.: *De pronto*] Sufrí la ilusión de que toda aquepa paisanada
3. F, EP, TB: aquéllos [err. *BN: aquellas*]
4. BN: muertas
5. BN: colgadas
7. BN: como un trigal se arquea
11. BN: —¡A ver muchachos! —apostrofó con voz segura— a bailar
16-17. BN: nombrados. Ya la timidez había desaparecido.
Bajo la voz neta del patrón todos se sentían unidos
23. BN: Un hacinamiento se formó
26. BN: duplicó
28-29. BN: gritó el patrón con autoridad de bastonero.
30. F: [tach.: *como.* Reap. desde *EP*] marcando
* *Pág. 215*
2. EP, TB: chicos [errata *BN, F: los chicos*]
4. Pr: [recomienzan en *poco]*
6. BN: y el ser
7. BN: de reír
12-13. BN: la acordeón monótona. El patrón
16. BN: del salón.
16-17. BN: con una [tach.: *mocita*] chinita
18. BN: en actitud de retrato.
20. BN: a suceder, temblando de ser llamado y sufrir un desaire ante la mofa de la concurrencia.
21. BN: ¡Felisario Gómez!
22 a 24. BN: Al lado nuestro se hizo un remolino.
Un mozo grande quería disparar mientras los compañeros lo echaban al medio donde quedó como borrego que se ha perdido [tach.: *torcido el cogote*] el rumbo de un golpe.
F: Un mozo grande quería disparar mientras los compañeros
25. BN: pal siñuelo —gritó Pedro. Y todos rieron.
26 a 28. BN: por estar en la jarana y se adivinaba en él la turbación del buen hombre tranquilo que nunca ha estado en evidencia.
28-29. BN: dio los seis trancos
31. F: su silla [Reap. desde *Pr: con silla.* Igual en *BN*]
32. BN, F: miró al patrón
33. BN: —También don Vitor,
* *Pág. 216*
1. BN: —Le buscaremos otro —contestó el patrón—. ¡A ver don Fabián Luna!
2. BN: de larga barba y piernas chuecas aunque presencia altanera,
7. BN: acobardado. La concurrencia se divertía a costa de los chasqueados.
9. BN: Don Froilán
12. BN, F: No vi
BN, F, Pr: maniador
* *Pág. 217*
3. BN: de todos me hizo recordar empero mi audacia
7-8. BN, F, Pr: [forman parte párr. ant.]
7. BN, F: La moza
12. BN: orilleando la hilera de mirones que comentaban mi suerte:

—¡Pajueranito. Había sido dichoso!
14. BN: mi compañera
15. EP: —A la derecha [en *Pr,* RG corr. *A la* por *Ala* y anotó: "Ala en una palabra". *BN, F, TB:* —*Ala*]
20. BN: Y como vi
21. BN: dije el versito
23. BN: si le digo
* *Pág. 218*
1. F: Esa
BN: mi audacia
4. BN: el patrón hizo pasar bandejas y refrescos
5. BN: sirvió Hesperidina y algunas
8. BN: hacia la carpa preparada para el caso.
12. BN: o guinda.
15-16. BN: de alegría.
El patrón ordenó una pausa de baile y pidió que alguna muchacha cantara. Con satisfacción vi que la guitarra paraba en manos de mi elegida.
El acordeonista [este párr. está recuadrado y separada, cada palabra, por una barra. ¿Buscaba G. ritmos?]
16. BN: había sido reemplazado
20. BN: compostura.
23. BN: parecía aceptar
24-25: BN: Pedro Falcón
26. BN: —Sos sonso —decíale.
27. BN: su teta
F: dejado
28. BN: pa andar
* *Pág. 219*
1. BN: enojés hermanito.
6-7. BN: cuando el patrón golpeó las manos para imponer silencio.
6. F: de ritmo
8. BN, F: —Vamos a ver,
9. BN, F: florearse.
10 a 12. BN: El acordeonista hizo lugar al nuevo guitarrero que iba a cantar. Aplaudieron a Don Segundo cuando cruzó a elegir como compañera a una vieja y popular china puestera. Don Fabrián sacó de la mano a una criollita flaca, de ojos oblicuos.
El cuadro se colocó cerca de los músicos. Y las mujeres
13. BN: del chambergo.
22. BN: en la esférica lisura
* *Pág. 220*
5. BN: en tensas notas de cabeza.
11. BN: galanteos corporales de gallo
20. BN: Las sombras, extraños ponchos danzarines, flamearon
21. BN: cayeron haraposamente al suelo
22-23. BN: Una premura repentina enojó a los cuerpos machos.
27. BN: compás. Las espuelas chillaron como dentaduras en paroxismo. Agitábanse
* *Pág. 221*
1-2. BN: en ágiles contrapuntos el decir de las guitarras.
3. EP, TB: sólo [err. *BN, F, Pr: solo*]
5. BN [tach.: *los*] talones y [tachado: *las*] espuelas
10. BN: Fue centro del animado comentario, lleno de elogios para los bailarines, el patrón.
Algunas mujeres
12. BN: nos embargaba a todos pues
13. BN, F: aquéllas eran
14 a 17. BN: —¡Otro gato con relación —ordenó don Víctor. A mi vez fui parte del cuadro con mi elegida. Cuando quedamos aislados en la atención general deletrié
F: en la espectativa
17. BN, F, Pr, EP, TB: deletrié [enm.: *deletreé*]

18. Pr: [se interrumpen al final de esta línea]
22. BN: sin tardanza:
26. BN: diciéndole
29. BN: contestó bajando los ojos y
* *Pág. 222*
1. BN: Entre risas, bromas y galanteos
5-6. BN: contestar una relación
9. BN: Los hombres clamaban por Don Segundo que al fin tuvo que acceder quedando en el centro
10. BN: La espectativa
10-11. BN: Don Segundo se quitó
12. BN: pareció
16. BN: Aquí dio
19. BN: con indiferencia:
22. BN: el día en perspectiva nos sugería
23. BN: blando cansancio
24. BN: [tach.: *blanda*] carnosa
28. BN, F: a la carpa
30. BN: la tomé de la mano
* *Pág. 223*
3-4. BN: Cuando volvimos al baile sin que se me hubiera ocurrido una artimaña para desenojarla volvió a su silla y aunque
3. F: se me ocurriera
6. BN: Rabioso pensé en hacerle cocos y recordé el trato
8-9. BN: hasta pensaba haber sido un sonso en haber perdido mi tiempo con la otra.
10-11. BN: Muy tiernamente al concluir una polca le oprimí la mano significativamente pero
13. BN, F: —¿Se ha creido que soy escoba de barrer sobras?
16. BN: en una rodada.
18. BN: señalándome
21. BN: Y como notara

24. F, EP, TB: quedado [err. *BN: quedao*]
* *Pág. 224*
1. BN: me dio un ímpetu y me fui
BN, F: recao
9. BN: en toda marcha
10 a 12. BN: Recordé mi impresión al salir para mi primer arreo.
Perico, con quien estaba reñida toda inacción pretendió que estábamos acoquinaos
* *Pág. 225*
3-4. BN: para hablar. Se hizo silencio. Pasó un rato.
10. BN: talerazo.
14. BN: Gran risotada. Las miradas
15-16. BN: Don Segundo. Los semblantes pasaban así
19. BN: para que
23-24. BN: un paisanito llamao Dolores, con un hijo del Diablo.
25. BN: irrumpió
* *Pág. 226*
2. BN, F: viscachera,
6. BN: mira
7-8. BN: su axioma. Las miradas asienten y esperan
11. BN: el trabajo
* *Pág. 227*
3. BN: nadies
4. BN: sombra de toro
5-6. BN: y de fresca
7-8. BN: y dejó pasar la moza pa seguirla.
11. BN: —Conocí a un pialador
15. BN: y cuando llegó vido que la mocita andaba nadando
F: y [tach.: *cuando llegó, al llegar*] en llegando
17. BN: Se quedó quietito, como tábano en la paleta, y cuando malició
21. BN, F: —¡Callate barraco! —le dije

* *Pág. 228*
7. BN: delante de
11. BN: acoquinado
12. BN, F: persignándose
15. BN: sombra de toro
20. BN: coloreada
21. BN: Medio almariao con lo que había visto, este pobre muchacho
24. BN: Recién
24-25. BN: lo que le había pasao.
* *Pág. 229*
4. BN: el mozo se encontró
13. BN: trae
14-15. BN: lo que le había sucedido
17. BN: que sabía de esas cosas
18. BN: pasencia
21. BN: sinó hija de una vecina amiga suya.
22. BN: entró
24. BN: Hace ya una ponchada
Pr: [recomienzan]
27. BN: y dicen
* *Pág. 230*
6. BN, F: falta de cuero
11-12. BN: la querida del Diablo
16. BN, F: secretearon
19-20. BN: te volah'en busca de la prenda cudiciada y en hallándola te le parah'en frente y le decís
26. BN: bruja, hija de
* *Pág. 231*
1. BN, TB: monstruo [errata. *F, Pr, EP: mostruo*]
8. BN: el hijo del Diablo
11. BN: que había en el fondo de la casa.
13. BN: de ahi
13-14. BN: de los que usaban
14. Pr, EP, TB: flecha' envenenadas [err. *BN, F: flechah' envenenadas*]
BN: con curaré y
F: [tach.: *con curaré*]
15. BN: una agua blanca.
17. BN: la manada de brujerías
18. Pr: [se interrumpen en *tendrá*]
21. BN: va a ser tarde:
22. BN: dao las llevás contigo y
23. BN: nadies
* *Pág. 232*
2. BN: levantá
BN: te va a hacer dar
4. BN: de las islas. Y te estás quietito no más, hasta que te agarre otra correntada más juerte que te va a llevar a una costa. Y esa costa no es más que el principio de la isla del encanto.
14-15. BN: memoria la presencia de su morochita del baño,
15. BN, F: tutubió. *TB:* titubeó [err. *EP: titubió*]
17. BN, F: para correr
20. BN: caer
23. F: costaló pa'l
23. y
* *Pág. 233*
1 a 3. BN: Como media hora andubo ansina y ya estaba por dormir cuando el barco dio una güelta como costalando del lao del lazo y dentró a correr pa otro lao. Dolores se levantó del fondo del barco en que venía echao y vido que entraba en la boca de un río angosto
2. F: entraba
5. BN: Dolores ispió
6. BN, F, EP: ahi
8. BN: se bajó
9. BN: de él
13. TB: raíces [errata. *BN, F, EP: raices*]
14. BN: empezó a enredarse
BN: como pialao y sin poder moverse.
F: [tach.: *como*. Reap. desde *EP*] pialao
21. BN: hamaca de hojas entre unos caraguatés.

25. *BN:* carpinteros. El olor de las madreselvas y las flores del aire era tan juerte que se sintió medio almariao
* *Pág. 234*
6-7. BN: tan grandes y lucientes que podía verlas clarito, aunque debían de estar a muchas cuadras.
8-9. BN: Cuando se dio cuenta de que todo eso era verdá, el paisanito, que estaba medio hambriento, recogió sus prendas y se largó por las ramas.
Abajo estaba tan escuro y húmedo que le parecía ir bajando a un aljibe.
8. F: coligió que todo eso
11. BN: a la orilla de la selva
13. BN, TB: sandías [errata. *F, EP: sandias*]
15. BN, F, EP, TB: sed [enm.: *sé*]. *F:* y en [agr.] habiendo
16. Pr: [recomienzan en *no es éste]*
17. BN: nadies
18. TB: no esperaba [errata. *BN, F, Pr, EP: no se esperaba]*
19. F: para
20. BN: Nadies
25. BN: se tiende por delante
27-28. BN: A cada tranco lo ampara
* *Pág. 235*
1. BN: a ir caminando
4-5. BN: alcanzar su suerte con sólo estirar la mano
6. BN: de penas y de tormentos.
8. F: pa atrás
9. F, Pr, EP, TB: sexto [err. *BN: sesto*]
13. F, Pr, EP, TB: Gateando [err. *BN: Gatiando*]
* *Pág. 236*
1-2. BN: dos o tres pajaritos de los que lo rodeaban
2. Pr. EP, TB: partiéndole [errata. *BN, F: partiéndoles*]
3. BN: se ponían a tiro y chupándoles los sesos.
11. BN: hubiesen roto
11-12. BN: lugar en que había caido su presa
F: en que había caído
12. BN: buscarla
14. F: uno o dos tiros
**Pág. 237*
6. BN: vido clarito todo
7. BN: calle costiada de flores
8-9. BN: al paraiso.
Como a unas dos cuadras
10-11. BN: se echó bajo lo más tupido de un monte de [tach.: *duraznos*] naranjos y se durmió.
13. BN: a alboriar.
14. BN: fuente
* *Pág. 238*
1. BN: concluyó de decir estas palabras oyó
3. Pr: [se interrumpen en *como*]
5. BN: ahi no más
7 a 9. BN: se había parao en una pata a la orillita mesma del agua, mirando pa'l lao que iba a salir el sol y al rato quedó como dormido.
8. F, EP: pa'lao
10. BN: todo lo que sucedería.
12. BN: de espaldas en el agua
15-16. BN: al enano
16. BN, TB: monstruo [err. *F, EP: mostruo*]
BN: como a ternero
18. BN: no anduviera cudiciando mujeres.
20. BN: miró pa'l lao del palacio
22-23. BN: de quince días venía corriendo
* *Pág. 239*
3. BN: ahi

4. *F, EP, TB:* felicidad [err. *BN: felicidá*]
BN: por ser bonita
9. *BN, F:* lo tienen
16. *F:* una almacén [en *BN* el trazo final es tal que puede leerse: *un* o *una*]
19. *BN:* vino a saludarlo
* *Pág. 240*
1. *BN:* de modo de ocupar
BN: espiar
8. *BN:* el paisanaje
12. *Pr:* [recomienzan en: *y los recuerdos*]
18. *BN:* a comer elijiendo una mesa angosta.
20. *BN:* violáceas reminiscencias de vino tosco.
* *Pág. 241*
5. *BN, F:* —Sírvanos lo que haya —
7. *BN:* En una mesa central,
12-13. *BN:* tenía ojos de pescado y la cara llena de venas reventonas
15. *BN:* [RG escribió *lagrimales* y luego puso una *c* encima de la g]
17-18. *BN:* algún representante de una casa
22 *a* 24. *BN:* [RG reemplazó las formas de pres. de los verbos *dialogar* e *intervenir*]
25. *F:* olvidar [tach.: *un momento.* Reap. desde *Pr*], un hombre
30. *BN:* Sólo una vez
* *Pág. 242*
20. *BN:* había llegado
25. *BN:* sobre el reñidero.
25-26. *F:* con sus [tach.: *respectivos.* Reap. desde *Pr*] gallos, que
30. *BN:* en pocas palabras
* *Pág. 243*
1. *BN:* y el ruido,
7. *F:* de igual pico
14. *BN:* su mayor viveza de movimientos.
29-30. *BN:* en un juego sutil de fintas.
* *Pág. 244*
3. *F:* ligereza [tach.: *rapidez*].
7. *BN:* Rabié en silencio. La usura
9. *BN:* parecía sentir
11 *a* 13. *BN:* el pescuezo, y cuando conseguía picarle las plumas del cogote,
14. *BN:* pasaban por encima
15-16. *BN:* que echaba [tach.: *así*] al reñidero a un animal noble
18. *BN:* buscaban las plumas o un desgarrón
20. *BN:* con usura
32. *BN:* agravando el silvido
* *Pág. 245*
7. *BN:* en rudas andanzas.
8-9. *BN:* o a un tonto.
11. *BN, F:* de bisoño audaz
16. *Pr, EP, TB:* salvando [err. *BN, F: salvado*]
20-21. *BN:* Un triangulito óseo yacía en la arena [escrito encima: *tierra*] barrida
20. *F:* Un triangulito hosco [escrito encima: *rojo*]
23. *BN, F, Pr:* trainta
25 *a* 27. *BN:* vacía.
—¡Veinte a quince al bataraz! gritaba uno.
—Trainta a veinticinco
27. *F, Pr:* —Trainta
28. *BN:* con ira
29. *BN:* Ahora los partidarios
32. *BN:* en la inercia de su peso.
* *Pág. 246*
1. *BN:* tomó [tach.: *toma*]
12-13. *Pr, EP, TB:* del combate [errata: *BN, F: al combate*]
17. *BN:* el heroísmo y zaña
18. *BN:* contra un espectro
25. *BN, F:* doce

* *Pág. 247*
4. BN: el pico roto poniendo él mismo el punto final de su vida heroica.
7. BN: una masa sanguinolenta y blanduzca.
8. BN: El del otro [en *BN, F,* forma parte del párr. ant.]
12. F: salí del corralón
14-15. BN: perorando con un grupo sobre los incidentes de la pelea.
16-17. BN: como volviendo a nacer
17. BN, F, Pr, EP: a la sorpresa calma
20. BN, F: me tocó
23. F: de la estancia
32. BN: —Bos dirás.
* *Pág. 248*
3-4. BN: pasé [tach.: *toda*] la mañana
7-8. BN: mucha gente que había asistido a las riñas,
14-15. BN: a un almacén sobre cuya puerta reclamaban la atención del pasante, lazos, cinchas, bozales, riendas y maniadores. A los costados
16. BN: de hierba
18-19. BN, F: de quebracho pulido
21. BN: hierba y grasa. En los estantes los eternos tarros, cajoncitos y latas esperaban con solemnidad cambiar de dueño.
* *Pág. 249*
2. BN, F: de esos
13. Pr: [se interrumpen después de esta línea]
15. BN: [tach.: *dijo*] replicó
17. BN: [tach.: *seguirlo*]
18. BN: Atónito ante [tach.: *la*] aquella insolencia [tach.: *de aquella tranquilidad*],
19. BN: una catástrofe
20. BN: con [tach.: *sus*] manos
30. BN, F: un largo rato,
* *Pág. 250*
4-5. BN: sin dar curso a un intento de paso.
6. BN: su paquete [tach.: *y*] salió
8. BN: El cabo intentó
17. BN: recobrando su coraje.
19. BN, EP: traido
33. BN: Haciendo diversión a la pregunta [escrito encima: *Como si no entendiera el carácter político de la pregunta*],
35-36. BN: —Yo soy de San Pedro... mi compañerito de Areco.
38-39. BN: Don Segundo mintió [escrito encima: *inventó un personaje*]:
* *Pág. 251*
1. BN —Las tiene Don Isidro Melo.
4. F: cuidado!
9. Pr: [recomienzan en *hacienda*]
10-11. BN: un rodeo [tach.: *cortado*] dividido en cuadros [agr.]
11. F: como si fuese [agr.]
* *Pág. 252*
4-5. BN: y [tach.: *los clientes*] el pobrerío. Había [tach.: *para*] como
13. BN: feligreses.

Nosotros ayudamos un poco al encierro y aparte de las reses, con la esperanza de changar en alguna de las tropas que de allí saldrían.

* *Pág. 253*
1. BN: ¡Qué carnecita
7. BN: nacional", "orgullo patrio", "porvenir
12. BN: colorados y gordos
14. BN: rascándose la perita.
* *Pág. 254*
2. BN: de cualquier otra cosa.
8 a 11. BN: de doscientos novillos a Tablada. El paisano que

nos entregó el lote era un viejito de barbilla blanca,
11-12. BN: Nos mostró la hacienda y nos convidó
15 a 17. BN: de una compra. Pero
16. Pr, EP, TB: hacía [err. *F: hacían*]
21. BN: sus pies [agr.] barajaron [tach.: *su peso*] del peso del cuerpo [agr.]
24. BN: apostrofó a un anciano
25. BN: bos
* *Pág. 255*
1. BN: Alpropósito
3. Pr: [se interrumpen en *sangrías*]
6. BN: mancarrones [escrito encima: *pingos*]
7. BN: medios güenones
11-12. BN: se me cruza al callejón
16. BN: Ya estaba yo
19-20. BN: y en el tope la alcé por los elementos.
22-23. BN: proceder salvaje. Siguiendo
29-30. BN, F: —¿Cómo te va Ufemio?

Don Segundo sonrió a su vez y guiñándome el ojo por razones que no comprendí, se echó el sombrero medio sobre el rostro como quien disimula su persona.

—¿Cómo te va Ufemio?

—¿Quién sos vos?

34. BN, F: por los muchos
* *Pág. 256*
1. BN: sos Ufemio Díaz?
2. BN: —¿Díaz?...
4. BN: Pastor Herrera
6. BN: insistió [tach.: *—Quién te iba a reconocer*] mostrando
8. BN, F: estoy viejo
9. BN: siguió, señalando con la barba
10. BN: un hombre [escrito encima: *toro*] como vos
13. BN: como a un recuerdo
15. BN, F: la fiesta
17. BN: —Me acuerdo, sí; la dueña'e casa me mandó que te cuidara
21. BN: fuiste vos el que metió
* *Pág. 257*
1. BN: este venteveo [escrito encima: *pajarito*]
7-8. BN: con otro peón
9. BN: linda. A los cuatro días nos encontramos libres y nuevamente changamos en un viaje para el Sur.

La cosa era distinta. Un mes [tach.: *veinticinco días*] de arreo

10 a 12. BN: Los seiscientos animales que llevábamos destinados a un campo grande de las costas del mar eran flacos y dispuestos. Tres días
12. BN: entregar [tach.: *la tropa*] el arreo
15. BN: de helada tremenda
16-17. BN: del frío con un fueguito de biznaga insuficiente. El campo blanqueaba
19. BN: golpe de agua.
20. BN: dejado la lluvia
23-24. BN: seriamente preocupado con la sed de su tropa que aumentó con el sol y
26-27. BN: [forman un solo párrafo]
27-28. BN: habían olfateado con ansia y se largaron
29. BN: apurarlos derecho.
30 a 32. BN: los alambres que primero resistieron haciendo caer algunos novillos enredados que no cejaban
33. BN: Y ¡qué habíamos
* *Pág. 258*
1. BN: [forma parte del párr. ant.]

4. BN: ante los brutos sedientos
10. BN: de ahogarlos en el barro.
10-11. BN: no teníamos otro quehacer que impedir
13-14. BN: Algunos peones de la estancia habiendo oído el tropel o visto
15 a 17. BN: [forman parte del párr. ant.]
18-19. BN: había tomado bien la cosa y
* *Pág. 259*
1. BN: al lado de la cama de mi tía Mercedes
BN, F: (¡dale con mi tía!)
14-15. BN: la cal del blanqueo.
16. BN: Don Pedro Brandán,
20. BN: baquiana podía alcanzar
* *Pág. 260*
5. BN: Don Pedro también
9-10. BN: le había hecho esta última parte de las confidencias de Don Pedro.
19. EP: aprestados
20-21. BN: El palenque llamó más mi atención de cerca, con sus tres palos blancos, mientras
22. BN: conyunturas
23. BN: [forma parte del párr. ant.]
26. BN: Don Pedro—
27. F, EP, TB: extraviada, [err. *BN: estraviada,*]
30. BN: bichito
32. BN: Don Pedro
33. BN: sus deberes
34-35. BN: yerba y azúcar... yo voy
35. F: menesteres de cebar...
* *Pág. 261*
2. BN: nos imponía
3. BN, F: adonde
8-9. BN: olfateando los pastos
10. Pr.: [recomienzan en *montado*]
22 a 24. BN: [forman parte del párr. ant.]
27. BN: de [tach.: *pronto*] golpe
30-31. BN: Quedamos todos quietos. La desconfianza iba en aumento.
32. F: [tach.: *vimos*] azuleó
34. BN: y unos chajás. Todo parecía tener miedo
* *Pág. 262*
3. F: de Comadreja
6. BN: El [tach:. *La tierra*] barro
8-9. BN: de perfil, como desconfiando.
9-10. BN: debía sufrir
13. BN: hubiera sido
14. BN: vuelo toda la sabandija.
F, Pr, EP, TB: castigadas [err. *BN: castigados*]
19. BN: ahora tirada
20. BN: con [tach.: *toda*] tanta
23. BN: la yegua [tach.: *asentó*] pisó [tach.: *tierra, piso*] suelo firme.
* *Pág. 263*
4. BN, F, Pr, EP, TB: arrié [enm.: *arreé*]
6-7. BN: desviar un metro
15. BN: hoy tan miserable, me parecía,
18. BN: fuera
18-19. BN: Don Pedro preparaban ya
21-22. BN, F: contesté. E interrogado dije lo sucedido.
* *Pág. 264*
1. BN: [tach.: *contestó*] comentó
F: contestó [tach.: *a modo de comentario*] a manera
5-6. BN: como buen paisano que acomoda sus coloreadas matras para echarse a dormir.
9. BN: Me parecía
10. BN: deambulábamos

10 a 23. BN, F: [unido al párr. ant.]
14-15. BN: osamentas. Animalitos que habían muerto enterrados en aquel mundo de [tach.: *crustáceos*] cangrejos hambrientos. Al día siguiente están blancos.
18. F, Pr: le va arrancar
19-20. BN: yegar al hueso... y el vientre, el sexo convertidos en una almóndiga
19. F: al vientre, el sexo [escr. encima: *a las partes*]
21. BN: [corr.: *removiendolé*] removiendo
25. BN, F, Pr, EP: Angel
27. BN: parecía chiquita [tach.: *y*]. Y
31. BN: le metíamos cuchillo.
* *Pág. 265*
2-3. BN: para que fuera a los demonios.
4. BN: Don Segundo había tendido cama afuera y Don Pedro
5-6. BN: mi recado para cumplir
F: mis [tach.: *recado, pilchas*] jergas creyendo así [tach.: *para*]
8. BN: poblado de
10. BN: en mis jergas
11. BN: Don Pedro.
14. BN: que iba a tener lugar
16. BN: algún tiempo; la luna
F: La luna [comienza nuevo párr.]
17. BN: como la escarcha
19-20. BN: el piso lleno de jorobas y brujones,
22-23. BN: para el rincón en que dormía Don Pedro.
23. BN: un quejido
25-26. BN: sobre sus jergas,
F, Pr, EP: sobre sus matras
26. BN, F: apostura
32. BN: Don Pedro
33-34. F: ronco y [tach.: *amagando*] amenazando
34. Pr, EP, TB: "no me han de llevar [errata. *BN, F: "no me lo han de llevar*]
* *Pág. 266*
4. Pr, EP, TB: asentara [errata. *BN: hubiera asentado, F: asentava*]
8. BN: Con más zaña, firme, tiró
9. BN: de una violencia
16. BN, F: y zamarrazos
17. BN, F: Don Pedro
19-20. BN: "No, no lo han de llevar".
25, 33, 38. BN: Don Pedro
36. BN, F: quedó interceptada.
* *Pág. 267*
2 y 25. BN: Don Pedro
5. BN: "Acompañemé p'ajuera;
7. Pr, EP: le acercó
12. BN, F, Pr, EP, TB: manotié [enm.: *manoteé*]
20. BN: Me desperté en un sobresalto.
21. BN, F: vientito
* *Pág. 268*
9. BN: como un trompo de aire
20 y 29. BN: Don Pedro
21. BN: el muchacho
23. BN: traido
* *Pág. 269*
5. BN: en averiguaciones
6. BN, F, Pr, EP, TB: en pelos [enm.: *en pelo*]
14. BN, F, Pr.: toito
* *Pág. 270*
2. BN: haber [tach.: *almorzado*] comido un resto frío
5. BN, F: Aquí
8. BN: [tach.: *habían llegado*]
9-10. BN: nuestras tropillas, mudar caballo
10. F, Pr, EP, TB: moro [errata. *BN: Moro*]
* *Pág. 271*

2. *Pr:* [se interrumpen en *ha de ser*]
4. *BN:* Moro?
13. *BN:* en los gallos
16. *BN:* las [tach.: *ancas*] paletas
* *Pág. 272*
1. *BN:* estar más fresco
1-2. *BN:* hubiera llegao
3-4. *BN:* hasta había peliao.
5-6. *BN, F:* pero yo lo ayudé.
7. *BN, F:* ¿Yo lo ayudé?
8. *BN, F:* de la ayuda.
Pr: [recomienzan en *Segundo]*
9. *BN:* hasta había peliao.
17. *BN, F:* por un momento
23. *BN:* El hombre
29. *BN, F:* aludido— una estancia
* *Pág. 273*
2. *BN:* —Esoés.
4. *BN:* abajo de [tach.: *unos*] los sauces ardían dos fogones
F: dos fogones
7. *F:* llegarían diez más.
7-8. *BN:* Todos habían llegado de distintos puestos; faltaban los que vivían más retirado. Decididamente
16. *BN:* peliaran
18. *BN, F:* rodeados por una
21. *BN:* Antes de echarme
22-23. *BN:* nadies me hace entrar al rancho. Más que el amparo de las paredes
32. *F:* el peso del ginete,
* *Pág. 274*
5 *a* 7. *F:* El campamento, tan numeroso la noche anterior, desapareció en la oscuridad y la pampa, disolviéndose en distintas direcciones,
10. *F:* que se hubiera dicho, de corto, prestado
11. *BN:* Su caballo es
F: Su caballo un azulejo overo, zarco, era
12-13. *BN:* van cortadas
14. *BN:* hacen grupa
16. *BN:* No decimos palabra.
18. *BN:* la orientación [escrito encima: *el instinto*].
21-22. *BN:* ya eran baquianos y a nosotros justamente nos habían dado
* *Pág. 275*
6 *a* 8. *BN:* Pasamos por un bajo salitroso, orilleando unas encadenadas en que los pájaros medio dormidos se espantaban de nuestra presencia gritando.
10. *BN:* cuarenta
11. *BN:* ganar a
F: ganársela a la [tach.: *completa.* Reap. desde *Pr*] podredumbre.
12-13. *BN:* ¡Qué amabilidad la de estos pagos! Pareciera que se divertían en ponerme cara de susto.
14. *BN:* vimos
15. *BN:* hubiesen
17-18. Desde lejos vimos disparar unos vacunos que después de mirarnos desde lo alto de una loma desaparecieron.
Mis compañeros
19. *BN:* gritaron
F: iniciaban
22. *BN:* y entramos
22-23. *BN:* arena. Esos que el viento
23. *BN, F, Pr, EP, TB:* arriando [enm.: *arreando*]
23-24. *BN:* arriando a veces verdaderos cerros
25. *BN:* La mañanita ha hecho de oro el arenal de los médanos.
26. *BN:* se hunden
F: se hundieron
28. *BN:* cuesta abajo
32. *BN:* monótonamente
33. *BN:* tranco entorpecido.
* *Pág. 276*
2-3. *BN:* monótona de médanos.

Lomos bayos y tersos, sin quebraduras,
5. *BN:* la pendiente
6-7. *BN:* la última barranca. Desde arriba divisamos algo así
8. *BN:* que venía a morir en espuma blanca,
10. *BN:* Me parecía que llegaba tan alto
11-12. *BN:* disparaban por la orilla misma del agua y mis compañeros
16. *BN:* hacia las bestias.
17-18. *BN:* En la arena dura de la orillita corríamos como diablos.
19. *BN:* a pesar de la ventaja
20. *BN:* nos íbamos acercando.
20 a 25. *Pr:* [la mitad derecha de este párr. es ilegible, pues el papel está roto]
21. *BN:* como venados
22. *BN:* delgados como parejeros.
* *Pág. 277*
1-2. *BN:* [forman parte del párrafo ant.]
1. *BN:* Yo había seguido corriendo una yaguanesa
2-3. *BN:* Forzándola hacia el agua hice
4 a 6. *BN:* mi pingo. El Moro se le había prendido como tábano en la paleta e íbamos afirmándonos mutuamente en el peso del contrario.
5-6. *F:* uno en otro.
7. *BN:* De repente sentí que corríamos sobre algo duro y resbaloso.
9-10. *BN:* la seguía echando por delante con el impulso adquirido.
11. *BN:* suceder, al salir del fragmento de tosca
12-13. *BN:* la vaca se cayó, sentí
14-15. *BN:* tuve tiempo de pensar, y eché el cuerpo atrás.
16. *BN:* Sentí
18. *BN, F:* recuperar
19. *F:* que [tach.: *aún.* Reap. desde *Pr*] se esforzaba
20. *BN:* incorporándose
22-23. *BN:* venían corriendo los compañeros.
23-24. *BN, F, Pr, EP, TB:* manotié [enm.: *manoteé*]
26-27. *BN:* aunque [agr.: *no*] fuera [tach.: *bien*] mal hablado.
* *Pág. 278*
2. *BN:* chanceaban, reían y se enredaban
8. *BN:* correr y gritar
9-10. *BN:* y el de los otros que por ahí andarían en las mismas iba surtiendo su efecto.
10-11. *BN:* antes tan sola se había poblado
11. *BN:* que todas corrían,
13-14. *BN:* Muy lejos se veían unas polvaredas. Eso indica las partes
17. *BN:* Las huellas iban insensiblemente marcando rumbo al animalaje.
19-20. *BN:* en un apuro de hacienda y hasta
23-24. *BN:* que correr ya a derecha ya a izquierda
25. *BN:* un cerrazón
26-27. *BN:* de pronto agarradas por su destino de obedecer, y sin embargo acostumbradas
30. *BN:* a tres leguas,
30-31. *BN:* iba formándose [tach.: *como*] un [tach.: *núcleo*] centro
32. *BN:* de arreo [escrito encima: *rodeo*].
* *Pág. 279*
4 a 6. *BN:* lo habíamos poblado de vida, ahora íbamos como barriendo toda esa vida hacia un punto

7. BN: en aquel lugar y deseábamos
9-10. BN: atrás de aquel vacaje cimarrón que no se dejaba arrimar ni un poquito.
12. BN: llegaban, porque
15. BN: círculo [escrito encima: *redondel*]
17. BN: aquel tropel
19-20. BN: liaba un cigarrillo o platicaba
20-21. BN: Algunos caballos sudados, otros con los zobacos
21. BN: otros embarrados
22. BN: la tarea a que
23-24. BN: vistas anoche; veía otras nuevas.
25. BN: En silencio contemplé el rodeo. Nunca había visto
27. BN: Se veían todos
28. F: eso
31. BN: por el gusano
* *Pág. 280*
4. BN: morían roídos
7. BN: criaban [tach.: *vasos*] pezuñas
7-8. BN: Los quebrados del lomo
15-16. BN: eran de un salvajismo tal
16-17. BN: por alejarse
18. BN: de aquel rodeo [esta or. forma parte del párr. ant.]
19. BN: Ya algunos [escrito encima: *varios*]
22. BN: con su yegua maneada,
24. BN: Me interpeló [corr. *interpelaba*]
25. BN, F, Pr, EP, TB: escarciador [enm.: *escarceador*]
28. BN: venados o cualquier otro bicho comible
* *Pág. 281*
5. BN: pionaje.
6. BN: —contesté—
11. BN: me ocupé de mi [tach.: *propio cuerpo*] mismo.
12. BN: mateamos y comimos
13. BN, F: esta
17. BN: me estaban
18. BN: esta luna
21-22. BN: Con una alesna
22. BN: siempre en una bolsita a los tientos,
24. BN: que estaba cortada en un tiento [tach.: *Emparejé*]. Acomodé
* *Pág. 282*
5 a 7. BN: [forman parte del párr. ant.]
8. BN, F: Y le cerré
9. BN: Mi caballo era medio brutón y corajudo para el encontronazo.
10-11. BN: En cuatro brincos el pecho del bayo dio de pleno en la paleta del toro.
12. BN, F: de tope.
16-17. BN: si la relación de las velocidades no está calculada con precisión tal que el pecho del caballo dé justo en la paleta del vacuno.
18-19. F: trabajo bruto.
20-21. BN: Empezó el torneo bárbaro de las corridas, pechazos y enlazadas. Como éramos muchos y el tiempo apuraba, hacíamos varias cosas simultáneamente.
22. BN, F, Pr, EP, TB: arriaban [enm.: *arreaban*]
24-25. BN: después de degolladas
* *Pág. 283*
14. BN: travieso y sin asco para el encontrón de modo que
17. BN: Volvíamos
18. BN: dejando
21-22. BN: su baquía y su audacia
22-23. F: enemigo de alardes
23 a 25. BN: Mi padrino se había aparejado con el viejito que hoy bromeaba en su petizo zebruno. Tenía éste un caballo de

igual estatura que el de hoy, de igual pelo, de igual cachaza; pero era de verse la baquía de los dos manieros para colocarse
26-27. BN: Hacían con Don Segundo y su alazán Capricho un cuadro admirable y ya todos los miraban,
28. BN: como los maestros
* *Pág. 284*
1-2. BN: Un paisano que hoy me
2-3. BN: fisonomía hosca y su silencio, tomó una vaca a la cruzada
6. BN: Algunos corrimos
6-7. BN: El golpe debía haber sido duro pues el paisano no se levantaba.
10 a 15. BN: [pertenecen al párrafo ant.]
17-18. BN: chicotear el suelo
27. BN: aumento de gritería e hizo punta
* *Pág. 285*
1. BN: ofrecía. Fue una disparada ciega. Primero
4 a 15. BN: ligereza incontenible. Ibamos buscando doblarlos por la punta aunque supiéramos que sólo persistiendo conseguiríamos hacerlo. Por suerte los del señuelo contenían la tropa. Casi todo el paisanaje estaba con nosotros y el griterío así como las atropelladas y golpes llegaron a su máximo. Un toro barroso
4-5. F: con una decisión [tach.: *una ligereza.* Reap. desde *Pr*] incontenible.
13. F: hiciera [tach.: *ovillo*] rueda
F: confusión de [tach.: *toro*] novillo
15-16. BN: que nadie
16-17. BN: Dos veces le asenté fuertes porrazos pero el bruto no cedía.
22. BN: mirada el toro estaba
23. BN: Sentí que el caballo
24. BN: cuán ligero pude
28-29. BN: que no era honda. Estaba sin embargo furioso de que ese bicho me hubiera
30. BN: Y además ¡quedar de a pie
BN, F, Pr, EP: estaba
32 a 38. BN: Ya muy lejos los paisanos habían conseguido cambiar el rumbo de la hacienda. La iban ganando. Subí y al tranco me fui para el lado de la tropilla a mudar caballo. El rodeo había quedado [escrito encima: *estaba*] solo. Las tropillas miraban con todas las orejas apuntadas para el lado de las corridas. Sólo el paisano [todas estas líneas forman parte del párrafo ant.]
* *Pág. 286*
2. BN: viniendo enceguecido por la corrida, podía pisotearlo.
5. BN: Así lo hice y volví hacia el rodeo desierto en mi lobuno [tach.: *Confianza]* Orejuela; me largué
16. BN: y me pareció que pronto los paisanos
17-18. BN: Ya los habían doblado y corrían casi en nuestra dirección.
20 a 25. BN: [forman parte del párr. ant.]
20-21. BN: aspecto. El trabajo había cambiado ese pedazo de campo, hoy casi idéntico al resto. El señuelo con su principio de tropa quedaba allí [tach.: *con*] cuidado por [agr.] cuatro paisanos. En un círculo
24-25. BN: chirle en que el retrato de las pezuñas quedaba impreso en miles de moldecitos

desparejos [tach.: *en*] de tamaño y forma.
26. BN: Para el lado de la tropa,
30. BN: y sus carnes secas
31. BN: eran unas pobres cosas rojizas, tétricamente estiradas a poca
* *Pág. 287*
3. BN: como [tach.: *humo*] humareda
5. BN. arrancarles [tach.: *un*] pedazos
6. BN: después [tach.: *peleaban*] se atacaban
8. BN: se iba acercando
9-10. BN: Cinco mil chúcaros ya medio cansados que dominaban unos treinta hombres
14 a 16. BN: Oíamos el tropel, las respiraciones afanosas. La misma carne
18. BN: Recordé que el paisano caído estaba detrás mío y ni bien
20 a 22. BN: y alaridos. Hicimos seguir el movimiento rotativo alrededor del palo del rodeo y así, al fin dominados, continuaron por un rato girando sobre
23. BN: hubieran perdido
25. BN: Por otro perdimos porque muchos, embravecidos
F: Por otro perdíamos
26. F: la libertad de correr [escrito encima: *del trabajo*],
27. BN: venía con un pañuelo
28. BN, F, Pr, EP: la cabeza
30. BN: —Andamos los dos con la mala cuñao.
BN, F: Vd.
34. BN: —contesté.
* *Pág. 288*
4. BN: El trabajo seguía pero más silencioso aún, más empeñoso y enérgico.
6. BN: Algunas bestias se negaban, empacándose;
9. BN: ciento cincuenta
10. BN: estos pagos
11-12. BN: no averiguar ni interesarse
13-14. BN: como tabaqueras vacías.
15. BN: Algunos ayudaron a los que partían, campo adentro con la tropa. El rodeo
15-16. BN: Los primeros caminaron despacio
16. F: caminaron
20-21. BN: y así saltaban bufando a veces en torno a la lamentable y carcomida osamenta del compañero.
23. BN: para el puesto
* *Pág. 289*
2-3. BN: de labios hinchados y violáceos. El ojo se le iba también
2-3. F: hinchados. El ojo se le iba también
3-4. BN: quiso ver mi bayo.
4. BN: la herida [escrito encima: *cornada*]
7-8. BN: perdiendo por la pampa.
8. BN: ¡Dejarlo
9. BN: en esos campos
12. BN: ¡Dejarlo en estos campos!
15. Pr: [se interrumpen en *tierra*]
21. BN: Pensaba en que el día anterior
22. BN: a Comadreja
24. BN: deja la osamenta
30. BN: Guardó silencio un rato para
31. BN: tuito
33. BN, F: Vd.
35. BN: y como el tiempo no apuraba, nos fuimos de a ratos galopando, de a ratos al tranco, rumbo

37. *BN:* habíamos tomado
38. *BN:* a ser un desierto.
* *Pág. 290*
1-2. BN: una pura fantasía que negaba el vacío [tach.: *del campo*] de los pajonales.
8 a 10. BN: [forman parte del párr. ant.]
9. BN: ya también
11. BN: —Ahora verá—
12 a 18. BN: del caballo, con habilidad esperó un cangrejo al salir de la cueva y le partió
19. BN: pataleando aún el bicho lo tiró
22. BN: de pinzas alzadas, rojizas [tach.: *Un hambre*]. Todos
23. BN: a seis patas
29. BN: estábamos [tach.: *muy]* quietos
30. BN, F: ver a algunos
* *Pág. 291*
1-2. BN: en comparación de la otra.
2-3. BN: uno más grande
6. BN: llevó la pinza al medio
9-10. BN: aurita los va a ver rezando.
Así fue.
12. F: [agr.] [tach.: *campo*] barrial
13. F: [tach.: *Así fue.* Reap. desde *EP*]
14-15. BN: arañas duras. El suelo se fue cubriendo.
16. F: ellos
BN, F: unos en otros, dados
17. BN: la gran bola
18. TB: manitas [errata. *BN:* term. ilegible; *F, EP: manitos*]
19. BN: pero rojas
21-22. BN: ¡Aquello hacía una profunda impresión! ¿Rezaban también?
26 a 28. BN: [forman parte del párr. ant.]
26. BN, F: por leguas de leguas y leguas el mundo
27. BN, F: bicherío innoble.
30-31. BN: Me pareció mentira que existiera pero estaba todavía
31. BN: ser mentira [escrito encima: *engaño*].
BN, F: Todavía teníamos
34-35. BN: peor de [escrito encima: *que*] lo que
36. BN: también porque me parecía reconocerlo ¿No era
38. BN: cuando el bruto me atropelló.
* *Pág. 292*
1. BN: me había tocado
2. BN: Sentí una
5. BN: a una lucha.
7. F: atrás
12. BN: barbaridad
13. BN: para con el dueño
16. BN: Por mi parte, sentía como si la rabia se hubiese asentado en mí,
17-18. BN: Había decidido quebrar al toro
19 a 23. BN: Eramos dos hombres y en la voluntad de [tach.: *matar*] matar [escrito encima: *muerte*] que ya estaba sobre nosotros, nacía el sentimiento de una amistad fuerte. Con toda simplicidad Patrocinio iba a *jugarse* conmigo.
Unas cuantas
19 a 21. F: En la voluntad de [tach.: *muerte*] matar nacía [tach.: *el sentimiento de.* Reap. desde *EP*] una amistad
23. Pr: [recomienzan]
25. BN, F, Pr, EP, TB: ladié [enm.: *ladeé*]
27. BN: Ahora, estábamos prendidos
* *Pág. 293*
3. BN: oscuro ya
6-7. BN: Parecía más liviano y más alto.

7-8. BN: Era lo que yo [tach.: *esperaba*] quería y lo esperé,
8. BN: la ligereza
9. BN, F, Pr, EP, TB: bolié [enm.: *boleé*]
11-12. BN: con tanta velocidad que aunque Patrocinio supiera cuál era mi intento
14-15. BN: [forman parte del párr. ant.]
17-18. BN: pero sentí al mismo tiempo que el lazo se había cortado. A todo esto, el lobuno,
19. BN: pero una espuela
21. BN: ¡Qué golpe! Pero yo no quería
24. BN: enderezarse, pero estaba como
25. BN: furioso.
28. BN: señales
30. BN: mi brazo
* *Pág. 294*
1. BN: islilla [corr.: *eslilla*]
3-4. BN: golpeados, en mi lazo cortado [escrito encima: *roto*]. Tenía
9. BN: Sentí que
12-13. BN: Sentí el chorro caliente bañarme el brazo, las verijas.
20. BN: por comprender
21. BN: [tach.: *Comprendía*] Vislumbraba
22. BN: decir? [tach.: *eso*], y
26. BN: me parecía brutal
28. BN: Qué esfuerzo enorme hacía yo y qué sensación
* *Pág.* 295
1. BN, F: sin embargo, comprendía como
2. BN: y comprendía todo.
3. BN: de Lacarra.
3 a 5. BN: [forman parte del párr. ant.]
4. BN: del patio y el patrón
7. BN: los males del mundo [escrito encima: *de esta tierra*]
11. BN: perro [agr.: *overo*]
12. BN: [tach.: *un*] el chambergo
16-17. BN: una sensación de muerte.
18. BN: bien sentía ahora que eso
19-20. BN: mi abrumadora sensación de no comprender y el esfuerzo matador con que me empeñaba en despojarme de
21. BN, F, Pr, EP: habían
23. BN: mi esfuerzo
25. BN, F: una abra
31. BN: islilla [corr. a *eslilla*]
32. BN: machucao también.
35. BN: [forma parte del párr. ant.]
* *Pág. 296*
5. BN: La bruta sensación de esfuerzo inútil para comprender
6. BN: Estaba casi contento.
12. BN: de nada [escrito encima: *mi mal*].
13-14. BN: de dolor. Solté una palabrota al tiempo que recordaba mi condición de golpeado [no aparece en *F*].
—No se mueva
18. BN: fumaba despacio, echando sus nubecitas de humo.
19. BN: habría
20. BN, F: postura que el día
21. BN: pensé y me prometí
27. BN: sentí las ligaduras
32. BN: y me apretaba
* *Pág. 297*
7. BN: yo tomar
13. BN: islilla
21-22. BN: con liccncia de la Virgen, vendré [corr.: *venderé*]
28. BN, F, Pr, EP: cabresto
BN: o un maneador
30. BN: a ayudarle.
33. BN: pasándole el maniador
F: pasándole el maneador
* *Pág. 298*
6. BN: pollito
11 a 13. BN: de decirle "Dios te

ayude hijo" con la mano puesta sobre su cabeza
15. BN: Ni bien
18. BN: compañero [tach.: *herido*] golpeado
21-22. BN: como una mañanita y cada
23-24. BN: Como adivinando me miró
F: Adivinando mi atención [agr.]
* *Pág.299*
1. BN, F: colocado
1 a 6. BN, F: [forman parte del párr. ant.]
9. BN: como para
11. BN, F: se entró
15. EP: de mando y
21-22. BN: Manquera no tengo más que pa un rato y ya
23. BN: —¿Anda
24-25. BN: pero la estoy sintiendo porque las muchachas me van a andar buscando camorra en viéndome
24. F: pleito
26-27. BN: Verdad que no está como pa [tach.: *alzar*] alzar mozas en l'anca [tach.: *a nadies*]
29. BN, F: estaba
31. BN: Vd.?
33. BN: le gustará?
36. BN: fuera.
* *Pág. 300*
1. Pr, EP, TB: tira y [errata. *BN: tire; F: tire,* corr. de *tira*]
3. BN: mate [corr. de *matecito*]
4. BN: ahi
12. BN: [tach.: *solo*] solamente
13. BN: Y ¡vaya
15-16. BN: delicadezas gatunas de
25. BN: el del loco.
27. BN: Don Pedro Brandán.
* *Pág. 301*
2. BN: [tach.: *no veo qué tiene de estraño*]. A cualquier
5. BN: Don Pedro.
10. BN: [tach.: *dije*] —exclamé—
14. BN: ayudar [tach.: *a los de aquí*] estos días.
19. BN: turbación.
23. F, Pr, EP, TB: Yo le había [errata. *BN:* Yo lo había]
27. BN: —Yo craiba, esa noche que lo traería finao.
F: —¿Y yo que craiba que llegaría finao?
EP: —Y yo que craiba que llegaría finao.
30. BN, F: vi a acordarme
32. BN: Si a trechos venía bien y cuando le amarré
33. BN: Vd.
36. BN: Si habría hablado habría sido dormido. ¡Qué larga había sido mi pérdida
* *Pág. 302*
7. BN: [tach.: *lobuno*] bayo?
9. BN: —¿Y tiene apuro por cambiarlo de dueño?
20. BN, F: Vd.
21. BN: —¿Setenta
24. BN: "hasta lueguito"
F: "hasta [tach.: *luego*] aurita"
32. BN, F: de esta
* *Pág. 303*
7. TB: Queda [errata. *BN, F, Pr, EP: Quedá*]
10. BN: con ellos.
12-13. BN: No quiero [escrito encima: *necesito*] tener
14. F: Paula [tach.: *me*. Reap. desde *Pr*] increpó
26. BN: le veía
* *Pág. 304*
12 a 14. BN: usábamos. Cortábamos nuestra presa de churrasco y comíamos a cuchillo, cortando a veces sobre la misma galleta.
15. F: salvo las

20. BN: ¡fíjese!, ¡no le digo!, ¡pero vea! Subía
21. BN: su sorpresa por todo,
* *Pag. 305*
8. F: que nunca decía
9-10. BN: mira la res volteada. Su alegría solía
12. BN: que está güena [escrito encima: *la junción se ha puesto*]
13. BN: nos reíamos de sus carcajadas.
17-18. BN: perderlas. Yo no le tenía buena voluntad porque ya lo había visto andarla espiando a Paula con un hambre [escrito encima: *una admiración*] impúdica.
Además
22. BN: eso debió ser
25-26. BN: de la cueva, se llevaban por delante para disparar
F, Pr, EP: de su cueva
28. BN: alegrando el patio
* *Pág. 306*
1-2. BN: sus bromas con todos.
3 a 5. BN: mujeres no entraba en mis libros.
Después de Paula, cuya quedada en el rancho después de la partida de Patrocinio me había infundido nuevas esperanzas, el personaje que entre todos me preocupaba era Numa.
No había
6. BN: que el mocito le arrastraba
7-8. BN: Le guardaba yo rencor
9. BN: gandul. Andaba como sonso
11. BN: Yo me reía
15. BN: mosquito de bañado pero conseguí que se riera en son
25. EP, TB: extrañando [errata. *BN, F, Pr: estrañando*]
BN: ahi
34. BN: y sus ojos se mareaban
* *Pág. 307*
1. BN: revolver
F: y tranquilidad
8. BN: [tach.: *resultaría*] remataría
9-10. BN: me habían metido en un [tach.: *tubo*] pozo
11. BN: la tierra alrededor mío, haciéndome
13. BN: había venido
15. BN: y dar con esto
19. BN: cuando conversábamos cerquita, al oscurecer, al abrigo de los arbolitos, detrás
F: conversábamos [agr.: *con Paula*] detrás
21. BN: de este tratamiento me sentía ya sano
22. BN, F: de alma.
23. BN: vendas, mis juegos
F, Pr, EP, TB: toma [err. *BN: tome*]
24. F: [tach.: *se servían de.* Reap. desde *Pr*] utilizaban grandes
27. BN: Todo esto se resolvió
30. BN: a su ayuda.
34-35. BN: cómo se pelaban [escrito encima: *desplumaban*] batituces.
* *Pág. 308*
1. F: Un bruto [tach.: *nunca.* Reap. desde *Pr*] no hace las cosas bien. Numa embestió [tach.: *embruteció*]
8-9. F: [tach.: *me.* Reap. desde *Pr*] reí a mi vez.
9. BN: vez pero con
10. BN: Sacó cuchillo
14. F: y [tach.: *ya.* Reap. desde *Pr*] empecé
15. BN: la broma
15-16. BN: Pero daba lástima, tan
18. BN: vas a llevar
19. BN: valía
20. BN: sucedería
22. BN: más cerca.

23. BN: una puñalada
BN: saqué el cuchillo
24. BN: sacaba el cuerpo [escrito encima: *esquivaba el bulto*],
25. BN: largó el cuchillo
27-28. BN: La herida quedó un rato blanca para llenarse como manantial de sangre que empezó
29-30. BN: estaba lívido y
31. BN: salió corriendo para el lado del rancho.
* *Pág. 309*
1-2. BN: idiota, y empezó a dejar
2. BN: Paula corría [tach.: *detrás de*] con él.
3. BN: pararía todo esto.
5-6. BN, F: en atropellar un hombre que creía invalidado? Al fin todo me daba
22. BN: de aprobación
27. BN, F: a pagarles
28. BN, F: pleito
* *Pág. 310*
3. Pr, EP, TB: he faltado [errata. *BN, F: he faltao*]
6-7. BN, F: Gracias a Dios me parece que ya estoy güeno.
9-10. BN: con cuidado y vi
16. BN: mocito y puedo darle
23. BN: lo hemo
23-24. BN: No se ha de morir
26. BN: sentí que todo esto podía
29. BN: para hablarle.
31. BN: de olvidarlo todo, hasta mi padrino.
Esperé como media hora. Decidido a todo. Al cabo
32. BN: de donde estaba.
* *Pág. 311*
7. BN: Si [tach.: *era*] un hombre [tach.: *quien se disponía a*] cargara
9-10. BN: juntos.
Por suerte no había nadie más que Don Candelario.
Al rato
11. BN, F, Pr: —Ahi
14. BN: ensillar mi caballo.
17. BN: Ahora, hasta alcanzarlo por lo menos en el puesto
TB: puesto que estaba [errata. *BN, F, Pr, EP: en que estaba*]
20. BN: estos pagos
21. BN: [tach. *Comimos*] Cenamos
22. BN: mascaba yo mis lágrimas de despecho a las que no quería
32. BN: [tach.: *gustan*] gusta
BN: [tach.: *los cuchilleros*] la gente
* *Pág. 312*
10. BN, F, Pr, EP, TB: bolié [enm.: *boleé*]
10-11. BN: ¡Qué bien estar a caballo, libre!
15-16. BN: en que encontraría mi padrino
F: en que encontraría a
19. BN: los acontecimientos recientes
26. BN: debe olvidar flojeras, hinchar el lomo a los sinsabores y enderezar
29. BN: afirmándome
30. BN: Ahora era la vida la que me
31. BN: ¡qué mal golpe este que
33. BN: [tach.: *para*] hacia
35. BN: [tach.: *hacia*] adelante
37. BN: de mi caballo.
* *Pág. 313*
1-2. BN: [forman parte del párr. ant.]
9. BN: en el cual
11. BN: de mi llegada
12. BN: vendría yo
14. BN: y evitaba con ello

20. BN: de una estancia.
21. BN: distancia iba yo sintiendo a mi espalda,
F: a [tach.: *mi, nuestra*] la espalda,
Pr: [tach.: *mi*] nuestra
22-23. BN: más sentía volver mi confianza y mi alegría
25. BN: Cuando estuvimos a unas
29-30. BN: y dos caballos menos.
* *Pág. 314*
2-3. BN: dos pingos seguros, me satisfacía el haberlos vendido después del trabajo.
4. BN: le salgan compradores
5 a 7. BN: Y a cuenta de esta satisfacción iba también el hecho de que mis caballos vendidos eran mis dos primeras hazañas de jinete.
8-9. BN: Además aprovecharía la ocasión para cumplir con un deseo largo tiempo presente: Aviarme de una tropilla
10. BN: ¿No disponía para esto, sin contar con lo que sacaría de la venta, con el dinero
F, Pr, EP, TB: con el dinero [enm.: *del dinero*]
17-18. BN: boliche, a orillas de un pueblo, donde se preparaban para la tarde una carreras.
19 a 21. BN: Ya un gringo había instalado una carpa con comida, golosinas y beberaje. En medio del callejón, del que habían elegido un trecho bien parejo, corrían los andariveles, emparejados a pala-ancha.
20-21. F: blanqueaban los andariveles, carpidos
20. Pr: [tach.: *corrían los*] clareaban
* *Pág. 315*
1. F: su carpa
3. BN: También había una china vieja pastelera, con dos canastas.
3 a 7. BN: [forman parte del párr. ant.]
5. BN: paseaba de tiro
8. BN: todas esas cosas, de chico,
8-9. BN: entre ellas contento como sapo en el agua [escrito encima: *barro*].
10. BN: parejeros tapados
14. BN: [tach.: *corrida*] carrera
21. BN: afuera aumentaba la caballada.
23-24. BN: Como mi Moro era de buena pinta y troteaba corto como
23. F: Como mi Moro
25-26. BN: cuidado sin embargo de que
28. BN: unos amigos
29. BN: eran reseros que volvían de un arreo y
* *Pág. 316*
1. BN: Los dos parecían hombres
3-4. BN: repitió algunas de las incongruencias del "mamao":
7. BN: ninguna
13, 14 y 16 BN: ahi
15. BN: es mora...
17-18. BN: le vi'a jugar al ruano no porque lo crea mejor sino por hacerle
18-19. BN: pedo. El hombre que se mama es un güen hombre.
19. F: ha de ser güeno.
21-22. BN: sabía que algo bueno debía de haber detrás de esa sentencia.
23. BN, F, Pr: va hablar
28. BN: vas a dentrar
* *Pág. 317*
3. BN: que le anda sobrando [tach.: *la*] vida.
4. BN: esto

7. BN: boleadora
8-9. BN: de la llegada y raleando
10-11. BN: Esperamos con esa paciencia del que no está acostumbrado a no hacer nada.
11 a 15. BN: que esa espera es lo que más me gusta en esas fiestas porque ya hay tiempo todos los días para que sucedan cosas y es bueno de vez en cuando saber que por un rato largo no va a suceder nada.
11. F: inacción es
12. F: me gusta
F: ya hay
13. F: sucedan cosas y es bueno
14. F: nada cambiará.
20 a 22. BN: o dos partidas antes de la largada para colocarnos después donde hubiera menos gente, por el medio de la distancia donde ya por lo general
23. BN: Mejor
25. BN: a uno que pasaba
* *Pág. 318*
1-2. BN: saber algo de la carrera para poder rumbiar
5. BN: d'ellas. Igualando
6. Pr: [se interrumpen en *largar*]
15. BN, F: de estos
16. BN: yo paro una, dos o tres paradas
F: yo [tach.: *paro*] tomo una o dos paradas [tach.: *posturas*]
18. BN: —Gracias amigo. Preferimos antes ver siquiera los parejeros.
F: —Gracias amigo.
19. BN: lisensia.
F: lisencia.
25. BN: insinué.
28-29. BN: Lo cierto es que yo tenía muchas ganas de jugar [escrito encima: *de comprometer mis pesos*] y
* *Pág. 319*
1-2. BN: arbitrariamente, por pálpito. La plata me andaba como incomodando
6. BN, F: Y setenta
7. BN, F: trescientos setenta y cinco,
8. BN: de mis meditaciones,
9. BN: Los vimos sin movernos del sitio en que estábamos.
10. BN: El colorado venía,
13. BN: [tach.: *General*] Coronel
16. BN, F, EP: Ruano
19. BN: aceitado
21. BN, F: "mamao"
22. BN, F: era un flaco
27. BN: Me pareció que el borracho tenía razón
31. BN: nuestro puesto.
* *Pág. 320*
3. BN: —me preguntó— yo
9. BN: nos miraban riendo. [la or. sig. forma párr. ap.]
16. F: a cien?
17. BN: [tach.: *me*] accedió.
18. BN: Ya los curiosos se hacían montón,
24. BN: ya estoy
29. BN: cancha [tach.: *atrás de los caballos*].
30. BN, F: anunciara
32. BN: corriendo de vuelta
32-33. BN: del tiempo que
* *Pág. 321*
2-3 y 8. BN, F, EP: Ruano,
17. BN: Yo tenía mi rabia. ¿Hasta en el juego me pelarían? Pensé en desquitarme y averigüé si no había más carreras. Supe que aún quedaban por correrse dos depositadas y que ya se hablaba de algunas más.
22. BN: [forma párr. ap.]
23. Pr: [recomienzan]

24. BN: despacio [tach.: *y*] pero claro.
27 y 31. BN: ahi
29. BN: que no se ven
32. BN: Cáceres.
* *Pág. 322*
2. BN: lo han pelao de lo lindo
3. BN: lo dijusta
F: le dijusta
Pr, EP, TB: disjusta [err. *BN, F: dijusta*]
8. BN: ninguno
12. BN: menos científica [escrito encima: *doctora*]
17. BN: partiendo un rabicano
19 a 21. BN: había un grupo de gente rica, bien montada, que hablaba de las carreras depositadas. Uno que
23. BN: Antenor
30. BN: —¡Partieron!—
* *Pág. 323*
2. BN: El resultado final fue que el caballo sobreexcitado [escrito encima: *embravecido*]
3-4. BN: llevándose por delante el alambrado
5. BN, F: salió
7. BN, F: veinte
9. BN: Antenor
10. BN: —Ahi vienen.
12. BN: Antenor!
14. BN: [tach.: *picazo*] mano blanca
15. BN: oscuro. Toda la ventaja del canchero estaba de su parte. Empezaron
19. BN: Cerca mío el perudo
19-20. BN: me propuso:
25. BN: Ya el mocito
29. BN: antes en la próxima salida.
30 a 32. BN: [forma parte del párr. ant.]
32. y
* *Pág. 324*
1. BN: Decididamente la partida era buena para el mano blanca.
6. BN: —¡Hahá!—
8. BN: le sacó [tach.: *uno*] dos cuerpos [tach.: *dos*] tres...
9. BN: el caballo
10. BN: Cáceres!
16-17. BN: e m b o l s a n d o mis otros cien —siempre que no estemos por el mismo
22. BN: salían los pesos
25. BN: ensartamos [tach.: *sendos*] pasteles
27-28. BN: entre los dos compañeros juntaban ciento setenta y dos [tach.: *pesos*]
29. BN: cien pesos
30. BN: con cinco [tach.: *pesos*] como todo capital.
* *Pág. 325*
1. BN, F, Pr, EP, TB: ver mi contrario [enm.: *ver a mi contrario*]
2. BN: un nuevo desquite.
3. BN: Vd.
4-5. BN: que Vd. podrá ver mañana si gusta.
4. F: que podrá ver
6. BN: su liberalidad
8. BN: elegí el perdedor. [forma párr. ap.]
9. BN: Me dediqué a
13. BN: es peor
15. BN: que se corrieron. Los grupos se desprendían
F: se desprendían
16. BN: corrían dos
18. BN: eran ya
19-20. BN: que habían partido primero.

Parejeros no quedaban casi y algunas manchas de mantas se veían entre los que se alejaban.
24. BN, F: sólo con dos
28. BN: y el Caramelo
* *Pág. 326*
6. BN: nubes granate
6-7. F: nubes en el horizonte,

8. BN: dos paraísos
9 a 17. BN, F: [forman parte del párr. ant.]
11. BN: [tach.: *que había*] eligió el lugar [tach.: *para*] con el fin
14. BN: parecía de quien
15. BN: dos
16. BN: nos sirvieran
18. BN: nuestros animales al campo, como suponíamos que lo habían hecho los troperos, y luego
25. BN: hecho fuego
26. BN: y ya nos parecía
* *Pág. 327*
1. BN: tan buenas
2-3. BN, F, Pr, EP, TB: la afición a la soledad de mi padrino [enm.: *la afición de mi padrino a la soledad*]
3. BN: pero la cosa
4. BN: estas
6. BN: que el pensamiento lo [tach. *tenía*] tuviera
7. BN: una matra que ha bebido [escrito encima: *chupado*]
9. BN: nos regalaba algo
11-12. BN: sin despegar los labios. Arrimamos más la pavita y cebé unos amargos para los dos.
17. F: "Este era tiempo
19. BN, F: un tiempo
21-22. BN: Me parecía que yo iba a salir de una parte a otra. ¿De dónde? Y ¿para a dónde?
21. F: para otra. ¿De dónde y para adónde?
30. BN: [tach.: *iban*] jueran
* *Pág. 328*
2. BN: se lo dijo
4. BN, F: cusquito
19. F, Pr, EP, TB: olfateando [err. *BN: olfatiando*]
21. BN: revolviendo
25. BN: pa a donde
* *Pág. 329*
1. BN: vi a cobrar? Vaya
6. BN: medio retiraditos
7. BN: medio tardido:
10. BN: nosotros
11. F, Pr, EP: los vamos
13. BN: eligirá
15. F, Pr: vuelta
18. BN, F: reirse,
24. BN, F, EP: Paraiso
29. BN: —Consedido
31. BN, F: Paraiso
* *Pág. 330*
4. BN: de ellos
5 y 13. BN: Consedido
7. BN, F, EP: Paraiso
7-8. BN: de atrás casi en la oreja San Pedro.
9. BN: querrás
12. BN: salir de ella
19. BN: el sombrero [escrito encima: *chambergo*]—.
BN: mismo
22. F: mismo
BN, F: del rancho
26. BN: acondicionadito,
F: acondicionaos
29. BN: sello del Infierno
30. BN, F: —Cagamos— comenté.
31. BN: pa ver cómo acaba [escrito encima: *sigue*]
* *Pág. 331*
4. BN: [tach.: *donde compró*] pa comprar
5. BN, F: un Señor
BN: contento [tach.: *como nunca*].
6. BN: de este
8. BN: ninguno a las carreras,
12. TB: vigésimo [errata. *BN, F, Pr, EP: vegísimo*]
13. BN, F: reirse
14. BN: y [tach.: *le presentó*] peló
21. BN: Al volver lo hayó
27. BN: hombre de
30. F, Pr, EP, TB: bellaquear [err. *BN: bellaquiar*]

* *Pág. 332*
1. BN: que pedía Miseria que le dio
3. BN: volvió
5. F: naide
BN: tratos
BN: y comerciantes
8. BN: el año
10. BN: lenguarás
11. BN: encanto de
12. BN: —le había dicho
23. BN: son
24. BN: de diablos.
28. BN, F, EP: caida
BN: volvió
29. BN: nadie
31. BN: pa dentro
33. Pr: [se interrumpen en la sílaba *ha-* de *había*]
* *Pág. 333*
3. BN, F: diciendo
9. BN: hubo tragao la primera.
12. BN: cabilar
17. BN: podemos bajar
18. BN: en las ramas.
24. BN: volvió
27. BN, F, EP: el año
32. BN: [tach.: *había prevenido*] previne
* *Pág. 334*
2-3. BN: Pero estaba esa gente
F: parecía
7. BN, F: de ésta
12. F: firmado
13. BN: [tach.: *aura ande*] venga
18. BN: Vd.
19. BN: volverse
21. BN: los [tach.: *pierde*] sabe perder
26. BN: piso [tach.: *y*] lo metió
* *Pág. 335*
3. BN: pasaron los años.
Pr: [recomienzan]
7. BN: no salían
8. TB: veían [errata. *BN, F, Pr, EP: vían*]
9. BN: de morir
11. BN: las vacas daban puro apoyo, los baguales
15. BN: mi aandeh'apurando.
16. BN, F: Ansina como no hay taba sin culo, no hay
Pr: camino
19. BN: autoridad
BN: y los vicios
* *Pág. 336*
10. BN, F: meses más y ya
11-12. F: lo más mejor e su vida,
12. BN: d'ellos
13. BN: volvieran
14. BN: ganaría
17. BN: estas
18. F: encerrados
19. BN: a todos los diablos
22. BN: sos vos? —le dijo—.
29. BN: te vah'al
32. BN: a cumplir
34. BN: irse de él poco
* *Pág. 337*
1. BN: sobre el yunque
3. BN: en sudor.
8. TB: licenció [errata. *BN, F, Pr, EP: lisenció*]
13. BN: polvareda
15. TB: fin. [errata. *BN, F, Pr, EP: fin:*]
16. F, Pr, EP, TB: humeadas [err. *BN: humiadas*]
19. BN: hacerlo lo mejor,
20. BN: sus jergones
22. BN: pa comer [tach.: *ni.* Reap. desde *Pr*] o tomar
* *Pág. 338*
3. BN, Pr, EP: Paraiso
7. BN: ahi
BN: Paraiso
14-15. BN, F: le tocaban al Infierno.
17. BN: golpiaba la tabaquera sobre el yunque
F: al que le contó
31. BN: a entrar
* *Pág. 339*

1. BN: Ahi
2. F, Pr, EP, TB: cielo [errata. *BN: Cielo*]
9. BN: prendas para dormir.
16-17. BN: Sintiéndome acreedor a los sobrenombres del herrero viejo,
19. BN: si nadie querría
24. F: pájaros
28-29. BN: blandura de correones, riendas y la lonja
33. BN, F: como un cariño.
* *Pág. 340*
6. BN: tierna [tach.: *salía*] asomaba
10. BN: El patrón era joven y risueño.
11. BN: con el paisanaje aparecía cordial.
15. BN, F: Antes que
19. BN: fuera
21. BN: [tach.: *andar haciéndome*] más
21-22. BN: ¿No vería el otro lado de la taba?
F: ¿No vería el otro lado de la [tach.: *taba*] suerte?
23. BN: la deseé
25. BN: confianza.
27-28. BN: de broma y,
**Pág. 341*
2. BN: [tach.: *bayos*] baguales.
6-7. BN: cerca mío ya alcanzándome las prendas,
12. BN: en un corral de palo a pique y el patrón
F: en un corral. El
14. BN, F: la ocasión
21. BN: que después nosotros
24. BN: para ponerles
* *Pág. 342*
1. BN: no perdía los animales
2. BN: los indicios
3-4. BN: ¿Sería caído, se me bolearía, para adónde saldría...? Entretanto tenía que
5. BN: y caídas mientras ensillaba.
7. Pr, EP, TB: uno amaña [errata. *BN, F: se amaña*]
9-10. BN: ¿al que corcovee?
12. BN: sin querer gastarme
17-18. BN: creía capaz de [tach.: *ganarles aunque*] ganar algunas que no se me [tach.: *presentaba*] presentaran
19. BN: En verdad,
20. BN: [tach.: *haberme resultado*] haber sido con mala suerte.
23. BN: el [tach.: *último*] quinto
* *Pág. 343*
2. BN: Como el bicho era uno de los que [tach.: *el dueño*] servían
6. BN: Para no pasar por sonso
12-13. BN: el potro que iba a quedar
14. BN: de una rebenqueada
19-20. BN: para poder mejor sostener
22. BN: Cuanto me le senté sentí
F, Pr, EP, TB: bolié [enm.: *boleé*]
23-24. BN: lo mejor que pude. Sintiéndome bien
26. BN: —Lárguelo no más.
El potro no se movió.
30-31. BN: a disposición del antojo del animal.
* *Pág. 344*
4-5. BN: de seguida
7. BN: pero algo había ganado
10. BN: ganancia empero estaba
14. BN: a resultar esta vez más dura porque
16-17. BN, F, Pr, EP, TB: menudié [enm.: *menudeé*]
17. BN: azote
23. BN: al [tach.: *en*] compás
* *Pág. 345*
2. BN: por esa playa

4-5. *BN:* ganado del primer tirón
F: el primer tirón
6. *BN:* porque el bayo
7-8. *BN, F:* los estribos, pero
11. *BN:* al bruto
11-12. *BN:* [esta últ. or. forma párr. ap.]
14. *BN:* no se sonreía ya
15. *BN:* como pensativa por el bigote.
16. *BN:* Con voz tranquila
20-21. *BN:* —rearguyó el hombre—
25-26. *BN:* me resultó un pajarito.
F: después de lo pasado [tach.: *la pasada*] me pareció un pajarito
27-28. *BN:* con fuertes sogas de la estancia [cláusula inc.].
34. *BN, F:* [comienza párr.] Nuestra única obligación era entregar con tiempo los potros ya redomoneados. Fuera de éso éramos libres.
Como tenía
BN, F: del apretón un poco hinchado y doloroso,
Pr, EP: doloroso
35. *BN:* que había allí cerca
F: que había cerca de la cocina,
37. *BN:* a refrescarme la parte.
* *Pág. 346*
5. *BN, F:* hasta el pozo en que me hallaba,
BN: las cabeceadas blandas
8. *F:* venían
BN: en un zurco
10. *BN:* hombre viejo
11. *BN:* se vino
BN, F: hueyita
13. *F:* encargo
14-15. *BN:* —Vd. dirá.
—¿Es del oficio usté?
21. *BN:* pa que le ofresca de quedarse.
24. *F, Pr, EP:* Patrón
BN: ninguno
* *Pág. 347*
2. *BN:* para que se orearan.
4. *BN:* le preguntó [tach.: *con la mirada*]:
F: le preguntó:
6. *BN:* —No me contestó nada entuavía
8. *BN:* —Quisiera saberlo.
10. *BN:* sabrás
13. *BN, F:* querrás
14. *BN, F:* fuera
15. *BN:* ninguna
17. *BN:* El patrón embarazado se tiró
18. *BN:* Nunca nadie a mi parecer me había
20. *BN:* para
26. *BN:* estaba para los consejos
32-33. *BN:* su tropilla y su majadita...
34. *BN:* es verdad
F: es [tach.: *verdá*] cierto
BN: tranquilidad
37. *BN:* los patacones que en ella tiene.
* *Pág. 348*
5-6. *BN:* y unos maneadores en la mano.
8. *BN:* pero también sabe
10. *BN:* de la vida mesma.
11-12. *BN:* se fue de golpe.
15. *BN:* con tanto miramiento?
18. *BN:* el contento no menor de
Pr, EP: el contento no de salir airoso
20. *BN:* mi trabajo de doma
21. *BN:* con cualquier rigor.
22. *BN:* con vencerlo al
24. *BN:* tuviera yo
26-27. *BN:* en cambio el vencer,
28. *BN:* de confianza y nunca, a pesar de mi pobreza, estuve más contento que en esos días de prueba.

* *Pág. 349*
7-8. BN: los animales en la redomoneada,
11-12. BN: que guiaba cada gesto. Pero el instrumento era quien
13-14. BN: los cogotes sonsos y chapetones para la obediencia,
17. BN: corcovos [tach.: *y*] o
18. BN: Y en todo esto
19 a 22. BN: como un deber a cumplir y las oía en la voz de mi padrino: "Tironialo firme hasta que dé un paso p'atrás. No te apurés pa desmontarte; tirale el cabresto hasta que medio doble el cogote y agarrate del fiador del bozal pa después abajarte medio lejos. En cuanto pisés el estribo pa subirlo boliale la pierna sin dilación por sobre el recao, no lo vayás a tocar en el anca. A ésa arrimátele medio de adelante y alerta pa ponerle el bocao, que está dolorido'e los tirones y puede darte un cabezazo o buscar de manotiarte..." mil frases representaban otros mil menudos hechos en que yo había seguido por mía aquella voz y hasta [tach.: *dormido*] en horas
19 a 20. F: como un deber. Las oía en la voz de mi padrino. Cuando al potro le haigas puesto el bozal, tiralo de costao pa ablandarle el cogote. Si es disparador aguantale el tirón echando a verijas, de firme, pero si te veh'obligao a tirarlo de atrás dejá que los pieses refalen y esperá el güen momento, pa vencerlo en el cogote. Cierto que pa tironiar hay que tener güena verija pero mejor ojo entuavía. Al bagual mejor es enriendarlo en el suelo, y si le poneh'el bocao al redomón dolorido e los tirones, arrimátele medio de adelante y alerta no vaya a ser que te dé un cabezazo o busque de manotiarte.

Al arrimarte pa ensillarlo no le mostrés miedo [tach.: *al animal*] porque él compriende. Te le acercás por la paleta así no te puede cociar ni manotiar, y le afirmás la zurda cerca'e la cruz por si se asusta o se cai, tenéh apoyo para abrirte con tiempo. Hasta que se entregue, manialo pa ensillar. En cuanto piséh'el estribo, boliale la pierna por sobre el recao, no vaya a ser que el diablo te juegue una mala partida y lo toquéh'en el anca. No los busqués ni loh' apurés pero si corcovean cuidate de que no te volteen y se hagan aplicaos a bellaquiar. Afirmate bien y a rigor. Tironealos de firme hasta que den un paso p'atrás. Despuéh'aceles dar rienda a los dos laos, con ayuda del rebenque y con pasencia. La rienda es lo más principal en la doma. No te apurés pa desmontarte; recogé el cabresto hasta que medio doble el cogote y agarrate del fiador del bozal pa abrírtele medio lejos. Y aprovechá que está cansao pa manosearlo a gusto y dirle quitando las cosquillas. Frases
24. BN: ¿Era yo o Don Segundo, al fin, el que domaba? Yo sentía
25-26. BN: a no ser que mi propio deseo de independencia me decía:
29-30. BN: de tal suerte que llegábamos a veces a una pulpería sita a legua y media
29. F: de tal suerte que

33. *BN:* Entretanto, en la estancia,
34. *BN, F:* Antenor Raynoso
35. *BN, F, Pr, EP:* extraordinaria.
36. *BN, F:* Era conocido
F: como [tach.: *un.* Reap. desde *Pr*]
* *Pág. 350*
16. *BN:* unos pesos más,
17. *BN:* del patrón y los mensuales,
20. *BN:* La cancha de taba
22. *BN:* y mi padrino
23. *BN:* a saludar a
24-25. *BN:* En efecto, nunca el patrón nos había [tach.: *despachado*] servido
30 *y*
* *Pág. 351*
1. *BN:* Pero aunque de los presentes algunos opinaron [tach.: *lo mismo*]
1-2. *BN:* alegó su amistad con el hombre y golpeó
3. *BN:* asombrado por nuestro
5. *BN:* a Tata.
6. *BN:* Se apareció Tata con una cara de Viernes Santo y ni
9. *BN:* hasta muy cerca de aquella
11. *BN:* [tach.: *tranquila*] burlona
13. *BN:* Medio mamao pero con una frente
15. *BN:* como divertido y avanzando
16-17. *BN:* pecho con pecho con el matón le corrigió con suave firmeza [escrito encima: *con modesta sonrisa como si se tratara de una equivocación*]:
18 *y* 22. *BN:* Vd.
19-20. *BN:* Y bastó. El pulpero de "mala bebida" nos sirvió
23. *BN:* Y brindamos
23-24. *BN:* vaciando las copas de
* *Pág. 352*
3. *BN:* Uno de los primeros hombres que
4-5. *BN:* al mostrador [escrito encima: *enrejado del despacho*].
5. *BN:* contando yo
8. *BN:* a voz alta
13-14. *BN:* parecía un hombre que viene de lejos.
15. *BN:* con bromas
20 *a* 22. *BN:* con las vueltas que daba en sus elogios cuando de pronto dijo:
24. *BN:* cuando se encuentre frente
26. *BN:* Antenor estaba
30. *BN, Pr, EP, TB:* todavía [err. *F:* *toavía*]
BN: la misma fe pa cortarlo
32. *BN:* y siempre dándonos
* *Pág. 353*
3. *Pr, EP, TB:* estropearlo [err. *BN, F:* *estropiarlo*]
6. *BN:* —¿Me permite una palabra?—
7. *BN:* —Comonó—
11. *BN:* un rato te está
12. *BN:* y estás desperdiciando
15. *BN:* Un momento
19. *BN:* llevárselas
22. *BN:* ¿Qué diría ahora
* *Pág. 354*
1-2. *BN:* la conocían
9. *BN:* hubiese
14. *BN, F:* espalda
18 *a* 20. *BN:* sin tocarlo. Creo que
20. *BN, F:* debimos [corr. sobre *debíamos*]
24. *BN:* quitando el cuerpo.
25. *BN:* estiró el brazo y
26-27. *BN:* la sien hasta la oreja.
31. *BN:* Esta vez Antenor
* *Pág. 355*
5 *a* 12. *BN:* a borbollones. Alcanzó a decir muy bajo:

6 a 11. F: [estas líneas fueron agregadas, a mano, por RG y muestran las sigs. vacilaciones: *habían los mirones hecho* por hicimos; *le entraba* por se le entraba; *pecho* por cuerpo; suprimido: *del herido; aquel baldeo* por el; *agotado* por vaciado; *aunque se animara a decir* por alcanzó a decir]
13. BN: —Ahora
16. BN: el forastero muerto
18 y 27. BN, F, Pr, EP: Cristianos
21-22. BN: lo insulta a uno
30. BN: nadie
* *Pág. 356*
1. BN: hallado
2. BN: disgraciao
3. BN: y según el mesmo
6. BN: conforme dijo
8-9. BN: es el destino este hombre debía morir así y él mismo traiba el empeño de que juera.
9. F: se cumpliera [tach.: *como ha sido*]
16. BN: el hombre de ciencia dijo unas palabras
17. BN: significado justo
* *Pág. 357*
1. BN: —¡Qué puñalada bestial;
3. BN: El pulpero no había salido.
4-5. BN: iniciar los primitivos
4 a 6. BN: [forman parte del párr. ant.]
10-11. BN: ¿No es uno
14. BN: creemos ser
19. BN: nos [tach: *acecha*] cacheteaba
* *Pág. 358*
1. BN: allí
2-3. BN: de mi pueblo
10-11. BN: [tach.: *la*] su vida.
13. BN: Una dosis
14. BN: y hay que sacarla
18. BN: por absoluta
23. BN: ante las bromas
29. BN: él parecía venir
35-36. BN: todos estos pensamientos míos no eran más que conjeturas. Lo cierto era
37. BN: ante la suerte a la que oponía
38. BN: Yo sufría ante todo,
* *Pág. 359*
1. BN: mis pescaditos
18. BN: como picados de viruela.
20. BN: hechas
BN: Como era otoño y podía
* *Pág. 360*
3-4. BN: y arriba algo informe, oscuro, que se nos caería encima
5. BN: percibíamos las cosas demasiado
6. BN: los rosillos claros
9-10. BN: cicatriz en la carne.
10-11. BN: Al golpe de viento siguió la calma [tach.: *Sin embargo, veíamos avanzar en toda carrera*]
11. BN: grandes charcos [tach.: *plateados*], estrías y ríos
16-17. BN: El capataz nos mandó no descuidarnos pues la hacienda asustada remolineaba
19-20. BN: de bajo tierra. La ropa se nos despegaba del cuerpo y por un momento perdimos toda posibilidad de percibir nada.
La tropa [tach.: *Los novillos*]
20. BN: en pedazos [escrito encima: *puntas*]
21. BN: Los hombres recordábamos
25. BN: que tal sucediera.
31. BN: sulky o charré
32-33. BN: les alivie del susto! Seguí corriendo hasta dar
38. BN: hacia la zanja
F: hacia [escrito encima:

en] la zanja.
* *Pág. 361*
3. BN: de sobre los garrones
11. BN: pasó [escrito encima: *había pasado*]
19. BN, F: donde luchamos
21. BN: Allí se vieron los buenos caballos y los paisanos corajudos [esta or. no fue pasada a *F*]. En un barro
22. BN, F: forcejeaban en falso
26. BN: en una bolsa.
F: adentro de
27-28. BN: Cinco vacunos quebrados quedaban
F: Cinco vacunos quedaban
29 y 32. BN, F, Pr, EP: chasque
32-33. BN: debía hacer un telegrama al patrón,
33. BN: incidente. Se quedó, luego de algunas porfías, en redactarlo así: "Cinco muertos, cinco sepultados". Como
* *Pág. 362*
9. BN: animales. No paramos
16-17. BN: el Alpargata y el Chicharrón,
19. BN: El reservado no podía contarlo por seguro;
20. BN, F, Pr, EP: preveer
22. BN: tercer día
* *Pág. 363*
5. BN: Ese día, aprovechando
BN: los dos torunos
6-7. BN: firme. Nos cansamos castigándolos [esta or. no fue pasada a *F*]. Por fin, como el palomo iba reculando, un hombre le echó el lazo en el anca y cuando metió las patas se le afirmó. Al mismo tiempo el capataz le descargó el caballo al bragado y como moscas nos le prendimos, sin darle cuartel hasta haberlo alejado. En un pechazo de mala suerte,
8 a 16. BN: de largo por delante y el toruno, que no tenía del lado derecho más que un pedazo de aspa quebrado y grueso, se lo encajó al mancarrón por las verijas, bajándole las tripas. Como caranchos caímos sobre
8 a 13. F: [agr., a mano, desde *al tiempo* hasta *derecho*]
20. BN: íbamos
* *Pág. 364*
2. BN: seguir siempre, siempre; y se vive
F: seguir siempre, siempre. Y
4. BN: inquebrable, hasta tanto haya en él una capacidad viva. Y al fin
7. BN: porque uno lo deja y la voluntad
11. BN: Ensillé mi reservado que me costó
19. BN: Pero ¿quién
21. BN: el descanso
BN, F: Había potrerito
24-25. BN: al lugar seguro y nos volvimos
F: al potrero seguro
26. BN: y al llegar a las casas,
27-28. BN: como [tach.: *bolsa*] un cuarto
29-30. BN, F, Pr, EP: Una de esas terribles y repentinas quebraduras de nuca.
30. BN: Nos arrimamos viendo
34. BN: lo echamos
* *Pág. 365*
7. BN: y esperamos todos con
14. BN: desabrumarnos
F: desbrumarnos
17. BN: para mí previsto, se agravaba.
F: para mí previsto, se agrandaba.
18. BN: trasijao
* *Pág. 366*
1 a 7. BN: [forman parte del párr. ant.]
6. BN: pensando en la suerte
7. BN: de [tach.: *plata*] papeles

14. BN: creído en aquel momento que ese
16-17. BN: ¿De qué Nación? Y un gallego
21. BN: Era alguien conocido,
22. BN: Pedro Falcón.
25. BN: con un incomprensible
26. BN: y me agració
29. BN: contra mí
34. BN: tranquilidad.
35. BN: una noticia que no se anima a darte.
F: Ahi
* *Pág. 367*
4, 13 y 21. BN: Blanco Cáceres.
12. BN: ningún otro modo
15-16. BN: y vi que Pedro y mi padrino me habían dejado solo. La tropa también se alejaba.
18. BN: hubiese
24. BN, F, Pr, EP, TB: Saltié [enm.: *Salteé*]
27. BN: [*Miraba*...: forma párr. ap. La or. sig. comienza nuevo párr.]
29. BN: Y de repente
31. BN: ¡Qué tropa, ni qué Diablos!
32. BN: contra todo
35 a 37. BN: que era ya imposible que siguiera yo con la tropa. El había arreglado con el capataz, para que me reemplazara por otro peón.
39. BN: dijo Don Segundo tranquilo.
* *Pág. 368*
1. BN: ese cariño al lado del mío,
F: aquel cariño al lado mío,
2-3. F: desamparado [tach.: *y*. Reap. desde *Pr*], que de golpe
5. BN: —don Segundo— le dije,
9 a 11. BN: Bruscamente pensé en Don Blanco.
—¿Y cómo
12. BN, F: en los puestos,
14. BN: Tu padre era un güen hombre, que ni andaba
15-16. BN: rico nada más y no tengo
18. BN: y solo sabrás lo que ahora te digo. Tu padre era un hombre rico, como todos los ricos y no había mal en él.
19. BN, F: —¿Y mi madre?
21. BN: No me animé a decir más nada
22-23. BN: de veneración.
27. BN: en ese augurio?
28-29. BN: el haber cedido a mis congojas infantiles
F: el haber cedido
* *Pág. 369*
3. Pr: [se interrumpen en *soy*]
BN, F, EP: niño
4. BN: o un perjuicio?
5. BN: Pedro palideció al insulto y tomó
8. BN: el falso respeto que me había señalado Pedro.
F: el falso respeto [escrito encima y luego tach.: *falsos respetos*] y el distanciamiento
12. BN, F, EP: caido
17-18. BN: gratitud con lágrimas en los ojos. Así alcancé a sonreír dándole un título que nunca se me había ocurrido:
20. BN: vas a pedir
27. BN: con ahinco
30. BN: ni razón ni palabra.
33. BN: con altivez
Pr: [recomienzan en *Si*]
34. BN, F, Pr: desconosco
* *Pág. 370*
10-11. BN: cabezadas; miré el recado,
17 a 20. BN: de ellas había un alma grande. El alma del resero vagabundo, que es como una sed de distancia y como una posesión, cada día

22-23. *BN:* y nos despedimos
23-24. *BN:* En cada apretón de manos
24. *BN:* Conforme iba llegando
25. *BN:* sentí como si me fuera acabando. Por fin dije un adiós general y nos retiramos
26. *BN:* Toda la pena
F: ¡Bonito adiós! Todas las penas
27. *BN:* quedaba
30-31. *BN:* a pasar la noche.
33. *BN:* adelantaba la noche,
* *Pág. 371*
1. *BN:* si me fueran
9. *BN:* sin verle
13. *BN:* que me dejaba
14. *BN:* perdida tal vez campo afuera.
16. *BN, F:* tan distintos.
18-19. *BN, Pr, EP: Yo había dejado de ser un gaucho.* [En *F* no está subr.]
19. *BN:* Esta idea encontrada dejó
19-20. *BN:* Ahora sí concretaba
23. *BN:* esto
24. *BN:* desde un rato,
26. *BN:* Liandro
27. *BN:* ricién
* *Pág. 372*
2. *F:* sorprendido [tach.: *de verdad.* Reap. desde *Pr*], o
11. *BN:* pa andar
F: pandar
17. *BN:* sonriente y con confianza
19. *BN:* vayás
19-20. *BN:* alma a cucucho.
F: con tu alma [tach.: *a babucha*] por delante como madrina e'tropilla [agr.]
21. *BN:* Tanto las madrinas
23. *BN:* pagos viejos,
* *Pág. 373*
3. *F, Pr, EP, TB:* metidos [errata. *BN: metidas*]
4. *Pr, EP, TB:* hechos [errata. *BN, F: hechas*]
10. *BN:* se me [tach: *entraban*] metían pecho adentro
14. *BN:* a tus órdenes
24. *BN:* El peluquero Testa
34. *BN, F:* o si siempre necesitaba
* *Pág. 374*
3. *BN, F:* un pelo,
F: ni que el platero
17-18. *BN:* que pedirnos disculpas
21. *BN:* de Galván.
Le conté a mi padrino los detalles de mi escapada del pueblo y cómo había ideado ir a lo de Galván para encontrarme con él.
22. *BN, F:* Cuando íbamos por
22-23. *BN, F:* mi presencia.
* *Pág. 375*
1-2. *BN, F:* era un guacho, pero ahora era
F: un guacho pero
3. *BN:* anterior de guacho,
7. *BN:* un rango social
12. *BN, F:* pensar que iba a ver
13. *BN, F:* por la vergüenza
16. *BN:* Nos [tach.: *bajamos*] apiamos
20. *BN:* como antes, cuando
22. *BN:* Me acerqué sombrero en mano y tomé
24. *BN:* tengas
27. *F:* cansao
30. *BN:* Ya tenemos tiempo por delante...
31. *BN:* La voz luego continuó:
32. *BN:* —Ya [tach.: *te*] has [tach.: *hecho*] corrido
34. *BN, F:* templao
* *Pág. 376*
1. *BN:* estas palabras ya
2. *BN:* todo esto
5. *BN:* y estaba contento, muy contento, pero
30. *BN:* hijo del patrón?

* *Pág. 377*
14-15. BN: y vos dentro de poco vas a ser
26-27. BN: el recao, yo te acompaño... allá por el galpón.
31. BN, F: lo mandó a su hijo
* *Pág. 378*
3. BN: por los recuerdos,
7. BN: salida del sol
8. BN: Vieras hermano
9. BN: con el petizo zebruno!
12. BN: —No lo he conocido más que de nombre. Hace
16. BN, F: detenimiento los episodios
17. BN: no había tenido tiempo.
21. BN: a ser romántico
23. BN: depende el cuero o la derrota!
29. BN: esto
31-32. BN: y ahora, como la tarde, en aquel
F: y ahora, en aquel
34-35 BN: daba vueltas sobre mí mismo y me sentía profundo y lleno
* *Pág. 379*
2. TB: raya de la luz [errata. *BN, F, Pr, EP: raya de luz*]
5. Fms: en unos juncales, gritaban
7 a 9: BN: [forman parte del párr. ant.]
13. Fms: [tach.: *habían pasado.* Reap. en *BN, Pr*] pasaron desde
F: pasaron desde
14. Fms, F: a cambiarme
16. Fms, F: Estas palabras no querían decir nada.
17. Fms: vida [tach.: *pasada*] de gaucho
19-20. Fms: una sonrisa pensar en tantos dueños [tach.: *de campos*] metidos
21 a 23. Fms, F: cualquier peligro impuesto por un caballo arisco, por un toro embravecido, por una tormenta o un viento fuerte.
23 a 26. Fms: de qué? Las estancias por donde había andado serían de quien quisiera pero el campo de Dios había sido bien mío. ¿Le había disparado alguna vez a la noche?

Las cosas del campo fueron mis amigas cuando nó mis derechos de fuerza y baquía. Así seguía siendo y esos mis amigos o domados me veían a menudo la cara de frente [tach.: *y ése ha sido* (tach.: *seguido*) *siempre*] siendo los íntimos de mi sentir.
24 a 26. F: campo serían de quien quisiera, pero el campo [escrito encima: *la pampa*] de Dios había sido bien mío [corr. a *mía*]. Sus cosas me fueron amigas por derechos
27. Fms, F, BN: Está de Dios que
28. Fms, F: del pasado, tal vez con el propósito de merecer de mi parte un juicio.

A orillas de un
* *Pág. 380*
1 a 3. Fms: arroyo resumí en la madurez de mi [tach.: *infancia*] niñez algunos años de infantil dolor. A orillas de un arroyo, también, revisé contento cinco años de vida gaucha.
1. F: mi niñez, dando agua a mi caballo
BN, Pr: Dando [tach.: *agua*] de beber
2-3. F, Pr, BN: de vida gaucha.
4-5. Fms: en mis posesiones hojeaba mi diario de patrón de estancia.

Bien digo, patrón. Don Leandro, mi tutor, nunca intervino sino con palabras capaces de orientarme, en mis trabajos de administración. Tuve un tenedor de libros, puesto por él, y dispuse a antojo, de entrada, de cuanto me pertenecía.

F: consultaba mentalmente mi diario de patrón.

Don Leandro mi tutor [el resto de este párr., igual que en *Fms, supra*] [en *Fms* y *F* sigue a *pertenecía.* el fragmento que en el texto def. ocupa lín. 15 a 20, con las diferencias que allí se anotan]

6 a 15. Fms, F: [este fragmento va a continuación de la lín. 28 del texto def., con las diferencias que se detallan aquí]:

6 a 8. Fms: hubiese seguido mi sentir, no [tach.: *estaría*] hubiera estado en la fecha de que hablo, instalado en él. Dos cosas

8-9. Fms, F: me habían decidido a cambiar

9-10. Fms, F: los consejos de Don Leandro,

10. Fms, F: de claras razones,
BN: por claras razones

11. Fms, F, BN, Pr: recibía por boca
EP, TB: llegaban [enm.: *llegaba*]

11-12. Fms: Por de pronto y como más sólido argumento recibí de

11 a 13. BN: [forman párr. ap.]

12. F: argumento todavía fue recibir

13. Fms, F: en el campo, en un potrero vecino del de las casas.

14. Fms: Demás está decir [forma parte del párr. ant.]
F: Demás está decir [se indica nuevo párr.]
BN: los viví

15. Fms, F: con mi padrino y salí con él en arreos de no más de una semana de duración. Otro refuerzo para que me quedara, fue la amistad de Raucho, aunque de éste recibiera impresiones bien distintas, pareciéndome en algunos momentos un ser extraordinario dotado de extraña experiencia y otras veces un chico libre de dolores, sin verdadero bautismo de vida. [Desde *pareciéndome,* estas líneas aparecen en el texto def. en p. 381, 19-20, con las dif. que allí se anotan. A este párr., en *Fms* y *F,* le sigue otro que en el texto def. ocupa las lín. 31 a 38 de pág. 380 y pág. 381, 1 a 3, con las dif. que allí se consignan]

16. BN, Pr, EP, TB: no miré a la casa [enm.: *no miré la casa*]

15 a 20. Fms, F: No fue por cierto la casa la residencia preferida. Conservando instintos de salvaje, hacía cama afuera en el verano y las estaciones templadas, eligiendo para el invierno un cuarto estrecho como una celda, sin más mobiliario que un ropero y el catre en que dormía. También conservé la costumbre de levantarme con el alba [*F: al alba*] y acostarme como las gallinas. [En *Fms* y *F* sigue a esto el fragmento que en el texto definitivo ocupa lín. 21 a 28, con las dif. que allí se anotan]

16. BN, Pr, EP, TB: no miré a la casa [enm.: *no miré la casa*]

17. BN: muy vívidos mis instintos salvajes

18. BN: hacían

18 a 20. Pr: [esta últ. or. forma párr. ap.]

21. Fms, F: poblada sólo

22-23. Fms, F: los grandes aposentos

23. Fms: [tach.: *al que*] cuya memoria
25-26. Fms, F: ella [*F: allá*] había muerto, siendo su presencia un recuerdo frío. De haberme animado
25. BN, Pr: ella se estaba muriendo, siendo
29 a 38 y
* *Pág. 381*
1 a 6. Fms, F: Nuestro compañerismo se selló pronto con un intercambio lírico. El me dio los primeros galopes a unos potros bayos que me regaló para entablar la antes tan deseada tropilla de ese pelo. Yo le correspondí con un igual número de alazanes. Mutuamente nos servimos de padrinos durante la amansadura. Nuestra amistad, por cierto, no podía haberse cimentado mejor, ni de un modo más gaucho. Para dos muchachos que andaban a caballo de sol a sol, era un modo de estar siempre presentes el uno para el otro.

El potrero a cargo de Don Segundo quedaba lindando con el campo de los Galván. De este modo nuestro trato pudo ser frecuente, sin contar los días que Don Leandro me llamaba a su lado para, junto con Raucho, enseñarnos el manejo de un establecimiento [estos dos párrafos, en *Fms* y *F,* aparecen después del consignado en p. 380, lín. 15].
4. BN: Nuestro trato, por otra parte,
6 a 13. Fms, F: Pero los mejores ratos eran los que pasábamos en el rancho de mi padrino, mano a mano con un mate [*F: con mate*] o una guitarra por medio, platicando de diversísimas cosas. Era entonces cuando yo notaba mi diferencia con mi amigo, y fue en esos momentos también en los que acertó a influenciarme con aficiones suyas. Raucho sabía
8. BN: de por medio,
18. Fms, F: e inglés
BN: en italiano
18 a 20. Fms, F: [Cf. *supra,* p. 380, lín. 15 desde *pareciéndome*]
BN: [párr. ap.]
20. BN: [finaliza en *vida*]
20 a 22. Fms, F: Otro motivo de conversación de Raucho era el de sus amoríos y diversiones y el de su deseo de ir a Europa. Entonces me parecía un niño. ¿Qué creía que iba a encontrar en la vida? [en *F:* tach.: *en la vida*] Yo lo juzgaba como se juzga al hombre que se empeña en darse un golpe. La vida
26-27. Fms: Mi nacimiento me impedía
27. Fms, F: diversión y lo escuchaba con un silencio de mudo.
28. Fms: esto
33 a 36. Fms: Además [tach.: *y*] aunque por la educación que me daba Don Leandro los libros por otro y algunos viajes a Buenos Aires con Raucho, al fin, fuera transformándome exteriormente en lo que se llama un hombre culto, nada ni en ropa ni en sentir ni en modo de juzgar la vida, mudaba en mí. Nada, por otra parte, me daba
33-34. F: Además por la educación que me daba Don Leandro, por un lado, los libros por otro y algunos viajes
35. F: al fin fuera transformándome
36. F: culto, nada ni en ropa ni en sentir ni en modo de juzgar

la vida, mudaba en mí. Nada, por otra parte, me daba
* *Pág. 382*
1. Fms, F, Pr: de aquella vida
3. Fms, F, Pr: me quedaba de la pasada vida.
5. Fms: las [tach.: *ocho*] cinco
6. Fms, F: donde lo hallaría
7. Fms, F: Resultaría
14 a 18. Fms: Lo encontré y nos saludamos como siempre [lo que sigue va en el mismo párr.].
15-16. Fms, F: legua de camino.
16. Fms, F: para cortar camino [escrito encima: *campo*],
18. Fms, F: No habíamos hablado
Fms: [termina aquí]
19. B: [comienza]
B, F: de aquella mano ruda recibí siempre [tach.: *como*] un mandato
Pr: de aquella mano
20. B: [tach.: *Ternura*] Tristeza
21. Pr: [finalizan en *El caballo de*]
23. B: separaba [escrito encima: *iba a separar*]
24. B, F: Mi vista se dormía
25. B: No supe [agr. al margen. Escrito encima: *Un rato ignoré*] si veía o evocaba.
27. B, F, EP: echaría adelante el cuerpo
30. B, F: la distancia:
B: galopar es [tach.: *siempre*] un hecho constante.
34. B: [tach.: *nítidamente*] nítida
35. B: [tach.: *aurora*].
35-36 y
* *Pág. 383*
1. B: [tach.: *Me pregunté si*] Aquello que se alejaba era más [agr.] una idea que [agr.] un hombre. Y bruscamente [tach.: *Don Segundo*] desapareció [tachado: *y quedó*] quedando
4. F: asomar por un momento
5. B: repecho.
[tach.: *La idea de que aquella corta presencia sería la última me hizo reaccionar ante mi sufrir. Galopé hasta la tranquera, a la derecha, para ganar algo de horizonte sobre la pequeña loma. La madrugada* (tach.)] El anochecer
6. B: dudoso [tach.: *En el lugar que me parecía más propicio esperé*]. Unas nubes
8. B, F: Una silueta reducida apareció
10. B: lejos. [tach.: *Tranquilo*]
12. B: pampa [tach.: *aún*] somnolente
B: Ya iba llegar
18. B: llanura. [tach.: *Me pregunté si era el sol pero*]
19. B, F: la presencia de un alma.
20. B, F: Sombra me repetí
21. B: ¿Rezar [tach.: *un padrenuestro?*]
23. B: eran de esas cosas

ÍNDICE DE LÁMINAS

ESTE LIBRO
SE TERMINÓ DE IMPRIMIR
EL DÍA 3 DE SEPTIEMBRE DE 1990